国家出版基金项目
NATIONAL PUBLICATION FOUNDATION

◎“十二五”国家重点图书出版规划项目
◎ 湖南省社科基金重大委托项目

近代湖湘文化研究丛书

近代湖湘文化转型中的民俗文化

郑大华 ◎ 主编　陈先枢 ◎ 著

岳麓書社 · 长沙

序

湖湘文化源远流长，博大精深，是中华文化中独具地域特色的重要一脉。但在近代以前，它的影响主要在学术方面，即表现为作为宋明理学内部一个流派的“湖湘学派”的形成，而对湖南的社会、政治、经济和大众生活影响不大，更不用说对中国的社会、政治、经济的影响了，与同时代的其他一些地域文化比较不具有典型性。进入近代后，湖湘文化异军突起，大放光彩，不仅深刻地影响着湖南社会的各个方面，而且对中国近代历史进程起过重要的推动作用。近代湖南是湘军的故乡，是戊戌变法、辛亥革命和大革命的中心地区，产生过一大批对中国近代历史有重大影响的人物。著名历史学家谭其骧在《湖南人由来考》中就曾指出：“清季以来，湖南人才辈出，功业之盛，举世无出其右。”从魏源提出“师夷长技以制夷”的主张，到曾国藩、左宗棠举办洋务运动；从谭嗣同、唐才常献身维新变法，到黄兴、宋教仁引领辛亥革命风骚；从蔡锷首举反袁护国义旗，到毛泽东、蔡和森宣传马克思主义和创立中华人民共和国……在近代中国的每一个重要历史时期，近代湖湘文化及其主体近代湖南人都起到了“开风气之先”或“中流砥柱”的作用。尤其是近代湖湘文化所形成的那种忧国忧民、实事求是、通变求新、兼容并蓄、敢为人先、勇于奋斗、不怕牺牲的精神，激励着一代又一代的近代湖南人为民族独立、社会进步、人民解放而上下求索，为我们留下了十分宝贵的精神遗产。改革开放后湖湘文化研究的开创者、著名历史学家林增平在《近代湖湘文化试探》一文中写道："1840 年鸦片战争前的漫长的古代，在湖南没有出现过几桩足以影响全国局势的大事；属于湖南籍的名人，寥若晨星。而跨入近代（1840 年后），就迥然不同，在诸如太平天国起义、戊戌变法、辛亥革命等重大事变中，湖南所产生的反映，着实引人瞩目；且人才辈出，为人们所称道，延续至现代，更呈现出鼎盛的局势。"（《历史研究》1988 年第 4 期）

自 20 世纪八九十年代以来，随着文化热的兴起，地域文化研究已越来越为学术界所重视。因为地域文化是整个中国文化的组成部分，它和中国文化之间存在着一种部分与整体、个别与一般、特殊与普遍的关系，我们要深入研究中国文化，发掘中国文化宝贵价值，继承中国文化优良传统，就必须对地域文化进行深入全面的研究，地域文化研究得越深入，越扎实，整个中国文化的研究就越能丰富多彩。同时，在中国文化内部之所以会形成不同的地域文化，是由于各地区的人文地理环境和历史传统的不同决定的，各具特色的地域文化已成为地域经济社会全面发展不可或缺的重要推动力。因此，加强地域文化研究，有利于对不同地域之特殊性的认识，从而为党和政府制定符合本地区区情的经济、文化、社会政策、开发和利用本地区的文化、旅游资源提供科学依据。

作为一种地域文化，近代湖湘文化是中国近代文化的重要组成部分，加上它在近代中外古今文化的冲突与交融中又处于承接南北、融会东西的位置，在地域文化研究中的地位非常重要。早在民国时期，钱基博、谭其骧等人就探讨过湖湘文化在近代异军突起、大放光彩的原因。从 20 世纪八九十年代开始，越来越多的学者，特别是湘籍学者先后投入到对近代湖湘文化的研究之中，出版和发表了一大批研究成果。据初步统计，从 1990 年到 2015 年的 25 年间，关于近代湖湘文化研究的论文在 300 篇左右，如林增平的《近代湖湘文化试探》、饶怀民的《近代湖湘文化的源流、结构及其特征》、茅海建的《也谈近代湖湘文化》、周跃云的《近代湖湘文化与湖南地理》、郭汉民的《近代湖湘文化的爱国传统》、王继平的《论湘军与晚清湖湘文化》、麻天祥和吴仰湘的《传统学术的递嬗与近代湖湘文化的崛起》、许顺富的《论湖湘文化对湖南早期现代化的负面影响》《近代湖湘文化与西方文化的冲突和融合》、唐浩明的《湖湘文化及其当代价值》、谭长富和康化夷的《湖湘文化的反思》、易永卿的《湖湘文化对湖南无产阶级人才群体的影响》、户华为的《湖湘文化及其特征与历史定位》、刘云波的《江浙文化与湖湘文化比较论》、朱汉民的《湖湘文化与中国文化》等。相关的论著有彭大成的《湖湘文化与毛泽东》《魏源与西学东渐——中国走向近代化的艰难历程》《中西冲突融合中的近代湖湘文化——从近代走向现代的历史抉择》、朱汉民和陈谷嘉的《湖湘学派源流》、张伟然的《湖南历史文化地理研究》、王兴国和聂荣华主编的《湖湘文化纵横谈》、郑焱的《近代湖湘文化概论》、刘泱泱的《近代湖南社会变迁》、陶用舒的《近代湖南人才群体研究》、湖南师范大学文学院编的《湖湘文化论集》（上、下）、周秋光主编的《湖湘文化宏观研究》、王立新的《开创时期的湖湘学派》、朱汉民主编的五卷本《湖湘文化通史》等。学位论文有曾汉业的《湖湘文化新探》、杨铮铮的《王夫之与湖湘文化的近代转换》、肖高华的《曾国藩文化思想与中国近代化》、刘鹤的《贺长龄经世思想研究》、李陵的《唐鉴与晚清理学"复兴"》等。回顾过去，展望未来，如何在认真总结已有成果的基础上，进一步深化近代湖湘文化研究，这是学者们面临的共同任务。2004 年 3 月 9 日，我曾应约在《光明日报·理论版》的"史学专栏"发表了一篇《如何深化近代湖湘文化研究》的文章，我在文中写道：

作为一种区域文化，如同近代岭南文化、江浙文化等一样，近代湖湘文化也是近代中国文化的重要组成部分。因此，我们要进一步深化近代湖湘文化的研究，首先就必须把它放在近代中国文化这一大背景中加以考察，以厘清它与近代中国文化的互动关系，亦即近代中国文化的变动、转型与发展是怎样影响和制约近代湖湘文化的变动、转型与发展的，近代湖湘文化的变动、转型与发展又对近代中国文化的变动、转型与发展产生了什么影响。检视已有研究成果，大多是就近代湖湘文化论近代湖湘文化，很少涉及近代湖湘文化与近代中国文化的关系问题。因而，在评价近代湖湘文化的历史地位和作用时，往往不是拔高，就是贬低，很难实事求是。

近代中国文化的变动、转型与发展对近代湖湘文化的影响和制约主要表现在以下几个方面：第一，影响和制约着近代湖湘文化的发展历程。依据文化的性质及其表现形态，这一时期的近代中国文化大致经历了三个发展阶段，即资产阶级新文化的萌发或准备阶段（从 1840 年的鸦片战争到 1895 年的中日甲午战争）、资产阶级新文化的形成和发展阶段（从 1895 年的甲午战争到 1919 年的五四运动）、无产阶级新文化的形成和发展阶段（从 1919 年的五四运动到 1949 年中华人民共和国的成立）。近代湖湘文化也同样经历过这样三个发展阶段。第二，影响和制约着近代湖湘文化的结构变化。近代中国文化的结构变化首先是文化构成的变化，即从 1840 年鸦片战争以前单一的封建主义文化变成包括封建主义文化、帝国主义文化、资产阶级新文化和无产阶级新文化等多种不同性质的文化并存的半殖民地半封建文化，其中封建主义文化与帝国主义文化结成同盟，反对资产阶级新文化（五四运动前）和无产阶级新文化（五四运动后），而资产阶级新文化（五四运动前）和无产阶级新文化（五四运动后）在与封建主义文化和帝国主义文化的斗争中不断发展壮大，并最终成为中国文化发展的方向。近代湖湘文化也同样发生了这种结构变化。第三，影响和制约着近代湖湘文化的形成和内容。近代中国文化是在中西文化的冲突与融合过程中、在新旧文化的斗争与调适过程中形成的，实现民族独立（救亡图存）和社会进步（科学与民主）始终是近代中国文化的追求目标和主要内容。近代湖湘文化的形成和主要内容也不外于此。至于近代湖湘文化的变动、转型与发展对于近代中国文化的影响，可以用“丰富”和“推动”两词加以概括。作为对近代中国政治、思想及其他领域产生过重要影响的区域文化，近代湖湘文化不仅以它不同于其他区域文化的特色使近代中国文化更加丰富多彩，而且对推动近代中国文化的发展做出过巨大的不可磨灭的贡献，在近代中国的每一个重要历史时期，近代湖湘文化及其载体近代湖南人都起到“开风气之先”或“中流砥柱”的作用。

其次，在加强对近代湖湘文化与近代中国文化互动关系研究的基础上，还要加强与诸如岭南文化、江浙文化、三秦文化、齐鲁文化、中原文化、巴蜀文化等区域文化的比较研究，只有通过与其他区域文化的比较，我们才能对近代湖湘文化在近代中国文化中的地位和作用有更清楚的认识，也才能更准确地把握近代湖湘文化的特征。比如，已有的研究成果几乎无一例外地把经世致用和爱国主义作为近代湖湘文化的主要特征，这就值得商榷。因为所谓特征，是唯我独有、别人所无的东西。如果人人都有，又怎能称为特征呢？以经世致用而论，它是中国儒家文化的精华，是历代知识分子一以贯之的优良传统和价值取向。不仅近代湖南的知识分子如此，近代其他地方的知识分子也是如此，比如嘉（庆）道（光）年间，湖南的陶澍、贺长龄、魏源等人主张经世致用，并形成了一个被人们称之为“嘉道经世派”的人才群体，同样浙江的龚自珍、安徽的包世臣和姚莹、福建的林则徐、山西的徐继畬、江西的黄爵滋等人也都主张经世致用。既然经世致用不是近代湖湘文化所独有的东西，它也就不能成为近代湖湘文化的特征。当然湖湘文化因各种历史和学术的原因，有的时候经世致用可能比其他地方表现得要更强烈一些。至于把爱国主义说成是近代湖湘文化的特征，那就更失之毫厘、差之千里了。因为爱国主义是近代中国文化的时代旋律，近代湖南人爱国，其他地方的人也一样爱国。中国近代史上涌现出一大批著名的爱国人士，湖南人只占其中的一部分。如果说爱国主义是近代湖湘文化的特征，那么它也应该是岭南文化、江浙文化或其他区域文化的特征。我认为真正能称之为近代湖湘文化特征的，是从古代湖湘文化继承下来并加以发扬光大的那种敢为天下先、“无所依傍，浩然独往”、勇于奋斗、不怕牺牲的“特别独立之根性”，也就是民间通俗所说的“吃得苦，霸得蛮，扎硬寨，打死仗”的精神。早在20世纪初，革命志士杨毓麟在《新湖南》中就写道：“（湖湘文化）其岸异之处，颇能自振于他省之外。自濂溪周氏师心独往，以一人之意识，经纬成一学说，遂为两宋道学不祧之祖。胜国以来，船山王氏以其坚贞刻苦之身，进退宋儒，自立宗主；当时阳明学说遍天下，而湘学独奋自异焉。自是学子被服其成俗。……道咸之间，举世以谈洋务为耻，而魏默深首治之；湘阴郭嵩焘远袭船山，近接魏氏，其谈海外政艺时措之宜，能发人之所未见，冒不韪而勿惜。至于直接船山之精神者，尤莫如谭嗣同。无所依傍，浩然独往，不知宇宙之圻埒，何论世法！其爱同胞而惎仇虐，时时迸发于脑筋而不能自已，是何也？曰：独立之根性使然也。”1920年1月，陈独秀在《新青年》上发表的一篇题为《欢迎湖南人底精神》的文章也指出：“湖南人底精神是什么？‘若道中华国果亡，除非湖南人尽死。’无论杨度为人如何，却不能以人废言。湖南人这种奋斗精神，却不是杨度说大话，确实可以拿历史证明的。二百几十年的王船山先生，是何等艰苦奋斗的学者！几十年前的曾国藩、罗泽南等一班人，是何等‘扎硬寨’、‘打死战’的书生！黄克强历尽艰难，带一旅湖南兵，在汉阳抵挡清军大队人马；蔡松坡带着病率领子弹不足的两千云南兵，和十万袁军打死战，他们是何等坚忍不拔的军人！……我们欢迎湖南人底精神，是欢迎他们的奋斗精神，欢迎他们奋斗造桥的精神。”近代湖湘文化的这种敢为天下先、“无所依傍，浩然独往”、勇于奋斗、不怕牺牲的“特别独立之根性”，正如杨毓麟所说的那样，“其岸异之处，颇能自振于他省之外”。这才是近代湖湘文化的特征。我们在比较湖湘文化与其他区域文化的异同时，应重点加强与近代岭南文化和江浙文化的比较，因为在中国近代史上，这三个区域都曾涌现出许多有着举足轻重影响的著名人物,都对近代中国文化的发展做出过巨大贡献。

此外，还应加强对近代湖湘文化形成和发展之社会原因的研究。众所周知，在古代的绝大多数时期内，湖湘文化平淡无奇，没有什么影响力。但进入近代后，尤其是太平天国运动发生后，湖湘文化则突然一跃而起，“一鸣惊人”，成为近代中国文化中一枝光彩夺目的奇葩。个中原因，值得认真研究。已有学者在这方面做了一些开拓性工作，如有的学者提出古代湖湘文化的影响，特别是船山思想的影响，是近代湖湘文化形成和发展的重要原因；有的学者通过对元末明初、明末清初两次大移民所带来的湖南乡俗民风变化的分析，认为移民的作用对于近代湖湘文化的形成和发展有着非常重要的意义；有的学者则着眼于湖南的地理位置，认为湖南是中西新旧两种文化氛围犬牙交错的“锋面”，近代湖湘文化就是在这种冲突与交融的文化和政治斗争中形成与发展起来的。上述观点虽然都不失为一家之言，但我认为除这些原因外，近代湖湘文化形成和发展的最主要或根本的原因，恐怕还要到近代湖南的社会存在中去寻找，到时代与传统的冲击所形成的历史机遇中去寻找。因为古代湖湘文化的影响，并非始于近代，更确切地说，并非始于太平天国运动的爆发，为何此前湖湘文化没有

“一鸣惊人”？元末明初、明末清初的两次大移民，也非仅仅发生在湖南，不少省份都发生过，比如清初那次，就是“湖广填四川，江西填湖南”，但为何其他省份没有形成类似于导致近代湖湘文化形成和发展的乡俗民风？近代与湖南地理位置相近的还有湖北、河南、江西，它们都地处中南，是近代中西新旧文化冲突与交融较为激烈的地区，为何这些省份的近代文化不像近代湖湘文化那样地位显赫？实际上近代湖湘文化突然一跃而起的转折是曾国藩湘军的兴起。在此之前虽然有陶澍、贺长龄、魏源等人倡导经世实学，但他们成名和发生影响都是在东南地区，与近代湖湘文化的形成和发展有关系，关系不是很大。湘军为何能兴起？它有哪些偶然性与必然性？湘军的兴起引起了近代湖南社会的哪些变动？这些变动与近代湖湘文化的形成和发展究竟存在着一种什么样的关系？我曾多次向一些湘籍学者建议，希望他们能运用社会学与历史学相结合的方法，认真研究一下湘军兴起前（嘉、道年间）后（咸、同、光年间）湖南人口结构、经济结构、阶级结构、政权结构、知识结构、土地占有关系、乡俗民风、士人意识等方面的变化，从中找出近代湖湘文化兴起和发展的原因。但遗憾的是，迄今为止，还没有看到这方面有分量的论著或论文。

要进一步深化湖湘文化研究，还必须加强合作。首先是各学科间的合作。因为近代湖湘文化涉及历史、经济、政治、社会、教育、文学、军事、民风习俗、士人心理等多方面的内容，只有各学科合作，进行跨学科、多学科的研究，才能联合攻关，取得成效。但就目前的状况来看，这一问题尚未引起学者们的重视。其次是各研究单位的合作。湖南不少大学都设有湖湘文化研究机构，但各研究机构之间的联系还很不够。这不利于发挥湖南研究湖湘文化的整体优势，希望有关方面能做一些协调工作。总之，我希望在不久的将来，近代湖湘文化的研究能取得更大更多的成果，能在中国近代区域文化的研究中占有与其所匹配的重要的地位。

以上就是我在《如何深化近代湖湘文化研究》一文中提出的主要观点。本丛书就是依据上述观点，同时加入后来的一些思考和朋友的建议而构架起来的。它主要由五本独立成篇的著作组成：（一）《地域文化理论视域下的湖湘文化研究》；（二）《近代湖湘文化与近代中国历史进程》；（三）《近代湖湘文化与近代湘籍人才群体》；（四）《近代湖湘文化转型中的民俗文化》；（五）《近代湖湘文化精神及其当代价值》。本来计划中还有一本《近代湖湘文化与中国近代其他区域文化的比较》，但由于没有找到合适的作者，而只好割爱，这不能不说是一个遗憾。我希望本丛书如有再版的机会，争取不再留下这一遗憾。

顾名思义，《地域文化理论视域下的湖湘文化研究》主要研究地域文化理论下湖湘文化研究的理论问题，探索湖湘文化研究的理论与方法，阐释围绕地域文化理论视野下湖湘文化研究主要内容、基本特征和历史变迁，以及近代湖湘文化研究所涉及的一些重大理论。它包括以下几个方面的主要内容：（一）地域与地域文化的定义、对象、内容和范围问题。从历史学、文化地理学、文化学等学科角度对地域与地域文化进行研究界定，回答什么是地域和地域文化的问题。具体包括：1. 地域文化作为一种文化类型存在的学术合理性及范围的确定；2. 地域和地域文化的历史的、地理的和文化的划分依据；3. 地方、地域和地域文化三者的关系；4. 地域文化研究的意义。（二）地域文化研究的基本理论与方法问题。对文化地理学、文化史学和文化人类学等不同学科关于地域文化研究理论与方法进行认真系统地梳理，总结和提升其对“地域文化”的认识和思想的成果，寻找这些地域文化研究的主要理论流派对湖湘文化研究的理论与方法的启示。（三）湖湘文化研究的理论视角和方法问题。探讨在地域文化的多维理论视野下湖湘文化研究的理论视角和依据，并在一些重要问题上形成新的理论认识。具体包括：湖湘文化的地域历史建构，湖湘文化“多源一流”与“多元一体”的历史过程与文化机制，湖湘文化的内部与外部文化关系，湖湘文化的结构与功能，湖湘文化的文化形态学特征，湖湘文化的地位和作用以及湖湘文化的历史变迁等。就研究方法而言，除历史学的方法外，还应该采用文化学、社会学、民族学、民俗学、人类学等其他学科的研究方法，走进历史现场，把田野调查与文献考证结合起来，把通史文献与民间文献结合起来。（四）近代湖湘文化研究所涉及的一些重大理论问题，如湖湘文化的近代转型，近代湖湘文化中的精英文化与大众文化，近代湖湘文化创新与发展的动力，近代湖湘文化与近代中国文化、近代外来文化和近代地域文化的关系，近代湖湘文化的历史地位和评价等。

《近代湖湘文化与近代中国历史进程》主要研究近代湖湘文化与近代中国历史进程的互动关系，揭示近代湖湘文化在近代中国历史进程中的作用。具体而言，（一）从宏阔的历史背景出发，以近代中国社会变迁、中外关系等为视角，探讨近代中国历史进程对湖湘文化的影响，揭示湖湘文化在近代的发展、演变与转型。具体探讨的问题有：1. 中国内部社会变动对湖湘文化演变的影响；如鸦片战争前后中国的社会变迁与湖湘经世派的兴起。2. 近代中国重大政治事件对湖湘文化的影响，如太平天国起义与湖湘理学经世派的产生、湘军崛起与湖湘文化的勃兴、戊戌维新和清末新政对湖湘文化的影响、辛亥革命与湖湘文化的转型等。3. 中西关系对湖湘文化的影响，一是西力东侵的影响，如魏源“师夷长技”主张的提出，曾国藩等湘籍督抚倡办洋务事业；二是西学东渐对湖湘文化的影响，如洋务运动时期湖湘文化所受西学的影响、五四前后新文化的传播以及马克思主义传播对湖湘文化转型的影响。（二）从近代湖湘文化的特质及其演变出发，以中国现代化进程为视角，探讨湖湘文化对近代中国历史进程的影响。具体探讨的问题有：1. 湖湘文化与近代中国政治。通过研究湖湘人才群体对咸同之际的政治变迁、洋务运动的影响，湘籍人才群体对戊戌维新、清末新政和辛亥革命的影响，揭示湖湘文化在中国政治现代化进程中的作用。2. 湖湘文化与近代中国的思想文化。通过研究魏源“师夷长技”主张的思想影响，曾国藩、左宗棠等人倡办洋务，谭嗣同等人倡导维新变法，黄兴、宋教仁、陈天华等人鼓吹民主革命等，揭示湖湘文化对近代中国思想文化的发展历程的影响。3. 湖湘文化对近代中国经济的影响。通过研究湘籍督抚发展近代企业，揭示湖湘文化对近代中国资本主义经济发展的影响。4. 近代湖湘文化与近代中国国家发展前途，通过探讨湘籍国民党人和共产党人对中国出路的选择，揭示湖湘文化对国家与民族命运的影响。（三）通过历时性的前后比较、共时性的彼此比较，对湖湘文化在近代中国历史进程中的地位与作用给予适当的客观评价。

《近代湖湘文化与近代湘籍人才群体》旨在考察近代湘籍人才群体的形成和发展过程，厘清近代湘籍人才群体的地理分布、时段分布、类型分布和不同的教育背景，并在此基础上揭示出近代湘籍人才群体的基本特点，说明近代湘籍人才群体形成的内在机制与外部因缘，特别是近代湖湘文化对近代湘籍人才群体形成的深刻影响，以及近代湘籍人才群体对近代湖湘文化的发展演变所起的重要作用。同时通过对近代湖湘文化与近代湘籍人才群体互动过程的考察，深入研究这种互动对近代湖南社会变革（包括政治变革、经济变革、思想文化变革和社会习俗变革）所起的促进作用。此外，近代湘籍人才群体在近代湖湘文化的浸染下形成和发展的规律，以及文化与人才群体互动所提供的历史借鉴，也是本书研究的重要内容。

《近代湖湘文化转型中的民俗文化》研究的主要内容是与大众

社会生活密切相关的近代湖湘文化中的民俗文化，旨在通过对近代湖南大众社会生活的考察，来把握近代湖湘文化，揭示湖湘文化传统对大众社会生活的影响，以及在新的历史背景下，社会变迁是如何影响到民俗文化的，并由民俗文化来反观近代湖湘文化转型的具体面相；同时，通过考察近代湖湘民俗文化的具体现象，透视精英文化与民俗文化的互动。具体来说，主要研究以下九个问题，即：（一）近代湖湘民俗文化的渊源以及在近代社会的转型；（二）晚清湖南士民社会心理与民俗行为的变迁；（三）辛亥前后湖南社会结构变化与社会风貌改善；（四）近代湖南民权思潮和新文化运动对湖南社会的影响；（五）湖南近代工商业的转型与商业民俗的变化；（六）湖南宗教与民间信仰的近代变迁；（七）近代戏曲民俗的演变和“文明戏”的传入；（八）“新生活运动”和湖南社会风俗的变化；（九）湖南近代城市公共空间的变化及其对民俗的影响。

地域文化的“地域性”是由它的精神内核决定的。这种精神内核在地域文化形成之初即已鲜明地呈现出来，并且决定了地域文化发展变迁的方向，其结构性因素的扬弃也是以这种精神内核为旨归。《近代湖湘文化精神及其当代价值》一书认为，近代湖湘文化的精神内核，是湖湘文化发源之际屈（原）贾（谊）精神所塑造的忧国忧民的精神特质和其后发展变迁过程中形成的以事功为第一要义的人生价值取向，这种忧国忧民和事功化的人生价值取向潜藏在每一个近代湖湘文化的承载主体身上，在不同的历史时期表现出不同的内涵特征，并决定了近代湖南人以何种方式投身于近代社会变革的历史大潮之中，在他们身上我们更可以看到其表现出来的一种共同的精神气质及文化品性。因此，本书将分五个部分来探讨近代湖湘文化精神及其当代价值，第一部分主要从湖湘文化的历史发源、屈（原）贾（谊）精神与湖湘文化精神的起源、“湖湘学派”与湖湘文化精神的形成、多民族社会和移民与湖湘文化精神等四个方面来分析湖湘文化精神形成的内外机制；第二部分主要从甲午战争之前湖湘文化的发展、湖湘文化与湘军的兴起、转型中的近代湖湘文化精神和影响湖湘文化精神近代转型的诸因素等四个方面阐述湖湘文化精神在近代的艰难转型；第三部分主要从近代湖湘文化精神与近代湘籍人才群体、近代湖湘文化精神与近代湖南社会结构变迁、近代湖湘文化精神与近代湖南经济关系的变动、近代湖湘文化转型与近代湖南社会文化载体和社会风俗的演变等方面来研究近代湖湘文化精神与近代湖南社会的关联；第四部分主要从近代中国视野下的近代中国文化影响和制约近代湖湘文化精神、近代湖湘文化又丰富和推动近代中国文化发展、中西文化冲突和交融下的近代湖湘文化精神及与其他地域文化比较等方面来观照近代湖湘文化精神在近代的历史地位；第五部分主要从民族复兴契机下当代中国文化转型的理论逻辑与实现途径、文化自觉与湖湘文化当代转型的意义思考、民族复兴与湖湘文化现代转型及路径思考等方面来探讨近代湖湘文化精神的当代价值和实现创造性的转换问题。

本丛书的出版，首先要感谢湖南师范大学历史文化学院中国近代史学科负责人李育民教授以及学科的其他同事们。那还是2011年，我在学科负责人李育民教授的支持下，打算以“近代湖湘文化研究”为题目申报国家社科基金重大项目（重大课题就是那一年开始的）。为此，我组织了一个强大的学术团队，其成员主要有湖南师范大学历史文化学院中国近代史学科的李育民教授、莫志斌教授、钟声教授、李传斌教授、刘利民教授、张晶萍教授、朱华建教授以及禹江博士、邵华博士，湖南师范大学公共管理学院的彭大成教授，中南大学马克思主义学院的彭平一教授（现已故），湘潭大学历史学院的王继平教授，国防科技大学的薛学共教授，湖南社会科学院的刘云波教授，湖南大学的刘平副教授等。

课题组成员多次开会，对课题申报书进行了反复的讨论和修改，并且广泛征求了北京等地的一些专家学者的意见，他们认为我们的团队实力雄厚，申报书论证充分，应该十之八九有成功申报的可能，但出乎意料的是，申报书由学校上报到湖南省社会科学基金办公室后，因“你懂的”，湖南省社会科学基金办公室根本就没有上报到国家社会科学基金办公室。尽管申报没有成功，但李育民教授以及学科的其他同事们和所有课题组成员对我的无私支持令我十分感动！其次要感谢我的朋友——《中国人传统思维批判》一书作者岳楚渔先生。楚渔先生知道我在思考“近代湖湘文化研究”的课题后，作为湖南人，他表示大力支持，并找到当时湖南省的一位主要领导，通过这位领导的转批，湖南省社会科学基金办公室后来给了我一个“湘军与近代湖湘文化研究”的重大委托课题，2012 年结项，获评优。感谢岳麓书社的领导，尤其是责任编辑饶毅主任。2012 年，她听说我原来申报过“近代湖湘文化研究丛书”的重大课题，于是乘“十二五”国家重点出版规划项目增补的机会，建议我申报，顺利获得通过；2015 年下半年又在她的大力支持和主持下，本丛书又申报国家出版基金再次获得通过，这样就保证了丛书的顺利写作和出版。饶毅主任不仅为本丛书纳入“十二五”国家重点出版规划和获得国家出版基金的支持做出了重要贡献，而且在本丛书的写作和出版过程中，因我的事情太多，又经常不在长沙，她实际上负起了主编应负的责任，如经常联系作者，询问写作近况，提出修改意见，解决作者遇到的一些困难，催促作者交稿等。她对本丛书的编校也非常认真，一丝不苟。她这种为主编、为作者排忧解难，工作认真负任的精神，值得我认真学习！感谢湖南省参事室和文史馆的领导。2014 年年底，我有幸被聘为湖南省政府参事。省参事室和省文史馆是一个单位。当时主管省文史馆的陈伏球主任交给了我一项任务，即以省文史馆馆员为主要作者班子，主编撰写《湖南时务学堂研究》。2015年该任务完成后，我向当时主管省文史馆的李跃龙主任提出，将撰写"近代湖湘文化研究"丛书纳入省文史馆的工作，并以原参与《湖南时务学堂研究》撰写的文史馆馆员为基本队伍，得到李主任的支持。如果没有跃龙主任的支持，本丛书是很难于短时期内完成的。因为依据国家出版基金的要求，本丛书最迟须在2017年10月完成。感谢参与丛书写作的陈先枢、刘少虎、杨锡贵、周敏之、许顺富、梁小进、刘觅知、邵华等诸位同仁，他们的积极参与，保证了本丛书的按时出版，因为本丛书虽然构思已久，准备已久，但真正进入全面写作则是在列入国家"十二五"重点出版物规划特别是国家出版基金计划之后，前后也就不到两年时间。尤其要感谢方克立、唐凯麟两位先生。两位先生德高望重，是各自研究领域的大师级人物。方先生是中国社会科学院首批学部委员，研究生院原院长，他研究的虽然是中国哲学史，但作为湖南人，他也十分关心湖湘文化尤其是近代湖湘文化研究，是湘潭大学《湘学研究》主编。唐先生是湖南师范大学资深教授，是湖南学术界的一面旗帜，他的专长是中国伦理学，但对湖湘文化尤其是近代湖湘文化他也有许多精辟见解，他的弟子中不少人是研究湖湘文化的知名学者。二位先生屈尊出任丛书学术顾问，既是对本丛书的极大支持，也是对我们这些近代湖湘文化研究者和爱好者的莫大鼓励和鞭策。尤其是二位先生长期以来对我都十分关心，提携我，帮助我，早在20世纪80年末，我还在北师大跟着龚书铎先生读博士生的时候，方先生就把我拉进了他主持的现代新儒家研究课题组，我毕业走向工作岗位后，方先生仍然给我许多帮助和指导，我有什么困难或需要他支持的事情，只要我提出来他都会给予大力支持。自我2003年被聘为湖南省"芙蓉学者计划"首批特聘教授，同时受聘为湖南师范大学国家重点学科中国近代史学科特聘教授后，就多次得到唐先生的关心、帮助和支持，记得2008年我第一个聘期期满，到省教育厅接受专家组的考核，唐先生是五位专家之一，也是五位专家中唯一一位社会科学专家，其他四位都是自然科学研究领域的院士，唐先生对我五年来的工作给予了充分肯定，并就以后我的工作和发展提出了很好的建议。后来因为工作或研究方面的事情，我又多次请教唐先生，打扰唐先生。二位先生对我的关心和帮助，我将永远铭记在心，知恩图报。感谢（按姓氏笔画为序）王兴国、王继平、朱汉民、李育民、李跃龙、刘泱泱、刘建武、杨念群、郑佳明、郑焱、周秋光、唐浩明、莫志斌、陶用舒、彭大成诸位先生，诸位先生都是研究湖湘文化特别是近代湖湘文化的大家和权威，在学术界有着广泛的影响力，应我的请求，担任丛书学术指导委员会委员，贡献他们的智慧和独到见解，从而提升了本丛书的学术品质。感谢所有关心、帮助和支持本丛书立项、撰写和出版的各界朋友。滴水之恩，必当涌泉相报！当然，丛书不可避免地会存在这样或那样的一些问题，特别是丛书虽然有个统一的主题，每本书我也提出了一个比较详细的写作大纲，但由于每本书都是独立成篇，撰写者有修改、补充的权利，如何写？写什么？也都由撰写者自己决定，所以书与书之间就或多或少地会存在一些资料引用和观点方面的重复，甚至矛盾之处，我尽管做了统稿，但这些现象还是存在。作为丛书主编，我理当负责。在此，真诚地希望广大专家和读者提出批评意见，以便我们在以后再版时加以修改，来信请寄长沙湖南师范大学历史文化学院，邮编：410081，或电子邮箱：zhengdh2002@126.com

在丛书即将出版之际，拉拉杂杂写了上面这些话，权为序。

郑大华

2017年10月1日

目 录

绪 论：

湖湘民俗文化的渊源及其近代转型

湖湘民俗文化本是湖湘文化的组成部分，它们同源同流，既冠以“湖湘”二字，就有了强烈的湖湘地域特点。湖湘民俗文化从形成的那一刻起，就与湖湘地域文化，亦即广义的湖湘文化紧密联系在一起了。尽管湖湘民俗文化长期以来深受封建宗法思想和宗教迷信思想的影响，其中掺杂了不少落后和愚昧的因素，但在营造群体间敦厚、朴实、淳良、与人为善、助人为乐的和谐、互利、有序的行为规范方面，起到了一定“美教化，移风俗”的积极作用。到近代，湖湘民俗文化的转型是伴随湖南社会和湖湘文化的转型而起的，特别是由农业社会进入工业社会，由自然经济过渡到商品经济，恶规陋俗逐渐革除，而良风美俗、流行时尚随之而生。

一、湖湘民俗文化的源和流

所谓“民俗”，“民”即民众，“俗”即以口头、物质、风俗或行为等形式创造和传播的文化现象，是人们在日常生活中自觉或不自觉的一种行为规范、道德伦理、认知方式和思维模式。作为一种常见的文化现象，民俗是千百年来民众所创造的知识和认识系统，是人们在日常生活中靠口头和行为方式传承的一种文化模式。这种文化模式既为人类所创造、享受，又随着时代发展和生活演进处在不断变异之中。[①]

（一）湖湘民俗的基本特点

“民俗”中“民”的语义，远没有“俗”一字丰满复杂。俗为

① 陶立璠．中国民俗大系：序言［M］．兰州：甘肃人民出版社，2003：1.

风俗的简称，包括了风与俗。风俗，顾名思义指的是人类社会的风尚和习俗。按唐代学者孔颖达的解释，由于自然条件不同而形成的习尚叫作“风”，由社会环境的不同而形成的习尚叫作“俗”。

不同的地域有不同的风俗，因此湖湘民俗文化从形成的那一刻起，就与湖湘地域文化，亦即广义的湖湘文化紧密联系在一起了。

中国地域辽阔，不同的民族，不同的自然条件，会形成不同的生活与生产习俗。农民有农民的习俗，渔民有渔民的习俗，商人有商人的习俗，泥木匠也有自己的独特习俗。南国江河纵横，气候湿热，才有可能产生龙舟竞渡，门悬菖蒲、苦艾，饮雄黄酒以避邪的端午之俗。这就是“风”之所由。

而生产力、生产关系的发展，使生活在不同时代的人具有了不同的价值观念与道德观念，因此使得传统的风俗并非一成不变。在封建时代，婚姻是维系家庭与家族之间的政治经济纽带，《礼记·昏义》说“上以事宗庙，而下以继后世也”，这是家族的事而非个人的事，青年男女若想反对包办婚姻，确实是一件离经叛道的事情。而近世以来，随着生产方式的改变，个人在社会上的活动范围越来越大，频率越来越高，独立性也就越来越强，宗族在社会生活中的影响则日趋减弱，包办婚姻失掉了赖以存在的社会基础，自然也就渐趋消亡了。这就是“俗”之所在。[①]

由此可见，风俗的形成，至少有以下几个明显的特点：

首先是具有民族和地域的特点。《礼记·王制》说：“广谷大川异制，民居其间者异俗。”全世界所有的民族，各个地区，都具有自己独有的风俗。其次，一种风俗的出现和存在，反映了特定时空范畴内人们的世界观、价值观、道德观和审美观。实际上，风俗是一种地域文化的传承现象。再次，风俗的产生总是历代相延，积久而成的。一种风俗的形成，往往需要数十年，上百年，甚至

① 陈泽珲，陈先枢．长沙传统风俗大观：序［M］．长沙：国防科技大学出版社，2011：1.

上千年的时间积累。改变一种风俗固然不是一件轻而易举的事情，但自然条件和社会环境的巨大变化，则肯定是移风易俗的最大动力。

以往的很多民间风俗，往往是以神鬼祭祀，以及行为和语言避讳的形式表现出来的。古人对自然界和人类社会的发展规律缺乏科学的了解，便把趋吉避凶的愿望寄托在冥冥世界里的神鬼身上。天旱不雨，要祭龙王；治病疗疾，要祭药王；向往生活富足，要祭财神。

语言和行为的忌讳也是怕激怒了神鬼，给自己带来不测。实际上，这些神鬼以及他们的神通，都是人们根据自己的实际需求创造出来的，人是神的缔造者。

近现代随着科学技术水平的提高，鬼神观念已大为淡薄。但在民俗活动中仍存在着某些崇拜对象和祭拜方式。其中有些行为纯粹是因迷信所致，听信巫婆神汉而导致死亡的现象，比比皆是。迷信的来源是愚昧，人类社会需要提高自身的科学文化水平。而有些行为则不一定是真正的迷信。如节日使用寓意吉祥的色彩、图案和语言，应该看成是人们对祈望与追求的一种物化，因为趋吉避凶的美好愿望总是与人类社会相始终的。而对人文始祖、家族先人或历史上其他伟人的祭拜，以及民间歌舞、戏曲、文学、工艺美术中种种民俗信仰和图腾崇拜，也不应一概视作迷信的鬼神祭祀，有的还能通过这种活动增强民族的凝聚力和社会的和谐，甚至成为传承和发扬的非物质文化遗产。

（二）湖湘民俗溯源

湖南有着悠久的历史和灿烂的文化。作为与这一特有的湖湘文化相共生、相伴随、相融汇而共同发展的湖湘民俗文化，同样源远流长而丰富多彩。湖湘民俗的产生、形成、演变、发展，和整个中华民族的风俗一样，既有共同的历史进程和共同的时代特征，又有它本身独特的地域风貌。

古代湖湘民俗的表现是多方面的，首先表现在对各种图腾的崇拜，对鬼神的信仰和对天、对神、对死者、对祖先的祭祀以及具有特色的歌谣舞蹈等方面。据历史考证，早在新石器时代晚期，湖湘地区的先民、当时的土著扬越族就已经在这里从事渔猎和农业生产活动，有了与中原文化相媲美的扬越族土著文化和与之相应的风俗习惯。从长沙出土的一批古墓葬证实，当时的长沙就已经有了相当完备、隆重的丧葬礼俗。公元前6世纪，楚国入主洞庭湖之南（简称湖南），从此长江中下游一带的楚风俗文化便逐渐深深植根于湖南这方热土。楚俗信鬼神、崇巫术、喜祭祀、擅歌舞，在后来东汉王逸的《楚辞章句》里就有记述："昔楚国南郢之邑，沅湘之间，其俗信巫而好祠，其祠必作歌乐鼓舞以乐诸神。"屈原的《九歌》就是根据当时民间的祭歌创作而成的，其中就有不少迎神、赞神、送神之词，可见当时这一风俗之盛行和普遍。在中国文学史上具有历史丰碑价值的《楚辞》，以楚南一带民间歌谣的形式，比较完整、生动地描述了当时的楚风俗民情，其中记载了楚人信鬼神、崇巫术、拜龙凤、喜祭祀的习俗；好食水产异兽、嗜酸辣苦冷的饮食习俗；戴高冠佩玉饰、好奇装异服的服饰习俗；酷爱园林、层台垒榭的居住习俗；能歌善舞、楚乐喧阗的娱乐习俗；不重媒妁、男女自由婚恋的婚姻习俗，以及强悍刚毅、崇尚勇武的性格等等。

当时，洞庭湖以南的地区为楚国的谷仓，农作物收成的好坏与耕作技术、气候，特别是与表示气候变化和农事季节的二十四节气有关，因此农民在实践中逐渐形成了一些可适时适地指导种植技术的农俗。另外，楚地农副产品丰富，商贸日益受到社会重视，手工业得到发展，这些对于湖南地区行业习俗的初步形成起到了推动作用。

春秋战国时期，湖南的民俗文化就是这样在原有土著扬越族习俗的基础上吸收和融汇楚风俗文化，并在当时社会政治、经济、思想的影响下进一步形成的。

到了秦、汉时期，随着封建制度的进一步确立，汉武帝实行“罢黜百家，独尊儒术”的文化专制主义，将春秋时期百家争鸣中产生于中原地区的儒家思想作为整个封建社会的统治思想。从此，儒家的“三纲五常”“三从四德”“男尊女卑”等一整套封建的礼教和伦理道德观念逐步流传，使湖南民俗蒙上一层浓重的封建主义色彩。这在湖南的旧风俗中，特别是旧的礼仪习俗和婚姻习俗中表现得尤为突出，如浏阳文庙至民国时还完整保留了祭孔仪式中的古乐“八佾乐舞”。

随后，佛教传入中国，至西晋传入湖南。长沙久已流传的道教经南北朝时期陶公庙的建立，社会影响进一步加深，至唐、宋达到鼎盛时期。儒、释、道三教的哲学思想和伦理道德作为上层建筑，也对湖南民间传统的风俗习惯产生了非常深刻的影响。特别是佛教的因果报应、六道轮回、修行成佛，道教的斋醮科仪、符策禁咒、禳灾祈福、役神驱鬼、潜心修炼、得道成仙，以及相应的一套教规、礼仪、传统节日等宗教思想和行为，很容易与古老的传统民间风俗相吻合而为人们所接受。这种吻合经过千百年来的传承、变异，使得湖南民俗又不可避免地具有一些神秘的宗教迷信色彩。如立春时敬“芒神”，二月二日祭“土地神”，二月十九日祭观音菩萨诞辰，七月半过“鬼节”祭祖宗，腊月二十三日送“灶神”，以及丧葬习俗中的许多仪式等，都带有浓厚的宗教迷信色彩。

尽管湖南民俗文化长期以来深受封建宗法思想和宗教迷信思想的影响，其中掺杂了不少落后和愚昧的因素，但人们祈求平安幸福，禳灾除祸，赞颂忠贞善良，诅咒奸佞邪恶和在营造群体间敦厚、朴实、淳良、与人为善、助人为乐的和谐、互利、有序的行为规范，用以自教、自律方面，在社会发展的历史进程中还是起到了一定“美教化，移风俗”的积极作用。这种深深植根于社会生产、生活、交往等习俗中的积极作用，不仅保持和发扬了中华民族的优良传统，而且还与湖南优秀的历史文化和人文精神相会合，培育了湖南人所特有的“心忧天下，敢为人先”的精神。湖湘传统民俗文化正是由于其蕴藏丰富厚实，内涵瑰丽奇艳，形式五彩斑斓，具有鲜明的地方特色，因而成为湖湘文化的重要组成部分。

（三）湖湘民俗的地区差异

十里不同风，百里不同俗。各地因历史、地理、族源等诸多因素产生民俗上的差异，也就形成了风俗上的不同流派。早在汉代扬雄所著《方言》中就指出了湖湘地区“江湘之间”与“江沅之间”“沅澧之间”在地域文化上存在着明显差异，即东部地区与西部地区的差别。[①] 从地理条件上看，以资江、沅江两水分水岭的雪峰山脉为界，西部的沅、澧流域在地形上属云贵高原，东部的湘、资流域，大部分属江南丘陵。地质构造的阻隔使得东西两大部分内部各自的民俗传承和交流产生了差别。民谚云：“山歌的流传，隔山不隔水。”这种山歌流传特点同样适用于民俗，民俗不仅“不隔水”，反而还能随着水的流域的扩大而传递、扩散。在生产力尚不发达的社会，山是交通的屏障，水是联系的纽带，人们总是通过水路来沟通生活和经济。从湖南行政区划的演变来看，东西两大地区历来属于不同的行政区域。楚人进入湖南，就是沿洞庭湖东西两岸，在西部设立了黔中郡，在东部设立了江南郡。秦朝时湘资流域属长沙郡，南朝时置湘州，唐后期设置湖南观察使，

① 湖南省地方志编纂委员会．湖南省志：民俗志［M］．北京：五洲传播出版社，2005：6.

宋朝在此置荆湖南路。沅澧流域属于秦朝的黔中郡，汉朝属武陵郡，南朝分属荆州和郢州，唐后期分属荆南节度使和黔州观察使，宋代设置荆湖北路。这些史实表明，东、西两部分地区各自有着相对独立的历史演进过程。从民族构成上看，早在商周时期两个区域的土著民族就存在差异，湘资流域主要为扬越人，沅澧流域民族则与中国西南地区民族相通，不同的民族必然在民俗中体现出不同的特征。

以湘资流域为区域的东部地区和以沅澧流域为区域的西部地区，其民俗的差别主要表现在岁时节令、民间信仰、婚姻礼仪和语言风俗等几个方面。

岁时节令的差异是民间生活差异的集中体现。湖南虽然在岁时习俗方面有较大的共性，但也有不同地域的个性。四月八日浴佛节，沅澧流域远不如湘资流域普遍，东部浴佛节流行做乌饭，西部地区几乎没有。端午节在西部沅澧流域特别受重视，竞渡习俗普遍存在，很多的地方有大端午和小端午之分，即在五月初五日小端午之后，在五月十五日，再过一次大端午，传说此习俗与东汉将领马援西征有关。而在东部湘资流域只有平原河谷地带才有竞渡习俗，南部丘陵山区一般没有这一类民俗活动。西部沅澧区特别重视九月九日重阳节，不仅要酿造重阳酒，而且还要制作重阳糕相互馈赠。而东部湘资流域一般只有登高望远而已。

在民间信仰方面，东部湘资流域有朝南岳的习惯，南岳庙会因而成为湖南最热闹的集市之一，南岳有“半年不开张，开张吃半年”的民谣。长沙县榔梨镇陶公庙庙会也有“榔梨街上不作田，两个生期吃一年”的说法。所谓“两个生期”是指两位陶公菩萨的生日。但在西部沅澧流域，没有像南岳、榔梨这样区域性的民祀对象，许愿还愿比较分散，也没有东部流传广泛的朝香歌，民间信仰的神祇也不同。西部沅澧流域崇拜马援，伏波庙遍布各地；竹王崇拜也很普遍，甚至还发展为天王神。但东部湘资流域就少有对马援和竹王的崇拜，关帝庙、土地庙却遍地盛行。

在婚姻礼仪方面，东部湘资流域许多地方盛行歌堂风俗，西部沅澧流域盛行哭嫁习俗。歌堂和哭嫁既有联系又有区别，歌堂主要为伴嫁，哭嫁是为别离；歌堂重趣味，哭嫁重情感。东部湘资流域一般是婿不亲迎，即新郎不到岳家迎娶新娘，有些地方花轿到门之前新婿还要暂避。而西部沅澧流域很多地方新郎都在婚日赴女家行奠雁礼，然后先花轿而返。湘资流域送亲客一般为男性，沅澧流域多是女性，尤其是娘家嫂子必往。湘资流域新婚夫妇多在婚后两三天回门，沅澧流域很多地方在婚后第九天或者一个月后回门。

作为语言风俗的民歌，在沅澧流域，集体劳动场合有薅田鼓、茶山鼓、薅草锣鼓、夯土歌、号子等山歌，以锣鼓或者锣鼓钹作为打击伴奏。相对而言，湘资流域的山歌则要逊色一些。

湖南民俗在两大区域还可细分为若干小区。如东部湘资流域可分为长岳、衡宝和郴桂永三小区，西部沅澧流域又可分为常澧、辰沅等小区。有些民俗甚至在一县之中还有区别。如湘西龙山县，苗族在腊月二十八日过年，而土家族则在二十九日过年；湘北的华容县，本地人吃年团圆饭在中午，而从南方移入的居民则在拂晓；等等。

二、湖湘文化与湖湘民俗

湖湘文化与湖湘民俗，你中有我，我中有你，是互相影响、互相融合的关系，甚至可以说是互为因果的关系，因此两者的价值取向是相向而行的，而不是背道而驰的。即湖湘文化隐含着湖湘民俗元素，而湖湘民俗又彰显了湖湘文化精神。

（一）隐含湖湘民俗元素的湖湘文化

湖湘文化有狭义和广义之分。狭义的湖湘文化仅指南宋以后形成的以“湖湘学派”为代表的理学思想，它的一个鲜明特点，就是把传习理学的学术教育活动同经邦济世、解危救难的强烈经世愿望紧密结合在一起。胡安国以《春秋》为“经世大典”，胡宏主张“以仁致用”，张栻强调“知行并发”，无不出于现实的需要。

广义的湖湘文化乃是具有明显湖湘地域特色和隐含湖湘民俗的地方文化。湖湘文化的地域特色无外乎源于两种主要因素：一是自然环境，二是社会环境。唐代韩愈在《送廖道士序》中说：“南方之山，巍然而大者以百数，独衡为最。最远而独为宗，其神必灵。衡之南八九百里，地益高，山益峻，水清而益驶。其最高而横绝南北者岭……中州清淑之气，于是焉穷。气之所穷，盛而不过，必蜿蜒扶舆，磅礴而郁积……意必有魁奇忠信材德之民生其间。”刘禹锡在《送周鲁儒序》中也说：“潇湘间无土山，无浊水，民乘是气，往往清慧而文。”“清慧而文”既是文化的特征，也是民俗的特征。韩、刘所指的就是自然环境对湖湘文化的影响，所谓人杰地灵是也。湖湘地区气候温和湿润，山水城镇浑然一体，这与北方干燥寒冷、沙尘暴多天气，有着本质的区别。

至于社会环境对湖湘文化产生的影响，可追溯到楚人的性格，而性格正是民俗的重要表现。楚人似乎有一种励精图治、自强不息、刚毅执着的精神。楚被秦灭亡，楚人发誓“楚虽三户，亡秦必楚”。楚汉之际，屈原、贾谊先后流寓长沙，使楚人精神更加得到发扬。以“经世致用”和“伦理践履”为主要特征的湖湘学派产生在南宋以长沙为中心的潭州，它与楚人的精神一脉相承。林语堂先生在《中国人》一书中说：“至湖南人则勇武耐劳苦，湘军固已闻名全国，盖为古时楚国战士之后裔，具有较为可喜之特性。”近世湖南民风强悍，士人性格坚毅，勇于任事，敢于牺牲，正是远古楚人文化精神的近代回声。

在这种自然条件和社会基础大背景下形成的湖湘文化，无论是广义的还是狭义的，都有着共同的精神特质，即心忧天下、不怕牺牲的爱国情操，经世致用、实事求是的务实作风，敢为人先、兼收并蓄的创新精神，勇于任事、不屈不挠的斗争意志。①

1. 心忧天下、不怕牺牲的爱国情操

古代的湖南被视为蛮夷之地，许多有着忧国忧民胸怀、治国安邦抱负的政治家和学者，在政治上受到诬陷或打击时，往往被贬谪、流放到湖南。他们在这里所写的诗文，往往都是抒发自己的政治主张和理想抱负；他们的际遇充满了浓郁的爱国主义和令人激愤的悲壮色彩。

湖南作为屈原、贾谊的"伤心"之地，湖湘文化从初始就带有一种悲壮、忧郁的色彩，也透露出中国最早的知识分子骨子里的参政意识和修身、齐家、治国、平天下的远大抱负。屈原的《离骚》，其篇名就含有"遭遇忧患""离别的忧愁"之意。"长太息以掩涕兮，哀民生之多艰"，屈原求绳墨与规矩于正道，宁死也不苟合求容。屈原怀沙自沉百余年后，又一位政治家兼文学家贾谊贬谪长沙。他上《治安策》批评政治，写《过秦论》分析秦之成败得失，其忧国之心，不在屈原之下。他在长沙写下了汉赋名篇《吊屈原赋》，以屈原的遭遇自比，抒发胸中的愤懑。

自屈贾之后，忧患意识一直是湖湘历史文化的主流。东汉末，"天下起兵诛董卓"，是"长沙子弟最先来"（唐吕温《题阳人城》）。东晋陶渊明笔下的《桃花源记》描绘了一个小国寡民的世界，没有统治，没有剥削，以自给自足的农耕生活为基础，可以说是中国古代士大夫心中的"乌托邦"。

① 文选德，田伏隆．湖湘文化读本［M］．长沙：湖南教育出版社，2013：22.

唐代因参与“永贞革新”失败被贬为永州司马的柳宗元，在永州关心民间疾苦，多施善政，并将自己的政治抱负蕴涵在诗文中，以致“衡湘以南为进士者，皆以子厚为师”（《柳子厚墓志铭》）。同被贬为朗州（今常德）司马的刘禹锡，勤政亲民，诗风豪放旷达，借诗嘲讽权贵，他在朗州所写的诗歌在民间广为流传，使“武陵溪洞间夷歌，率多禹锡之辞”（《旧唐书·刘禹锡传》）。柳宗元、刘禹锡振世济民的道德文章为湖湘民众所敬仰。

宋代范仲淹写的《岳阳楼记》，对湖南人的影响更大。《岳阳楼记》既以“淫雨霏霏”的凄凉景象衬托“迁客骚人”“去国怀乡，忧谗畏讥”的伤感情绪，又写了“春和景明”时的欢快与得意。文中提出，有抱负、有理想的“仁人”不应以自己的得失为重，为个人际遇和环境的变化而悲、而乐，而应“不以物喜，不以己悲”，以君子的崇高风范超越个人的狭小精神世界，不论升降进退都不忘天下黎民与社稷。“先天下之忧而忧，后天下之乐而乐”成为中国古代知识分子的行为准则和座右铭。岳阳楼成了先忧后乐的精神象征，激励了历代湖湘士子以天下为己任的责任感。

南宋的湖湘学派在政治上更有强烈的爱国主义思想，极力主张抗击金军，收复中原。胡宏一身正气，视富贵如浮云，宁可隐居衡山过清贫的生活，也不与主张妥协的秦桧往来，拒不接受秦桧的召用。张栻把抗金复仇作为教学内容之一，在他的影响下，不少湖湘学子投笔从戎，奔赴抗金战场。在抗金活动中，湖湘学子坚决反对“和战之念杂于胸中”，主张抗金复仇。张栻高足吴猎，淳熙进士，后来成为“开禧北伐”的主要将领。战争开始后，吴猎以荆湖北路安抚使“节制本路兵马”，直接指挥战斗，显示了卓越的军事才能。

在民族危亡的紧要关头，在决定中国政治命运的关键时刻，对待生与死的抉择，湖湘先贤大义凛然，慷慨悲歌。南宋末，元朝数万大军围攻长沙，潭州知州兼湖南安抚使李芾率全城军民死守3月，直到矢尽粮绝。城破时，李芾全家十九口从容自尽。在岳麓书院读书的数百学子，与元军展开了搏杀，大部分献出了生命。据《宋史·忠义传》载，长沙百姓在城破后，亦坚强不屈，誓死不为元军俘虏，“多举家自尽，城无虚井，缢林木者，累累相比”。明末清兵入关，明朝覆亡，时任明代岳麓书院最后一任山长的吴道行，悲愤不已，痛不欲生，他“望阙痛哭展拜，舆归山中，不食而卒”，以身殉国殉君。在近代清政府起兵收复新疆的伟大战争中，又是“湖湘子弟满天山”。统率湖湘子弟，“舆榇出关”的是69岁高龄的左宗棠。他在20多岁、穷困居家时就写过一副对联：“身无半亩，心忧天下；读破万卷，神交古人。”雄心壮志溢于纸上。清末谭嗣同在戊戌变法中以鲜血和生命实现了维新图强的誓言。他说：“各国变法，无不从流血而成，今日中国未闻有因变法而流血者，此国之所不昌也。有之，请自嗣同始。”临刑之前，他大呼：“有心杀贼，无力回天。死得其所，快哉快哉！”

在辛亥革命和新民主主义革命中，一批批湖南人冲锋在前。“为四万万人争人格”（蔡锷语）而甘愿牺牲自己生命的湖南人前仆后继，层出不穷。唐才常发动自立军起义，最后英勇就义；陈天华、姚宏业、杨毓麟、彭超、易白沙为了唤醒民众而蹈海、投河殉国；黄兴发动黄花岗起义，断指犹战，勇往直前；宋教仁成为为“宪政”而牺牲的第一人；毛泽东一家为革命牺牲了6位亲人；等等。仅从辛亥革命至1949年新中国成立，收录存册的湖南革命烈士就有近10万人。

湖南历代贤哲倡导的这种“心忧天下，不怕牺牲”的养心、治身、经邦、济世的道德规范，对湖南人的性格和湖南的社会风气产生了极深远的影响。

2. 经世致用、实事求是的务实作风

楚先民早在“筚路蓝缕，以启山林”的发展阶段，就孕育了

强烈的事业进取精神。屈原流放沅湘，始终念着富国强民。为解救国家的危难和人民的疾苦，他表示“亦余心之所善兮，虽九死其犹未悔”。起承转合，千载而下，湖湘士子发扬光大了先人的基本精神，提炼出湖湘文化的基本内核——经世致用。

湖湘学派产生之际，南宋正处于内忧外患之秋，湖湘士人除蒙受了一种家破国亡的屈辱感外，还多了一层民族文化的危机意识，因而认识到提倡经世致用，既是为了“经邦济世”，也是为了挽救理学自身。

湖湘学派自宋代发轫一直倡导“求仁履实”。首先表现为重视人才的品德、操行、性格、情感、意志等素质的磨砺和塑造。湖湘学派第二代大师胡宏把“有体”作为培养人才的标准。谨守伦理道德规范，谓之“有体”。其次表现为推崇“治事”能力和才干的培养。湖湘学派第三代大师张栻更强调教育应培养能“传道济民”的人才。南宋绍熙五年（1194），朱熹任湖南安抚使，再至潭州，兴学岳麓，颁布了有名的《朱子书院教条》，使岳麓书院第一次有了正式的学规。在教学宗旨上，朱熹反对当时官学中“务记览，为辞章，钓声名，取利禄”的流弊，反复要求“讲明义理”，进而提出“修身”“处事”“接物”之要，作为实际生活和思想教育的准绳，尤其着重人格教育，提倡言行一致、克己复礼、道德自律等修养原则和方法，反映了程朱理学的精髓。清乾隆年间岳麓书院山长罗典归纳并提出了“坚定德性,明习时务”的教育方针，完整地表述了上述两重含义。

在理政方面，湖湘士子也是“有用之才，固不徒以文章，亦非迂谈道学者比也”。其中有敢于直言规谏的朝臣彭龟年，有善理政事财务、成功治理通货膨胀的“通务之学”陈琦，有热心发展生产、关心人民疾苦的良吏游九言、游九功兄弟，等等。张栻在《岳麓书院记》中提出的“得时行道，事业满天下”的主张，在他的弟子中得到了实现。

明末清初，从岳麓书院走出来的王夫之，又把经世思想推上了一个新的高度。王夫之本以反清复明为头等大事，在举兵起义、出仕南明的政治斗争失败后，才归隐山林，发愤著述，以表达自己的经世致用之志。他把天、道、心、性奠定在气、物、欲等感性存在的基础上，提出“天下惟器”“据器而道存，离器而道毁”的唯物自然观，从而抑制了理学走向空疏和虚诞，适应并推动了实学思潮的发展。

到近代，湖湘经世学派发展到了巅峰。魏源首开近世风气，在学术上复兴今文经学，打破旧汉学板块而为新学；在政治上提倡“师夷长技以制夷”，使湖湘学人从此走出封闭，睁眼看世界。魏源还受当时湖南经世派代表人物贺长龄之托，主持编撰了《皇朝经世文编》巨著。魏源以实用、经世为主旨，选取清代 200 多年间的论学、论治文献 2000 多篇，编成 120 卷。此书刊行后，数十年间风行海内，湖湘士子更深受影响，促进了经世致用思想的发展。

湖湘经世学派倡导“伦理践履”，强调自身道德修养的力行。修身、齐家、治国、平天下，而“修身”为前提。曾国藩在家书中云：“近来带兵者，皆不免稍肥私囊，余不能禁之苟取，但求自己不苟取。”许多湖湘学子都像曾国藩那样清修内省，严于自守，以“从人间问四方事”来培养自身的人品。这种以廉正为荣，以清贫为高，出淤泥而不染的自恃心态，是造就湖湘人才的内在动力。曾国藩承“桐城派”遗绪，自开“湘乡派”士风，形成庞大的“书生领兵”集团。从这一集团分离出来的郭嵩焘和曾纪泽，走出国门，到外面呼吸新鲜空气，成为中国第一代杰出的外交家。

梁启超任时务学堂中文总教习时，才 24 岁，血气方刚，情感横溢，亲自制定了《湖南时务学堂学约十章》，曰“立志、养心、治身、读书、穷理、学文、乐群、摄生、经世、传教”。这 10 条学约虽已明显含有学为维新图强服务的思想，但其要领仍是“伦理践履”，充斥着儒家的修身治学精神。他认为要成为国家的有用之才，首先要养心、治身。

“实事求是”语出《汉书·河间献王传》，但之后千多年间却不见经传。清光绪十一年（1885），湖南巡抚卞宝第为《湖南通志》所作的“序言”提出“实事求是之心不敢不勉”。1914年湖南工业专门学校校长宾步程将“实事求是”四字书刻成大匾，悬挂在岳麓书院。后来，毛泽东对“实事求是”进行改造，“一切从实际出发”成为毛泽东思想的灵魂。

3. 敢为人先、兼收并蓄的创新精神

湖湘文化是在湖南原住民文化（扬越文化）的基础上，不断吸纳以中原文化为主的外来文化（楚文化）而融合成的多民族、多地域的文化形态。[①]

新石器时代中晚期以后，湖南有过多次外地部族或民众的大规模迁入。首先是在5000多年前从炎帝、黄帝、蚩尤直到尧、舜、禹时代的大迁入。湖南地区古老传说认为蚩尤的原居住地在南方，即今湖南中部至湘西一带。蚩尤是九黎部族的首领，传说中九黎族的势力非常强大，逐渐向黄河下游发展。此时，起源于黄河中上游陕甘高原的炎帝、黄帝两大部族集团也先后向东发展。炎帝、黄帝、蚩尤三大部落集团为争夺土地，连续爆发多次战争。在华北平原的涿鹿，九黎被黄帝和炎帝部落联盟打败，蚩尤被杀。九黎部族大部分向南迁徙到湖南等地定居，成为三苗。古代以“三”为“多”，说明是众多的民族集团。至今湖南保留了许多关于蚩尤和三苗的传说、古歌和习俗。苗族是三苗的后裔，奉蚩尤为始祖。蚩尤与炎帝、黄帝同是中华民族的始祖。

在北方，黄帝与炎帝又发生战争，炎帝部族战败，在其首领

---

① 文选德，田伏隆. 湖湘文化读本［M］. 长沙：湖南教育出版社，2013：28.

的率领下，一部分人也南迁到湖南。《史记·五帝本纪》载，黄帝“南至于江，登熊湘”，熊湘即在湖南。炎帝在湖南留下更多遗迹和传说。因为他始作耜，教天下耕种五谷而食之，又被称为神农氏。他所属的部落是最早进入农耕文化的氏族，故称中国农业的始祖。炎帝“耕而作陶”，治麻为布，制作衣裳，日中为市，互通有无，削桐为琴，结丝为弦，作五弦之琴，弦木为弧，削木为矢，弧矢之利，以威天下。炎帝神农氏晚年到南方巡视，一面了解民情，一面尝草采药，为百姓治病。世界上第一部药物著作，据考证是成书于先秦的《神农本草》。书中云：“神农尝百草，日遇七十二毒，得荼而解之。”典籍中还有炎帝建“长沙厉山国”的说法。《荆州记》说：“神农生于随县厉山，就都于长沙，死葬茶乡。”茶乡即今炎陵县鹿原陂。据考证，至少在西汉以前这里就建了陵墓。宋乾德五年（967），太祖赵匡胤诏令在陵前建庙奉祀。此后，历代人前往谒陵拜祖，香火不断。

尧、舜、禹时代，三苗势力强大，成为北方华夏族的劲敌，舜、禹都曾统帅大军向南方进攻，攻打三苗。相传舜南巡时途经一处，但见山清水秀，风光绮丽，顿觉心旷神怡，命人奏起韶乐，引来凤凰翩翩起舞，这个地方后来就叫韶山。孔子在齐国听了韶乐，竟三个月不知肉味。《史记》载，舜死之后，葬湘南九嶷山。马王堆出土的西汉湖南地图上还标有陵墓的具体位置。舜的二妃娥皇、女英闻舜的死讯赶来，至洞庭湖君山，波横路断，恸哭不已，泪水滴洒在竹上，留下斑斑痕迹，形成斑竹。至今君山仍有湘妃墓、湘妃祠。舜帝给湖南带来了新的道德文化。

大禹在湖南也留下许多遗迹和传说，如衡山岣嵝峰上有最早的禹碑，禹穴相传是大禹藏书之处。

此后，夏、商、西周王朝的势力也都到达湖南。到春秋战国时期，以江汉地区为中心的楚国疆域日渐扩大，称霸中原，南征洞庭湖以南，将这里纳入自己的版图100多年。楚国强制江北小邦和方国南迁，如将罗子国、麇子国、鄀、庸的遗民分别迁到今天的汨罗、岳阳、茶陵、大庸（张家界）等地。楚国势力占据湘江流域的一些战略要地，迫使大批原住民向西、西南的山地迁徙。

秦汉以后，中原地区进一步成为中国政治、经济、文化的中心，也成为政治、军事争斗较集中的地方。北方中原地区，战争连年，水旱灾害不断，民众大量死于兵灾和饥荒。相对而言，湖南战乱较少，社会比较安定，被看作偏远蛮荒之地或“世外桃源”，又有较好的进行农业生产的自然条件。因此，自汉末开始，北方人大批往南方逃亡，不少人到达湖南。到魏晋南北朝时期，已形成严重的“流民”问题。唐代安史之乱后，北方战乱再起，又有大批北方人南来。因此，自汉末以后的几百年间，湖南江湖平原的楚人、巴人等一些原住民又逐渐被迫退到西南山区，和那里的原住民一起，成为后来苗、瑶、侗、壮、土家等族的先民。他们一直保持着本民族的特色和独立性。江湖平原地区则逐渐成为以北方移民为主的聚居地，成为汉民族的成员，融合了原住民和外来移民的文化特征。到宋代，又出现一次北方人口大量南流的现象。《文献通考》卷七《田赋考·屯田》载，北宋“靖康之变”，使中原百姓无法生活，被迫离开家园，出现“中原士民扶携南渡几乎千万人”的景象。他们流寓到“有膏腴之田弥亘数千里无人可耕”的荆湖、江浙地区。这种局面一直持续到元代。

元末明初，湖南遭到连年战祸，原住民大量往西逃亡到四川、贵州，大部分地区田园荒芜、庐舍成墟。明朝实行招诱流亡和移民垦殖政策，相邻省份的人络绎不绝地向湖南移民。据谭其骧《湖南人由来考》统计，先后从江西迁入的达三百二十四族，占外省人的63.1%。明末战乱，湖南各州县又广遭蹂躏，后又经历三藩之乱，长沙一带被杀“数十万口”，白骨遍野。清朝顺治、康熙到乾隆年间，多次颁布“招民开垦”谕旨，于是大量江西移民再次进入湖南。民间有“江西填湖广，湖广填四川”的说法。

历史学家林增平先生曾说过，大凡离乡背井，前往他方的移民，“一般都具有不同程度的开拓意识，自立自强和勤奋创业的精神”。几千年的变迁，使湖南成为以汉族为主、多民族共存的地方。先迁徙到湖南的外地移民，对后迁入者来说，也成了原住民。他们一次次带来外地域、外民族的文化，一次次进行文化交流与融合，使这里既保留了本地的文化特色，又不断吸收外来文化的精华。在学术思想、理论思辨上，有儒学、佛学与道学，理学与心学等不同学派的沟通与融合。北宋周敦颐的理学思想就是以孔孟儒学为正统，兼收道、佛思想。南宋“朱张会讲”则是湘学与闽学的交流与相互借鉴、吸收。清初王夫之博采众长，而集大成。到近代，湖湘文化又吸收了国外的先进文化，从而成为多元一体、独具特色的文化形态。

在湖湘文化发展的历程中，一些代表人物做出了重要贡献。他们有的如屈原、贾谊、柳宗元、刘禹锡、胡安国、胡宏、张栻等是外省籍人士，是在其自身思想文化的基础上，受湖南地域文化的影响后才闪烁出新的思想光芒的；有的如陶澍、魏源、曾国藩、郭嵩焘等湘籍人士，则是以湖南的本土影响为根基，在省外甚至国外吸收新的思想后，丰富了湖湘文化的内涵。由此可见，湖湘文化正是在湖南深厚的地域文化的基础上与外域文化相碰撞、相结合的产物。

湖湘文化是不同民族、不同地域、不同学派文化以及与国外的文化相融合而形成的文化形态，这使它具有兼容并蓄、博采众长、海纳百川的开放精神和易于接受新事物、吸纳新观点，敢为人先、不断创新的传统。

在中国思想史上，曾在四次重要的历史时刻出现过影响重大的思想理论大综合。第一次是在宋代，儒学吸纳佛、道思想，形成新的儒学即理学，其开创者是道州（今道县）人周敦颐。第二次是清初，衡阳人王夫之集中国古代文化之大成，总结和发展了中国历史上的朴素唯物主义和朴素辩证法，使唯物辩证法思想达到了前所未有的高度。第三次是鸦片战争前后，邵阳人魏源学习西方以商立国和民主政治主张，提出“师夷长技以制夷”。第四次是湘潭人毛泽东，提出和实践将马克思主义理论与中国实际相结合，为中国新民主主义革命的胜利奠定了理论基础。四次思想理论大综合、大创新的先驱竟然都是湖南人。

4. 勇于任事、不屈不挠的斗争意志

勤劳勇敢、艰苦质朴是中华民族的优良传统，在湖南人身上表现得尤为突出。从湖南的地域特点和民众源流的视角来考察，便可明了这一传统形成的必然性。

俗话说，一方水土养一方人。湖南地处云贵高原向江南丘陵、南岭山脉向江汉平原过渡地带，东、南、西三面高山，中部丘冈起伏，山丘约占全省面积的80%，北部为湖泊平原，地势呈朝北开口的不对称马蹄形。冬季从西北南下的干冷气流长驱直入，而夏季从海洋来的暖湿气流受阻，全省冬冷夏热，春温多变，夏秋多旱，严寒期短，暑热期长。这种地理和气候环境，一方面有充沛的雨量，发达的河网，茂密的森林，湖河谷地肥沃疏松的土地，丰富的动植物和鱼类资源，为远古人群的采集、渔猎和以后发展农耕及牲畜饲养提供了有利条件；另一方面，陡岭险峻，群山阻隔，更远离海岸，与外界交往困难，加之变幻莫测的风云、滔滔的洪水，又给人们的生存带来种种艰辛。

历代迁入湖南的大批居民，来到蛮荒之地，不避艰险、历尽艰辛，他们披荆斩棘，百折不挠，其“筚路蓝缕”的精神在迁徙过程中和在新的生活地域得到增强。

在最早迁入湖南地区的移民中，蚩尤族的影响是巨大的。据《龙鱼河图》传说：蚩尤“铜头铁额，食沙，造五兵，仗刀戟大弩，威震天下”。蚩尤英勇善战，是最早的兵器制造专家。《史记·

五帝本纪》载：轩辕之时，“蚩尤作乱，不用帝命，于是黄帝乃征师诸侯，与蚩尤战于涿鹿之野，遂擒杀蚩尤”。蚩尤虽战败被杀，但他在战争中威风赫赫的英雄形象，长久地流传在民间，被后人奉为“战神”并加以祭祀。天上有一颗星叫蚩尤旗。湘西的苗拳、湘中新化等地的梅山武术，相传都源自于蚩尤。

湖南人不服气、不服输的倔强性格在知识分子身上又有其特色。王夫之抗清失败后，眼见清朝统治者对汉人和其他民族的民众残酷杀戮，悲愤不已，发誓“头不顶清朝的天，脚不踩清朝的地”。他住在衡山县湘西草堂一心著书立说，很少出门；如若出门，必手打雨伞，脚穿一种高跟木屐。

清代名臣、安化人陶澍是勇于任事的典型，他倡言“通经学古而诸致用”，“研经究史为致用之具”。在安徽巡抚、两江总督任上，陶澍将自己一贯强调的“有实学斯有实行，斯有实用”的主张付诸实践。他大力整顿吏治，兴修水利，整治河工，主禁鸦片，倡导文教，改革盐政漕运，推行银本位制，经世功绩卓越，成为一代名臣。他在道光四年（1824）洪泽湖决口、运河漕运受阻，影响京师粮食供应的情况下，从实际出发，力排阻力启用海运，不仅节约了巨额运费，又避免了人员伤亡，为清政府改漕运为海运创造了良好的开端。他改纲盐制为票盐制，无论何人，只要照章纳税，均可领票销盐，从而废除了盐业专商，将官营改为商营，使清政府的盐税收入得到了保障，开创了中国盐政的新局面，促进了商品经济的发展。

清光绪二年（1876）春，陕甘总督府三声炮响，以 1 万多名湖湘子弟为主力的步兵、骑兵、炮兵队伍，浩浩荡荡，西出玉门关，向新疆挺进。当时，匪首阿古柏在新疆自立为王，宣布独立，实行奴隶制度，荼毒汉、回、维吾尔等族人民。沙俄趁机占据伊犁。在军机大臣文祥等人的支持下，朝廷任命左宗棠为钦差大臣，收复新疆。此时，清廷国库空虚，财政拮据，军费需要左宗棠自己解决，还要面对政敌的攻讦。但左宗棠决心冒着政治、军事风险，踏上收复新疆的征途。左宗棠统帅着“老湘军”及豫军、蜀军等共约 7 万人马，经过 5 年多的艰苦斗争，于光绪七年（1881）将新疆收复。杨昌濬赋诗曰：“大将筹边尚未还，湖湘子弟满天山。新栽杨柳三千里，引得春风度玉关。”

长期与自然界的斗争和社会斗争，包括抗击外来侵略的斗争，锻炼了湖湘各族民众，加之远离京华，环境闭塞，受儒家文化的束缚相对较少，于是，湖南人便形成了淳朴敦厚、坚忍不拔、刚正不阿、勇于任事、不怕牺牲、敢为天下先的开拓精神。

（二）彰显湖湘文化精神的湖湘民俗

湖湘文化的上述精神特质，从湖湘的风土民俗，尤其是湖南人的性格特征中得到了完全的体现。风土亦称土风，实际上就是今日“风俗”之谓。唐大历间潭州刺史张谓写过一篇《长沙土风碑铭》，一开篇就以一连串史实对长沙土风进行了一番铺陈：

> 至汉道凌迟，董卓狼顾，文台以三湘之众，绩著勤王；梁朝覆没，侯景虎视，僧辩以一州之人，勋成定国。桓文之举，亦何加焉。至于致礼旧君，请尸归葬，桓氏之子，可谓忠也；殒身强寇，有死无辱，尹氏之女，可谓贞也。轼邓粲之宅，足以厚儒风；表古初之坟，足以敦素行。齐鲁之俗，其何远哉。①

这里讲了这样几件事：东汉末长沙太守孙坚率三湘之众讨董卓，南朝梁末湘州刺史王僧辩助陈霸先平定侯景之乱，东汉长沙

---

① 张谓．长沙土风碑铭并序[M]// 中华书局．唐文粹简编：卷三．上海：中华书局，1918：51.

郡功曹桓阶冒死到荆州领回战死于荆州的孙坚遗体，西晋长沙太守尹虞二女被杜弢乱军俘获宁死不为其妾，东晋长沙史学家邓粲道广学深为众所推崇，东汉长沙孝子古初在邻家失火时以身护父之灵柩。并由此得出结论：长沙土风归结为忠、贞、厚儒风、敦素行四个方面，它远远超过“桓文之举”和“齐鲁之俗”。忠、贞、厚儒风、敦素行可谓古代湖湘民风的集中表现。从张谓《长沙土风碑铭》还可得出一个结论，古代民风之“民”并不局限于下层人民，而泛指除皇族和王侯以外的所有“子民”和“臣民”，包括上层的知识分子。

民风是民俗之本。民风是一地民众群体性格和心理的总和。①《汉书·地理志》称：“凡民函五常之性，而其刚柔缓急、音声不同，系水土之风气，故谓之风。”又说：“好恶取舍，动静亡常，随君上之情欲，故谓之俗。”如果说风是性格的话，俗就是习惯性行为；风是本，俗为末。湖南民风就是在特定的自然环境和社会环境中所表现出来的行为举止的总和。民国时期的地理学家白眉初在《中华民国省区全志》中比较了各省民风的特性，如：“满洲粗豁，直隶沉郁，山西平和，秦陇迟钝，江浙柔糜，江西平庸，武汉狡猾，四川狭隘，广东激烈，云南质素。至于湖南则多刚正。”刚正是湖南人性格的主流，具有突出的特点。刚正的外在表现形式则是强悍、好斗。最早记述这一性格特征的是《史记》，司马迁说衡山、长沙等南楚地区“俗剽轻，易发怒”。剽轻就是剽悍轻捷、强劲、勇猛的意思。《隋书》在概括南楚民风时继承了司马迁的观点，谓“劲悍决烈”。在湖南各个时期的地方志中，大都指出了湘人强悍的性格，如《岳州府志》称“人性悍直”，《长沙县志》称“劲直任气”，《永州府志》称“俗刚武而好竞”，《茶陵州志》称“性侠烈而劲直”，《醴陵县志》称“颇尚气、轻生、喜斗、好讼”，《安化县志》称“任

① 湖南省地方志编纂委员会.湖南省志：民俗志［M］.北京：五洲传播出版社，2005：17.

性刚直”，《郴州志》称“赋性刁悍”，《衡山县志》称“其民尤尚气力”，《宝庆府志》称“其俗好勇”等。

湖南人在性格特征上的英勇无畏是出了名的，尤其近代以来，在历次政治转折点中，湖南人往往都是冲锋陷阵的勇敢者。许多评价湖南人性格的话不绝于耳，如“其民顽悍、秉性悍直”“桀骜不驯、敢为人先”“侠肝义胆、任侠尚气”“勇猛精进、群兴雷奋”“劲悍决烈、尚武好斗”“艰苦卓绝、永不言败”“踔厉敢死、勇担重任”“无所依傍、浩然独往”“扎硬寨、打死仗”“历百千艰阻而不挫屈”等。

这种与湖湘文化精神特质极其吻合的湖南人性格心理特征，《湖南省志·民俗志》将其概括为“不随波逐流”“强悍尚气”“率直诚实”三个方面，再加上“乐善好施”的怜悯之心，构成了湖湘民俗和社会风尚的主流。

1. 不随波逐流

屈原在自沉汨罗江之前写有一篇名作《渔父》：

> 屈原既放，游于江潭，行吟泽畔，颜色憔悴，形容枯槁。渔父见而问之曰："子非三闾大夫欤？何故至于斯！"屈原曰："举世皆浊我独清，众人皆醉我独醒，是以见放。"渔父曰："圣人不凝滞于物，而能与世推移。世人皆浊，何不淈其泥而扬其波？众人皆醉，何不餔其糟而歠其醨？何故深思高举，自令放为？"屈原曰："吾闻之，新沐者必弹冠，新浴者必振衣。安能以身之察察，受物之汶汶者乎！宁赴湘流，葬于江鱼之腹中。安能以皓皓之白，而蒙世俗之尘埃乎！"渔父莞尔而笑，鼓枻而去。乃歌曰："沧浪之水清兮，可以濯吾缨。沧浪之水浊兮，可以濯吾足。"遂去不复与言。

“渔父”的世界观是“不凝滞于物，而能与世推移”，他爱惜生命甚于一切，认为保全生命的最佳办法就是逆来顺受，顺乎大流。而屈原的世界观与“渔父”恰恰相反，“安能以皓皓之白，而蒙世俗之尘埃乎”，为了理想绝不能忍辱含诟、随波逐流、委曲求全、苟且偷生。湖南人许多以“渔父”为名或字（如宋教仁），沅湘间也有多处“濯缨”一类的地名（如岳麓书院濯缨池），说明湖南人受屈原的影响至深。而“不凝滞于物”也代表着湖南人性格的另一面。宋代王象之纂《舆地纪胜》所录说，南北朝时期，武陵人“人气和柔多淳孝，少宦情，常弹五弦之琴，以黄老自乐，有虞夏之遗风”，这种性格，至今还可以从湖区一些人身上找到影子。

2. 强悍尚气

湖南人性格的强悍尚气在历史文献中屡有记载。《隋书·乞伏慧传》明言湖南人性格，称乞伏慧“领潭、桂二州，总管三十一州诸军事，其俗轻剽”。自汉以来，湖南地区的反抗和反叛记录，频频出现在各朝所修的正史中，武陵蛮、板楯蛮、长沙蛮等不断起事，让人感到湖南民风强悍，富于反抗精神。宋代以后，除民风劲剽外，言及湖南喜斗好讼的又越来越多，讼狱渐兴，这也是民风劲悍尚武的一种表现。李曾伯在《潭州谕俗文》中讲长沙地区“民最喜讼，号难治”“每阅案款，中间或因盗资财，争田产，兆祸于帏簿，启衅于杯酒，或本无深隙，拳手遽交，小有间言，挺刃相向，而至有亲戚变仇雠，卑幼犯尊长”。

有关湖南人这种性格的类似记载，在各个时期和各个地方所编纂的地方志中有大量的记述。如明隆庆《岳州府志》称“巴陵冗烦，临湘冲刁，平江刁猾，华容讼简，澧州淳俭颇烦，安乡颇猾，石门刁简”。明万历《慈利县志》称慈利人“赋性悍直，有小忿则悻悻难忍”。清嘉庆《长沙县志》多次提到“湖南地邻苗峒，人黠而悍，止话逞强好事，罔知礼义纲常”。清同治《醴陵县志》载醴陵人“好讼喜斗，尚气轻生，民俗颇嚣”。清同治《益阳县志》则称益阳人“恣肆者贱守义，轻生嗜利，尚口嚣讼，近亦有之”。

在清以后的著作中亦不难发现同样的观点。清康熙进士、协办大学士、山西人孙嘉淦在《南游记》中说：“入湖南境，右江风俗胜于三吴两浙。男事耕耘兼以商贾，女皆纺织……不为奇技淫巧，其勤俭习事，有唐魏之风。独好诈而健讼，则楚俗也。”清光绪《新宁县志》记载，清中期曾任湖南布政使的四川人李榕，曾说湖南人“气太强”。清光绪间曾任湖南巡抚的江西人陈宝箴说湖南人“好胜尚气”，又称“民气之勇，士节之盛，实甲于天下”①。民国二十二年（1933），国立清华大学考察团来湘，所见与前人略同。他们在提出的考察报告《湘粤旅行见闻录》中说：“一入长沙，即深觉湖南之团结力特别坚强……然同时亦气量偏狭……吵嘴打架，殆属常事，民风剽悍殆即以此。”外地人如此看湖南人，湖南人自身的看法也大体相同。章士钊在《刘霖生先生七十寿序》中总结湖南人的性格说：“湖南人有特性，特性者何？曰好持其理之所自信，而行其心之所能安，势之顺逆，人之毁誉，不遑顾也。”辛亥蹈海志士杨毓麟在《新湖南》中也说湖南人有“特别独立之根性”，大有不到黄河心不死、到了黄河不死心的气概。

3. 率直诚实

湖南人爱憎分明，不隐瞒观点，对于爱与恨、喜与怒、哀与乐均直接表露于形色，直率诚实的性格，给人一种一见如故的感觉。北宋理学家、道州人周敦颐在《爱莲说》中描述莲“中通外直，不蔓不枝”，可以说这是对湖南人性格的形象刻画。近代湖南不同的人才群体，在政治见解上，可能观点迥异，但立场却非常坚定，例如表现在开放与封闭、革新和守旧两个方面，都很容易走上极端。

① 中国第一历史档案馆．清总理衙门档案[A]．光绪二十四年一月七日．收湘抚电．

清末的维新时期，湖南是最富朝气的一省，但也出现了全国闻名的顽固守旧势力，两派斗争水火不相容。第一、二次国内革命战争时期，正、反两种力量斗争最激烈的也在湖南省，令世人瞩目。这从一个侧面可以看到湖南人性格率直与走极端的一面。表现在语言上，湖南人说话特别冲，是不会转弯抹角的“直肠子”。表现在行动上为好称里手，长沙人素有“长沙里手”之称。在待人方面，表现出热情、开朗，但缺乏幽默感。重义气，讲气节，和则热情似火，不和则冷漠有余。沈从文曾在他的著作中一再说湖南人是乡下人，率直，认死理，不轻易转弯，往往容易得罪人。在湘军威名显赫的时候，左宗棠与曾国藩因战略战术的分歧大闹意见，郭嵩焘、李元度与他们之间也时有龃龉和掣肘，但并不妨碍他们为共同的“中兴”目标而奋斗。1959 年,面对势不可挡的“冒进之风”，只有湖南人敢于碰硬，“彭、黄、张、周”四人中就有三个半湖南人（张闻天是长沙的女婿,算半个湖南人）。历史证明，湖南人大凡认准了一个目标,有了一种思想主张,就不会轻易改变，这不能不说是湖南名人辈出的一个特殊的原因。

4. 乐善好施

在贫苦无告的社会中，慈善救济历来是地方政府的职责之一，亦有好心者出面加以救济，并形成风气。对于需要帮助的穷人，乐善好施是长沙民俗之主流。修桥铺路，济困救荒，恤贫扶孤，自有热心人倡导，众人踊跃参加。浏阳城东 40 公里外的老女桥，系明朝甘氏女终生守贞奉母，辛苦纺绩，勤俭积累余资所建成，桥砖镌“正德十五年甘氏金贞立”字样。乡间如遇中风或四肢残疾病人，便有人做成床轿两用的瘫子轿将病人送到各屋场，由各家轮流供饭服侍。一个屋场轮遍，再送下一个屋场，以此循环，相沿成习。对于外地逃荒者，有人组织施米施粥施药施棺。

对于公益事业慷慨解囊者亦大有人在。1931 年长沙遭大水，福禄坤班演员曾紫兰（当时被推为湖湘乐部第一）一次认捐 2000 块银元救灾。是年 9 月 30 日她临终前又捐银元 600 给湖南孤儿院，捐银元 600 给贫女院。浏阳泮春周岐阳亦在清末民初一次捐款修建石板路 20 多公里。据史料记载，民国以前长沙的桥梁、渡口、道路等，多数由百姓捐资建成，并设“桥会”“渡会”“路会”维持，很多义举至今感人肺腑。如浏阳三口塅昔日有座“苦积桥”，是佣工李忠信用一生节衣缩食积累之钱倡建的。

清末民初，省城长沙涌现了许多冠以“善”字的民间慈善机构，如同善堂、楚善堂、兼善堂、积善堂、慈善小补堂、云化慈善堂、普化善堂、百善堂等，统称为善堂。善堂从事的慈善活动很多，如施粥、施棺、置义山、办义学、救生、消防、义渡、施药、保节等。善堂所募基金，最初放款生息，后陆续购置田亩、房产出租为常年经费，民捐民办，制定有章程，总理一切事宜。

尤其值得称道的是，清代湖南涌现了一批“致富不忘回报社会”的慈善家，以大粮商兼盐商、茶商朱昌琳和魏鹤林最为典型。朱昌琳乐善好施，热心资助地方公益事业，常年拿出田租 1 万石，对于育婴、施药、办义学、发年米、送寒衣等，辟专项资金，保证支付。光绪三年（1877），朱昌琳应山西巡抚曾国荃（长沙府湘乡人）、陕西巡抚谭钟麟（长沙府茶陵人）的嘱托，捐献大批粮食、布匹赈济两省灾民，功授候补道员。时人赞曰：朱昌琳“生平以济人利物为己任，自道光己酉，赈水灾为致力善举之始，其后历咸、同、光三朝五十年中，善行不可枚举”“尤尽心于救荒，秦、晋、皖、鄂，蠲振辄数十万”。光绪二十三年（1897）他倡议疏浚新河，开辟新河船埠，振兴浏阳河至湘江的航运，历时 10 年竣工，先后捐资 13 万两银之巨。光绪二十五年（1899），他又捐资修建湖南平江县长寿街麻石路面。宣统三年（1911），年近九旬的朱昌琳被举耆贤，特授内阁学士衔。魏鹤林“对于慈善业亦甚慷慨，于育婴捐助三四千金以为之倡，于恤嫠捐谷一百五六十石作为基金，于童媳捐银一千余两，凡贫家小户童养媳者，给以补助之。种种善事举，受惠者长久称道勿衰”[①]。

近代黄兴为武装起义筹款，将祖田所产300多石一次卖光；朱剑凡为培养人才将私园田产累计11万多元全部捐献。为支持焦达峰推翻帝制，周海文、刘肯堂将所经营的各处商号货物全卖光。周海文还将祖业田400亩（除留5亩供养老母外）悉数变卖，充作革命经费，毁家纾难，慷慨输将，后来囊空如洗，生活极艰而不悔。如此等等，不胜枚举。

三、湖湘古、近代市井生活及乡井生活中的民俗风情

如果说湖南人的性格心理是精神层面的民俗，那么本节所述市井生活及乡井生活中的民俗风情则是物质层面的民俗。但这二者又不能截然分开，是互相交错、互相融合的关系。无论是城市平民聚居之区，还是农村的墟集交易之所，均是民俗流行最接地气的场所。

（一）市井与乡井

《字汇·二部》云："井，市井。市，交易之处；井，共汲之所。古于汲水处为市，故称市井。"《管子·小匡》曰："处商必就市井。"《注》云："立市必四方，若造井之制，故曰市井。"又引《春秋井田记》："八家而九顷二十亩，共为一井……因井为市，交易而退，故称市井。"《风俗通义》释曰："俗言市井者，言至市鬻卖当须于

① 陈先枢．19世纪60至90年代中期长沙传统社会的缓慢变化［M］// 谭仲池，彭平一．长沙通史：近代卷［M］．长沙：湖南教育出版社，2013：168—169.

井上洗濯，令鲜洁，然后市。案二十亩为一井，今因井为市。”此说未免有望文生义之嫌。唐人尹知章注《管子·小匡》时的说法较为可取：“立市必四方，若造井之制，故曰市井。”可见，市井就是群众进行聚集和买卖的地方。市井反过来为井市，也是一个意思，唐诗人李绅《入扬州郭》诗云：“堤绕门津喧井市，路交村陌混樵渔。”

作为城中做买卖的特定场所的“市”，最早出现在周代。记载周代城市建筑的《考工记》说，当时城市以国王的宫殿为中心，“左祖右社，面朝后市”。工匠属官方管辖，而商人则在专门开辟的“后市”中做买卖，所谓“处工就官府，处商就市井”。因此市井最早含义就是城市中的市场。

到了战国时期，市井的概念又有了发展，既指贸易之地，又指城市中平民居住之区，《孟子》说：“在国曰市井之臣。”《史记》也说：“政乃市井之人。”这就基本接近了以后把市井泛指“城镇平民生活区”的意义。到了汉代，这种意义更为明显。《汉书》把城市的功能归纳为居住、生产、流通、教化四大功能。书上说“筑城郭以居之，制庐井以均之，开市肆以通之，设庠序以教之”。它只把市作为城市的流通设施，与其他三种设施一起，构成对民生的服务。这与今天的“市井”概念已相当接近了，因为民生性正是市井的最重要的特征。

“有井处即能歌柳词”，意指只要有市民聚集的地方，就能颂唱柳永的词。因此，市井已超越了井的物质功能，而成了老城街坊社会关系赖以维系的平台和纽带。“往来井井”，从古至今，井台周围，上演着一幕幕街坊人家的生活剧，东家长、西家短、左邻热、右舍冷，街坊百家、世态炎凉、评头品足、飞短流长，都在井台周围汇聚、交流、沟通。

相传古代八家一井，故井又引申为乡里人口聚居地。古代计地单位有井、通、成、终、同、封、畿等，井为最低一级，大小方一里，即九百亩。按每夫授田一百亩计，可配置九户居民，分九百亩方田如井字形，形成一个有田有居的小聚落。清人王筠《说文句读》云：“方里而井，居民皆在公田之中，故其互字如此。”在这里，井与里同义，即一种具有耕地的乡村聚落。因此，又出现了“乡井”一词。乡井不仅指乡村里的井，也泛指乡村、乡里。成语“离乡背井”“远离乡井”等，就把井与乡连到了一起。古代乡村居民生活也确实离不开井，《高士传》载：“管宁所居屯落，会井汲者，或男女杂错，或争井斗阋。宁患之，乃多买器，分置井旁，汲以待之，又不使之。来者得而怪之，问知宁所为，乃各自责，不复斗讼。”直至近代，许多村落仍多会井汲，晨暮炊前，汲者最多。乡村人烟稀疏，乡亲之间相聚的时间和机会较少，而每当庙会、赶场时，乡下人也不免开怀畅饮、聚首作乐。欢乐之余还要忙于以物易物，做成一宗宗生意，为下一个周期的寂寞生活做好物质准备，以防后顾之忧。此时的“乡井”便有了与“市井”相近的意义，词义上的区别仅仅成为乡村与城市的代名词了。

无论是城市平民聚居之区，还是农村的墟集交易之所，井是民生必不可少的设施，因而历代官府倡修义井，民间捐资凿井者亦不乏其人，倡修义井遂成为古代民俗民风的重要组成部分。长沙城的丰泉古井、长沙县椝梨镇的孚嘉井就属于这种义井。唐代吕令则《义井赋》的序言较好地阐述了井与义以及与民风教化的关系，“序”曰：“凿地生泉之为井，施人不倦之为义。兼济往来，存乎惠也；置衢街路，仰无私也；皎镜清虚，尚其洁也。三德既备，万物是仰。井乃无心，义惟我谋，当衢凿井，称物平施，酌而不竭，奉衢樽之化焉！见义不为耻也，遇善莫书过也。”可见市井文化也与湖湘文化倡言的“大义”有着必然的联系。

（二）市井生活及乡井生活中的民俗风情

有学者把中国古、近代人类社会分为宫廷、士林、僧侣、市井和乡土五大社会系统。宫廷文化系统包括君主及各级官吏，“贵”是其文化特色。士林文化系统主要指那些饱读诗书的知识分子，“雅”是其文化特色。僧侣文化系统包括佛、道诸教，特色是“神”，他们是神的仆从，又是神的代言人，与世间的权贵相结合，成为高高在上的又一主宰，统治着人们的精神世界。市井文化和乡土文化的特色是“生”，即求生存，主体是处在社会最底层的劳动人民，他们或劳作于城郭，或耕作于旷野，生活最艰辛，然而生活也最质朴，最能体现那个时代的社会本质。不同地域的市井生活和乡井生活不尽相同，无不打上最能反映当地民风的性格特征烙印。市井生活和乡井生活的民俗无外乎生产风俗、生活风俗、社会世相风俗和宗教信仰风俗等方面，兹将湖湘地区古代至近代这些方面的风俗概述如下：

1. 生产风俗

洞庭湖以南地区为楚国粮仓，农作物的收成好坏与气候条件、耕作技术有关，特别是与表示气候变化和农事季节的二十四节气有关，因此农民在实践中逐步形成了一些可适时适地指导种植的农俗。另外，楚地农副产品丰富，商品经济发达，商贸业受到重视，手工业得到发展，对于行业习俗的形成起到了推动作用。

湖南自古为鱼米之乡，种植水稻已有万余年历史。从考古发掘资料来看，迄今世界发现最早的稻作农业遗址是湖南道县玉蟾洞旧石器晚期文化遗址，所发现的稻壳实物已逾万年。漫长岁月，湖南先人培育出早、中、晚、粘、糯、籼、粳、长芒、短芒等众多稻谷品种，也形成了种种稻作文化风俗。浸种时间，一般都按“清明下种”和“谷雨下泥”的民谚进行。还有“穷人莫信富人哄，桐树开花才下种”的农谚。旧时插秧时节多在每年芒种前后，民间称为“青节”。农家选择在一个吉日插秧。插秧之前，要举行一种“开秧门”的仪式。还有“敬秧神”的习俗，三月插秧时，人们常剪红纸成人形，夹于一竹竿顶端，插在田中以惊飞鸟啄食，称为“秧神”，并摆“牙盘”、焚纸钱香烛于田埂上祭之，以祈秧苗茁壮。为灌溉稻田，宋代已推广龙骨水车。长沙山乡沿河两岸横江垒坝，架筒车汲灌。并有手摇、脚踏或牛拖水车。

农村以养猪为主要副业，农民寒暄，彼此必互谈养猪，俗谓“三个相公就讲书，三个农民就讲猪”。猪长得快与否，与猪种的优劣关系极大。所以农民对“相猪经”总是津津乐道，总结的经验常以谚语世代相传。如“耳薄嘴筒齐，毛稀现自皮，腿短身胚大，尾小唢呐鼻”“宁要长长瘦，不要短短肥”“要选狮子头，不要尖嘴猴”“尾巴扫得屋，喂猪喂得哭”等。猪仔买回应停食一天，使它饥不择食，容易接上槽口；头几天要定时驱赶猪仔到指定地方排便，俗称“禁栏”。养猪自东汉改放牧为圈养，即在偏屋（或称杂屋）内砌猪栏、猪楼。谚云：“喂猪没巧，栏干潲饱。”母猪要另栏喂养。母猪怀孕，忌在猪栏附近动土，怕犯煞流产。母猪产后的胞衣要深埋山中，如被狗偷吃谓对乳猪生长不利，有的将猪胞衣扔到河中，以图“乳汁如流水”。农家猪栏墙上，每每写有“姜太公在此”，还印有石灰五爪掌。这是因民间传说，姜子牙在岐山

长沙地区出土的商代青铜猪尊

筑台封神时，其妻马氏阴魂不散，长跪请封，气得姜太公怒骂："你这瘟神……"话没说完，马氏叩头就跑，自此做了危害牲畜的瘟神。农家利用马氏惧怕姜子牙五雷掌的弱点，画五爪掌于墙以驱逐瘟神。

湖南渔业十分发达。湖区每年农历四月间，当雷雨兼至、河水上涨时，民间称"发鱼子水"，境内河段鱼卵孵化成苗，成为捞鱼苗得天独厚的场所。届时，有些港埠渔会挂红灯通报鱼汛。自立夏至夏至，沿江渔民以竹木扎排，张麻布网箱，设在河边水流处，傍晚至夜半，捞取鱼苗。是时鸬鹚船主开始下河捕鱼。湖南人强悍的性格在渔民中尤为突出，如长沙操此业者，多为潘、江二姓，有"潘家鱼，江家水"之说。鸬鹚船主每年十月二十八日赶至西乡龙潭白沙庙（潘姓家神庙）集合，逾期到达者由董事者令人砸破其船头，当众示儆。到齐后，一律斋戒沐浴，至十一月初一祭神"开潭"后方可吃荤。

男耕女织是中国古代自给自足自然经济的典型模式。在原始手工纺织时期，人们利用纺坠纺纱，原始腰机织布。在手工机器纺织时期，中国古代劳动人民创造的竹笼机、大花楼机、多锭大纺车等都可代表当时世界纺织生产的最高水平。秦汉时期，手摇缫丝车逐步普及。后来使用的丁桥织机，是一种多综多蹑机，可以织制幅宽五十厘米的提花织物。五代马楚时，植棉术传入湖南，长沙等地有了棉纺织品的生产和交换。但多系家庭生产，一台木织机，一口染锅，两条踩石，规模甚小，所产布匹称为土布。土布作坊奉祀"天孙娘娘"为祖师，取"天孙织锦"之意。

泥、木两行供奉鲁班（公输般）为其祖师。泥木匠人饮酒时，先用手指蘸酒向脑后弹去，然后自饮，表示尊师。湖南百工风俗和禁忌，要数泥、木两行最为讲究。木工又分大木、小木。从事建筑、造船、造筒车、做棺木的木工属大木，其他做家具、用具的木工属小木。建房的泥木工在建房时，掌本师傅与舆地师（地仙）进行三择，即择地、择向、择吉日时辰。房屋方位和界址勘定后

清代铜官镇民窑遗址

举行奠基。小木做床最为讲究，木床做好后要请东家验收。木工先道恭喜，并唱赞床祝词。东家必须馈赠红包，钱数必须成双，以示夫妇和谐，双双到老。

湖南窑业尊舜帝为始祖，舜帝陵位于湖南宁远县。著名陶都铜官镇誓港建有“泗洲庙”，立泥塑舜帝像。每年六月初六为敬始祖之日，举行隆重庆典，工人举旗执牌，敲锣打鼓，鸣放鞭炮，用八人轿抬舜帝像周游当地窑上。烧窑匠择窑址须近水，离民屋、茅山较远以防火灾；还要远离大路，以避妇女在经期、孕期和产后踏破窑坊。逢烧第一、三、五、七窑要打“牙祭”，用三牲祭窑神。

湖南农村有赶集的风俗，其市场称墟场。墟场是一种周期市场。墟场的周期主要受人口密度的影响，较大的人口密度导致周期短的集市。此外，周期还受到周和月循环的影响，大多按太阴历周期循环。集市地点通常位于交通适中的集镇或乡村，以及寺庙所在地、城镇边缘地带等。集市的间隔往往取决于买者和卖者所愿意离开居住地前往的最大距离，一星期、半月、一月不等，或每隔一定日期（如逢单、双日或逢五、逢十）。也有个别地方利用庙会、牛市等形式，进行一连多日的集市性质的货物交易活动。

商家奉赵公明为神主，称“财神爷”，到近代又尊奉尚武尚义的关公为财神。每年农历三月十五日，各行帮会馆聚会，用猪头

民国时湖南农村集市

敬奠。新店开张，要张灯结彩，鸣放鞭炮，大宴宾客。店铺大致有两种类型:一为公馆型。公馆型店铺为砖石墙壁,黑漆木制大门,进大门正中有香案财神，条屏书画，厅上方摆茶几靠椅，陈设富丽堂皇。铺台末端靠正厅处竖黑漆招牌书“老一言堂”“童叟无欺”等字句。二为当街型。当街型店铺的铺房全部裸露，入夜时用木板嵌合封闭，俗称“关板子”。当街店铺要选择交通方便或人烟稠密处所,特别以街道拐角处最佳。摊贩也有自己的习俗。设点摆摊,俗称“摆摊子”。肩布卖者，称“布客”。挑货笼、摇小鼓、贩卖日用小百货者称“货郎”，俗称“杂货客”。行商中有远道而来投放镰刀、剃刀、剪刀、鸭子的，临门记账赊销，不收现金，一般秋后收取，虽无约据为凭，但双方都能信守不渝。小摊贩分为两种类型：一为摊担型。在街道两旁隙地或寺庙门口的小商，一般经营烟草、水果、日杂、副食，俗称“摆摊子”；另外，菜农、鱼肉贩子多在早晨聚集摆摊，正午星散。二为叫卖型。叫卖商贩穿街走巷，叫卖声各有特色。

屠宰业供奉的祖师为桓侯。桓侯即屠夫出身的张飞，祖庙即桓侯庙。屠工旧时有三不杀的规矩，即不杀未劁母猪，不杀未阉公猪，亥日不杀猪。年节和喜事杀猪忌补刀，建庙宇、打倡、团坛杀猪，杀一刀后，让猪到外面跑，称为杀“拖毛猪”。屠商卖肉时，对熟户或有权势者砍好肉，对穷苦人家砍劣质肉，俗有“屠户三块脸”“低头砍肉，抬头看人”之谚。

2. 生活风俗

生活风俗即衣、食、住、行、玩等方面的风俗。

楚人的主源为中原，因而，其服饰大抵与诸夏相近，是冠带之民。到清代，士绅一般着长袍，有单袍、夹袍、棉袍、罩袍之分，都从领下沿右侧开襟，钉一串布扣，古称“右衽”。外出罩马褂，戴缎帽，所谓长袍马褂绅士风。富家女子喜着大襟绣花衣，穿百褶裙或筒裙。女性大襟上衣，5~7 粒布扣缝于大襟右侧，前襟内右侧有小襟缝一小口袋。农家女子多穿粗布大襟衣，腰系围裙或抹裙，有的头裹方布，多为青蓝色，也有印花布，即在蓝底大布上印以白色或彩色的花鸟图案。

古代帽的品种繁多，大致有忠靖冠（乌纱帽）、方巾（儒巾）、盔、大帽（草帽）、缠头（包头）等。清代，长沙男性多戴瓜皮帽、碗帽，或用长布巾裹头。“瓜皮帽”，雅称“六合一统帽”，即以六块料面拼制 。小孩戴虎头帽、和尚帽、风帽，帽檐上方绣花，也有的饰以银质寿星像、银质福寿字样或金属生肖形象，意示吉祥，长命富贵。女子戴两页包头帽，称“折子”或包头巾（绉纱巾、青布巾）。留巴巴头的要在发髻上插七饰头簪（金、银、玉质）、绒花（乡下叫毛虫花），新娘则戴珠饰凤冠。

清末民初，有的妇女喜戴头簪，常见的有金簪、银簪、珠花簪或牛骨簪等。珠花簪以龙、凤、花、蝶为多。北伐战争以后，妇女多剪短发，头簪逐渐淘汰，只有新婚或老年妇女戴头饰，用绸绢制成各色假花，或作环形半圆箍戴在额顶，或在两鬓插花。

长沙李文玉银饰品

妇女穿耳戴环比较普遍，有的饰头钗，佩金、银、玉手镯，戴戒指和项链。小孩佩银质“长命锁”和带响铃的脚手圈。民国时期，老年人多戴玉镯，据说可以防止中风，也有的腕上戴一串佛珠，特别是年迈的政客、军阀常用来表示遁入空门，清静无为。中老年妇女戴金镯、银镯。

1974年，长沙马王堆西汉古墓出土了迄今最早的一批竹简菜谱，其中记录了103种名贵菜品和九大类烹调方法，今日湘菜的一些传统烹调方法，如蒸、煨、煎、烧、腊等，多由此继承演变而来。屈原名作《招魂》中有关部分对楚之食俗做过出色的描绘，如：“稻粢穱麦，挐黄粱些。大苦咸酸，辛甘行些。肥牛之腱，臑若芳些……”可见楚国的饮食具有4个特点：食物丰饶，好食异味，喜爱酸食，烹技高超。喜爱酸食，尤为突出。嗜酸又与喜辣往往联系在一起。湘人还好吃异味，好吃苦味，好吃腊味，好吃香味。

湘菜烹饪风俗独树一帜。首先是刀工精细，形味兼美。湘菜的刀工十分精细，其基本刀法多达16种，具体运用中还有变化，从而使湘菜的外形呈现出千姿百态的风韵。如传统菜“发丝百页”细如银发，“梳子百页”则形似梳齿，“熘牛里脊”片如薄纸；而新菜“菊花鱿鱼”“金龟戏莲”更是刀法奇异，形态逼真，巧夺天工。其次，烹调技法多样，尤重煨焯，形成了一套完整的烹调技法，尤其以煨、炖、炒、蒸、腊、烧见长。再次，长于调味，口味注重酸辣，善于创新。

湖南自古以来盛产稻谷，居民一日三餐，以稻米为主食，其中以早、中两餐为重。米饭有糙米饭、熟米饭、红米饭、白米饭之分。民国以前，一般人家多用铁炉罐（一种口圆、底尖的铁铸炊具）煮饭，挂在通钩上，四季咸宜。民国以后，用铁锅焖饭的渐多。大场合、大户人家多用木甑蒸饭。浏阳东乡则家家户户使用小木甑，干菜、荤腥等一起在甑内蒸熟。很多人家的饭中常拌有红薯、红薯丝、苞谷、高粱、豌豆、蚕豆等杂粮。家庭主妇善于加工贮藏菜肴，普通家庭都会熏腊肉、腊鱼，做卤蛋、霉豆腐等。巧妇善做家庭副食品，如将红薯去皮煮熟捣成糊状，掺入芝麻、橘皮，切块晒干叫薯糕，用油炸或用砂炒，又香又脆；糯米可加工成各式各样的副食品，如年糕、糍粑、汤圆、冻米糕、油粑粑、粽子、八宝果饭等。

马王堆汉墓出土的“君幸食”漆盘

湖南地区的宴席食谱，是由民间食谱、宗庙祭祀菜和官绅家的菜肴综合而成。城乡习俗，有钱人家办海参席或蛏干席，中等人家办鱼肉饭，每桌 10 道菜。头道菜用笋干、粉丝、黄花菜、肉丝、肉丸做成“杂烩”。至第八道菜为鲜鱼，“鱼到酒止”。或者第六道菜为鱼，叫“六碗菜出鱼”。贵族筵席更为丰盛，第一道菜为冷菜，由几种卤菜拼凑成一大盘的叫“拼盘”，分成四碟的叫“四冷碟”。宾主坐定后，第一道菜为海参、鱼肚或鱼翅，分别以海参席、鱼肚席、鱼翅席命名。依次可选用龟羊汤、清蒸甲鱼、面包鸭、牛百叶、牛肉、黄鳝、肚片、整鸡、乳鸽、甜菜等，一共四冷碟、四热碟、八大菜、四色点心、四随菜等。

湖湘地区典型的城镇民居具有造型均衡简洁、色调素净明雅的特点。多由前后两个一明一暗的三间房组成，屋体的构架采用“三间四架”“五柱八棋”的形式，灵活运用吊脚楼穿斗、马头山墙等手法构成多变的形制。中间为一内院，种植花木，形制较小者则成为天井，以此作为整个住宅平面布局组合的中枢。房屋的空间高大通敞，便于通风除湿。房顶覆青瓦，墙体刷白粉，其山墙多做成“马头墙”，又称“风火墙”或“封火墙”，用以封闭隔绝邻居可能发生的火灾。

旧俗建房注意屋场风水，俗有“三择”：择地、择向、择日。择地时，首选屋前有池塘，屋后靠丘陵，屋左畔流水，屋右傍道路，取《易象》“前朱雀，后玄武，左青龙，右白虎”之意。房屋大门忌对山尖，否则对屋主不吉。择向以坐北朝南为最好，俗谓“有钱难买向阳居”“朝南起个屋，子孙好享福”。有的要求屋后及两侧“有龙脉”，山势左环右抱，前有流水，地势开阔。

旧时民居正堂屋多立神龛，为敬神、筵宴、会客之所。有的在案上供财神菩萨，在堂屋里还要贴上“赵公镇宅图”。寝室角落置尿桶。灶屋建炉坑。屋前隙地叫地坪，平时为农事活动场地，夏夜为乘凉娱乐之所。富家对建槽门非常讲究，俗有“千斤槽门四两屋”之说。旧时家具，普通人家置架子床或宁波床、大柜、衣箱、书桌、餐桌、碗柜、坐桶、简便椅凳等。富裕人家有大踏板雕花床、彩柜、钱柜、茶几、屏风 、香几、梳妆台、八仙桌、太师椅等。

古代交通不便，旅行多坐木船或徒步，旅途中不安全因素很多，故出门之前常占卜问卦，选择吉期。每年首次出门有“逢七不出外，逢八不归家”的禁忌。远道旅行俗称“出远门”，出门后忌半路打转，否则“兆头不好”，办事不成。如父辈、祖辈有重病，儿孙辈不得出远门。虽自古有舟、马、车、轿等交通工具，但民间行旅，至民国时期仍以徒步为主。夜间行路，常打灯笼火把。火把多为杉皮扎成，用稻草束紧，点燃之后，前后不断甩动，放出一道道弧形光芒。轿子是昔日主要代步工具，除富者及老弱病残外，每个女人一生至少要坐一回。出远门的大多是科举考生、公差衙役和商贾等，多利用江河舟楫之便，无水路的则步行，少数的坐轿或骑马。

县与县之间的道路叫官道，道口分叉处设指路碑，上刻“左往某地,右往某地”字样,碑上落款“某人立碑”。指路碑俗称“将军箭”，背刻“泰山石敢当”，意谓此碑可镇压邪恶。境内要道，每五里一堆（牌），十里一铺，三十里一驿，故形成许多以堆、牌、铺、驿为名的地名，如长沙的六堆子、五里牌、黑石铺、桥头驿等。古代传递公文和军报分别交“驿递”和“铺递”递送，因此很多官道也是驿道。驿站用马传递，铺递用铺兵走送。驿站，可供驿吏或往来官员、客人歇宿、换马；铺站比较简陋，一般仅有房舍数间、邮亭一座。

在这些交通节点设有客栈伙铺，并备有“马轿”（用竹竿和靠椅扎成）供旅客雇用。有的设有茶亭，茶亭为热心公益事业的人集资设立，免费提供茶水。如长沙望城区茶亭镇因明清两朝设有义茶亭而得名。“义茶”是不收分文的“施茶”，义茶亭的对联道出了建亭者的初衷，联曰“不费一文钱，过客莫嫌茶叶淡；且停双脚履，劝君休说路途长”。浏阳新安乡、宁乡沩山乡、安化小淹镇等也有这样的茶亭。

民间生活风俗除衣、食、住、行外，还应加上一个“玩”字，今日谓之休闲文化。玩又分为民间体育和成人娱乐。旧时流行于湖南的民间体育有踩高跷、踢毽子、打秋千、拔河、摔跤、武术等；成人娱乐有牌戏、弈棋、养鸟、斗蟋蟀、斗鸡、养花、坐茶馆等。特别是牌戏，名目繁多，变化无穷，如麻将、跑胡子、骨牌、骰子、扑克等。

浏阳新安桥茶亭

3. 社会世相风俗

社会世相风俗又可分为婚姻风俗、生育风俗、寿诞风俗、丧葬风俗、礼仪风俗等。

旧时湖南汉族的婚姻礼制要遵循“六礼”，分别为：“纳彩”，即男方向女方送彩礼求婚；“问名”，即男方媒人问女方的名字、生辰，然后到宗庙里占卜吉凶，结果为吉的才能进行下一步，凶的则到此为止；“纳吉”，即请阴阳先生推算男女双方的生辰八字，看相克与否，如占卜推算得到吉兆便定下婚姻；“纳征”，即男方派人送聘礼到女方家，聘礼的多少及物品名称多取吉祥如意，数目取双忌单，寓示好事成双；“请期”，即请女方确定结婚日期，由阴阳先生推算良辰吉日；“亲迎”，男方亲自去女家迎接，然后男方先回，在门外迎候。

清嘉庆《长沙县志》载：“婚礼，冠礼之废久矣，惟亲迎奠雁则士大夫家有行之者。民间订聘用红绿笺，男女书年庚于帖，媒氏互致之，各执为信，或侑以缣帛、钗钏、果品之属。将婚之先，婿家诹吉，倩媒告期，亦以缣帛、簪珥、酒果、鸡豚之属佐焉。亲迎，则设彩舆，鼓吹迎新妇。至门，出于帷，行合卺礼，然后拜见翁姑，以次及尊长、亲属。其妆送资贿，视家之有无以为丰啬。”民初《湖

民国时长沙街头婚轿

南民情风俗报告书》把上述婚俗归纳为“十款”，即议婚、纳彩、请期与纳币、送奁、亲迎、合卺、庙见及见舅姑见宾客、女家会亲及男家宴会、回门、婚后馈遗。

送子习俗及《送子歌》在农村流行广泛。一种是唱“送子娘娘下凡来，特到贵府送子来”。被送的神仙则分别是：“和合二仙”“三星公”“四季招财”“五子登科”“六合同春”“毛兰七妹”“八洞神仙”“九门提督”“十全十美”，赞颂贵子长大之后的非同凡响，极尽夸张、溢美之能事。另一种则是唱“南海观世音，手捧太子送上门”，这种送法据说既“准”又“灵”，孩子长大以后定是“栋梁材”。城内求子，多到寺庙拜送子观音，或到娘娘庙拜灵妃娘娘。

生育禁忌甚多，如孕妇不宜爬楼梯，不宜看新屋动土奠基、上梁，谓“怕撞煞气”；不看宰猪、杀鸡等，所谓不视恶色，不听邪声。临产前应有丈夫伴宿或娘家长辈陪伴，事先请好接生婆或请全福老妇接生。婴儿坠地不哭或难产，家中焚烧纸伞，谓烧桐油可以避邪。出嫁女忌在娘家分娩，俗谚“外孙下地，六十年不利”。婴儿出世都要到神龛前燃放鞭炮，向祖宗报喜。婴儿父亲即日要带着鞭炮和一只鸡到岳父家报喜，生男孩带公鸡，生女孩带母鸡。婴儿出生后第三天，叫三朝日。三朝日，长辈妇女将艾叶、枫球、

长沙小西门外娘娘庙老照片

鸡蛋等熬水为婴儿洗澡，叫“洗三朝”。三朝日亲友赐红纸包封祝贺，赴汤饼会，叫“打三朝”。产妇分娩后，一般要在家中待一个月，不能出屋，俗称“坐月”。满月这一天，母亲抱婴儿回娘家一趟，俗称“出窝”。还要办满月酒。婴儿满百日，用小活鲫鱼一条蒸汤吃，俗称“开荤”。

小孩满周岁，外婆家要送衣帽、坐栏、玩具等，俗称“做外婆”。酒宴过后举行“抓周”，古称“试儿”。亲友聚集厅堂，堂中摆方桌，桌上放士农工商常用工具，如文房四宝、算盘、账簿等，母亲抱小儿让其随意抓一件。小儿所抓物件谓可以预测其一生的职业和造化。婴儿周岁，家人为让其健康成长，想一些消灾赐福的办法，常见的有：挂长命锁、送吉祥钱、拜干娘等。

寿星是与福星、禄星一样最受人们尊奉的吉祥大神，寿星也是寿神中影响最大的神灵，原本是星宿，后附会为神名，民间把寿星看作是主宰人间寿夭的神灵。寿星有三，一为角、亢二宿，二为南极老人星，三为长沙星。民间尊敬、爱戴长寿老人，后来干脆把长寿老人也尊称为“寿星”。家有老人，子孙总要在中堂挂一幅《寿星图》以表示祝福老人健康长寿，两侧对联多是“福如东海，寿比南山”之类。

古谚云："百岁曰上寿，八十曰中寿，六十曰下寿。"在以干支纪年的时代，天干地支以60年为一周转。男子"二十而冠"，即到了20岁才能束发加冠，所以男子20岁得举行"冠礼"。女子"十五而笄"，即女子15岁才得用簪子盘头发，故女子15岁曰"及笄之年"。这都不算寿。60岁以下叫生日，60岁始称寿，可见古人称寿的最低限度是60岁。以后有50岁称寿的。生日逢十叫"整生"，其余叫"散生"。做寿讲究"男进女满"，即男做虚岁，女做实岁。做六十大寿被认为是重开花甲，特别隆重，称为寿星公、寿星婆。有的搭寿台、陈寿桃、点寿烛，有的亲友送寿匾、寿屏。寿星端坐寿台，接受儿孙跪拜，此时鞭炮燃放时间越长越好。开筵席时，先吃寿面，面条细长，象征长寿。

清嘉庆《长沙县志》载："丧礼好礼之士有遵朱子《家礼》不作佛事者。亦有同志撰家礼，从宜为简而易行者。初丧成服，亲友相唁，谓之设奠。将葬致客，谓之开吊。酒食、布帛、舆马之费，多则数千金，少亦不下数百金，力不及者必称贷变产以行之。不如是，则群以为俭其亲矣。居城市者，则街邻各有馈遗，置酒馔，辆车将行，则鼓乐在前，继以号泣。至于作佛事、建道场，僧道罗列，剖狱、招亡，每以七日为度，其自一七设祭焚楮，以至七七者，谓之应七，虽巨族亦有不能免者。"传统的丧葬礼俗一般可分为：初终、殡殓、丧具、吊唁、治丧、营葬、虞祭、追荐等。

旧时殡葬服务是一个规模大且利润颇丰的行业，俗称"弹四郎"，诸如立孝堂、出殡一类的事均可由其全程负责。立孝堂可由"弹四郎"操办。堂上挂白布帐帷，中间摆方桌，桌上置死者遗像及香炉、烛台、供果等，遗像两旁挂孝子挽联。挽联之风源于古之"旌铭"，按死者生前身份、称谓，用白粉书写在黑色旗幡上，用同样长竹竿挑起，竖在灵前右方，为死者歌功颂德。清末民初改用祭幛，写4个字以旌死者，歌功颂德，以示生荣死哀。吹鼓手轻奏民乐，迎接吊丧亲友。讲排场的于门外隙地高搭芦席棚，请儒、释、道

民国时长沙街头送葬队伍

三家轮番值班。儒家俗称“喊礼”，释家称“做佛事”，道家称“做道场”。旧时关于丧礼各种营业主要有：仪仗行、国乐社、西乐社、寿服店、扛行等。

湖南民风，自古以来热情好客，也借助人情往来，传达人与人之间的感恩、敬重、沟通与和谐，有民谚云：“千里送鹅毛，礼轻情意重。”往来待客，各种礼节都十分简洁、淳朴。客人进屋，必喊请坐，少不得泡茶递烟。益阳、宁乡、望城等地还泡芝麻豆子茶，浏阳北乡则兴茴香茶。如果是尊长莅临，主人要出门恭迎，让客先行，请客上座，自己坐下首相陪。谒见前辈，要磕头或行鞠躬礼，并问候健康。平辈相见则往往问身体、工作好否，遇见带小孩的女士多问毛毛乖否或夸奖一番。生人见面，必先问贵姓、台甫、有何贵干等客气话。留客人吃饭，尊客人上座，斟酒时先长后幼。客人告辞，必说“少陪”；主人起立相送，说“慢走”。赠人礼物则说“一点薄礼”“一点小意思”，受者则说“承破费”。行路，长者先；路遇肩挑重担者，自行让道。平日遇建房、搬迁、中考、上任、晋升、继嗣等，亲朋好友也应邀或闻讯前往祝贺，但无厚礼。

4. 宗教信仰风俗

巫教是湘楚大地一种古老而奇异的宗教，原系远古时期“苗蛮部族”头领蚩尤所创，既有原始宗教的性质却又掺杂一些神学宗教因素。这种谲秘的宗教，源远流长，流播甚广，经历数千年而不衰。战国晚期屈原放逐沅湘时所作《九歌》实际上是“民间祭歌”。《九歌》主祭东皇太一，《礼魂》为送神曲，中间九篇九神出场的目的是为了娱乐“东皇太一”,而《九歌》就因此九神而得名。南朝梁人宗懔《荆楚岁时记》记述六朝时期荆楚一带的楚俗巫风，诸如“帖鸡户上，桃符镇鬼”“豆粥加膏，祭祀门户”“夕迎紫姑，以卜农事”“僧尼道俗，盂兰盆会”“击鼓戴胡，傩舞逐疫”“祭祀灶神，宰杀黄羊”等，比比皆是。

傩戏最初是巫祭中的娱神活动，但在后来发展过程中，不但受了道、佛、儒各种思想意识的不同程度的影响，而且还与同一地区的其他剧种（如花鼓戏、湘剧等）交流、融合，甚至共班同台演出。湘中“冲傩”过程中的许多节目，巫师称之为“法席”。也就是在繁复、冗长、沉闷的傩仪中，巫师一边点香焚纸，敲锣吹（牛）角，祭祀傩神，一边载歌载舞媚神娱人。从《启师歌》《启下坛》《送莲船》《和神骂鬼》《劝酒歌》及《送圣歌》等一些有代表性的“法席”来看，长沙地区祀奉的傩神为白氏三娘和张五郎。汉族地区大多崇敬伏羲女娲，奉为傩公傩母之傩神。其神话也是源于洪水再造人类之说，各地故事情节大同小异。

湖南古代的民俗风情涂抹着一层华丽的宗教色彩，反映了古代人们生活中具有信仰观念和崇拜心理的风俗现象。自从人类思维达到一定的水平，在产生洞察客观世界的欲望而又无法解释一些客观现象的最初时刻，宗教就开始以权威的姿态悄悄来临。从原始崇拜到巫教、道教、佛教，天、神、鬼、怪、菩萨，各种观念相继而生，不可捉摸但却那样顺其自然，“天人合一”。1949 年长沙陈家大山楚墓出土的一幅人物龙凤帛画就是龙凤引魂升天图。画面上龙飞凤舞，一贵妇双手合十，双脚立于大地之上，做升天状。1973 年长沙子弹库楚墓出土的人物驭龙帛画，画中一中年男

人物龙凤帛画白描图

人物驭龙帛画白描图

子，头戴高冠，身穿宽袖深衣，腰佩长剑，手挽缰绳立于龙舟之上，其龙头高昂，俨然一幅驭龙升天图。旧时有各种鬼神的信仰，诸如日神、月神、火神（祝融）、祖宗神及山神、土地菩萨等。这些神开天辟地，赐福降祸，无事不能，无所不为。

人们崇敬神怪，是希望他们能给自己带来吉祥幸福，而免除不测灾祸。传说中，炎帝为神农氏。也就是说，炎帝是发明农耕的农业民族的领袖。“炎”的意义是阳光与火光，故远古人类发明符号时，它便被刻画为阳光形符号或火焰形符号，并把它用作族徽。在距今约 7000 年的长沙市南托大塘新石器时代农耕文化遗址中，发现陶器上刻画了“太阳”“向着太阳、口含着禾苗的鸟”“南方干栏式房屋”“流水纹”“花瓣纹”“草绳纹”“农田纹”等象形符号，明显地表现了太阳与农作物的关系。这一组颇具系统性的刻画符号，可视为神农炎帝农耕文化在艺术上的表现。楚人崇日表现在一系列与日密切相关的风俗习惯上。诸如尚赤、尚东、尚左，礼丹凤、朱鸟，瑞朱草、丹桂、红枫，等。楚人相信自己是太阳的子孙，而太阳中有火，火为赤色，因而也就形成了楚俗尚赤的特殊风俗。

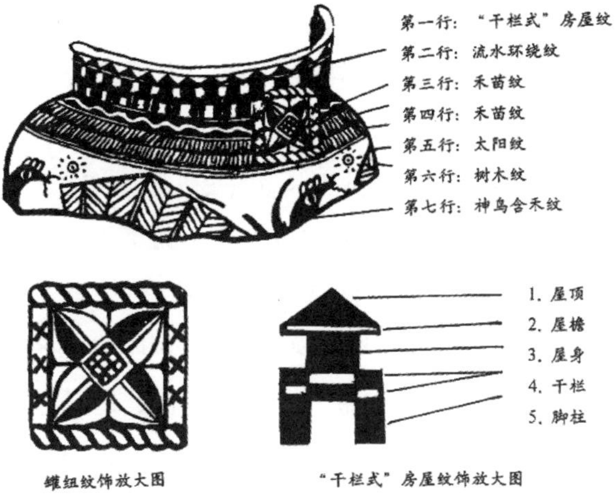

长沙南坨出土的陶罐残片白描图

湖南道教正式产生于东汉，它的渊源主要就是古代的神鬼崇拜和黄老之道。道教的基本信仰——"道"，被解释为宇宙本原，是"灵而有性"的"神异之物"。这是对《老子》所说的"道"作的宗教阐发。道教尊奉的"三清"（玉清、太清、上清，均为神仙居住的地方），便是"道"的人格化。道教修行的终极目标是"得道成仙"，使人返本还原，与道合一。长生久视，全性葆真，顺应自然，因而在政治上强调无为而治。道教戒规是：1. 视物犹己，勿萌戕害凶嗔之心；2. 忠于君，孝于亲，诚于人，辞无绮语，口无恶声；3. 除邪淫，守清静；4. 远势力，安贫贱，力耕而食，量入为用；5. 毋事博弈，勿习盗窃；6. 毋饮酒茹荤，衣食取足，毋为骄盈；7. 虚心而弱志，和光而同尘；8. 毋恃强梁，谦尊而光；9. 知足不辱，知止不怠。

与中国本土宗教道教创建大体同时，佛教开始传入中国。历史进入魏晋南北朝，儒学从汉代的"独尊"走向衰微。追求"轮回转世"的社会风尚促进了倡言"空无"的佛教的发展。"缘起"理论是整个佛教学说的基石。所谓缘起，是说一切诸法、世间的万事万物，都是因缘而起的；因为是因缘而起的，所以都无自性，都只是一种假象，亦即"空"。由于不懂这一基本道理，人因而有种种痛苦。要解脱痛苦，就得遵照佛教所说的方法去修行。佛教宣扬慈悲普度、善恶报应、轮回转世，认为“人生皆苦”“一切皆苦”，但只要掌握“道谛”，便能脱离苦海，进入“常乐我净”的涅槃境界。居士所持基本戒律为：1．不杀生；2．不偷盗；3．不欲邪行，即不做夫妇之外的欲事；4．不妄语，即不说谎话；5．不饮酒。

佛、道教的祭拜风俗大同小异，常见的有：烧香、点烛、供果、跪拜、开光、诵经、奏佛（道）乐、许愿、还愿、捐功德、吃斋饭、做斋事、放生、抽签、解签、卜卦、烧包、超度、忏悔、祈福、连环唱、盂兰盆会、唱戏酬神、贴平安符、点光明灯、挂神帐等。寺庙为信众举办消灾祈福的各种仪式，需收取一定的钱财，称作“做斋事”。

除道教、佛教外，还有所谓“俗神”，指的是与正信宗教相对而言之民间俗信宗教所崇拜的神灵。从广义上看，图腾崇拜、祖先崇拜、自然崇拜的诸多神灵，都属于民间崇拜的俗神。从狭义而言，民间俗神指的是与民众社会世俗生活密切相关的神灵。“土地神”是民间自然神崇拜的典型。在华夏诸神中，“官职”最小的是土地公婆，但是最原始、最普遍、最旺盛的民间俗神，是农耕文化的产物。受地理环境的影响，湖湘自然神灵以水神最有特色。“湘籍”水神有湘君、湘夫人、洞庭神和杨泗将军等。《长沙新年纪俗诗》有许多关于民间祭祀风俗活动的记载，如“纸扎龙灯奉作神，香花处处表欢迎。堂前一度兜圈子，步步龙行百草生”。这里记述的是长沙的定湘王、朗公元帅诸神庙，每岁新年时扎一纸龙，沿街行走，鸣锣击鼓，热闹非常。

湖湘民间俗神中最多的是行业神。可以说，三百六十行，几乎行行都有崇拜的神灵。例如，农村所祭祀的驱蝗神刘猛将军，田神鄱官菩萨，儿童医神和孝子之神麻衣大仙，医神仙峰真人，药王孙思邈，医圣张仲景，餐饮业祖师詹王，戏剧业祖师老郎神（唐明皇），烧炭行业祖师神孟公，制鞋业祖师孙膑，术数相面业祖师王禅老祖，理发业祖师罗神和吕祖（吕洞宾），木工行业祖师鲁班，染布行业祖师梅葛二圣，茶神陆羽，酿酒业祖师杜康，养蚕缫丝业祖师嫘祖(相传为黄帝妃子西陵氏)和商业钱庄供奉的财神比干、范蠡、赵公明、关羽等。

四、湖湘民俗文化的流变和近代社会生活的转型

风俗产生和演变的规律，一般都有由野而文，由丑而美，由繁而简，由恭到亲和由俭到奢的过程，与人类社会的发展和进步相始终。[①] 湖南境内的民俗演变也具有这种规律性。由蒙昧野蛮时代进入文明时代，由原始社会进入阶级社会，由狩猎采集社会进入农业社会，由农业社会进入工业社会，由自然经济到商品经济的变革时期，恶规陋俗逐渐被革除，良风美俗、流行时尚也随之而生。这其中受到民族融合和移民运动的诸多影响。

（一）先秦时期湖南少数民族与楚民族的融合

湖湘文化的初级阶段是楚文化。今湖南地区春秋战国时期的楚民族是由来自北方的楚先民与南方土著“蛮夷”诸民族融合而成的。这个长期而复杂的过程，既是楚国在政治、军事上结夷夏为一体的进程，也是在民俗文化上熔夷夏于一炉的进程。[②]

商周时代南方庸、蜀、羌、髳、微、卢、彭、濮等少数民族（部族）都曾参加过周武王伐纣的战争。但是，周王朝政权建立以后，

① 湖南省地方志编纂委员会．湖南省志：民俗志［M］．北京：五洲传播出版社，2005：9．

② 陈先枢．楚民族与南方少数民族的融合与流变［C］// 揣振宇，杨荆楚．汉文化多元化与西部大开发——2003 年汉民族学会学术讨论会论文集．北京：民族出版社，2005：278.

这些分布在江汉、洞庭一带曾经在灭商战斗中立过汗马功劳的诸“蛮”却未得到什么好处，反而成为周王室不断征讨、奴役的对象。因此，这些“蛮夷”从支持周朝建国转为对抗周朝，并成为一支强有力的反周力量。周昭王、周穆王、周宣王等都曾大肆征伐过“蛮夷”，然而，他们不仅没有建立显赫战功，有时反而被诸“蛮”打得落花流水，损兵折将，甚至断送国君性命。可见其时“蛮夷”力量之强大。

周室东迁之后，诸夏大统一、小分裂的局面已向小统一、大分裂局面转变。周王丧失了军事盟主的实力，周公东征、昭王南征之类的赫赫壮举再没有重演。此时，从北方迁徙到江汉、洞庭一带的楚民族日益强大，楚人也用不着再为来自中原的威胁而担忧了。至于江汉地区的小国，虽然武力强悍，但彼此不相统属，偶尔组成松散的临时军事同盟，也形同乌合。只有曾国为汉阳诸姬之首，是楚人东进的主要障碍。武王末年，楚国大举讨伐曾国，迫使曾国与之订立城下之盟，从此，楚国对汉阳诸姬的影响就超过了周朝，反周向楚成为当时的潮流。楚成王三十二年（前640），曾国策动汉东的小国反叛楚国，被楚国击败，曾国从此成为楚国的附庸。还有百濮、群蛮、百越等，虽部落林立，但势单力薄，更容易被楚国各个击破。西周末年，楚王熊渠已“甚得江汉间民和”，江汉间的主要部落“三苗”已归附楚国。

到了春秋时期，楚国又先后灭掉庸、濮、罗、卢等苗蛮集团方国，并征服了扬越。至此楚民族已与江汉、洞庭等地的诸“蛮”联合起来，实际上已融为一体。楚国从而成为南北联盟之“长”，得以逐鹿中原，成就霸业。可见楚民族的兴起与繁盛，其强壮的肌体里既凝聚着华夏威严而风雅的精魂，又奔流着“蛮夷”劲悍而野朴的血液。

楚民族是先秦时期（其时间为数以百年计乃至数以千年计）在芈姓氏族（来自华夏）的统领之下，由苗（“三苗”）、越、濮、巴等部族渐次融合而形成。具体到文化来说，芈姓氏族从中原带来了虞、商文化和夏文化；江汉、洞庭等地的诸“蛮”则以苗蛮文化、百越文化、夷濮文化、巴蜀文化、氐羌文化予以丰富充实，从而凝聚形成了熔华夏文化与蛮夷文化于一炉的楚文化。随着夷夏文化的相互吸纳和激荡，楚文化进入了它的生长期。楚文化的一切重大成就，都是师夷夏之长技而力求创新的结果。

楚人进入江汉平原之后，受到土著蛮夷的影响，文化面貌开始发生显著变化。据考古资料，这个变化首先体现在陶器上。大约从西周晚期到战国中期，楚人的主要烹饪器是一种高腿锥足红陶绳纹鬲——即考古学界所称的“楚式鬲”。它的基本结构和特征，同曾流行于中原地区的“殷式鬲”和“周式鬲”迥然不同，而自成体系。“殷式鬲”和“周式鬲”器体的腹足结构连为一体；而“楚式鬲”器体的腹底连接一起，空足由核心和外壳两部分构成。

体现在农业生产上，楚人向种植水稻历史悠久的南方民族学到了筑陂的技术，而且有所改进，有所创新。孙叔敖筑的期思陂，其特点是截引河水，而先前的陂大概只是积雨水或引沟水的。如《国语·吴语》记伍员说，楚灵王筑章华台，“阙为石郭，陂汉，以象帝舜”。韦昭注：“舜葬九疑，其山体水旋其丘，故雍汉水使旋石郭，以象之也。”

在精神文化方面，楚人栉蛮风，沐越雨，潜移默化，加上他们对自己的先祖作为天与地、神与人的媒介的传统没有忘怀，因而，他们的精神文化就比中原的精神文化带有较多的原始成分、自然气息、神秘意味和浪漫色彩，逐渐形成了南方的流派。楚人接受了华夏的许多理念，然而他们从楚国的实际出发，往往有所改变，有所变通。如政治思想上强调忠君和抚民，军事思想上侧重外线作战，民族思想上主张混合夷夏，都可以说是自成一家的。至于社会习尚，则有久盛不衰的巫风、崇火尚赤的习俗；艺术风格上，则追求挺拔与诡奇、清秀与缛丽的结合。一言以蔽之，就是精神

楚式鬲

文化方面的楚派与楚风。这从楚汉帛画、楚汉器物纹样（含青铜器、铁器、丝织、刺绣、木雕、竹器、漆器、料器等的样式及纹饰）、楚汉画像石等楚文化瑰宝所蕴涵的内容及其独特的风格完全可以窥见，亦可从《楚辞》中得到印证。

（二）湖南楚风俗的汉化

战国后期，随着楚国的覆灭，楚民族相当多的一部分，包括诸“蛮”的一部分，逐渐被汉族所征服并融合，秦汉以后成为统一的汉族的新的有机组成部分。但是，当时逃往及后来迁徙武陵山区、雪峰山区和邻近的九嶷、五岭南北等地的苗蛮、濮越诸部族，兼及今黔东、川东、鄂西、黔川滇一带的“土著”民族，情况却相当复杂，他们大部分并未被汉族完全征服，更未被汉族所融合。如聚居于湘西的苗蛮、濮人和入湘的巴人，到秦汉时成为“武陵蛮”和“五溪蛮”的重要组成部分。他们作为楚（越）裔族而各自向着单一的民族发展，渐次形成同源异流、各有特色的本民族文化，这就是现今的苗、瑶、侗及土家、布依、仡佬等民族。

这些被迫一再迁徙的少数民族，长期居住于深山老涧，并且不断受到汉族统治阶级的追剿与敌视，处境极其艰苦，生产极其落后，同外界联系甚少，以致他们不少人“不知有汉，无论魏晋”。他们世世代代，依然按照原来的生产方式和生活方式劳作、祭祀、婚娶、饮食、装饰、娱乐，自然而然地把许许多多的巫风楚俗乃至原始遗风较为完整地延续下来，对他们进行同化、汉化成了封建社会统治者安邦固本的一项任务。

移风易俗为大势所趋。历代的统治阶级也总以正人心、端风俗为执政教化之本。而外来文化的冲击和交融，也是湖南民俗变化发展不可忽视的原因。秦以后湖南民俗的变化过程就是汉化的过程，也是湖南作为边疆和蛮俗地区融入中华文明的变化过程。

湖南民俗的汉化可以划分为三个时期:第一期,隋代及隋以前;第二期，宋元时期；第三期，明清时期。第一期完成了洞庭湖及其周围湘江下游右岸地区的汉化。第二期完成了资水中游及其毗邻的湘江下游左岸、沅水下游的右岸地区的汉化，并奠定了沅水中上游及毗邻的资水、湘水上游的格局。第三期加深了湘南的汉化，并通过“改土归流”确定了湘西的格局。

政府推行移风易俗的文献记载始于东汉。《后汉书》记载，在湘江上游的桂阳，卫飒任太守后，“修庠序之教，设婚姻之礼，期年间邦俗从化”。武陵太守应奉任内“兴学校,举仄陋,政称变俗”。宋均到辰阳履任，针对当地“其俗少学者而信巫鬼，均为立学校。禁绝淫祀，人皆安之”。

到宋代，湖南一些地区还流行一种杀人祭鬼的恶习，甚至有个别出门在外的儒生被杀成为祭品，这是一种典型的淫祀，严重危害社会的稳定。宋仁宗、宋神宗、宋高宗等多次御批，严饬湖南各级官员全力查禁，并警告办理不力的官员，使这一野蛮恶习经过百余年的努力终于被禁绝。

对湘西地区，清朝雍乾时期实施改土归流的政策，虽然带有明显的民族压迫性质，但对苗族地区的风俗改良起到了十分重要的作用。如舅霸姑婚的风俗遭到禁止，在靖州除合款立碑外，还制定了不许舅家霸婚索诈的条款。苗族地区流行的悬棺葬、崖葬和拾骨葬，以及“初遭丧，三年不食盐”的习俗，也发生了根本性的变化，代之以相对文明的生活方式。嘉庆年间还对苗人的椎牛祭祖活动进行查禁，到乾嘉起义后，湖南苗族地区椎牛祭祖习俗虽未完全消失，但有所改变，一般已不再兴大规模的合寨公祭，而只是由各户分别举行了。咸丰、同治以后，清朝进一步实施对湘西苗族的同化政策，一再申令无论“生苗”“熟苗”，一律剃发，改变服色。各地苗族的生活习俗发生了明显的变化，湘西南地区的城步、绥宁、通道、靖州等地，苗族男子的服饰与当地汉人没有什么差别，进入民国以后，女子穿裙子的越来越少，穿衣裤的越来越多。苗族男子也不再留发椎髻、不再戴耳环。据邵阳市图书馆藏抄本《五溪苗民古今生活集》,民国初年传教士陈心传记载，“今无论苗、仡，察其男子之凡与汉族接近或居处接近者，已多与汉民同”“惟僻处深山而少入城市者则略异”。

（三）湖南近代社会精神生活的转型

历史步入近代以后，传统社会无论从它的经济基础，还是政治制度、文化结构上均已不能再适应社会发展的要求，各方面都需要进行深刻变革。首先经济基础必须从一个农业落后的自给自足的封建社会向近代的工业化社会转变。近代中国要想向现代国家迈进，其旧有的传统文化也必须进行相应的文化转型。中国传统文化是以儒家文化为基础，释道二教为补充的适应于小农社会的庞大文化体系，它以伦理血缘为基础，组织建立了一个庞大的社会结构，它在促进中国社会发展、维护中国团结统一等方面曾起过重大作用。然而时过境迁，它的优点却由于其长期的停滞和故步自封而渐渐失去了生命力，忠孝、三纲五常、君臣父子、上下尊卑、夷夏之防以及经济上的重农抑商等观念相互交织，都日益成了束缚中国进一步发展的精神枷锁，终于随着西方的发展而不断落伍，其局限性在鸦片战争爆发后便全面暴露出来。近代中国的社会转型经历了一场非常艰难的过程，实际上在相当程度上，无论政治问题还是经济问题，归根结底都与文化观念落后有关，某种程度上，正是中国的文化观念延误了中国的近代化进程。

近代湖南全省范围内的汉化基本完成，但民俗还只完成从蛮夷到平和的变化。湖南民俗质的变化是在近代中西方文明的交流和历次社会变革运动中产生的，即开始由传统向现代过渡，由愚昧向文明过渡，由落后向科学过渡，包括科学的思维法则、文明的生活习惯、健康的生存方式、平等的社会风气等。

19 世纪末的维新运动以变风俗作为变法之首要。长沙维新派士绅大力提倡移风易俗、革除传统陋习，他们发起成立“不缠足会”“延年会”，反对妇女缠足的恶习和奢侈浪费、因循苟且的旧生活方式。甚至有激进者还提出剪辫易服、废跪拜礼和婚姻陋俗的主张。在他们的倡导下，新的文明风气和生活方式开始在长沙出现。湖南不缠足会成立后，参加和捐助者踊跃，更有不少妇女响应号召，放绑松足。如长沙县清泰都和尊阳都妇女百余人在许黄萱祐等的带领下于 1897 年“联为此会”，还“选刻歌词，相为劝勉”“幼者、弱者、壮且老者，一律放足，今逾一载，居然健步如释重囚”。[①]“浏阳汤茂才、纪彝等设立分会，入籍者已数百家”[②]。谭嗣同还为湖南不缠足会起草了《湖南不缠足会嫁娶章程十条》，除规定不缠足会会员不得与缠足者通婚外，还提倡破除旧的婚嫁礼俗，建立新的婚嫁时尚。如“破除不肯远嫁之俗见”“女家不得丝毫需索聘礼”，“男家尤不得以嫁妆不厚存菲薄之意”；主张婚礼从简，倡立女学堂，提倡资助女子入学。[③] 至 20 世纪七八十年代，小脚老太太在偏远乡村也难得一见了。通过女子天足运动，一系列提高妇女社会地位的新风尚随之出现，如男女平等、女子同样有享受教育的权利、妇女参政，尤其是废除封建包办婚姻，彻底打破了束缚妇女千百年的封建礼教。陶菊隐在《长沙响应起义见闻》中回忆，湖南女子纷纷要求入学，要求有选择配偶的自由，因此，

① 卫足述闻［M］// 湘报：第 43 号 . 北京：中华书局，2006：350.

② 不缠足会纪闻［M］// 湘报：第 39 号 . 北京：中华书局，2006：310.

③ 谭嗣同 . 湖南不缠足会嫁娶章程十条［M］// 湘报：第 53 号 . 北京：中华书局，2006：451.

女学校逐步有所发展，而自由结婚也不是家长所能阻止的了。延年会则要求会员免除一些不必要的请客、拜客和与宾客无聊闲谈等习俗；请客也不要奢侈浪费；凡办公地点均不得饮酒会客，非休息日不得博弈、听戏、撞诗钟；虚文酬答之信函也皆免绝；居处不净、衣服不洁皆在禁例；还要求会员学做体操，提倡健康的生活方式；等等。

辛亥革命推翻了清王朝的统治，湖南人头上的辫子剪掉了，新政府制定了一整套新的社交礼仪，出现了文明的集会，跪拜、作揖不见了，代之以鞠躬、握手，以简单、文明为特点的新式婚礼在长沙也多有耳闻目见，产生了一些新式的节日。总之，资产阶级革命派去掉了一些沿袭很久的野蛮主义、陈规陋俗，革故鼎新、以尊重人的权利为特点的新文明、新风俗逐渐为普通民众所接受，资产阶级和开明绅士、知识阶层成为移风易俗的带头人。

20世纪初的新文化运动、五四运动为湖南民俗的改良发挥了决定性作用。继之而起的新民主主义革命，尤其是农民运动、苏区政权的建立以及土地改革和民主建政，动摇了封建意识的基础，宗族族权被打倒，顽固维护封建旧俗的堡垒被攻破。与家族相关的礼仪旧俗，如童养媳、冥婚、过继、兼祧、入赘、丁忧、家讳、割股疗亲、结庐守制、严酷族规等渐次走向衰落。湘赣省苏维埃政府还制定了《婚姻条例》，规定了婚姻自由、废除多妻制、实行一夫一妻制、禁止纳婢蓄妾和童养媳、打破守节制度、禁止聘礼送肉等不好习俗，并对所属各县的落实情况进行检查。

（四）湖南近代社会物质生活的转型

湖南近代在社会精神生活转型的同时，西方生活观念和生活方式也开始在湖南各地特别是省城长沙悄然出现。首先表现在用公历纪年引起生活变化，黄遵宪曾向陈宝箴建议采用西方作息时间，“用礼拜日休息”。《湘报》就是按照西方作息时间，每周礼拜日休息，不出报。西医、西药也开始在长沙得到认同。《湘报》第39号刊登了《湖南宜开医院说》，认为“近二十年来西医之游中国者，如天津有北洋医院，广东有博济医院，香港等处有华英医院，华人之就医痊愈者，岁以千计。利诚溥矣，法诚备矣”。因此，该文提议，“先于省城拓一广厦，购置化学器机，精选西医，聘为院长”，并“拨时务学堂聪颖子弟，中文通达，西文说明者数人，入院学习，考验有成”，以期三年内培养出一批西医医师。长沙街头也出现了西药房。

近代社会物质生活的转型源于生产和流通领域的变革。在生活和流通领域产生资本主义生产关系萌芽的前提下，湖南的社会生产也产生了新的因素。由于社会生产的发展，交通和市场交换的渐趋发达，特别是由于西学西俗东渐的冲击，湖南人生活状况也逐步发生了相应的变迁。如饮食品种增加、西学西俗影响日著、城镇餐馆酒楼崛起和奢靡之风逐步滋长等。湘军兴起后的同光时期这种情况尤为显著。

小麦、大米等加工的面食品和糕点在城镇逐步推广，花样渐多，早餐逐渐制食馒头、面条、粉丝。各市场面粉、包点和细制点心、

民国时长沙八角亭的中西大药房

饼干逐渐增多。到光绪年间，长沙城已有多家著名的面粉馆和包点店，如甘长顺、杨裕兴、德园、徐松泉等。食品除土产品以外，外地舶来品迅速增多。单从外地贸易迁入境的饮食诸物来看，便有江浙的苏酒、绍兴酒，山西的汾酒，浙江金华的火腿，浙闽的鱼翅、海参、墨鱼、鱿鱼，两广的糖食，浙江嘉兴、湖州的细制点心，浙江、福建的芽茶（龙井茶、武夷茶），福建的条丝烟，江西的药材，关东的人参、鹿茸，云南的肉桂等。

长沙城内一般的饭店、饭铺和酒店、酒家，历史上早已有之。而较大型、成规模的餐馆酒楼，则至近代才有较迅速的发展。据地方志记载：由于湘军的兴盛，还在清咸丰年间，长沙就有了大型的专营酒席的餐馆。同治、光绪年间湘军陆续裁撤后，将士拥资归湘，挥霍应酬，促进了餐馆酒楼业的大发展。到清末，长沙先后出现了式宴堂、菜香圃、菜根香、饯香居、玉楼春、旨阶堂、庆星园、嘉宾乐、挹爽楼、天乐居等十家，被称为餐馆饮食行业的“十柱”。城镇餐馆酒楼的崛起，对人们饮食方式的改变和湘菜的发展产生了深刻的影响。它使人们的饮食开始摆脱长期以来单家独户式的消费方式，逐步走向社会化。它也使湘菜更加丰盛、多样，烹调技术和理论日臻成熟，促进了湘菜体系的形成，扩大了湘菜的影响。餐馆酒楼一般由高级名厨掌勺，主料采购定点定牌号，加工制作有质量规定，务求菜点做工精湛，风味独特，脍炙人口，从而大大加速了湘菜的影响。至此，独具特色的湘菜体系正式形成，与鲁菜、川菜、苏菜、浙菜、闽菜、粤菜、皖菜并称为全国八大菜系。

近代早期饮食奢靡之风在湖南已显露端倪。同治以后，随着湘军的兴起与陆续裁撤，一大批湘人迅速显耀官场，还有一大批中下级将领于发战争财后，拥巨资还乡，他们冠盖往来，频繁应酬于杯盏之间，大大地助长了奢靡之风。这在当时各地方志中有明确记载。如同治十年（1871）《长沙县志》记载：其时“繁会之区”，

清末长沙药王街镜蓉照相馆

习尚渐趋奢侈,“宴客必珍味,居处必雕几”。光绪三年（1877）《善化县志》记载该县“燕会”情况：“宴客酒肴，数十年前惟大宾客始用海味，今则率以为常，博古杯盘，肴核错列，婚丧耗费尤甚。”

照相也成为长沙人的时尚。同治元年（1862），长沙里仁巷已有长青阁照相馆，是为长沙照相业之始。光绪元年（1875），长沙又有人在贡院西街开设了照相室。但此时的照相馆设备都很简陋，真正称得上照相馆的是光绪十七年（1891）长沙西乡人瞿瑞卿在药王街开设的镜蓉照相馆。以后照相业务发展很快，到清末长沙已有照相馆 20 多家。

第一章

晚清湖南士民社会心理与民俗行为的变迁

19世纪60年代初，太平天国事息，政局暂趋稳定，出现了所谓“同治中兴”的局面。同时，从这时起至90年代中期，又是中国半殖民地半封建社会逐步形成的时期，也是中国社会逐步产生了新的因素、洋务运动兴起、中国人民反帝反封建的斗争继续发展的时期。与此相联系，湖南社会也逐渐发生着相应的变化：外国资本主义势力逐步渗入，商品经济有了初步的发展，绅权势力迅猛膨胀，阶级矛盾进一步激化，民族意识高涨。从此时起，中国社会逐步产生了一些新的因素，“放眼看世界”的呼声渐起，民族资本主义逐步发生发展，一批又一批的爱国志士走上向西方国家寻找救国真理的道路，西学日渐输入中国。湖南士民社会的封闭守旧心理慢慢产生了动摇，它必然对民俗行为产生影响。

一、晚清湖南因循心态与仇外心理的表现

当沿海及内地部分城市洋务运动兴起之时，湖南社会却对外来文化表现出顽强的抵抗力，有学者将太平天国事息至戊戌维新运动前的湖南称为中国“大陆腹地中一座紧闭的城堡，因而也是一个无与匹敌的、特别引人注意的省份”，省城长沙则被称为“铁门之城”。[①] 这一时期的湖湘文化，表现为内陆地区突出的因循心态和仇外心理。

（一）湖南机器局的停办及电报等新事物的受阻

19世纪60年代至90年代前半期30余年间，在“师夷长技以制夷”和“中学为体，西学为用”的思想指导下，主要在东南

① 刘泱泱.湖南通史：近代卷［M］.湖南出版社，1994：208.

沿海地区，先后创办了近 200 个军事工业和民用企业，同时开始派留学生、译西书、创报馆等活动；内地省份如湖北、四川以至陕甘地区，也有引人注目的建树。但是在湖南，此一时期却相对显得沉寂，尽管一度也有“湖南机器局”的设立，并开始筹办电报事业，然而总的来说，起步迟，项目少，收效微，并未为湖南的近代化奠立真正的基础。

光绪元年（1875）湖南巡抚王文韶满怀信心地创办湖南机器局，计划以后制造“数千斤以至数万斤大炮”[①]。然而实际上，该局并没有获得预期的发展。由于省内只筹得经费银 1 万余两，而清政府未准予报销和拨给常年经费，故该局仅存一年即宣告停办。光绪二十一年（1895），在湖南巡抚陈宝箴的促成下，湖南才创办了第一个近代工厂——长沙的善记和丰火柴股份公司。

中国近代电报事业始于光绪五年（1879）。这年，在李鸿章的主持下，架设了一条由大沽北塘海口至天津之间的电线，并投入使用。次年，全国电报总局成立。而在湖南，直至光绪十六年（1890）才有安设电线的筹议。该年初，湖广总督张之洞“拟将荆州商局电线由沙市过江，接造至湖南澧州，经长沙省城，直抵湘潭，以通紧要信报”。然后委派前湖南候补直隶州知州钱绍文，雇带工匠，实地勘察，驰赴电杆拟经的澧州、武陵、龙阳（今汉寿）、益阳、沅江、宁乡、长沙、善化（今属长沙）、湘潭等地，会同地方官，向绅民等进行疏导工作，所需经费、物料，均由商电局自行筹办。张之洞于光绪十六年正式奏报清廷，很快获准，正式开办。然而，阻力重重，甚至发生湘民拔杆毁线之事，故开办后不久，即宣告停工。直至光绪二十二年（1896），湖南境内才架设起第一道电线，而且是改道由长沙历湘阴、岳州（今岳阳）一带驿路，安设至湖北蒲圻县境。到 1897 年，湘鄂电报干线才全线竣工。

① 王文韶．光绪二年十二月十九日湖南巡抚王文韶奏折［M］// 中国史学会．中国近代史资料丛刊：洋务运动（四）．上海：上海人民出版社，1961：333—335.

1888年，当电灯在沿海城市已视为常物，而在长沙出现时，却被市民诬为鬼火，有人掷石击之。电灯在长沙亮不到一年就被禁用。10年后，固守熏灯烛火的陋习被外地人讥笑，长沙人方知电灯的益处。直到1911年，湖南电灯股份有限公司才告成立。

（二）对郭嵩焘等新派人物的无情打击

1. 上林寺被焚事件

上林寺坐落在长沙城中心旧藩王府西常平仓之后（今仓后街），是湖南著名古刹之一。同治初在郭嵩焘等的捐助下，由西枝主持，进行了较大规模的修建，颇称壮观。《郭嵩焘日记》载，光绪二年（1876）八月十七日，上林寺突然被民众放火烧毁了。愤怒的人群追捕西枝，并一度冲击郭嵩焘的住宅。参与其事者多系前来省城参加乡试的各地士子以及长沙三书院学生，而为首鼓动者据说即为早年从事反洋教宣传最力的宁乡绅士崔暕。但反洋教并非动员民众焚毁佛寺的理由。一种说法是："光绪二年，郭侍郎嵩焘将使英吉利，值乡试，湖南举子讹言洋人将至，噪于闱，请兵迎击，又榜道欲毁嵩焘家。"① 此段记载未提及上林寺事件，但与应试士子焚毁上林寺确属同时。而据郭嵩焘的回忆，此事实为针对湖南机器局而发。郭在两年后光绪五年（1879）闰三月十八日的日记中写道："……罗筱垣过谈，言及丙子（即光绪二年）秋焚毁上林寺，其源由崔贞史欲怙众人狂逞之力毁撤机器局，约期会议。人知机器局奏请设立，不宜毁，一泄其毒于上林寺。"这则日记，清楚地指出了毁寺之"源"，原是"欲怙众人狂逞之力毁撤机器局"，后经会议，知机器局系"奏请设立，不宜毁"，于是转而"一泄其毒"于洋务派郭嵩焘等捐修的上林寺。同时，这也深刻地反映了湖南

① 朱克敬．儒林琐记 雨窗消意录［M］．长沙：岳麓书社，1983：113.

官绅之间的矛盾，以及相当一部分官绅的严重守旧倾向。

2．郭嵩焘出使引起的风波

光绪元年（1875），郭嵩焘在经历了近10年的家居生活之后，被清政府重新起用，次年受命为首任驻英公使，实授兵部侍郎，1878年并兼任驻法公使，成为近代中国第一位驻外使节，位至二品，并享有钦差大臣的头衔。然而，就在此过程中，他在湖南官场和绅士们中的声誉和地位却急转直下，一落千丈，讥讽、嘲笑、侮辱、谩骂，铺天盖地而来。王闿运曾依据传闻，在光绪三年（1876）三月初三的日记中记载了这种情况："……越岑继至，言时事，多拂人意，余不欲闻。惟传骂筠仙（郭嵩焘之字）一联云：'出乎其类，拔乎其萃，不容于尧舜之世；未能事人，焉能事鬼，何必去父母之邦？'筠仙晚出，负此谤名，湖南人至耻与为伍！"

光绪二年（1876）九月二十五日，郭嵩焘离开北京，启程赴使节任。一路上他逐日将所见所闻，参以自己的感想和认识，以日记的形式详细地记载下来。其中不乏对西方政教制度的称赞和对中国"虚骄"、闭塞的批评，并提出要研究、学习西方治国之道。到伦敦后，他将这部日记寄回总理衙门，希望能在提供洋情、打开国内人士眼界方面有所裨益。总理衙门迅即将这部日记印刷出来，分发给有关部门和人士参考。这就是有名的《使西纪程》。不料此书一经刊行，又惹来一场轩然大波，朝野上下，一片讨伐之声。

光绪五年（1879）正月，年逾花甲的郭嵩焘满怀忧愤之情，卸任离英返国。抵上海后，未上京复命，而托病请假径回湖南，于闰三月十五日乘轮船抵达长沙。然而，就在这日夜思念的桑梓之地，他竟受到意想不到的难堪待遇。郭嵩焘本人在日记中有详细的记载，并为之悲叹："十五日，北风。正以轮船为士绅所惊讶，而南风方劲，又不能不令拖带，幸有此北风为之化解。会蔡蓉仙、蔡儒珍枉送，一切未能清理，乃令轮船拖至青泥望，以免迟滞。

二点钟抵省，泊舟草潮门。接意城（郭嵩焘弟崑焘字）书，则两县（指长沙、善化二知县）以轮船不宜至省河，属书阻之……士绅之狂逞，实由官吏愦愦引而导之，真可笑也！比由舟登岸，濡延两时之久，仅崇星陔方伯、夏芝岑观察一差帖迎候而已。”

无独有偶，曾国藩之子曾纪泽，1872 年从上海乘小火轮返湘奔丧，湖南士人也为之哗然，攻击他辱没先祖。后来曾纪泽继郭嵩焘任驻英法公使，也遭到无端的攻击。

（三）把忠孝节义等传统的封建道德观念引入地方志的编修

修志本无可厚非，但要害是借地方志来褒扬忠孝节义等传统的封建道德观念。1885 年由曾国荃等最后编订的《湖南通志》揭示其目的是要使“湘之贤大夫砥砺名行，敦厚风俗，用以踵乡先哲之遗烈，栋家干国无负颂臣”。这些新编的地方志都在“人物志”中增加了“义勇”一门，不厌其烦地刻写了在镇压太平天国和捻军的战争中毙命的数万名湘军将士姓名，以宣扬他们的“忠义血性”。《湖南通志》还在原有的“贞节”“烈女”门类中大量记载太平天国时期丧生的妇女名单，仅长沙一府就有 300 余人。并作记曰：“臣之死忠，妇之守节，此宇宙之杀机而乾坤之秋气也。上天好生而不能无杀。故寒暑相推而成岁，仁义相辅而成德。臣忠妇节，凛然不可犯，确乎不可拔，上以扶三光之明，下以壮河山之色。”把普通妇女的死与忠义纲常相联系，并提到明日月、壮河山的地位，无非是借此强化传统的封建道德观念。

（四）大建昭忠祠和大肆灌输旧学

太平天国事息后，长沙府各县纷纷修建胡林翼、罗泽南、王鑫等湘军人物的专祠，用以“励世劝忠”。湘乡所建昭忠祠，曾国藩特为其作祭文鼓吹湘军的所谓忠勇拙诚品格：“君子之道，以忠诚为天下倡，君乡数君子所以鼓舞群伦，厉九州而勘大乱，非拙且诚者之效与？亦岂始出时所及料哉？”长沙建祠之风尤盛，兴建或重修了三公祠、三忠祠、五贤祠、十五忠祠等。长沙街名三公里、锡庆里等即以此而名。据清光绪《湖南通志》载，三公里原名三公祠，系祀咸丰年间湖南巡抚骆秉章、张亮基和布政使潘铎而名。三公祠为同治十三年（1874）湖南巡抚王文韶所奏建。骆、张、潘三人因在太平天国时期守住长沙城有功，而受到以后历任湖南巡抚的敬重，方得此礼遇。长沙天心区南门外马益顺巷附近有条叫锡庆里的街道。“锡庆”二字，系皇帝的赐敕用语。清光绪《湖南通志》载，锡庆里原名三忠里，建有三忠祠。三忠祠祀创建湘军、与太平军作战有功的江忠源（新宁人）、罗泽南（湘乡人）和塔齐布（满洲人）三人。三人曾分别官至安徽巡抚、浙江布政使和湖南提督。五贤祠建在小东街，祀湖南巡抚赵申乔、李发甲、潘宗洛以及御史吕谦恒、方伯宋公，五人皆为对建立湖南贡院有功之人；十五忠祠建在荷花池，祀湘军将领江忠源、塔布齐、罗泽南、李续宾、胡林翼、王鑫、萧启江、李续宜、张运兰、江忠义、李臣典、黄润昌、刘长佑、福诚、邓绍良。[①] 同时又奉谕建了一系列湘军将领专祠，重修了明兵部右侍郎王伟，清康熙间湖南巡抚李发甲、布政使郎永清，乾隆间长沙知府吕肃高等官员以及宋末、明末殉节官员专祠。

太平天国时期，湖南的学校、书院大量被毁，战争平息后，湘省官绅急于重加建葺。同治六年（1867），又在长沙荷花池和司马桥二处增建求忠书院，专收湘军战死将士子弟，建院原因是“军兴日久，殉难者多，欲求忠臣”，故曰求忠。当时的各级学校都以

① 陈运溶．湘城访古录：卷三街巷表［M］// 湘城访古录 湘城遗事记．长沙：岳麓书社，2009：55—56.

课读“四书”，训练八股为业，书院也以传授程朱理学为务，还增加了对“忠义卫道”一类所谓湘军品性的宣扬。可见，学校、书院的扩建重修，其主观愿望是使传统意识得到强化。

（五）秘密社会对新生事物的抵触

哥老会是清末势力最大的秘密结社组织。它发源于乾隆初年四川的啯噜会，到嘉庆、道光年间，由于南方天地会势力的北移，与川楚一带的白莲教、啯噜会势力相会合，它们之间相互渗透，相互融合，形成了哥老会的组织。同治、光绪年间，随着湘军等营伍的遣散和破产劳动者无业游民队伍的激增，哥老会在湖南勃然而兴。与天地会、斋教不同，湖南哥老会主要成分是散兵游勇，尤其是他们的头目，更主要是营伍出身。据湖南巡抚刘崐《湖南饷源匮竭恳赐协拨折》记载，被遣散的数以十万计的兵勇回乡后“多未安贴”，哥老会因之“乘之以兴”。

封闭的哥老会与外面精彩的世界是格格不入的。咸同之际长沙府宁乡人崔暕所撰《哥老会说》对此做了很好的说明：“至会中口号，曾究其略，爰次举之：其结会，或数十人，数百人不等，共饮雄鸡血酒立誓……以后称会首为‘老冒’，会末为‘老么’，并有‘冒壳子大爷’‘圣贤二爷’‘当家三爷’‘红旗五爷’之称。其余为八牌上的，有上四牌、下四牌之分。并各带小儿，曰‘少侄儿’，又曰‘太保’……窥其举动，能相比为恶，即升入会中为哥老。”

从崔暕的《哥老会说》可以看出，同治初年，哥老会在湖南已粗具规模，发育已基本成熟，组织、口号、隐语一应俱全，形成一个针插不进、水泼不进的封闭王国，它与洋务思想是水火不容的。哥老会具有反清、反社会作用，这种作用由于与当时湖南官场的腐败和湘军的裁撤联系在一起，因此，哥老会成为当时地方当局最为头痛却又无法解决的社会问题。哥老会利用各种形式、采取不同手段反抗清政府。长沙地区可以说是19世纪中后期湘境哥老会活动的核心。哥老会活动必然要以经济基础作支撑，因而在经济相对发达、交通十分便利的长沙地区，哥老会的劫财活动十分频繁。有些富绅也附会自保。如《卞制军奏议》卷八载，长沙府湘阴县汤又新“由捐纳教职保举候补知县，加同知州衔。平日居住湖滨，结交匪类，遇有遭风船只，捞抢货物，坐地分赃”。长沙府为湖南心脏地区，哥老会的劫富活动十分常见。这种活动也常常发展为抗官行为。如在长沙，“哥老会给发飘布，抢案四出”。光绪二年（1876），“省城有剪发一事，谣为九龙山教主遣徒收魂为阴兵，被剪者百日内死燃”[①]。光绪《湘潭县志》记载，同治五年（1866），在长沙府湘潭县，“会匪向荫和彭四铁匠等纠众千余焚掠锦弯”。八年（1869）九月初七日，“会匪起朱亭……蔓延金田、黄茅驿焚掠，以凤凰山为盗薮。巡抚刘崑遣参将柳万胜，练军营官于高胜等讨之，数月，盗众稍稍自散”。同治《攸县志》亦载，九年（1870），“潭、衡会匪骚攸县西北乡”。

天地会虽然在后来的辛亥革命运动中被革命党人所利用，对推翻清王朝起过积极作用，但在同光洋务运动期间，它却是一个阻碍社会进步的破坏性组织。旧式会党团体大都用宗教迷信作为团聚成员的工具，采取家长制的组织形式，封闭排外色彩十分浓厚，拒绝一切新生事物，有的还拥有武装，带有严重的封建性和盲目的破坏性。参加这类团体的人，多为社会底层的人，他们企望依靠会党找到一条生路，因而积极参与劫富济贫之类的事。农民和手工业工人不仅不可能依靠这类团体得到出路，反而容易被反动统治阶级和帝国主义势力所操纵和利用。

① 吴兆熙，张先抡．光绪善化县志：卷三十四丛谈［M］．长沙：岳麓书社，2011：717.

（六）反洋教运动的排外风潮

湖南“深闭固拒”，突出表现在湘绅的“仇夷”“拒洋”心态上，突出反映在以长沙为中心的一系列反洋教运动中。长沙第一次反洋教集会是在咸丰十一年（1861），时有法国传教士自湘潭来长沙，长沙绅民激于义愤，数千人集于长沙县学宫明伦堂（今学宫街），进行口诛笔伐。一些鼓动性较强的反洋教檄文迅速传播。这些檄文列举了天主教“不敬祖宗”“男女不分”及“采生折割”等危害，将教士传教同西方各国发动的侵华战争一起进行批判，号召士农工商“拔剑同仇”，反教拒夷。[①] 这些檄文很快被散布到湖南各地和邻近各省，对各地民众反教情绪的滋长，产生了明显的促动作用。夏燮《中西纪事》载，在江西南昌，士绅“将楚南《公檄》鸠资付梓，一日夜印刷数万张，遍揭省城内外通衢”。江西士子“见有《湖南檄文》一纸，一倡百和，攘臂共攻，将天主堂毁拆”[②]。

此后，湖南绅民的反教拒洋之风愈演愈烈。光绪二年（1876）七、八月间，湖南士子会集长沙，参加秋闱考试，互传湘省已许通商，西人将至，于是群情激愤，争言抵制。长沙城内，很快便“揭帖满街”。例如，其中一份揭帖指出，“自洋夷肆毒，率土罹殃”“固尽九牛之毛，不足以数其罪”；号召湘人，“洋夷入境，不问有无情弊，立即格杀，毋令遗遁”“天主教设立教堂，立即约众拆毁”“湖南各处码头，不准售与洋夷修占，如有勾通情弊，立即格杀”。[③] 长沙绅民的反洋教宣传在 19 世纪 90 年代初达到了高潮，以致有了“周汉反洋教案”和长沙士民的一系列反洋教活动。周汉的反洋教宣传品，均以“崇正黜邪”“杀身报国”为旗帜，着重从传统文化心理的角

① 清末案：湖南阖省反洋教公檄、抄录天主教十害公檄［M］// 中国第一历史档案馆，福建师大历史系．中国近代史资料丛刊续编：第 1 册．北京：中华书局，1996：220—223.

② 教务教案档：第一辑（一）［M］．台北：近代史研究所，1974：1059.

③ 教务教案档：第三辑（二）［M］．台北：近代史研究所，1975：891—892.

湖南当时流传的反洋教漫画

度对西方宗教进行揭露和批判，称一切洋教都是“鬼叫”（叫、教谐音）或“邪教”“妖教”“天猪教”（天主教的谐音），应该加以诛灭，把反洋教活动推到极致，反洋教演变成了盲目的排外运动。

二、晚清湖南因循心态与仇外心理的原因分析

湖南一省，北枕大江，南薄五岭，西接黔蜀，自成一相对封闭的区域地理环境。由于古时交通不便，给湖南与中原文明的交流带来了诸多困难。以与中原关系较为密切的长沙而言，至汉王莽时，尚称“填蛮郡”，处于“半蛮夷”状态，说明西汉时尚未得到中原文明的泽被。谭其骧所撰《中国内地移民史——湖南篇》称，自东汉始，下迄隋唐，湖南与中原的交流虽有所增进，但从总体上而言，仍“殊鲜进步，故不为蛮夷所嫉视”。很长一段时间，湖南士民表现出一种因循心态与仇外心理。

（一）湖南道学被奉为“道南正脉”的唯我独尊心理

历史进入宋代，湖南同中原的政治和文化联系开始加强，湖南的区域经济得到发展。北宋末年，湖南“有膏腴之田弥亘数千里”[①]。北方人口大量南徙,进入湖南,使湖南户口倍增。区域经济的发展，带动了区域文化的兴起。南宋建炎年间，理学家胡安国、胡宏父子讲学衡岳，开创湖湘学派。绍兴年间，胡氏弟子、理学大家张栻掌教岳麓书院，进一步推动了湖南文教事业的发展，使之一跃而为“理学之邦”。先前的文化自卑感骤变为一种学术荣誉感，使得湖湘士人对理学十分珍视。尤其是朱熹、张栻等理学大师在岳麓书院“会讲”的“遗泽”，更成为书院重要的精神支柱，成为湘人持续传承的“道德偶像”。清帝康熙和乾隆分别为书院赐额“学达性天”和“道南正脉”，对书院理学地位予以高度肯定。故此，湘人多奉理学为“正学”，甚至称理学“学术源流之盛，未有出湖湘之右者”[②]；“湖南道学一时为天下宗，书院之兴，于斯为盛，自理学大著，渊源不绝，先圣之道，赖以不坠”[③]。“惟楚有材，于斯为盛”，这种狂妄自大心理直到晚清也丝毫未减，王闿运的一副对联即可作证：“吾道南来，原是濂溪一脉；大江东去，无非湘水余波。”官僚、士大夫多以理学之道劝勉、激励湖南士子，使理学思想不仅作为学术思想受到士大夫的崇奉，而且渗透到了日用伦常和社会习俗之中。

主张“存天理、灭人欲”的朱熹对湖南的影响深远。他曾亲自制定岳麓书院的学规,人称“岳麓朱子教条”,教条的总则即是“父子有亲，君臣有义，夫妇有别，长幼有序，朋友有信”。教条的目

① 马端临．文献通考：卷七 田赋 屯田［M］．北京：中华书局，2011：195.
② 真德秀．潭州劝学文［M］// 郑佳明．历代名人记长沙文选．长沙：湖南文艺出版社，1998：79.
③ 李棠．益阳龙洲书院志序［M］// 罗汝怀．湖南文征：卷二十八．长沙：岳麓书社，2008：676.

的就是要使人“明人伦”，即恪守封建纲常礼教。道学为维护道统而作的努力在普通民众的生活中得到了响应，到了清朝，普通民众的生活中已充斥着“三纲五常”之类的伦理道德，各县都设立祭祀孔子、朱子等封建导师的祭坛或庙堂，对他们顶礼膜拜已成为民众生活的重要一部分。通过祭祀礼仪一遍一遍地重复，这些先师们所宣扬的封建纲常就被人为地强化了，其影响是非常深远的。直至晚清，湖南社会依然承袭了宋明理学的人伦纲常，同治《湘乡县志》记载：“彪氏虎臣父子及周氏夷讲明正学者卓有著者，流风余韵，景仰至今。我朝一道同风，家传户诵，湘上儒雅之风，固已蒸蒸日上矣。”

（二）“湘军情结”造就的卫道士精神

太平天国运动初始，太平军由广西入湘境，一路北上，势不可挡。咸丰二年（1852）入湘境后的太平军在长沙遭遇顽强抵抗，与清军僵持长达81天，久攻不下，遂绕道长沙，占领岳州（今岳阳），入洞庭，顺江东下，最终攻克南京并建立太平天国。清军在湖南境内对太平天国的镇压未能奏效，清廷不得不改变策略，命令全国各省举办团练，希望通过发展汉族地主武装的力量来配合清军镇压太平天国。湖南有经办团练的经验，其中湘乡举办团练最为积极和卓有成效。朝廷兴办团练的谕旨抵湘后，湖南地方团练由绅办发展到官方募勇训练，湘乡在籍官员和乡绅阶层迅速行动起来，成为举办团练的中坚力量，主要代表人物有罗泽南、王鑫和刘蓉等。罗泽南一方面设馆授徒，培养出了大批具有封建伦理道德观念的儒生，如王鑫、李续宾、李续宜、蒋益澧等，“他们不以入仕为目的，将程朱理学当作立身处世之本，为湘军人才群体的兴起积聚了力量。另一方面，罗泽南广泛结交湖南地方绅士和学界名流”[1]，先后同贺长龄、唐鉴、左宗棠、曾国藩、刘蓉、郭嵩焘频繁交往，相互砥砺，为以后的合作打下了基础。罗泽南在湘举办团练时间较早，其湘勇团练成为曾国藩创建湘军的基础，对湘军的形成有发凡起例之功，其学生中多人先后成为湘军名将。

湘军的实际创建者是曾国藩，他因对清朝有力挽狂澜之功，被称为“中兴名臣”，卒后获谥号“文正”殊荣。曾国藩曾受教于长沙岳麓书院，接受系统的经学训练。曾国藩科场命运多舛，秀才考试六次落第，道光十二年（1832）遭湖南学台“悬牌批责”后豁然贯通，从此一路高升，至道光十八年（1838）中同进士，后出任礼部侍郎及署兵部、工部、刑部、吏部侍郎等职。咸丰三年（1853），曾国藩奉诏任湖南团练大臣，驻守长沙，领导和指挥全省的团练。曾国藩利用其声望和乡土观念，广泛动员，诸多饱读诗书的有识之士纷纷来投，湖湘团练颇有声势，次年的湘潭之役大胜太平军，震惊朝野，始为朝廷器重。曾国藩以同乡罗泽南、王鑫编练的湘勇为班底，得张亮基、左宗棠、江忠源等支持，开始其建立湘军的计划。湘军不同于以往的武装，强调用封建伦理道德作为军队建设的思想基础，注重军队政治思想的建设，因而颇具战斗力，成为清廷镇压太平天国运动最为倚重的地主武装。随着湘军的崛起，涌现了一大批精英人物，结成了强大的军事政治集团，“湘军情结”由此而生。

曾国藩、刘蓉、江忠源等都在岳麓书院打下了深厚的理学根基，他们出仕理政之后，则成为理学的卫道士，严守封建纲常伦理。如刘蓉在《罗予畏字说》中说：“仁义理智之德，无须臾之敢离；日用伦常之理，无毫发之敢差。”曾国藩在《喻纪泽》中则称：“三纲之道君为臣纲，父为子纲，夫为妻纲，是地维所赖以立，天柱所赖以尊。”而这一信念在湘军镇压太平军的过程中，又得到了

① 苏新有．罗泽南与湘军的创建［J］．求索，2007（7）：221.

进一步强化。太平军起义爆发后，曾国藩会同湖湘士绅编练湘军，以维护纲常伦理相号召，打起了“保卫圣道”的大旗。湘军动员文告《讨粤匪檄》这样说道：

自唐、虞三代以来，历世圣人扶持名教，敦叙人伦，君臣父子，上下尊卑，秩然如冠履之不可倒置。粤匪窃外夷之绪，崇天主之教，自其伪君伪相，下逮兵卒贱役，皆以兄弟称之，谓惟天可称父，此外凡民之父皆兄弟也，凡民之母皆姊妹也。农不能自耕以纳赋，而谓田皆天王之田；商不能自贾以取息，而谓货皆天王之货；士不能诵孔子之经，而别有所谓耶稣之说、《新约》之书，举中国数千年礼义人伦、诗书典则，一旦扫地荡尽。此岂独我大清之变，乃开辟以来名教之奇变，我孔子、孟子之所痛哭于九原，凡读书识字者，又乌可袖手安坐，不思一为之所也？

可见，在湘籍官绅看来，针对太平军的作战，不仅仅是对叛乱者的镇压，更主要的是一场维护名教圣统的文化保卫战。历经十余年的战斗，以理学思想武装的湘军终于将雄踞金陵的“异教徒”剿灭，不仅挽救了清王朝的封建统治，而且完成了保卫名教圣道的使命，进一步确立了湖南在封建统治者心目中的“忠义之邦”[①]形象。经此一役，湘军走向全国，湘军将领成为晚清政坛一支重要力量，湘人名声大震，使湖南一改以往“碌碌无所轻重于天下，亦几不知有所谓对于天下之责任”[②]的局面。高度的成就感和荣誉感又进一步助长了湘人的自负感与使命感，强化了湘人自觉卫道、鄙夷洋务的社会观念。

① 刘锦藻．清朝续文献通考：卷一百〇三［M］．北京：商务印书馆，1936：2540.

② 杨毓麟．新湖南［M］// 饶怀民．杨毓麟集．长沙：岳麓书社，2001：33.

（三）膨胀的绅士势力对既得利益的维护

清同光时期，湖南绅士阶层有了很大的发展变化。首先是队伍的壮大。无论是退职乡居的官僚，还是取得功名的士子，在数量上都有较多的增加，形成愈来愈大的社会集团。除退职官僚和取得功名的士子外，还崛起了一大批军功出身、荐举出身以及捐纳出身（买官）的人员。特别是军功出身的绅士，数量庞大，成为近代绅士阶层和绅权势力发展的一个重要因素。由于湖南为湘军的故乡，湘军将才、兵源、饷源的基地，因领兵、筹饷等而致通显著，成批涌现，居各省之冠；以军功而保荐各类虚衔者，更是比比皆是。“矧通显既多，将互相汲引，一时攀鳞附翼，泰运同襄，亦固其所”，以当时全国二十一行省计（当时新疆、台湾、青海等均尚未建省），湘人之任督抚者十二省，居一半强，真所谓“文武彬彬，蔚为国华”“天下人才之盛，尤莫如楚南”。[①] 又据光绪十一年（1885）刊《湖南通志》所列名单，全省因军功保举武职游击以上人员，即达 6319 人之多。其中提督 478 人、总兵 1077 人、副将 1534 人、参将 1464 人、游击 1766 人。这在全国各省是绝无仅有的。他们在地方政治、经济、文教、社会公益事业各个方面，都发挥着举足轻重的作用。[②] 他们在乡居中，有的不甘寂寞，继续干预地方军政和其他重大事务；有的利用丰厚的资财，热心公益活动；更多的是凭借他们的声望和诸种关系，成为地方各项民间事务的主持者和裁决人。

官僚队伍的扩大直接导致地方绅士阶层和绅权势力的发展。这是因为：一方面，不断有些官僚功成身退，或告老还乡。如：长沙人黄冕早期历任上海、镇江等地知县、知府，道光二十二年

① 毛祥麟．墨余录［M］．上海：上海古籍出版社，1985：30–31.
② 刘泱泱．近代湖南社会变迁［M］．长沙：湖南人民出版社，1998：255.

（1842）因裕谦抗英殉难事被参谪戍新疆，不久返回长沙；原任山西按察使、后入左宗棠西征军总理营务的长沙人陈湜，于同治十二年（1873）镇压河州、西宁回民暴动后，辞去军务归里；居长沙坡子街的叶德辉于光绪十八年（1892）授吏部主事后，次年即回湘不复出等。尽管他们一生的经历、遭遇彼此有异，但退居地方后，凭着他们原有的地位、声望和诸种关系，仍为"一邑之望"，各自在不同的方面进行着有影响的活动。

迅速壮大起来的绅士阶层，要巩固和发展他们的既得利益，就得在社会上继续发挥作用。其一是举办团练或者应聘入幕参与地方军政事务。其二是担任各书院山长、讲席，执掌地方教育大权。其三是总揽地方公共事务。包括修志、昭忠、宗族、社团、族田、社仓、学田、差徭、捐赈，以及各项公共事业的举办、民事纠纷的调处等。绅士阶层左右了各级地方政府，而且他们大多数以卫道者自居，其心态是极其保守的。同治初年，刘蓉就感叹士行不修，学术不正，"天下之士，群趋于浮诡虚诞，矜速化而务苟得，不耻不仁，不畏不义，而先王之礼教荡然矣"[①]。出于这种忧虑，他们在战后急忙在湖南着手恢复原有的社会秩序和强化传统的纲常伦理。

（四）长沙士林的保守风气影响至民间

湖南士林的保守风气在洋务运动时期就已经初露端倪。相对湘籍洋务派在省外掀起的洋务热潮，湖南本土却显得较为沉寂和落寞。1890 年"澧州焚毁电杆事件"是当时影响恶劣的阻洋务事件。同样的焚毁电杆事件也在长沙发生，为首者为邵阳人贺金声。贺金声 1873 年入资东书院就读，对外国资本主义入侵给中国带来巨大灾难已有耳闻，"莫不恨入骨髓，思图报复"[②]，1882 年到长

① 郑焱. 近代湖湘文化概论［M］. 长沙：湖南师范大学出版社，1996：57.
② 贺金声. 庚子秋复上谕中丞书［J］. 湖南历史资料，1958（3）：49.

沙应试名落孙山，乃入岳麓书院学习，准备继续为科场功名奋斗。1883年，客居长沙一年之久的贺金声目睹了洋人在长沙城内的活动，从而开始了激烈的报复活动。这一年，“洋人计划在湖南架设电线”，在水陆洲上堆积木材备为电杆之用，贺金声闻之，乘夜“组织码头工人和附近百姓”“放火焚烧”，一夜之间材料化为灰烬。因为士绅的百般阻挠，湘境直至1896年才架成第一条电线，远后于邻省。

长沙的保守风气还可从当时反洋教的激进程度得知。周汉等人撰写和刊印了大量反洋教宣传品，号召人们联合起来，共同反抗外国侵略者。周汉等人把抵制洋教与反对侵略合为一体，具有很强的煽动性，参与者人数众多，除士绅阶层外，普通百姓也参与其事，使长沙的反洋教斗争声势浩大，引起了西方侵略者的恐慌和干涉，于是向清政府提出强烈抗议，要求加以惩戒。但也正因如此，清政府在查处周汉案时，不得不十分谨慎，动作迟缓，以免激起众怒，酿成不可收拾的局面。

在19世纪中、下叶一段时期，湖南长沙、衡州（今衡阳）等城市都禁止外国传教士进入，是名副其实的“铁门之城”。英国传教士阿兰（Wilfrid Alan）在1908年出版的《我们进入湖南》一书记录了英国伦敦会传教士杨格非（Griffith John）、德国人谔尔福（Dr. Wolfe）进入长沙、衡州的事情。[①] 该书记载：

> 去往广州，路过长沙。抵达时，他向巡抚申请进入长沙的许可。这个申请当然被拒绝了。湖南的官员们想尽一切办法试图把他赶走。但谔尔福却毫不退让，告诉官员要不让他进城，要不他就死。湖南官员便传信给武昌的总督，要求他与汉口的德国领事进行沟通，让领事

① 张湘涛．1898—1942外国人笔下的长沙［M］．陈先枢，于鹏远，译．长沙：国防科技大学出版社，2013：102—103.

命令谔尔福离开长沙城。这件事闹到了当时正在北京的德国总理那里。总理告诉总督说，谔尔福完全有权进入长沙城，还说他不该被召回，如果谔尔福受到任何伤害，中国官员们要为此负责。于是这次沟通产生了谔尔福想要的结果：他进了城。但这并不是一个漂亮的胜仗。因为他是在凌晨3点45分坐在一顶被遮得严严实实的轿子内进入的长沙城。当时漆黑一片，长沙大多数人都在熟睡之中。他被长沙的官员带入总督衙门旁边的一个大厅里，吃了一些糖果，喝了一杯茶。在破晓之际的5点45分，又被同一顶轿子抬出了长沙城。他在长沙城墙内只呆了约两个小时。

［英］阿兰《我们进入湖南》封面

该书又载，1891年杨格非“由炮艇护送着去了衡州。他们期待着在这个城市的问询者能热情地款待他们。但当发现大批民众站在河岸，手拿石头、泥巴等待他们的到来时，杨格非等人感到沮丧不已。他们一靠近，民众便开始朝他们丢石头，他们只得在炮艇的保护下撤退。在这里他们开始还很安全。但第二天，护送炮艇撤离，将传教士完全暴露于民众的暴力之下。他们再度寻求炮艇的庇护，然而舰长拒绝了教士们的要求。传教士坚持要得到保护，直到当地的地方官出面请求他们离开。他解释道，人民的态度是因为最近来访的谔尔福。他们已经决定不能让外国人再踏足衡州一步。杨格非说服了地方官，说只需要见见信徒。但杨格非一上岸，民众丢的石头就变得越来越多，让杨格非等人处在十分危险的境地。很显然，上岸将造成惨剧，因为本来应该保护外国人的部队会让民众采用更加暴力的手段。最后在两艘炮艇的护送下，传教士们离开了衡州”。

可见，反洋教运动虽为士绅阶层发起，但有着广泛的群众基础，因为它迎合了民众的反抗意识；民众反抗意识的强烈，反过来又助长了士绅阶层的排外风潮和保守思想。

三、维新运动时期湖南因循心态的消融和社会生活的变化

甲午战争中湘军牛庄一役的一败涂地使自负的湖南人大受打击，他们在正视残酷现实的同时不得不反省自己，从盲目排外的泥潭中走了出来，重新拾起先辈魏源“师夷长技以制夷”的大旗。湖南人刚劲的性格使他们并没有一蹶不振，而是增强了拯救国家和民族的责任心和自信心。甲午战争后湖南一反战前保守落后的传统，开风气，大力传播新思想，学习西学，保守壁垒逐渐解体。

（一）维新运动时期湖南士民思想的嬗变

从 1894 年到 1897 年，陈宝箴、江标、黄遵宪、徐仁铸等具有维新思想的官员相继来湘任职，形成了一个以陈宝箴为中心的具有维新性质的官僚团体。“长官导之于先”，而湘人谭嗣同、唐才常、熊希龄、皮锡瑞等新派人士聚集长沙，“亦各抒忠义以奉其上”，大力倡言和推行变法维新，使湖南从最保守的省份，一跃成为“全国最富朝气的一省”。

1. 时务学堂传播新学的教学活动起了“开民智”的作用

从 1897 年黄遵宪、徐仁铸、梁启超等相继入湘和谭嗣同回湘

时务学堂故址

参与新政，湖南维新运动的内容逐渐向文化教育和政治领域扩展。设在长沙的湖南时务学堂的创办是长沙旧式书院制度向近代学堂制度转变的肇始。维新运动中，维新派官绅深感“开民智”对于经济发展和政治改革的重要意义，因而把教育改革看作是维新的主要内容之一。

1897 年 9 月，《知新报》刊发了《时务学堂缘起》，阐明了时务学堂的办学宗旨：“广立学校，培植人才”“用可用之士气，开未开之民智”。按《湖南开办时务学堂大概章程》规定，“学生定额一百二十人，按府分派，由绅董禀请抚院、学院会同招考扃试，择取十二岁至十六岁聪俊朴实子弟，入堂肄业”[①]。

时务学堂的教学事务基本上由梁启超主持。梁启超到湖南后，以康有为的《长兴学记》为蓝本亲自制定《时务学堂学约》以及根据《学约》的原则而具体化的《时务学堂功课详细章程》[②]。这两个文件对时务学堂的教育目的、教学内容、教学方法等方面进行了明确的规定，体现了梁启超该时期教育思想的精华以及时务学

① 中国史学会 . 湖南开办时务学堂大概章程［M］// 中国史学会 . 中国近代史资料丛刊：戊戌变法（4）. 上海：神州国光社，1953：498.
② 时务学堂功课详细章程［M］// 湘报：102 号 . 北京：中华书局，2006：940—946.

堂教育教学方面的特点。

该《学约》第一章“立志”规定了时务学堂的教育目的。他指出学堂学生必须有远大的志向，应该“以天下为己任”。如果没有这种志向，“虽束身寡过，不过乡党自好之小儒；虽读书万卷，只成碎义逃难之华士”。

关于教学内容，总的原则是“中西并重”。梁启超认为：“今时局变异，外侮交迫，非读万国之书，则不能通一国之书。”但首先须通晓“中国经史大义”,然后才能致力于“西籍”。他还具体指出，“今中学以经义掌故为主，西学以宪法官制为归，远法安定经义治事之规，近采西人政治学院之意”。他所注重的“中国经史大义”就是“以宗法孔子为主义”，“传孔子太平大同之教于万国”，实际上是经过康有为改造，并为维新变法提供理论依据的“公羊春秋”学说。为此，梁启超还撰写了《读春秋界说》和《孟子界说》，作为学堂学生的教材，以向学生灌输变法改制思想和大同民权学说。而“万国之书”则不仅包括“声光化电格算之述作，农矿工商史律之纪载”，还包括“宪法官制”之学。他撰编了《读西学书法》和《西学书目表》，向学生介绍西学著作及其源流，其重点也是向学生灌输西方资产阶级社会政治学说。

时务学堂的教习在教学中大力宣传康有为的公羊学学说，以及维新变法思想和西方政治。到戊戌政变后，存在不到一年的时务学堂被改为求实书院。时务学堂虽然存在的时间不长，但它对湖南的维新运动和近代湘学的发展起了很大的推动作用。它培养的大批人才如林圭、秦力山、李炳寰、蔡锷、唐才质、范源濂、杨树达等，有的成为维新运动的中坚，有的则成为资产阶级革命运动的骨干，或各个领域的栋梁之材。特别是它促成了湖南各地新式学校的设立和书院制度的改革。受它的影响，湖南各府、州、县都纷纷要求将其书院改为学堂，或改革书院课程，有的干脆直接成立新式学堂。

2.《湘学报》与《湘报》的创办及对社会风气的影响

湖南维新派人士非常重视报纸的作用。唐才常说:“风气未开,人心多惑,骤开议院,必如意、法、奥之叫嚣,不可遏抑。惟先广报馆以启愚顽,以振聋聩,则遇有大政,不至行之者一,泥之者百”,因此,他主张“报馆宜立,先于议院”。[①] 谭嗣同更是对学堂、学会和报纸的作用进行了精辟的论述。他指出,“假民自新之权以新吾民者,厥有三要。一曰创学堂,改书院;二曰学会;三曰报纸”。他认为学堂和学会的影响范围都是有限的,而报纸能够发挥学堂和学会所不能发挥的作用。

正因为维新派这样重视报纸的作用,所以他们在长沙维新运动中创办了一系列报纸。这些报纸既是长沙维新运动的重要内容,同时也是长沙维新运动进一步深入发展的重要条件。在这些报纸中影响最大的是《湘学报》和《湘报》。

《湘学报》为旬刊,“每次十日一出,每册约以三十页为准”,雕版印刷,线装。《湘学报》的内容大致分为三类:第一类为介绍新政和西方自然科学方面的文章,如胡兆鸾的《论湘中所兴新政》,唐才常的《质点配成万物说》,周传梓的《舆地之学》《交涉之学》,李钧鼐的《以公司兴水利》以及《高弧捷法》《论整勾股递推法》等算学专论。这一类文章贯穿于《湘学报》第1册到第45册,说明这类文章是湖南维新运动期间官绅和新旧人士均能接受的。第二类为介绍西方国家演变和社会经济政治制度的文章。这类文章大都发表于《湘学报》前期——唐才常主编期间。如唐才常的《各国政教公理总论》《公法通义自叙》,黄遵宪的《日本国志》连载,易鼐的《论西政西学治乱兴衰均与西教无关》《五洲风俗异同论》。在这些文章中,维新派大力宣传西方国家治乱兴衰的历史,宣传西方近代社会经济制度,借以说明西方民主制度和议院国会制度

① 湖南省哲学社会科学研究所.唐才常集[M].北京:中华书局,1980:29.

《湘学报》封面

的优越性。徐仁铸写的《輶轩今语》，在《湘学报》上连载。他大力宣传学习西学，认为“诸子之学多与西学西政相合”，提倡士人要多读西学之书。第三类是宣传中体西用的文章，主要是连载张之洞的《劝学篇》。

《湘学报》是维新运动时期湖南维新运动的主要宣传阵地之一，特别是在其前期，由于省府大员的大力支持，唐才常等的精心编辑以及其大胆的言论，使它迅速“风行海内”。陈宝箴下发《饬各州县订购湘学新报札》，称赞该报“洵足开拓心胸，为学者明体达用之助”，要求各州县“先自捐廉赴省订购，每次或数十册，或十余册，分交书院肄业各生及城乡向学士子，一体报阅，并劝绅富自行购买分送”[①]。张之洞在该报创办初期也表示了支持的态度，他认为该报“议论闳通，于读书讲艺之方次第秩然”，要求湖北各道府州县“自行购阅，其所属书院绅士，此时应先由各州县捐资，购备发给阅看，以开风气”。[②]《湘学报》在长沙设有两个总售处，三个分售处，仅长沙城内就销售一千余份，同时还在上海、汉口、武昌、沙市等地分别设立寄售处。

《湘报馆章程》揭示了《湘报》的宗旨 :“专以开风气、拓见闻为主，非借此谋生者可比”，并保证“取值极廉，仅收工本纸张之费，无论贵贱贫富士农工商皆可阅报”。

论说是《湘报》最重要的部分，是《湘报》政治倾向的体现，总是列在报首。其中有报馆撰述的文章，如唐才常的《论热力》《时

① 陈宝箴．湖南巡抚陈饬各州县订购湘学新报札［J］．湘学报，1897（5）．
② 张之洞．咨会湘学院通饬各道府州县购阅湘学报公牍［J］．湘学报，1897（15）．

文流毒中国论》《论保卫局之益》，谭嗣同的《治事篇》《以太说》，梁启超的《论中国宜讲求法律之学》《论湖南应办之事》，戴德诚的《变学刍议》，樊锥的《开诚篇》《发锢》，何来保的《悲孔》《说私》等；还有“报友”撰写的文章，如易鼐的《中国宜以弱为强说》，毕永年的《存华篇》，涂儒翯的《商务平论》，皮嘉祐的《平等说》，洪文治的《论戒缠足说》等。《湘报馆章程》还规定“本报与学堂、学会联为一气”。因此，南学会多人的讲论稿也作为论说的内容刊登在报首，如南学会会长皮锡瑞的十二次讲论稿全部刊登，其他有陈宝箴、黄遵宪、谭嗣同、杨自超的讲论稿都刊登在《湘报》上。维新派人士正是通过论说宣传西学和近代民主思想，宣传维新

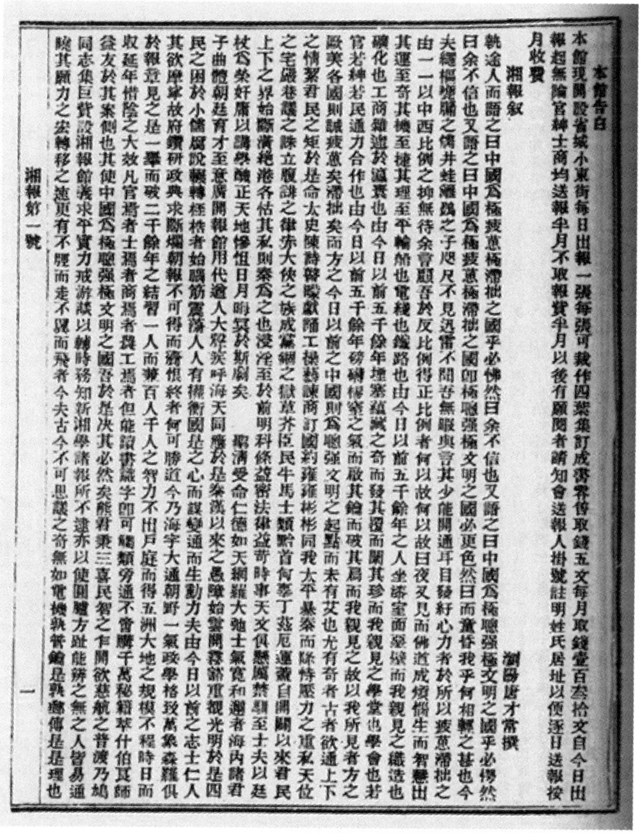
本館告白
本館現開設省城小東街每日出報一張每張可裝作四葉集訂成書零售取錢五文每月取錢壹百叁拾文自今日出報起無論官紳士商均送報半月不取報貲半月以後有願閱者請知會送報人掛號註明姓氏居址以便逐日送報按月收費

湘報叙　瀏陽唐才常撰

執途人而語之曰中國爲極貧蒽極滯拙之國乎必怫然曰余不信也又語之曰中國爲極聰强極文明之國乎必愕然曰余不信也又語之曰中國爲極貧蒽極滯拙之國即極聰强極文明之國必更色然曰而奮恃我乎何相輕之甚也今夫繩樞甕牖之儔井蛙爝燐之子咫尺不見迅雷不聞吾無暇與言其少能開通耳目發紓心力者於所以貧蒽滯拙之由一一以中西比例之抑無待余嘗顧吾於反比例得正比例者何以故何以故曰夜又見而彿道成煩惱生而智慧出其運至奇其機至捷其理至平輪船也電綫也鐵路也由今日以前五千餘年之人坐嗟室面壁綫而我親見之織造也礦化也工商雜遝於瀛寰也由今日以前五千餘年埋塞蘊藏之奇而發其覆而闢其珍而我親見之學堂也學會也若官若紳若民通力合作也由今日以前五千餘年磅礴鬱塞之氣而啟其鑰而破其扃而我親見之故以我所見者方之歐美各國則誠貧蒽矣滯拙矣而方之今日以前之中國則爲聰强文明之起點而未有艾也尤有奇者古者欲通上下之情絜君民之矩於是命太史陳詩聲瞽獻賦醫工操藝諫商訂國約蘄蘄彬彬同我太平暴秦而降恃壓力之重私天位之宅嚴巷議之誅立腹誹之律夷大俠之族成黨錮之獄草芥臣民牛馬士類黔首何辜丁茲厄運蕭自漢關以來君民上下之界始斷溝絶港各怙其私則秦爲之也浸淫至於前明科條益密法律益苛時事天文俱懸厲禁馴至士夫以廷杖爲榮奸庸以講學號正天地慘怛日月晦冥於斯劇矣　聖清受命仁德如天綱維大弛士氣寬和邇者海內諸君子曲體朝廷育才至意廣開報館用代遒人大聲疾呼海天同應於是秦漢以來之愚障始豁開霧論宜觀光明於是四民之困於小儒腐説顛轉桎梏者始瞿筋震潒人人有排衞國是之心而識變通而生動力夫由今日以前之志士仁人其欲摩厲故府鑽研政典求斷爛朝報不可得而齎恨終者何可勝道今乃海宇大通朝野一氣政學格致萬象森羅俱於報章見之是一舉而破二千餘年之結習一人而兼百人千人之智力不出戶庭而得五洲大地之規模不程時日而收延年惜陰之大效凡官焉者士焉者商焉者農工焉者但能讀書識字即可觸類旁通不啻購千萬秘籍萃什伯良師益友於其案側也其使中國爲極聰强極文明之國吾於是決其必然矣能群黑三喜民智之乍開欲慈航之普渡乃鳩同志集巨貲設湘報館義求平實力戒游談以輔時務知新湘學諸報所不逮亦以使圓體方趾能辨之無之人皆易通曉其願力之宏轉移之速更有不脛而走不翼而飛者今夫古今不可思議之奇無如電機執管鑰是孰尸傳是是理也

湘報第一號　一

唐才常撰《湘报·叙》

变法。

对本省和外省新政以及各国时事的报道是《湘报》新闻性的重要体现，也体现着《湘报》“开风气、拓见闻”的宗旨和“与学堂、学会联为一气”的原则。《湘报》大量地刊登湖南学堂和学会创立、活动的情况，其中有许多学堂、学会的规章。如时务学堂、长沙任氏正蒙学堂、浏阳致用学堂、常德明达学堂、正始学堂等新式学堂的章程、课程和学规；南学会、延年会、不缠足会、公法学会、法律学会、学战会、郴州兴算学会、衡州任学会、浏阳群萌学会等的章程。同时，《湘报》还对这些学堂和学会的活动进行了大量报道，特别是对时务学堂和南学会、不缠足会、延年会活动的报道，成为《湘报》的重要新闻内容。其中时务学堂的录取名单、功课分数榜和月课榜以及其他一些教学活动，南学会的集会和讲论活动、南学会会友的捐书名单，不缠足会和延年会的题名等都是我们研究湖南维新运动的重要资料。对于各地开办实业以及各地的路矿新政也都进行了大量报道。对于各国时事的报道，主要是转载或译载外埠报刊的新闻稿，而这些新闻大部分都与中国有关。如《湘报》第一号转载了《译书公会报》的时事评论稿《论德国政策》。该评论引述日本人有幸秋水的观点，根据胶州湾事变分析德国的远东政策，从而凸显了中国在胶州湾事变后民族危机的加深。

《湘报》还关注湖南特别是长沙的社会经济生活，在《商务行情》栏中，几乎每期都有长沙市场的“日用各物时价表”。“时价表”有每天的银钱价格，有时还刊载外埠的银钱价格，以便市民比较。“时价表”列举的主要是与市民生活密切相关的一些商品，如米谷、面粉、食用油、盐、棉花、桐油、煤炭、纸张等。从这些“时价表”中我们可以窥见当时长沙市民的经济生活。《湘报》还刊登广告。《湘报》的广告也带有一些时代特征。第一，《湘报》广告中，书报类广告或与书报印刷、发行有关的广告较多，这与维新运动中注重学西学，开民智有关。在《湘报》各期的广告中，书局和书报类广告约占一半，其中大部分与新学有关。第二，其中有很多广告本身与长沙实施的新政有关。如两湖轮船公司的“新造木轮”广告以及其航班广告反映了长沙新式轮船航运的经营情况；李复泰鞋铺的“定做不缠足云头方式鞋”广告和南正街俞宅的“印送不缠足歌”广告则适应了当时长沙盛行的不缠足运动。

《湘报》与时务学堂、南学会互为表里，构成了长沙维新派进行维新变法思想和西方民主思想宣传的重要阵地，并且与湖南维新运动紧密地联系在一起；其内容丰富而与一般市民密切相关，其文笔畅达而又通俗，因而受到社会各界的欢迎。创刊后不久即达到五六千份的销量。《湘报》馆还与各府、州、县的南学分会、学堂密切联系，构成了遍布全省的《湘报》销售传播网络，使它的影响深入全省各地，甚至偏远乡村，对于湖南维新运动的深入发展起到了不可替代的作用。

3．南学会的演讲把“开发民智”推向高潮

创办社团是维新运动中维新派宣传维新主张、开发民智和积聚自身力量的重要手段之一。南学会筹议于光绪二十三年（1897）十月至十一月间。该年十月二十日，德国借口曹州教案，制造了“胶州湾事变”，中华民族危机空前严重。南学会正是在这种历史背景下创办的。梁启超事后在《戊戌政变记》中曾追记南学会的创办意图：“盖当时正德人侵夺胶州之时，列国分割中国之论大起，故湖南志士仁人作亡后之图，思保湖南之独立。而独立之举，非可空言，必其人民习于政术，能有自治之实际然后可。故先为此会以讲习之，以为他日之基，且将因此而推诸于南部各省，则他日虽遇分割，而南支那犹可以不亡，此会之所以名为南学也。”

接着，陈宝箴批准了谭嗣同等联署的“请开学会”禀呈，并以抚院内的孝廉堂为其会所。陈宝箴还委任了会董十人，其中有后来很少参加南学会活动的王先谦和张祖同，也有熊希龄和谭嗣同。同时，还委任丁忧在籍的户部主事黄膺“总理学会一切事务”，以戴德诚为会办。[1]南学会聘请了皮锡瑞为学长。

南学会的议事会友是熊希龄、谭嗣同等十个绅董，是南学会的骨干，负责议定会中事务章程。讲论会友则是可以在长沙“齐集会讲”的会友，其中以省政官员和议事会友为主体构成主讲人队伍。南学会开始时推皮锡瑞主讲学术，黄遵宪主讲政教，谭嗣同主讲天文，邹代钧主讲舆地。通讯会友则是通过信函与学会联系的会友。

南学会以讲论为主要活动方式。因此一般将南学会第一次讲论的戊戌二月初一日（1898年2月21日）作为南学会正式成立的时间。从这次开始，到南学会最后一次讲论的戊戌四月三十日（6月18日），有记录可查的南学会集会共十七次，其中讲论十三次，放映幻灯三次，临时议事一次。在十三次讲论中，演讲者共有十三人，四十四人次。只要列举一部分演讲的标题，便可清楚地看出新旧湘学之异同，如：

黄遵宪：《论政体公私必自任其事》《论知觉不在心而在脑》《说日本、台湾、印度等事》；乔树楠：《论公利私利之分》；谭嗣同：《论中国情形危急》《论新学益处》；陈宝箴：《论为学必立志》；杨自超：《论地球行星绕日》；邹代钧：《论舆地经纬度之理》；熊希龄：《论洋人不可与之开衅》《说保卫、团练事》；李维格：《论译书宜除四病》；皮锡瑞：《论保种保教均先开民智》；曾广钧：《论开矿当不惜工本》等。

《南学会大概章程十二条》第一条规定：“本学会专以开浚知识，恢张能力，拓充公益为主义。”[2]也就是说南学会以开启民智作为自己的首要目的。南学会讲论的内容也就围绕这一目的，从学术、

① 汪叔子，张求会．陈宝箴集：中［M］．北京：中华书局，2005：1138.

② 南学会大概章程十二条［M］// 湘报：第34号．北京：中华书局，2006：268.

政教、天文、舆地、交涉、工商等方面展开。讲论的具体内容大致可以归纳为如下几个方面。

第一，宣传素王改制，为维新变法提供理论依据。这主要表现在皮锡瑞的讲论中。皮锡瑞认为，“中国重君权，尊国制，猝言变革，人必骇怪”，所以要倡言变法，必须假托先圣，“必先言孔子改制，以为大圣人有此微言大义，然后能持其说……既言变法，不能不举公羊改制之义”。[①]他首先论证了孔子删订群籍，维世立教，“孔子遂为中国二千年之教祖”[②]。然后又从孔子创教，很自然地引申出素王改制变法。于是,他以《春秋》论孔子改制之由,以《易经》论变法之道，对素王改制变法作出淋漓尽致的阐发。

第二，宣传民族危机的严重，突出民族危机的严重性。在南学会的多次讲论中，谭嗣同、黄遵宪等大力宣传中国面临列强侵略瓜分的严重危机。如谭嗣同在第一次讲论时就主讲《论中国情形危急》，他列举了“自道光以来，通商诸事因应失宜”，而导致的列强对华的侵略。特别是日本“偶一兴兵，即割地偿款，几不能国。而德国又起而乘之，瓜分豆剖，各肆侵凌”。他表示，“与诸君讲明今日危急情形”，是为了“共相勉为实学，以救此至危急之局”。[③]黄遵宪在第五次会讲时作演讲，“说日本、台湾、印度极透彻痛切，云法人又有邀索两广利益、云南铁路之事”。而李维格在第六场会讲时说波兰之事,娓娓道来。维新派官绅痛陈甲午战后，特别是胶州湾事变后中国的严重危机，又以台湾被割占、印度沦为殖民地、波兰被瓜分的事例，来唤醒民众的民族危机感，从而认识到维新变法的迫切性。

① 皮锡瑞.师伏堂未刊日记:光绪二十四年四月初七日[M]//湖南历史资料.长沙:湖南人民出版社，1959（1）：116.

② 皮锡瑞.皮鹿门学长南学会第八次讲义［M］//湘报：第35号.北京：中华书局，2006：275.

③ 谭嗣同.谭复生观察第一次讲义［M］//湘报：第3号.北京：中华书局，2006：19—20.

第三，呼吁“保教保种”，宣传“文明排外”的主张。针对日益严重的民族危机，维新派官绅在演讲中大力呼吁“保教保种”。如皮锡瑞在讲演中指出：“今时事岌岌。旅顺、大连湾已插俄旗；闻英法皆有变局。中国四百兆人将有灭种灭教之惧！”他认为，在民族危急关头，“正应急起为之，如救焚拯溺，其最急者，一曰保种，一曰保教”，而要“保种保教”“实为急开民智，万不得已之计”“因为保种宜开智，保教尤宜开智，未闻有以力强者也”。维新派官绅都认识到，“保种保教”不可“逞血气，打教士，毁教堂”，这样只能“使彼气焰益张”。[①]而应该“文明排外”。在南学会的第四次讲论时，陈宝箴、熊希龄都讲到“洋人不可与之开衅”的问题，皮锡瑞在日记中说：“学会之设，原为此事，至今日始点题。”[②]这说明，宣传“文明排外”是南学会讲论的主要议题之一。如熊希龄《论洋人不可与之开衅》；陈宝箴《嘱湖南莫打洋人》，又《论不必攻耶教兼及周汉事》；黄遵宪《说天主教必无剖心挖眼情事》。而集中体现维新派官绅“文明排外”思想的是皮锡瑞最后一次讲论时演讲的《论对洋人当暗求抵拒之法》。这种思想反映了长沙维新派官绅面对日益严重的民族危机和长沙不可避免要开埠的现实而采取的一种政治策略，也是湖南维新运动中一系列经济、政治、文化、教育改革措施的出发点。

第四，从开民智的需要出发，大力宣传“西学”和“新学”，特别是宣传西方近代自然科学知识。皮锡瑞在第二次演讲中提出“西学出于中学，本周秦诸子之遗，庄列关尹诸书所载”[③]。谭嗣同也认为，中国古代的各学派已经蕴藏着近代各门学问的萌芽，“举

① 皮锡瑞．皮鹿门学长南学会第六次讲义［M］// 湘报：第 44 号．北京：中华书局，2006：355—357.

② 皮锡瑞．师伏堂未刊日记［M］// 湖南历史资料．长沙：湖南人民出版社，1958（4）：112.

③ 皮锡瑞．皮鹿门学长南学会第二次讲义［M］// 湘报：第 6 号．北京：中华书局，2006：43.

近来所谓新学新理者,无一不萌芽于是"[①]。他们的目的都是为宣传西学减少阻力，而他们在宣传西学和近代自然科学知识方面是不遗余力的。在各次讲论中，除上述皮锡瑞的《论讲学之益》和谭嗣同的《论今日西学皆中国古学派所有》宣传“西学中源论”外，还有李维格的《论译书宜除四病》、黄遵宪的《说教旨略异》、谭嗣同的《论新学益处》从各个方面宣传“西学”和“新学”。更有杨自超《论地球行星绕日》、邹代钧《论舆地经纬度之理》、黄遵宪《论知觉不在心而在脑》、谭嗣同《论全体学》，宣传西方近代天文学、地理学、心理学和人体解剖学。这些对开启民智，传播近代科学知识具有重要意义。

第五，对一些湖南新政的具体措施进行解释和宣传。《南学会大概章程十二条》规定其宗旨除“开浚知识”和“恢张能力”外，还有“拓充公益”一项。而《南学会总会章程二十八条》中还规定民智日开后，“如通民隐、兴民业、卫民生诸事皆可渐次推行”。因此，诸官绅也将一些正在或准备推行的新政措施在南学会讲论时进行讨论，以释疑解惑。如戴德诚和熊希龄“说保卫、团练事”，李维格“讲通商及巡捕事”，谭嗣同“讲治兵”，曾广钧“论开矿当不惜工本”等。这些内容有利于广大士绅和民众了解推行新政的必要性，对减少新政推行的阻力无疑具有一定意义。

与讲论相辅相成的南学会另一种活动方式是答问。即在听讲中会友如“有疑义新理，可以纸笔互相问难”，问难一般由演讲者批答。大部分答问都在《湘报》刊载。问难者大部分为时务学堂的学生，如长沙府属长沙县籍的杨昌济、毕永年、辜天佑，善化（今属长沙）县籍的章瑞麒，湘阴县籍的范源濂，岳州府巴陵县籍的郭鹏，常德府武陵县籍的蔡钟浩等。所提的问题范围很广，李玉《长沙近代化的启动》一书根据《湘报》刊载的南学会八十九人次的

① 谭嗣同.谭复生观察南学会第二次讲义［M］// 湘报：第7号.北京：中华书局，2006：53.

"答问"内容进行了分类统计，大致如下：问学会二十四人次，问地球十三人次，问宗教、公法交涉各六人次，问团练和武备五人次，问兵制和兵法、问算学、问保卫局各四人次，问学校、问医学和延年会各三人次，问变法、问铁路、问缠足各二人次，问博物馆、问义利、问制造公司、问农学、问民主、问译书、问米价、问权衡各一人次，问其他三人次。

南学会设有藏书楼，南学会会友和官绅踊跃捐书。如谭嗣同捐书共计一百零一部，单本书六百三十二册，另有"武英殿丛书"三柜，其他线装书三函；熊希龄捐书共计九十部，一千零八十册；湖南粮储道但湘良捐《钦定古今图书集成总目》十六箱，另有《湖南盐务总纂》《湖南屯政考》《弟子箴言》各一部共六卷，总共一万卷。其他如蒋德钧、刘麒祥、熊希龄、李奂奎、沈荩、毕永年等也多次捐书。前后捐书的会友达五十八人次，捐赠书中，除部分古籍、时文外，多为声、光、电、化、数学、天文、地理等近代自然科学著作，以及一些介绍西学、新学，鼓吹维新变法的文化典籍。据不完全统计，捐赠书籍有两万余卷（册），中外地图八十多幅。南学会还广购中外图书，订购《时务报》《湘报》《万国公报》《国闻报》《知新报》《循环日报》等二十六种共八十九份当时较有影响的报纸供读者翻阅。

南学会虽然没有实现其创办者的"政治构想"，但却起到了"开启民智"，传播近代民主思想和科学知识，宣传维新变法主张的重要作用。同时，南学会还对其他学会的建立起了示范作用。南学会成立后，省内相继成立了一系列学会团体，其中长沙府属各县除 1895 年欧阳中鹄等在浏阳成立的算学社外，还有不缠足会、延年会，以及唐才常、毕永年等于 1898 年在长沙成立的公法学会，黄崿等于 1898 年在长沙成立的学战会，施文焱等于 1898 年在长沙成立的法律学会，饶渊永、张礽、饶霈等于 1898 年在长沙成立的积益学会，谭嗣同、涂儒翯等于 1898 年在浏阳成立的群萌学会

（后改为浏阳南学分会）等。

（二）维新运动推动湖南社会风俗和生活方式的变化

移风易俗是戊戌维新思潮的重要组成部分，也是社会启蒙的重要内容。维新人士认为，现今万国交通，一切趋于尚同，如果中国一国衣服独异，礼节特殊，则与外国国家和人民“情意不亲，邦交不结”。落后的习俗甚至还遭外人鄙夷讥笑，影响到对外开放和中外平等交往。中国许多习俗确比西俗落后，只学习西器、西艺、西政，而不改变这些落后旧俗，是难以奏效的。梁启超来湖南，带来了康有为的思想。康说，辫发长垂，不利于机器生产，不便于执枪跨马；褒衣博带，长裾雅步的缓慢生活节奏，在万国竞争的时代，就像佩玉鸣琚去救火一样不适宜；妇女缠足，奕世体弱，流传子孙，近无以为兵，远将戕害种族。中国应该上法古帝王变俗易服之英风，外取俄日变法易俗之楷模，使变法容易取得成效。于是，他提出了改革中国旧习，“与欧美同俗”的大胆主张[①]。严复的“鼓民力，开民智，新民德”主张也包含了改变“人心风俗”的内容。他看到在中国戕贼民族活力、拖社会前进后腿的封建礼俗，从法制学问之大到饮食居处之微，简直数不胜数。于是，他提倡破除“无用”“无实”的封建传统文化，大力引进西学，破旧俗，立新风。他把鼓民力的重点放在禁鸦片和缠足上，他认为“种以之弱，国以之贫，兵以之窳，胥于此焉阶之厉”[②]。这两件事不早做，变法则将成为空言。严复从理论上阐述了移风易俗与维新变法的关系，康有为则是通过上书皇帝，提出了移风易俗的许多具体办法，如，允许妇女与男子一样礼谒孔庙，罢废各地淫祠，改为学堂，

① 康有为．请断发易服改元折［M］// 汤志钧．康有为政论集：上册．北京：中华书局，1981：369.

② 王栻．严复集：第一册［M］．北京：中华书局，1986：26—29.

以公产为学堂经费；严禁妇女裹足，已裹者一律宽解，违抗者科罚；断发、易服、改元等。梁启超在长沙通过给时务学堂的学生写课艺批，宣传了自己的主张，如“今日欲求变法，必自天子降尊始，不先变去拜跪之礼，上下仍习虚文，所以动为外国讪笑也”；“衣服虽末事，然切于人身最近，故变法未有不先变衣服者，此能变，无不可变矣”。谭嗣同不仅以其对封建习俗的猛烈批判，“尽变西法”（包括变衣冠、变风俗）的激进主张和冲决网罗的有力号召震撼人心，还用发起不缠足会、延年会等具体行动来开启民智。在维新派的推动下，一时间各种风俗改良团体如雨后春笋般建立起来，出现“天下移风”的形势。

湖南维新派士绅大力提倡移风易俗、革除传统陋习的一系列作为，使长沙城市的社会风俗和生活方式开始发生变化。他们发起成立“不缠足会”“延年会”，反对妇女缠足的恶习和奢侈浪费、因循苟且的旧生活方式。甚至有激进者还提出剪辫易服、废跪拜礼和婚姻陋俗的主张。中国第一任驻英法公使郭嵩焘回国后即在家乡与人协商办三事：（1）清理各街道，添设沟洫局；（2）设立医药局；（3）凡遇城乡婚葬，禁止乞丐聚集滋事。[①] 随后又议设禁烟公约、尊行公社，还开示族间子弟吸食鸦片烟者发给丸药，限期戒除。在他们的倡导下，新的文明风气和生活方式开始在湖南出现。

1898 年 4 月，熊希龄、梁启超、谭嗣同等人在湖南创办不缠足会，作为在全省推行不缠足运动的总机关，并邀湖南按察使黄遵宪、学政徐仁铸入会。会址设于长沙小东街湘报馆内，由谭嗣同、黄遵宪、徐仁铸、熊希龄等担任董事。继长沙之后，新化、邵阳、武冈、浏阳、衡山、宝庆等地相继设立分会，甚至在乡村，也出现了不缠足团体。湖南不缠足会成立后，参加和捐助者踊跃，更

① 郭嵩焘．伦敦与巴黎日记［M］// 钟叔河．走向世界丛书：第 1 辑第 4 册．长沙：岳麓书社，1984：996.

《湘报》刊登的不缠足广告

有不少妇女响应号召，放绑松足。1898 年 6 月《湘报》还刊登了两则广告：其一，“定做不缠足云头方式鞋”；其二，“印送不缠足歌”。湖南不缠足运动发展很快，新化县秀才曾继辉不顾别人笑骂，手持论文，挨家挨户宣传；长沙南正街俞宅，免费印送《不缠足歌》，任人取阅；长沙南阳街李复泰还专门设立了定做各种不缠足云头方式鞋的鞋铺。

湖南延年会也是当时移风易俗运动的一个重要团体。杨昌济《达化斋札记》记载，延年会提倡“生活有律”，以为“计人寿命之长短，不计其年龄之多少，而以其作是之多少”“省去无谓之应酬，则人人多办事，人人延年益寿矣”。益寿延年是人类的共同愿望，延年会的倡导者认为真正的延年是培养良好的日常生活习惯，延年会是以强健国民体质为目的的。要求入会者，规定作息时间，并免除一些不必要的请客、拜客和与宾客无聊闲谈等习俗；请客也不要奢侈浪费；凡办公地点均不得饮酒会客，非休息日不得博弈、听戏、撞诗钟，虚文酬谢应答之信函也皆免绝，居处不净、衣服不洁皆在禁例，还要求会员学做体操，提倡健康的生活方式等。在一个浸透了封建陈规腐习的社会里，在传统习俗根深蒂固的省区中，这些主张无疑是一股清新的文明风气，移风易俗、改造陋习在一些城市形成新的风尚。

与此同时，西方生活观念和生活方式也开始在省城长沙悄然出现。黄遵宪曾向陈宝箴建议采用西方作息时间，“用礼拜日休息”①。《湘报》就是按照西方作息时间，每周星期天休息，不出报。西医、西药也开始在长沙得到认同。《湘报》第39号刊登了《湖南宜开医院说》，认为“近二十年来西医之游中国者，如天津有北洋医院，广东有博济医院，香港等处有华英医院，华人之就医痊愈者，岁以千计。利诚溥矣，法诚备矣”。因此，该文提议，“先于省城拓一广厦，购置化学器机，精选西医，聘为院长”，并“拨时务学堂聪颖子弟，中文通达，西文说明者数人，入院学习，考验有成”，以期三年内培养出一批西医医师。② 长沙街头也出现了西药店。另外，西餐洋酒、西式旅馆和公共澡堂等西式生活也在长沙出现，反映了长沙城市社会生活方式的细微变化。

四、清末新政时期士民心态和社会风气的变化

1898年9月戊戌政变后，湖南倾向维新的官员大都被革职，省政府官员发生了很大的异动。政变后，以俞廉三为首的省政当

① 王闿运．湘绮楼日记：第四卷［M］．长沙：岳麓书社，1997：2147.
② 郑荣．湖南宜开医院说［M］// 湘报：第39号．北京：中华书局，2006：305.

局在政治上基本上秉承清廷的旨意，撤销了湖南的大部分政治文化方面的新政措施。一时间，长沙所辖境内的各个新式学堂和文化教育机构或停办，或改为书院，南学会则复名为孝廉堂。各学堂恢复为书院后，“书院例请举人，既复时文，尤难破例”，维新运动中兴起的教育改革热潮受到很大的打击。

（一）戊戌政变后湖南士民的政治心态

戊戌政变发生时，长沙维新运动已处于低潮，政变的消息没有引起太多的注意。《湘报》于政变发生后第七天，即 1898 年 9 月 27 日的第 165 号刊登了西太后训政的上谕。同期还刊登了曹典球的《兵战不如商战　商战不如学战说》，其中还在抨击“中国阻挠新政，毁谤官长，把持学派之劣徒”，并主张“非以天下之书院尽改为学会不可”[1]，其所指非常明显。此后，《湘报》第 170 号又刊载了审讯谭嗣同等的“上谕”和谭嗣同等六君子被“正法”的消息。虽然《湘报》的此消息冠以“皇天震怒”的标题，然而在长沙城内似乎没有引起太大的震动。皮锡瑞在日记中记载：“细审湖南谣言，则尤可怪：不起于时局变更之后，而起于保卫初立之时。”也就是说，戊戌政变后，长沙城内较之政变前那种面对新政谣言四起的局面还要平静许多，长沙社会舆论保持着一种震惊后不知所措的平静。

戊戌政变后，旧派人物从京师到长沙内外相应，对湖南维新派人士和湖南新政展开了围剿。王先谦联合叶德辉等，由其学生苏舆出面，在政变前即编成《翼教丛编》。该书卷一至卷三收录了旧派士绅攻击、驳难和参劾康有为的书信、奏稿等，卷三至卷六则搜集了新政期间湖南新旧派官绅围绕南学会、时务学堂等新政

① 曹典球 . 兵战不如商战 商战不如学战说［M］// 湘报：第 165 号 . 北京：中华书局，2006：1638.

而展开争辩的往来书信。苏舆在其“序”中攻击维新运动期间“倾险淫诐之徒杂附其间，邪说横溢，人心浮动，其祸实肇于南海康有为”①。

政变后旧派士绅重新掌握了对长沙地方事务的控制权。在政变前，旧派士绅与以陈宝箴为首的省政当局本来是一种既互相利用又互相制约的关系。政变后，旧派士绅气焰更加嚣张，连巡抚也不放在眼里。在岳州筹备开埠时，张之洞曾考虑将岳州划归湖北管理，派人到长沙“与官绅商议”，而孔宪教“抗议以争，自云不避权贵。俞中丞甚畏之，日趋其门”。戊戌政变后，旧派士绅地位和权力的加强，对20世纪初湖南的政局产生了深刻的影响。

政变后，谭嗣同死；唐才常、毕永年来往于长江中下游和海外，筹备自立军运动；熊希龄被革职后隐居衡州。原来在长沙积极参与新政的除了从江西回到长沙的皮锡瑞外，还有谭嗣同和唐才常的老师欧阳中鹄、原南学会佐办黄膺、任过时务学堂总理的汪诒书、原湖南保卫局会办左孝同、曾参与发起和筹备时务学堂和《湘报》的蒋德钧、积极经营湖南矿务并参与时务学堂管理的邹代钧等都受到追查或牵连。如皮锡瑞被革去举人功名，还不断遭到湘赣两省守旧势力的攻击；欧阳中鹄在浏阳遭到攻击，“浏阳丁祭攻节吾师弟甚力，目唐绂丞为毁圣，节吾为叛君，题名碑中去其名字，且著书攻之”“蒋少穆（德钧）、黄泽生（忠浩）与左子异（孝同）皆为张荀合所参”。这些参与过新政的士绅显然不满于政变后西太后的统治，他们经常聚在一起谈论时政，抨击朝政和守旧派，表示对新政的怀念和对谭嗣同、陈宝箴等的同情。皮锡瑞认为，戊戌政变是新旧党矛盾激化的结果，亦是“长信（指西太后）故纵”，湖南新政废除是“挟私攻讦之奸佞臣败坏善政”②。邹代钧也认为，

① 苏舆．翼教丛编：序［M］．影印．台北：文海出版社，1969：卷首1—2.
② 皮锡瑞．师伏堂日记［M］// 湖南历史资料．长沙：湖南人民出版社，1981（2）：140—144.

"一月以来，事变迭起，株连之祸，竟及义宁，亦天不欲使我辈有所寸展也。念之良可浩叹""湘事不可闻，人心风俗败坏已极，大劫将临，甚可畏也"[1]。然而，尽管他们私下表示对政变后的政局不满，但却深知无法改变这种局面，也没有勇气公开表示对时局的不满。因此，他们大都选择了少言慎行、逃避现实的态度。

（二）清末新政期间湖南社会结构和民众生活的变化

1900 年的义和团运动被八国联军镇压下去，在戊戌政变后一时得势的顽固守旧派在八国联军战争中也受到了沉重打击。为挽救清王朝的命运，在八国联军占领京城后逃亡到西安的清廷，于光绪二十六年十二月十日（1901 年 1 月 29 日）发布了"改弦更张"、实行"新政"的变法上谕。并设立了督办政务处，综理"新政"事宜。在此后的十多年时间里，清政府在练兵、兴学、奖励工商各方面采取了一系列新政措施，变革力度较"百日维新"有过之而无不及。同时，顺应新政的需要，清政府机构从中央到地方进行了一些改革。湖南省的省府县三级行政机构也发生了一些变化。新任巡抚俞廉三遵旨于光绪二十五年（1899）三月三十日成立了农工商务局，并将开设口岸事宜交农工商务局合并办理。在岳州开埠的过程中，农工商务局改称为洋务局。湖南洋务局在以后长沙开埠的实际操作过程中发挥了重要的作用，这也是湖南省行政机构中第一个全面管理经济贸易的机构。维新运动中的湖南保卫局被撤销后，省城设湖南保甲总局管理治安。光绪二十八年（1902），湖南开始筹办警政。光绪二十九年（1903）一月刚刚就任湖南巡抚的赵尔巽遵旨将省城保甲局团练局改为湖南省城巡警总局。光绪三十年（1904），省城长沙开商埠后，又增设巡捕局，以洋人凯

① 邹代钧．致汪康年［M］// 上海图书馆．汪康年师友书札（三）．上海：上海古籍出版社，1987：2763—2772.

利为总捕头。光绪三十二年（1906）正月二十五日，湖南巡警道署在长沙设立，这是"湖南省警察有专职官吏之始"①。光绪三十四年（1908）长沙全城划分为东、南、西、北、外南、外北及水陆洲等警务区。

清政府推行的"新政"也涉及移风易俗。既要更张法令，打破陋习，实行一系列改革，势必与中国传统风俗发生冲突，为使改革得以顺利进行，清政府不得不注意到对社会风俗的改造。同时，政治、经济、文化领域的改革，体制和观念的更新，也必然会促使社会风俗的变化。在清末十年的改革中，清政府主要从四个方面介入了移风易俗活动：（1）为化除满汉畛域，采取若干改善满汉关系的措施，如1902年2月1日颁布准满汉通婚的"懿旨"，至清末又准官民自由剪发；（2）劝诫缠足，颁布《禁止缠足章程》，对于违章缠足者给予处罚，同时奖励"遵旨"不缠足者；（3）在教育改革中确立了女子教育的合法地位，使女子冲破传统习俗束缚，走出家门，接受教育，学习文化知识和技能的权利得到官方和社会的承认，在法律改革中也作了一些提高妇女地位的尝试，有些新的法律条文，如夫妇可分资财，妇女可到法庭作证等，可视为直接对恶习陋俗的否定；（4）禁烟禁赌，对娼妓业予以管制，使社会痼疾受到一定程度的遏制。

清政府与社会各种势力，如省谘议局和近代社团、商会、自治公所、新式风俗改良团体等，在政治态度和革新主张上存在着许多歧异甚至对立的地方，但是在移风易俗的内容上却大同小异，不仅都反对恶风陋俗，而且对其危害性的认识与揭露基本一致。其中不乏相互借鉴和相互影响之处，于是大家的主张和宣传汇集成一股近代移风易俗的热潮，它兴起于青萍之末，而终于达到足以使"天下移风"的目的。

---

① 长沙市志编纂委员会．长沙市志：第二卷［M］．长沙：湖南出版社，1995：105.

清末民俗和民众生活的变化还与城市近代化有关。随着城市的发展，城市公用设施和公用服务在长沙城内开始较多地出现。1897 年宝善成机器制造公司建发电厂，长沙始有电灯。同年长沙开通电报。1899 年 11 月 18 日，大清邮政长沙分局正式开业，在岳州邮界的管辖下经营长沙地区邮政业务。光绪二十七年（1901）十一月十六日长沙城内设立了第一所邮政支局，即清泰街支局。长沙开埠后，清政府于光绪三十年（1904）八月十五日将湖南省邮政分为长沙、岳州两个邮界。光绪三十一年（1905）长沙开始使用电话。清末长沙还产生了近代化的金融机构。光绪二十九年（1903），湖南官钱局在长沙理问街正式成立。宣统元年（1909）九月，大清银行长沙分行在长沙西长街成立。宣统元年（1909）八月十四日，英商永年人寿保险公司汉口分公司在长沙设立经理处，专办人寿保险，对开启长沙人的近代保险意识起了很大的作用。

长沙最早的邮政局

城市人口的激增，增加了城市对基本生活物质的需求，从而导致长沙农副产品市场的快速发展。长沙米市本来在全国有很大的影响，1904 年长沙开埠后，长沙米市进入全国四大米市之列。1911 年，长沙关输出谷米 107.93 万石，比开埠当年的 1904 年增长了 7.88 倍。光绪三十四年（1908），长沙全城的碓坊发展到 500 余家，这些碓坊大都分布在碧湘街至草潮门沿江一带，潮宗街最多，故有“米街”之称。1908 年，曾国藩的女婿聂缉椝在长沙开设协丰粮栈，在长沙城内很有名气。

清末长沙也是较大的一个生猪集散市场，长沙城内出现了专门从事生猪贸易中介的“猪行”，生猪外运主要是销往汉口。而长沙城内的猪肉销售也有较大增长。长沙的屠宰业在光绪年间开始有了“公庙”的行业组织。到1904年，长沙屠宰业制定了“屠业条规”10条,对猪肉零售作了一些规定,如每四个路摊分销一头猪、不准停留摆设、撞门叫卖等。这说明猪肉已经成为长沙城市市民的重要生活消费品。

长沙开埠后，蔬菜市场也随之兴起。长沙城郊多为菜地，蔬菜四季常青，菜农自产自销。善化“城厢内外”的菜园，“铺管都管五里之外,约有百十家”。“行路小卖”中常见“挑菜”小贩,“以圃家四时所种蔬笋之属，瓜芋之类，隔夜采摘，黎明入市”。据宣统三年（1911）湖南调查局的《湖南商事习惯报告书》记载，清末长沙城市“居民菜食……有赖于小贩居间经营”。小贩有两种：一种是无固定经营场所的菜贩，一般都是城郊菜农或城市的无业贫民，“或用车推或靠户挑，沿街卖菜”；一种是菜摊，即以贩菜为业的经营户，沿街“搭棚摆摊售菜”，行内称之为“靠墙泰”。长沙开埠后，随着城市人口增加，对蔬菜的需求大增，于是出现了“由菜农菜贩对手成交的蔬菜批发市场”。如浏阳门外巴巴街(今复兴街）自然形成的蔬菜批发市场,“东郊远近郊蔬菜多集散于此，量大品种多。菜农菜贩双方协商议价,由秤码(经纪人)过秤成交。每担菜收取少量手续费，一般由卖方负担……日成交量3万~3.5万公斤。此外，还有南门的大椿桥、南大十字路、大西门、草潮门等处菜市场，其批发量和品种不及巴巴街”。同时，长沙在光绪末年还出现了蛋行、鱼行等商业行业组织[①]。这些说明了随着城市规模的扩大和城市人口的增加，城市生活对于农副产品的需求量在扩大和增长。

从市民的衣食住行等基本生活方式来看，20世纪初年的长沙

① 陈先枢，黄启昌.长沙经贸史记［M］.长沙：湖南文艺出版社，1996：141—143.

呈现出一种由旧趋新的发展态势。虽然传统的生活方式仍然是市民生活的主导方面，但新的生活方式已经比较多地影响着长沙市民的生活，并且呈现了发展的趋势。

20世纪初年，长沙市民的服饰穿着首先在青年学生中开始发生变化。从服饰样式来看，趋新求异已经开始影响男女青年。据民国元年刊行的《湖南民情风俗报告书》载：清末湖南社会"风俗日偷、纨绔子弟立异矜奇，日以服饰争相夸耀"。男女服饰皆改旧观。长沙"男子衣服率多高领窄袖，腰围仅足束身。妇女衣服款式趋短，颜色逐雅，有时全身曳白，寒若春云；有时逐体拖青，轻如远岫，千奇百媚，层出不穷"[①]。由于在长沙城内居住的外国人增多，他们的西式服装开始影响长沙市民。1900年"上海人唐正兴引进皮鞋加工技术，在长沙油鞋（钉鞋）、木屐作坊开始制作皮鞋"。1910年年初，上海客商陈阿昌携带缝纫机来长沙开设了同森祥洋服店，这是长沙第一家洋服店，也是长沙使用缝纫机制作成衣之始[②]。不过一般市民虽然已经习惯外国人的穿着，但对国人着"洋装"仍然有一种本能的抗拒，穿着西装的只是小部分留洋归国的青年学生。如从日本归国的陈天华和禹之谟仿东洋之发髻，效欧西之细腰，身着西装，被时人讥为奇装异服，在当时"鲜不为乡人所窃笑也"。从服饰的面料来看，外国输入的面料也受到男女青年的青睐，洋竹布、洋官纱、泰西缎等舶来的洋面料消费与日俱增，国内仿洋机制的丝绸面料也在长沙市场有很好的销路。清末时，长沙城内"洋货业日渐增加，绸缎店亦多销售外国绸料"[③]。清末的长沙城内，经营中西绸纱布料的绸布店就增至50多家，较著名的有万发、聚泰、同泰、杨寿记、协泰祥、吴玉记、裕昌祥、

① 湖南法制院.湖南民情风俗报告书（民国元年）：第五章生活［M］.长沙：湖南教育出版社，2010：94.

② 长沙市志编纂委员会.长沙市志：第二卷［M］.长沙：湖南出版社，1995：96—111.

③ 同①.

祥生、九章、聚生泰、聚昌厚等。这些绸布店大都中西面料兼营。

20 世纪初年，长沙市民的饮食习惯也开始发生了一些变化。特别是长沙开埠后，外国领事人员、传教士和商人较多地进入长沙，带来了一些西方的饮食习惯。西餐、西菜和西式点心成为长沙市民所习见的食品。一些留学海外的青年学生回国后，也喜欢用西餐，西餐成为一种城市生活的时尚，一些开明官绅和青年学生也纷纷仿效。西餐和西式食品受到越来越多长沙市民的喜爱，市面上西式食品增多。啤酒、咖啡、汽水、洋酒等也逐渐成为新派官绅常用的饮料。西菜和罐头也被端上了长沙市民的餐桌[①]。随着城市人口的增加和市民饮食习惯的变化，大型的酒店餐馆也大量涌现。在清光绪末年和宣统年间，长沙城内相继出现了一些大型的著名餐馆，如光绪二十八年（1902）由回民徐沛斋创立的徐长兴烤鸭店、光绪三十年（1904）创立于青石桥（今解放路）的玉楼春酒楼（今玉楼东）、光绪末年由文茂林创业于长沙灯笼街与鱼塘街交会处的天然台酒楼等。同时，长沙市民的饮食结构也发生变化，开始较多地食用面食。北方的面粉和外国的洋面大量进入长沙市场。光绪三十四年（1908）长沙城内的“面店、粉馆以及甜酒酥食汤点店就多达 60 余家”[②]。

在居住方面，长沙的民居也开始受到西方建筑风格的影响。随着外国驻长机构的增加，长沙城市的建筑风格也在悄然发生变化。外国教堂的建设具有的西洋风格自不待说，各国领事馆和洋行的建筑也都是采用其本国的建筑设计和风格，长沙海关和其他商务机构的建筑也都采用西式建筑风格。如水陆洲的各国领事馆、洋行、教堂、海关等建筑，呈现出风格各异的特点。长沙海关税务司烈悌在报告书中写道：“查今年本通商口甚多建造之举，气象

① 刘泱泱．近代湖南社会变迁［M］．长沙：湖南人民出版社，1998：331—332.

② 陈先枢．源远流长的长沙餐饮业［M］// 姚永春，陈先枢．长沙老字号．长沙：湖南地图出版社，2009：32.

清末长沙太平街

一新。如两大驳岸、四大码头，俱系玉石装成，整齐坚好，共长六百英尺，此本关与太古洋行所造者。水陆洲又建成一所洋楼，为税务司公馆，美轮美奂，掩映江山，将来此间必成为最妙居留地。所有定造之新关房屋及验货厂，目下正预备兴工。”① 在西式建筑的影响下，长沙市民也开始突破传统建筑的定式，陆续兴建起一些西式的或中西合璧式的建筑。有些大型的商店也开始仿效西式建筑的风格，民居也发生一些新的变化。不过这种变化到民国初年才比较明显地表现出来。

近代交通运输业的发展，大大方便了长沙市民的出行。随着近代轮船航运业的兴起和发展，长沙成为湖南内河航运的中心。1904 年开埠后，除英、日轮船公司和两湖轮船公司、轮船招商局开通的长沪、长汉、长常、长潭等航线外，长沙本港轮船客运也获得了较快的发展，长沙至湘、资、沅、澧和洞庭湖沿岸各埠大都有轮船客运航线。乘坐轮船来往于省内各埠以及武昌、上海等

① 烈悌．光绪三十二年长沙口岸华洋贸易情形论略［M］// 湖南历史资料．长沙：湖南人民出版社，1980（1）：206—207.

1911 年 1 月 8 日粤汉铁路长株段首次试车纪念

城市，已经成为长沙市民首选的出行方式。

粤汉铁路长株段的修通，为长沙市民出行又提供了一种更为快捷便利的出行方式。宣统三年正月（1911 年 2 月）开始，湖南铁路公司于长沙、株洲间开行混合列车两对，从长沙东站到株洲列车运行约 1 小时 52 分钟，中途停靠大托铺、易家湾两站。按照湖南铁路公司制定的《搭乘客货章程》，客货均按公里计算，头等车每人每公里 0.016 元，二等车每人每公里 0.012 元，三等车每人每公里 0.008 元。① 从长沙到株洲约 50 公里，全程票价头等车约为 0.8 元，二等车约为 0.6 元，三等车约为 0.4 元。这一票价，一般市民都能接受。

市内交通基本上还是传统的方式，除步行外，大部分官绅在市内都是坐轿。值得注意的是，传统的轿业在长沙开埠后得到了迅猛的发展。据统计，“嘉庆（1796—1820）末，长沙有轿行 3 家，湘潭 1 家，每家轿行有轿夫 30 人至 50 人不等。……1884 年（光绪十年），长沙城厢有轿行 7 家，轿夫 200 余人；1908 年（光

① 长沙市志编纂委员会 . 长沙市志：第九卷［M］. 长沙：湖南人民出版社，1998：42.

绪三十四年），猛增至310家；到1920年复增至462家，轿夫达1500余人”[①]。这一方面是由于城市空间的扩大和城市人口增长提供了广泛的需求，另一方面也是由于一般市民也成了坐轿出行的消费者。到19世纪末20世纪初，长沙市内开始出现了一种新的出行代步方式，即人力车。人力车起源于日本，故又称“东洋车”，因车座往往漆成黄色,故又称“黄包车”。它的主要组件是弹性车轮、钢片弹簧的悬挂装置和木制车厢。车厢前伸出两根长辕杆，是挽车的手把。提起辕杆，乘车人身躯后仰，可减轻挽车力。这种人力车是同治十二年（1873）五月，由一个叫米拉的法国商人从日本引进到上海的，以后很快在各大中城市推广开来。1904年，长沙商人粟茂生在长沙皇殿坪(今五一中路)开设了“湘南厚车栈”。[②]他首先自制了木轮铁盘人力车7辆，开始试营业。“初驶时，声响如鼓，车容粗陋，无人敢乘”，粟茂生只好花钱雇人拉车，串通亲友免费乘坐以打广告。经过一段时间的改进，第二年，他又制造了20辆改进的人力车投入营运，并优惠乘客，使局面大为改观，营业逐渐扩大，获利可观。到民国初年的1914年，长沙城厢内的人力车达到940辆，并成立了“车业公所”[③]。

（三）清末教育改革带动湖南社会风气的巨变

“兴学育才”是清末新政的一项重要内容，它包括改革和废除科举、举办新式学堂、派遣留学生、制定统一学制、建立统一的教育行政机构等内容。光绪二十七年（1901）七月，清朝廷决定改革科举考试，从次年开始废止八股文程式，改试策论和“四书”、

① 刘泱泱．近代湖南社会变迁［M］．长沙：湖南人民出版社，1998：373.
② 长沙市志编纂委员会．长沙市志：第二卷［M］．长沙：湖南出版社，1995：104.
③ 同① 374.

“五经”经义。至光绪三十一年（1905）八月，清政府又发布谕令，宣布从次年开始，所有乡会试一律停止。至此，在中国沿袭实行1000多年的科举制度被彻底废除。与此同时，清政府还通令全国各地大力举办学堂，相继颁布了《钦定学堂章程》和《奏定学堂章程》，统一了全国学制，还于光绪三十一年（1905）十一月设立全国教育行政主管机构——学部。这些措施对于全国的教育改革起到了非常重要的推动和示范作用。

在“兴学育才”、统一学制方面，时任京师大学堂管学大臣的长沙人张百熙起了非常重要的作用。光绪二十八年（1902），张百熙以管学大臣名义“上溯古制，参考列邦”“兼取其长”，拟定了京师大学堂、考选入学、高等学堂、中学堂、小学堂、蒙养学堂等各级学堂共六个章程进呈清政府，被清政府以《钦定学堂章程》之名颁布。这就是中国历史上第一个近代学制——“壬寅学制”。1903年，清政府在张百熙原定章程基础上“考求增补”，拟成各级普通学堂、师范学堂、实业学堂和仕学馆、译学馆、进士馆等各类学堂章程以及《家庭教育法》《任用教员章程》《实业学堂通则》《各学堂管理通则》《学务纲要》等文件，以《奏定学堂章程》名颁布。此即对我国近代学校教育产生了重大影响的“癸卯学制”。主持和参与制定“壬寅学制”和“癸卯学制”的张百熙可以说是中国近代学校教育制度的奠基人之一。

张百熙

根据清政府的“新政”谕令，湖南省从1902年年初开始逐步改革教育制度。4月，在长沙求实学堂基础上设立了省城大学堂。接着，又选拔知县胡珍率12名生员前往日本考察教育，学习师范。这12名生员中，长、善两县有俞诰庆、俞蕃同、王履辰、汪都良等4人，其余属长沙府各县的有龙纪官（湘乡）、仇毅（湘阴）、颜可驻（湘乡）、胡元倓（湘潭）、朱杞（湘乡）、刘佐楫（醴陵）等6人。[①] 这些留学生在日本学习师范回国后，对于湖南近代教育的改革和发展起到了非常重要的作用。

光绪二十八年（1902），湖南巡抚俞廉三奏请设立湖南学务处，并拟定了《兴学要义》三端，即“培养德性，以作忠孝；开拓智识，以致实用；作兴志气，以振顽懦”和《学堂办法》三端，即“循序渐进，以定学程；严立规则，以回积习；划分年限，以收实效”，以作为全省办理学堂的指导性原则。为适应教育改革的需要，长沙省、府、县三级都遵照谕令，设立了专门的教育管理行政机构。1906年，湖南省裁去学政和学务处，改设提学使司，下设学务公所作为其办事机构。长沙府长沙、善化两县也设立了劝学所。这些新的行政机构的设立，既是清末湖南新政的重要内容，也对新政时期湖南近代经济和教育的发展起到了非常重要的作用。

在这种形势下，长沙的近代学校教育得到了很大的发展，形成了一个官办、民办和私办配合，大、中、小学衔接，普通教育和职业技术教育并举的格局。

湖南近代高等教育正是起步于清末新政时期的长沙，1902年，由原时务学堂改办的求实学堂改制为省城大学堂，此后一直到辛亥革命时，长沙先后创办高等学堂8所，另有一所中学附设有高等专科。1901年9月清政府接受张之洞和刘坤一的建议，颁发诏书，“着各省所有书院，于省城均改设大学堂，各府及直隶州均改设中学堂，各州县均改设小学堂”[②]。于是，书院改革又在湖南重新兴起。到1903年，长沙的几个主要书院如岳麓书院、城南书院、求忠书院、校经书院和求实书院在书院改革的过程中都变成了学堂。求实书院在改成省城大学堂后又与岳麓书院合并成湖南高等学堂，城南

① 湖南省志编纂委员会．湖南省志：湖南近百年大事纪述［M］．长沙：湖南人民出版社，1980：194.

② 中国第一历史档案馆．清实录：卷五八［M］．北京：中华书局，1987：420.

书院与湖南师范馆合并为中路师范学堂（即今湖南第一师范的前身），求忠书院改成了忠裔学堂，校经书院与孝廉书院合并改成了校士馆。

岳麓书院改为高等学堂后，招生名额大大增加。原来每年招生仅百名左右，改为高等学堂后，招生人数达到 290 余名。为了培养名副其实的高等学堂毕业生，学堂采取了循序渐进的办法，先办中学，再办预科，最后升至本科。因此，学堂开办当年，学生均为中学程度。1907 年，甲班毕业，经中学毕业考试，60 名合格者进入预科。中学和预科开设的课程除原有的修身、经学外，新设了图文、历史、英文、地理、代数、几何、三角、动物、生物、物理、法政、图书、体操等。

20 世纪初，湖南人民为保护本省路矿权益，开展了粤汉铁路废约自办运动以及开采矿山的热潮，因此专业人才十分缺乏。刚从日本留学归国不久的梁焕奎向赵尔巽建议创办实业学堂，培养专门人才。赵接受了他的建议，并任他为学堂提调。光绪二十九年（1903），梁焕奎向湖南矿务总局拨借基金银 1.6 万两，创办了湖南高等实业学堂，湖南高等实业学堂创办之初以长沙贡院为校址，次年迁至金线巷租民房作校舍。教学管理比照湖南高等学堂。教师均系留洋归国的大学生，另聘请英、美、日籍教师近十人。所用教材除国文和历史外，均采用英、法文原本。到 1908 年，长沙著名教育家曹典球任学堂监督，使该学堂进入了一个新的发展时期。1909 年，醴陵瓷业学堂窑业科并入。至此，该校共设矿业、土木、机械、化学、窑业五科。从 1910 年起，还附设了专门培养中等实业学堂教员的实业教员讲习所。这样，该校成为湖南第一所多科性高等工业学堂，以至于清政府学部评论："中国自北洋大学堂外，工程学科未有如湖南高等实业学堂之完善者。"①

① 湖南省地方志编纂委员会．湖南省志：教育志：下册［M］．长沙：湖南教育出版社，1995：678.

在湖南高等学堂创办的同时，湖南还创办了一所医学堂。光绪二十八年（1902），湖南巡抚俞廉三在奏请开办湖南大学堂时，附片奏请在长沙开办湖南医学堂。医学堂创办之初，只有中医科，教学内容以讲授伤寒、金匮、内经、本草为主，兼习伦理、修身。朱廷利任监督后，“改良医课”，增设西医科，开设数学、物理、化学、生理解剖等课程。

随着新政的展开，社会对政法人才的需求量很大，于是湖南巡抚庞鸿书于1906年在长沙创办了湖南公立法政学堂。湖南公立法政学堂创办的宗旨是“专为本省士绅造就完全法政通才”。1907年，依宪政编查馆章程，改名为法政绅校，其仕学馆和附设的法政速成科则改为法政官校。1910年官绅二校合并为一，改为湖南官立法政学堂。1911年招收法律、政治科学生两班及辅修班、银行研究科、政治正科、法律正科各一班。学堂分本科、预科、别科和讲习所。民国成立后，更名为湖南公立第一法政专门学校。

新政时期长沙的高等教育除了官办的学堂外，还有民办、私立学堂和外国人办的高等学堂，如湖南高等铁路学堂、明德学堂的附设高等教育和雅礼大学等。高等铁路学堂是1909年由粤汉铁路总公司创办，设置机械、建筑、业务三科，修业年限为四年。到1913年，因粤汉铁路收归国有，该学堂停办。长沙私立明德学堂于1905年开始办专修科。首先“特设高等商业专科，遵照京师高等实业学堂课程，延聘专门教习，切实举办”。1906—1907年，又先后举办留学预备理化专科、银行专修科和法政专科。民国初年改为明德大学，由黄兴任校长，迁往北京。雅礼大学是美国雅礼会在中国创办的第一所大学校。20世纪初，雅礼会就决定在中国办学。1903年，湖南境内各基督教会的代表在长沙开会，议决邀请美国耶鲁大学传教会将长沙作为发展教育事业的中心。雅礼会接到报告后两次进行了论证，认为湖南有2000多万人口，长沙是湖南的省会，地处华中腹地，可以影响全国。因此决定在长沙兴办学校。雅礼会派盖葆赖、胡美来长沙，经过一番筹备，1906年11月16日，由盖葆赖任校长的雅礼大学在长沙西牌楼正式开学。首次招收大学预科生53名。1910年，雅礼会又在雅礼大学内办了雅礼中学。国民革命中，雅礼大学迁往武汉，与文华大学、博文大学和博学大学合并为华中大学。

普通中学教育方面，从1903年私立明德学堂、经正学堂和1904年官办长沙府中学开办，至辛亥革命前夕，长沙先后创办官、私立中学共12所。比较著名的有官立的长沙府中学堂，私立的明德、经正、修业、周南（女子）、广益、育才和隐储中学堂等。另外，省内一些县或地区因师资缺乏，在省城客设中学，计有宁乡、湘阴、湘乡、湘潭、益阳、安化、邵阳、武冈共八所驻省中学堂；另有名为公学实为私立的西路、南路、中路三所公学。此外，还有美国雅礼会创设的雅礼学堂、英国圣公会创设的圣雅各中学堂。

中等师范教育方面，1903年湖南师范馆创立。这是湖南师范教育的开始。同年，省城又创办了一所蒙师讲习所，这是一所速成师范性质的学校。另外，宁乡、浏阳、湘潭、新化、平江等县相继在长沙设立"驻省师范",为本县小学教育培养师资。1903年，明德中学堂开设速成师范班，是为私人办师范教育的开始。1905年，朱剑凡也在周氏家塾开办师范班和附属小学堂。1904年创立的私立修业农学堂办有农艺师资科、私立衡粹女子职业学堂也设有艺术师资科。这是长沙最早的职业教育师资培养机构。

长沙的中等职业技术教育开始于1902年创办的农务工艺学堂。这是长沙也是湖南第一所职业技术学堂。1905年，该校分为工艺和农务两个学堂。农务学堂与原农务试验场合并为湖南官立中等农业学堂。工艺学堂则改为艺徒学堂，这是长沙官立技工学校之始。1907年该校又改为湖南官立中等工业学堂，并附设艺徒学堂。此外，还有一些私立或外资实业学堂。如1903年黄国厚等在长沙县创办的私立明耻女子职业学堂、陈润霖创立的私立楚怡初等工业学堂。至1911年，长沙先后创设官立、私立、外资和教会办的中等实业学堂共10所，其中有工业、农业、商业、交通、建筑等专业，初步形成了中等职业教育的系列。

初等教育方面，1900年在湖迹渡创办的长沙县明耻小学堂是长沙最早的近代小学。1902年11月，长沙县小学堂和善化县小学堂分别在长沙城内的荷花池和小瀛洲开办。同年冬，湖南省学务处在长沙开办官立半日学堂，招收7~16岁儿童入学。其后，又开设选升小学堂，选录半日学堂的优秀学生入校学习。1903年，湖南师范馆附设小学堂开办，这是湖南最早的师范学校附设小学。1905年，湖南省学务处将原官立半日学堂改为官立初等小学堂，在长沙及其附近先后设立40所省会小学堂。王先谦则捐资12250两白银，由学务公所在长沙兴办了简易初级小学堂18所。同时，私立小学也纷纷创立，比较著名的有楚怡、周南（小学部）、幼幼等。另外，1904年后，一些外国人和外国教会也先后在长沙创办了信义、雅各、三一等初等男学堂。

与此同时，长沙的女子教育也在清末新政中开始兴起。长沙最早的女子学堂是创始于光绪二十九年（1903），由长沙县黄琼、黄萱祐联合亲族黄祐、黄为焯、黄亨理、陈保彝等捐集私财开办的影珠女学。同年6月10日由龙绂瑞和留日归国学生俞蕃同创立的湖南民立第一女学堂在长沙千寿寺巷（今芙蓉区顺星桥）正式开学。1904年春，又有曾广镛在长沙创设了淑慎女学堂。女子教育的兴起引起了顽固势力的不安和非难。1904年秋，湖南顽固派官绅上奏清政府，攻击“湖南开办女学堂，流弊日滋，请饬停办”。清政府即谕令署湖南巡抚陆元鼎，将本省“设有女学，即行停办”[①]。于是，民立第一女学堂和淑慎女学堂被迫停办，影珠女学则更名为黄氏家塾。然而，时代潮流势不可挡。1905年，时任湖南巡抚

① 中国第一历史档案馆.清实录：卷五十九[M].北京：中华书局，1987：109—110.

的端方奏准在湖南考录了20名官费留日女生，其中大部分为原民立第一女学堂和影珠女学的学生。这些女学生在管理员黄萱祐的率领下于当年赴日留学，成为湖南首批出国留学的女学生。1905年5月，朱剑凡在长沙又创立了周氏女塾，1908年改为周南女学。原来被迫停办的女学也渐次恢复，并相继出现了一些新的女子学堂，如女子美术学校、实业女校、毓坤女塾、振湘女学等。

一大批教育家的兴学活动对清末湖南社会风气的转变起了至关重要的作用。这里仅举胡元倓、朱剑凡两例。

长沙市最早的一所近代中学，湖南省第一家私立中学是光绪二十九年（1903）由著名教育家胡元倓所创办的明德中学。胡元倓，湖南湘潭人，1902年被派往日本入东京弘文学院速成班学习。留学期间，他考察了日本的教育，特别佩服日本维新志士福泽谕吉创办庆应义塾，而后对明治维新产生了巨大而深远影响，认为日本明治维新的成功得力于教育的发展。他决心以教育救国、培养人才、复兴民族为己任，并发誓“不做官，不入党派，不怕困难”，以“此身誓已成千古，不为崎岖有变迁”之句自勉。①

1903年，胡元倓自日本回到长沙，在表兄龙璋和龙绂瑞的支持下，创办了明德学堂。同年秋，从日本东京弘文学院速成师范班毕业归国的黄兴应胡元倓之请，到明德学堂任教。黄兴到明德后，积极进行革命宣传，从事革命活动，使明德学堂成为了当时新思想的摇篮。

胡元倓曾对黄兴说过：“养成中等社会，实立国之本图，惟其事稳而难为。公倡革命，乃流血之举；我为此事，则磨血之人也。”②所谓“中等社会”，实际上是指资产阶级，也就是说，明德学堂是以培养资产阶级新式人才为其办学宗旨。胡元倓等正是以“磨血”

① 唐耀章．我所知道的胡元倓［M］// 长沙文史委．明德春秋．内刊本．长沙：1993：13.

② 梁赐龙．胡子靖传［M］．北京：首都师范大学出版社，2009：123.

的精神来办明德学堂的。而为了办好明德学堂，胡元倓几十年风尘仆仆，奔走南北以筹措经费。所得募款自己分文不取，全部用于办学。他一家住在学校大门侧的3间旧屋里。书房中挂着“虽九死吾犹未悔”的横幅和“坚苦劼毅力，勤勉医灰心”的对联。其“磨血”办学的精神可见一斑。

明德提出了“坚苦真诚”的校训。龙璋亲撰《明德校训四箴》，解释“坚苦真诚”的含义：坚即“永坚贞而不更”；苦即“应因苦而回甜”；真即“本真实以传薪”；诚即“道一贯而无二”。明德校歌中有“贯中西兮穷术业，遗粕而咀精”之句。这些都体现了贯通中西文化的施教方针，与戊戌维新运动中的时务学堂一脉相承。

明德学堂还聚集了大批资产阶级革命党人如黄兴、张继、周震鳞、苏曼殊、王正廷等，他们在明德学堂任教期间大力传播资产阶级民主思想和民族思想，以“天下兴亡，匹夫有责”之义教育学生。1904年2月，黄兴以明德学堂为基地，联络章士钊、刘揆一、宋教仁、陈天华等成立了革命团体华兴会。

长沙第一所私立女子中学堂是1905年由朱剑凡创立的周南女学。朱剑凡，湖南宁乡人，其父为湘军著名将领、甘肃提督周达武。1902年他东渡日本，入东京弘文习师范，结识了黄兴、陈天华、周震鳞等爱国志士，接受了资产阶级民主主义的影响。1904年底，朱剑凡回国，首先在周震鳞创办的宁乡速成师范教书。他认为“女子沉沦黑暗，非教育无以拔高明，要自立于社会，有学识技能，才能拔于黑暗”[①]。因此，他决心自己创办一所女学。1905年5月初，他将长沙泰安里私宅“蜕园”的半边园林辟为校舍，创办了一所女子学堂。为免遭清政府查封，命名为周氏家塾。但实际上办有师范班，附设有小学部和幼儿园，并授之以新学。当时风气闭塞，妇女受封建礼教束缚，学校初创时，入学者很少。朱剑凡不辞劳

① 长沙市教育志编纂委员会．长沙教育志［M］．内刊本．长沙：1992：320.

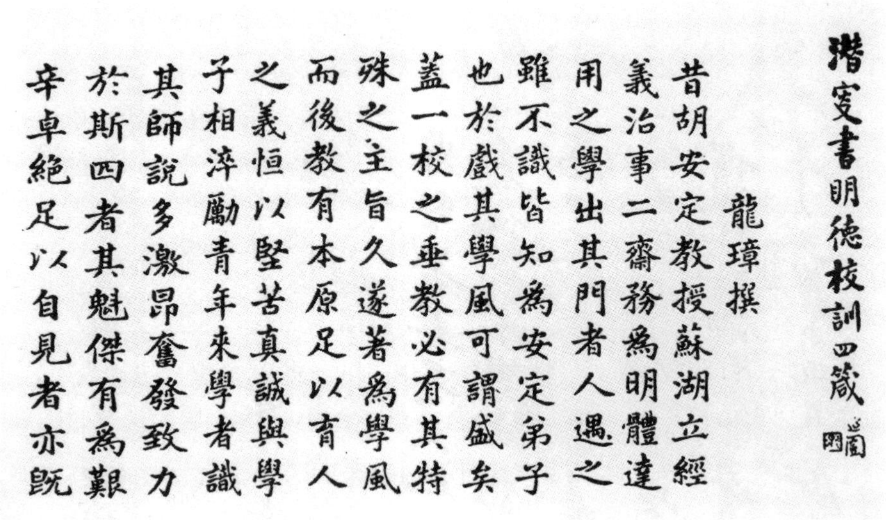

龙璋撰明德校训四箴（局部）

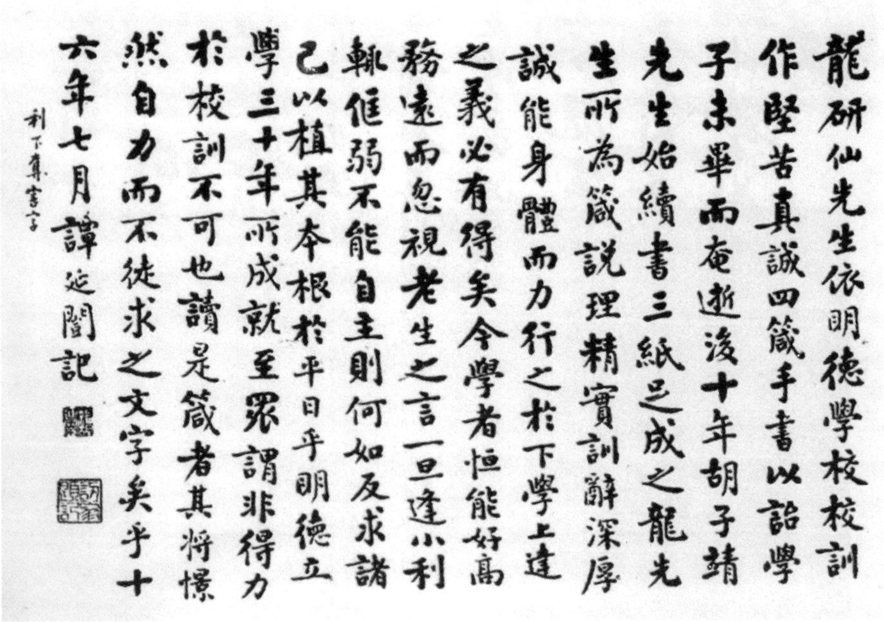

谭延闿“坚苦真诚”题记

苦，逐家劝说，广泛动员。他规定，凡未婚及订婚未嫁者都可入学，少数家境贫困的还可在校打钟、扫地，半工半读。这样，很快使师范班学生增加到百余人。

1907 年，学部奏准民间设立女子学堂。于是，朱剑凡于 1908 年呈请湖南当局将周氏家塾改名为周南女学。为适应社会的需要，周南女学除继续开办师范专业外，还添设了缝纫、音乐、体育等专修科。由于班次增多，规模扩大，需要增建校舍。朱剑凡创办周南，不仅捐献了全部家产，而且呕心沥血，倾注了全身心的精力。朱剑凡提出“教学要与社会生活相结合，要为社会改造和建设服务”[①]。周南的学科都是适应社会的需要而设置的。朱剑凡认为，师范教育是国民教育的基础，故首先在周南开办了师范科和简易师范科，并附设小学和幼儿园。朱剑凡还认为妇女要在社会上自立，就必须有谋生的技能，为此又开设了缝纫、刺绣、烹饪等班。为满足全省女子学校对音乐和体育教员的需要，他又开办了音乐、体育专科班。

朱剑凡为周南规定的校训是：（1）自治心（节制整洁）；（2）公共心（博爱仁恕）；（3）进取心（勤勉耐劳）。为养成勤勉学风和活泼气氛，周南规定每日由值日教员公布格言、诗歌、图画或学生学习成绩，以供学生学习观摩。周南女学还每年举办学生学习成绩展览。民国初年的《湖南教育》杂志曾撰文评述周南的成绩展览，认为周南女学生的成绩，在“男校中如此程度亦不多得”。朱剑凡等还注意向学生灌输爱国思想和民族意识，并带领学生参加一些爱国运动。如 1907 年，他与徐特立发起周南全体师生罢课，反对清政府的铁路国有政策，并得到全城公私立学堂的响应。

总之，在晚清教育改革的热潮中，一个多门类、多层次的近代教育体系，在湖南逐步形成了，它对湖南社会风气的改良产生

① 杨澍．朱剑凡和周南女校［M］// 湖南文史资料选辑．长沙：湖南人民出版社，1986（20）：160.

清末周南女校校门

了巨大影响，民间流传了千百年的“读书做官论”“女子无用论”“奇技淫巧论”等受到了重挫。

第二章

辛亥革命前后湖南社会结构变化与社会风貌改善

辛亥革命是中国近代史的转折点，也是中国社会风俗变化的转折点，湖南更不例外，因为湖南在辛亥革命中有着特殊的地位。1911 年辛亥革命推翻了统治中国几千年的君主专制制度，开创了完全意义上的近代民族民主革命，是中国走向共和道路上的一个伟大的里程碑。在辛亥革命时期,湖南涌现了与孙中山并称“孙黄”的革命领袖黄兴，以及蔡锷、宋教仁、蒋翊武等一大批革命志士从长沙走向全国，掀起一场轰轰烈烈的反清斗争。

一、辛亥革命对湖南社会的影响

从 1900 年湖南人唐才常、林圭、沈荩、秦力山等发动自立会起义，到 1911 年武昌起义，在长达十余年的辛亥革命运动中，长沙始终是“两湖（湖南、湖北）革命”的中心之一。内地最早的革命团体“华兴会”在长沙成立不久，就和在武昌继起的“科学补习所”相约同时发难。嗣后，在创建“同盟会”和“同盟会”组织的武装起义及其他革命活动中，湖南籍的革命志士曾经在长沙本地和全国各地做出了卓越的贡献。武昌首义的史册里，也记录了众多湘籍革命党人的勋绩。武昌首义 12 天之后，长沙在全国范围内率先响应。长沙起义成功后，当即成立了以焦达峰、陈作新为正、副都督的“中华民国军政府湖南都督府”，宣告了湖南革命政权的建立。与此同时，立宪派也活跃起来。他们首先迫使焦、陈同意，成立了参议院，举谭延闿为院长；接着又在都督府设立民政、军政两部，分由谭延闿、黄鸾鸣为部长。军政府成立以后，迅即传檄全省，号召各地反正，各道、府、州、县闻风响应，到 11 月 5 日，全省除常德以西地区外，全部光复。清王朝在湖南 260 多年的封建专制统治宣告结束。紧接着军政府着手镇压反动武装，建立革命新秩序；扫除陋习，倡导新风；并立即派军援鄂，解除了武汉战场的后顾之忧，促进了全国革命高潮的到来，加速了清朝统治在全国范围的崩溃。长沙光复10天后，焦达峰、陈作新在乱军兵变中被杀，新任都督谭延闿下令厚葬焦、陈，坚持了反对清制、拥护共和的大方向。在近代湖南社会风俗的演变中，辛亥革命是历史的拐点。

（一）辛亥革命前后湖南社会结构的变迁

辛亥革命前后，湖南社会结构发生了一些微妙的变化，主要体现在以下四个方面。

1. 士绅与平民百姓形成社会结构的两级

在传统的封建社会中，士绅与平民百姓是两个相互对立而又密切相连的阶层。绅，一般是指居官任职的“缙绅”；士，则为学道习艺的读书人。而随着社会历史的发展，二者的含义逐渐发生了变化，绅专指原官僚中离职退休的人员，士则特指读书人中已取得科举功名如秀才、举人、进士等人员，两者的差距日益缩小，逐渐合流，共同构成了在地方上具有一定势力和影响的社会集团，统称“士绅”，或称“绅士”“绅衿”。在近代湖南社会中，绅士已演化成一个比较固定的群体概念，无论是举贡生员还是乡居缙绅（职官），凡获得封建法律所认可的身份、功名、顶戴，无论出仕还是未仕，一概属于绅士阶层。随着湘军的崛起，作为湘省省会的长沙，其绅士阶层迅速壮大，而且其绅权势力超乎常规地急剧发展，在中国近代政治舞台上，形成“吾湖南绅士之权力，其强盛实在诸行省之上”的特殊局面[①]，直接影响着湖南乃至全国未来社会发展的方向。就政治统治的角度而言，社会结构演变为士绅

① 杨毓麟．新湖南［M］// 饶怀民．杨毓麟集．长沙：岳麓书社，2001：57.

和百姓的两级社会。

2. 地主和佃农关系的变化

就自然经济的分配关系而言，近代湖南社会是地主和佃农的相对社会。湖南传统的经济结构是以自给自足的小农经济为主导的自然经济，这种经济模式是传统社会的基础，在这样的社会经济结构中，土地是最基本的生产资料，亦是社会财富的象征，人人争购土地，在土地的流转和买卖中，“贫而后卖，既卖无力复买，富而复买，已买不可复卖”[①]，地主和佃户由此而来，两者之间产生租佃关系，由此而形成租佃制度，并成为封建社会中最重要的基本经济关系。地主和佃农都是租佃制度的利益相关者，地主的核心利益是能按时按质按量收取地租，而作为租种土地的佃农，其核心利益是在当时的社会经济条件下，排除地主的干扰，以实现自己利益的最大化，他们都希望实现各自的经济利益。地主和佃农之间关系的变动，对湖南地区社会形势的发展有着至关重要的影响，制约着社会变革的进度和方向。

民国初年，大小地主以及官僚、军阀、大商人兼并大量的土地，在地租方面以实物地租为主体，同时还盛行货币地租。在地租租率方面，一般仍为主佃各半，最高额为主七佃三。除地租外，押租剥削亦有增加，佃户租种土地以前需向地主交纳押金，如佃户未能按期交纳地租，地主即从押金中予以扣除，退田另佃。押金少则相当于一年租谷的价值，多则超过土地产量的一倍以上，甚至接近田地的卖价，谓之“重庄”。1913 年谭延闿督湘时颁布《田赋新章》，规定“各府、厅、州、县，有漕粮或有秋米买卖的，每额征收‘正饷’一两，收省平银二两四钱，无漕粮亦无秋米买卖的，

① 张朋园. 湖南现代化的早期进展（1860—1916）[M]. 长沙：岳麓书社，2002：81.

则收省平银一两六钱”[①]。这一改革统一了征收项目,并简化了征收手续，但是农民的田赋负担比以往的地租更为沉重。

近代以来，湖南广大佃农不但在经济上遭受残酷的剥削和压榨，生活困苦，而且其社会政治地位亦为之沦落，主佃关系形同主奴，异常紧张。这在乡土社会中重要的纪念、祭祀等节庆活动中有着极为鲜明的体现。然而，随着社会的发展，尤其是辛亥革命之后，佃农与地主之间的人身依附关系日趋减弱，农民的独立性和自主性日渐增强，有时众多的佃农会联合起来群起抗租，甚至出现“主弱佃强”的趋势。一些中小佃主感到收租艰难，于是只好将自己的土地寄在大族名下，或借助家族、宗族、乡族乃至官府的力量，约束佃农，压制佃农的抗租斗争。但由于各地抗租欠租已成普遍现象，地主也无可奈何。

3．民族资产阶级的产生和壮大

湖南深居内陆，西方资本主义的触角在这里的延伸很迟，在甲午战争前一直是以自然经济为主，而且此地绅民的保守风气浓厚，固守传统，排斥西学，拒绝变革，从而使得近代资本主义工商业的发展极为缓慢，比起东南沿海地区要晚二三十年。然而，随着商品经济的发展，资本主义萌芽的成长，特别是甲午战争后，严峻的民族危机，刺激了长沙士风民气的开化，在开明官绅的大力支持以及维新人士的积极推动下，湖南开始积极发展近代民族工业，从而迈出了经济近代化的第一步。

长沙地区的民族资产阶级群体，出现最早的是在商业领域产生的商业资本家，这部分商业资产阶级虽然人数不多，但是却颇具影响和能量。19 世纪七八十年代，在近代化工业兴起之前，在长沙商品经济较为发达的谷米、盐茶等贸易领域，形成了以朱昌

① 湖南省志编纂委员会．湖南省志：湖南近百年大事纪述［M］．长沙：湖南人民出版社，1980：356.

琳、魏鹤林、黄冕等长沙籍商人为代表的湖南商帮。长沙开埠之后，随着长沙资本主义新式企业的兴起，从事有关进出口贸易和省内外工业品销售的新式商业迅速发展，商业资本家人数日益增多，尤其是在外商开设的公司、洋行中，出现了一些为其代理经营业务的华商即“买办”。长沙诸多的从事谷米、盐茶、绸布、鞭炮等土产及经营药材业、饮食业、杂货业等的中小商人亦因改营或兼营洋货业，从而由传统商人转变成为商业资产阶级。例如经营绸布业的陈莩泉、李溪亭、饶菊生、魏韵篁，从事米粮业的傅南轩、聂云台等人，由于资本主义因素的不断渗透，他们逐渐向近代商业资产阶级转化。

19 世纪末 20 世纪初，随着近代化工业的兴起，长沙地区的资产阶级有了更进一步的发展，其结构有了新的变化，商业资产阶级日趋向产业资产阶级转化，工矿业资本家逐渐增多，资本额亦更趋增加，长沙民族资产阶级作为一个新生的阶级正式定型。据统计，1895—1911 年湖南陆续创办了 183 家近代企业，包括矿山、工厂、铁路和轮船公司，总投资额达 1952.3 万元，其中绝大部分集中在长沙，从而使得长沙成为湘省资本主义工商业发展的重要地区，亦成为湘省资产阶级最为集中的区域。

随着湖南近代民族资产阶级的不断发展，其规模和数量亦不断增长，为了更好地维护和实现资产阶级的权益，管理其内部事务，表达本阶级的利益诉求，民族资产阶级亦先后组建了各种社会团体。这些团体和组织依靠众多的中小资产阶级为基础，而上层资产阶级因其具有较高的社会政治地位和雄厚的经济基础及广泛的社会影响，而获得了这些团体和组织的领导权，如 1903 年成立的半官半商性质的商务总局和 1906 年成立的商办性质的商务总会，都是代表资产阶级利益的组织。先后担任最高领导的郑先靖、陈文玮、龙璋等人，都是大资本家、大商人，其实力和地位非同一般。在 1910 年成立的全省总工会亦同样如此。

湖南的民族资产阶级都迫切希望改变糟糕的现状，救国富民，保护身家，维护利权，清除清政府的种种苛捐重税和有关工商业的种种陈规陋习，为资本主义的进一步发展开辟道路。但由于他们大都是由封建官僚、大地主、富豪士绅等转化而来，来自于封建旧营垒，同时也是封建集团的既得利益者，因此他们在思想上依然很保守，仍局限在“中体西用”的框架之内，并不愿意融入近代的政治生活之中。他们依旧重视封建名器、尊卑秩序和伦理本位，他们从传统中得到过很多的实惠和利益，抛掉传统就使自己的特权地位失去了合法依据。因此，他们没有，也不愿意告别传统。他们反对用暴力革命的手段推翻清王朝，他们更多的是主张以温和的手段和政策，去要求和推动清政府的改革。因此，当1906年清政府宣布“仿行预备立宪”时，资产阶级上层莫不欣喜若狂，为“速开国会”制定宪法，建立君主立宪政体而积极奔走，连续参与和发动国会请愿运动，掀起了颇具声势的立宪运动，并先后组建了宪政公会、谘议局、宪友会湖南支部、辛亥俱乐部湖南支部等以改良为宗旨的社会政治团体。长沙的上层资产阶级由此而形成了自己的政治派别——立宪派，此后更为积极地推行以宪政和地方自治为主的改良活动。

而那些人数众多的资产阶级中下层人员，由于他们多是由中小地主、士绅、商人和作坊主转化而来，本身与封建势力并没有多少渊源，而且在很大程度上，他们反而是封建势力的受害者和被压迫者，因此，他们在思想上较少受封建腐朽传统的影响和禁锢，较为开放和激进。另外，他们中的相当一部分人受过新式的西学教育，并出国留学，深受资产阶级民主革命思想的熏陶，在国外，他们亲身感受到了资本主义国家科技的先进和政治制度的优良，对清政府的专制腐败统治及其所带来的深重民族危机深恶痛绝，他们往往根据自己所受过的教育而非阶级关系来选择政治道路，提出要以暴力革命的手段推翻腐败的清政府，建立资产阶级民主共和政权，以保国救民，抵御西方列强的入侵和掠夺，他们首先成了封建政权的叛逆者，成了资产阶级民主革命的斗士和旧政权的掘墓人，从而实现了向资产阶级革命派的转变。以黄兴、宋教仁、禹之谟、杨毓麟、宁调元等为代表的长沙籍资产阶级革命党人亦先后组建了诸如华兴会、同盟会湖南支部等革命团体，积极鼓吹民主共和、反清革命，与资产阶级上层立宪派形成泾渭分明的态势。

4. 工人阶级成为新的弱势群体

随着资本主义经济的发展，湖南工人阶级也相随而生。1914—1921 年湖南主要工矿企业的工人约为 14 万人，其中长沙约 2.56 万人。① 如果撇开矿工数，长沙是工人人数最多的地方。由于长沙的产业企业时起时落，长沙工人阶级队伍很不稳定，失业的工人只得回乡去当农民，工厂需要人时，又回到工厂当工人。工人与农民身份的交替转换成为此时长沙产业工人的一个突出特点。

长沙工人的生存状况和全国各地的工人一样，困苦不堪。一是企业实行封建把头管理制度，工人没有人格；二是待遇低，所得工资难以养家糊口；三是工作时间长，无星期休假制；四是劳动条件差，安全无保障。此外工人还受着封建行会组织的束缚和剥削。

民初长沙各工厂容纳工人最多的是和丰火柴公司和华昌炼锑公司等。和丰火柴公司在北门城外，附近几条街，都是公司的房屋，全是住着在厂中做工的人。“平时厂中约共有男女工人二三千人以外，还有许多住在公司附近一带贫家小户的妇女，都靠在公司接盒子，补足她的生活。”1923 年 11 月，一位叫鸣非的记者写

① 刘泱泱．湖南通史：近代卷［M］．长沙：湖南出版社，1994：789—790.

过一篇《湖南水口山工人俱乐部纪实》的文章，文中提到，水口山铅锌矿为官矿，工资高低相差很大，就一般工人而言每月至多得二三十元，十余元，八九元，布衣粗食，犹称稍裕；少则三四元，甚至每天六十余文的也有。纺织工人的待遇还不如矿工。1921 年，第一纱厂每天做工十二点钟，每天工钱仅二百、三百文，至多也不过四五百文。在工资分配上，第一纱厂成年、青年、女工和童工没有多大区别，只有技工、艺徒（初进厂的）之分，“技工以货计每月工资约在十元上下，艺徒则以日计，自一角四分至二角四分止；其他监工等月工资三四十元不等”①。

在这种情况下，工人们不时起来进行争取生存权利的斗争。1912—1921 年长沙工人罢工斗争，属于产业工人罢工的主要有：1913 年 3 月印刷工人罢工，1913 年 5 月和丰火柴公司工人罢工，1915 年春日商工厂和商店工人罢工等；属于手工业工人罢工的主要有：1912 年 10 月人力车工人罢工，1913 年 1 月染工同盟罢工，1913 年 4 月刻字工人罢工，1917 年 3 月锯木工人罢工，1917 年五、六月码头工人和染工罢工，1918 年人力、泥木工人罢工，1918 年 9 月笔业工人罢工，1921 年湖南第一纱厂工人罢工等。这些斗争一般都以失败告终。②

（二）辛亥革命前后湖南社会痼疾的流变

出于革命的目的，革命党人对改良社会风俗起到了推波助澜的作用。革命党人从维新派人士那里接过“风俗革命”的口号，也提倡断发易服，废除跪拜，反对迷信，禁烟禁赌，劝禁缠足和

① 青年会职工部．长沙工人生活现况调查记［N］．湖南大公报，1923-7-16，2017-7-17.

② 杨锡贵．民国初年的长沙政局演变与社会发展［M］// 谭仲池，彭平一．长沙通史：近代卷［M］．长沙：湖南教育出版社，2013：939.

兴办女学等，但宗旨与维新人士截然不同，他们主张用移风易俗来推进革命，同时又通过革命来移风易俗。他们既把移风易俗作为铸造“国魂”的手段之一，号召铲除恶俗陋习，提倡优良的风俗习惯，以便铸造富有爱国热情和革命精神的新国魂；又把移风易俗作为民族民主革命的武器之一，认为辫发与满装是满洲贵族强加给汉人的，关系到民族主义与自由权之所在，他们把声讨“辫发胡服”作为激发人们反抗情绪，动员群众投入反清革命的有力手段。最早提倡颠覆清王朝的革命刊物《国民报》曾指出：“欲脱君权、外权之压制，则必先脱数千年来牢不可破之风俗、思想、教化、学术之压制。”革命党人拿起西方资产阶级革命武库里的武器，以维新派所没有的勇敢姿态，用天赋人权论、民族平等观批判戕贼人权、蹂躏女权和体现民族压迫的种种恶俗，要求恢复人权、解放个性、男女平等和民族平等；用无神论和近代自然科学知识破除对天命、鬼神的种种迷信，提出了“革天”“毁鬼庙、弃鬼像、绝鬼祀”的激进主张。锋芒所向，直指封建习俗的根源——三纲五常。他们尖锐地指出三纲五常是造奴隶的“伪道德”，响亮地提出了“三纲革命”的口号。革命党人主张通过革命，通过推翻封建专制制度来实现风俗的转移。《二十世纪之大舞台丛报》明确提出以“改革恶俗，开通民智，提倡民族主义，唤起国家思想”为目的。革命的宣传家们纷纷揭露和批判旧风俗弊害，从家庭到社会，从装束形体到精神世界，各种恶风陋俗都在声讨之列。清末民初，在湖南省城长沙，这种声讨之风尤为激烈。主要表现在以下四个方面。

1．禁烟

湖南光复之初，人心思治，“军政府以剃发、放足、禁烟三事为首先推行之政治”。关于禁烟和惩治贪官污吏，谭延闿雷厉风行，十分坚决，如民国元年湖南禁烟公所一次就焚毁鸦片 91551 两，石门知事与该县劣绅狼狈为奸，侵吞公款，即被罢免。

湖南地处内陆，鸦片吸食和罂粟的种植传入较迟，但是一经传入便迅速蔓延，一发不可收拾，成为一种难以治愈的社会痼疾。据统计，在1910年长沙有吸食鸦片者6035人，占当时省城总人口的3.7%。长沙一地烟毒泛滥，造成社会秩序混乱，经济衰落，社会道德破产，社会风气败坏等诸多问题。鸦片的猖獗，最终成为清末民初长沙地区严重的社会痼疾，造成极为严重的后果。

辛亥革命前后，长沙地区的禁烟治理活动大致可以分为两个阶段。晚清时期，自戊戌维新直至1911年清王朝覆灭为第一阶段，这一阶段长沙地区的禁烟效果较为显著。维新时期，以谭嗣同、唐才常为首的湘省维新志士在湘巡抚陈宝箴、按察使黄遵宪的大力支持下，积极倡导禁绝烟毒，他们对吸食鸦片的危害予以无情的揭露，将鸦片列为三害之一，并提出禁烟的十条条例，努力将这些主张付诸实践。1903年，湘巡抚赵尔巽发布饬令，劝谕乡民禁种鸦片。1906年，清政府对鸦片泛滥所造成的社会危害有了新的认识，同时在国际国内日益高涨的禁烟呼声之下，于9月发布禁烟上谕。清政府的禁烟诏令和措施，得到了湖南省会各界的一致拥护，湘省政府也制定了一系列的禁烟措施，如查禁烟馆、勒令烟土号歇业、收缴烟枪、禁卖烟具、禁种烟苗等。在省城长沙，各界民众“一闻禁烟消息，莫不动色相戒”，并积极清查吸烟户数，登记烟民，由巡警与各土烟店签订保证书，限令逐年递减，同时还设置各种戒烟局所40余处，戒断烟民2万余人。长沙东鱼塘街官立戒烟局规定，“凡愿入局戒烟者报名时取具限结及族长街团邻佑，互相结瘾者限三十日断丸瘾，重瘾者限三十日断丸，体弱瘾重者限四十日断丸。限满后住局五日再行开除，如戒后仍吸者当送县从严查办”。1908年，湘省又在长沙都正街设立禁烟查验所，对曾经吸烟以及吸烟可疑官员，随时调所查验。经过数年的努力，长沙地区的鸦片输入量和吸食者大为减少，烟毒猖獗的局面在一定程度上得以遏制。

1911 年辛亥革命之后，长沙地区的禁烟进入第二个阶段。1911 年 10 月，长沙光复之后成立的湖南军政府，将禁烟作为首要推行之政治，省议会还通过了“禁烟案”，议决“凡吸食鸦片者枪决”。1912 年 3 月，孙中山以临时大总统名义发布“禁烟令”，并责令内务部设立全国戒烟公所，厉行戒烟，“务使百年病根，一旦拔除，强国保种”。湖南都督府也制定和实施了更为严厉的禁烟法案和措施，湖南都督谭延闿推行“开明专政”，决意革除烟毒之害，积极严禁鸦片，制定和实施《湖南全省禁烟查缉章程》，明确规定“凡各州县及乡镇遍设禁烟分局，编查户口，施放戒烟丸药，禁止苗种，限以民国元年底烟种尽绝，过期有犯，辄枪毙”。[①] 并在长沙设立湖南戒烟公所，严禁栽种、贩卖、吸食鸦片，在鸦片入口地设立稽查站，限期封闭烟馆。1912 年 11 月，戒烟总公所一次就焚毁各种土烟膏 91551 两，同时对一些鸦片惯犯毫不手软，“枪毙烟犯之案，不下十数起”，当时的《长沙日报》《民立报》等报纸中关于处决烟犯的报道比比皆是。谭延闿厉行禁烟的政策取得了很大的成绩，英国专家来湘调查禁烟时，也不得不承认湖南“确已将烟苗铲除净尽，毫无罂粟”，并将湖南归于“无鸦片种植省份”。1913 年 6 月，开始禁止英印鸦片输入湖南，此后，洋药遂在湖南禁绝。然而谭延闿下台之后，随着北洋军阀势力进入湘省，军阀混战不断，鸦片又逐渐泛滥开来，烟毒又趋于蔓延，民初禁烟取得的成果被破坏殆尽，毒氛重来，更为从前所未有。至 20 世纪 30 年代，何键主湘，才再度展开禁烟运动。

① 粟戡时，等. 湖南反正追记［M］. 长沙：湖南人民出版社，1981：23.

2．治赌

辛亥革命时期，赌博流毒遍于全国，湖南也未能幸免，城乡之间赌风盛行，据记载，在省城长沙，“制卖赌具，如布帛菽粟之陈列市肆，罔有顾忌，聚赌者恣以为乐，法令相视若具文，则世风靡靡，陷溺锢习，更不知其所返矣”[①]。这一时期，长沙地区的赌博种类名目繁多，较为流行的赌博方式大致有叶子式、骨牌、骰子、弹钱宝、翻钱宝、盒子宝、诗宝、画眉笼、跌三青、鹌鹑圈、蟋蟀盆、斗鸡等12种。除了这些传统的赌博形式之外，辛亥革命时期，随着西方习俗的大量传入，西方各种新式的赌博娱乐形式也开始在长沙出现，从而使得长沙一地的赌博名目更为繁多，如扑克、彩票等，这些新的赌博方式自传入长沙之后，即迅速扩展至湘省其他地区，风靡全省，造成严重的社会影响。赌博盛行严重扰乱社会秩序，败坏社会风气，于个人、家庭、社会危害甚大，而且对统治阶层不利之处甚多，因此，自清朝至民国，历届政府都先后颁布诸多法令，不同程度地实施禁赌。

辛亥之前，政府将赌博与乱民、盗贼、娼妓并列为“四大恶习”，赌博更是被列为首恶，清政府对此采取严禁的政策，“凡赌博，不分兵民，俱枷号两月，开场窝赌及抽头之人，各枷号三月并杖一百，官员有犯，革职、枷责不准赎”，并从赌场、赌具、参赌者三个方面着手，制定相应的法令予以禁赌；维新时期，湖南保卫局明确规定“凡巡查当街赌博者，即行捕拿”，并将省城之内“常以赌弈为业或为首者，开设赌场者，招结党类或携带凶器横行四邻者”作为重点管理对象，“若查其终不悔改”，即申报上官予以严惩，一些有识之士和社会团体也积极提倡禁赌，如谭嗣同将赌博视为人们自我耗费时日的不良恶习之一，“为戏于叶子，丐灵于五木，诗礼之儒俯侪博徒，缙绅之贤乃类争夺”，长沙延年会也

① 湖南法制院．湖南民情风俗报告书（民国元年）：习染［M］．长沙：湖南教育出版社，2011：192.

规定“入会者非遇休息日不得博弈”；1910年，省城长沙春夏二季查获牌赌及摇会开彩者14人。[1] 辛亥之后，湖南都督府遵从政府法令严厉查禁赌博，清除赌博恶习，在省城长沙，警察对于赌博或类似赌博之事，无论何时何地，及参加赌博者为何人，均应严厉查禁，从而使得长期以来弥漫于长沙城乡的赌博之风在一定程度上得以暂时的遏制，大小赌博活动一度趋于敛迹，取得了一定的积极成效。

然而，好景不长，随着北洋军阀势力占据长沙以及此后的军阀混战，长沙地区再次陷于动荡之中，社会秩序混乱，使得本就难以禁绝的赌博之害又死灰复燃，并迅速蔓延至长沙城乡的各个角落，直至民国之终，长沙赌博之害也未能彻底根治。

3．抑娼

娼妓问题亦是长期以来社会面临的严重的问题之一，据统计，晚清时期，长沙妓户已不下700余家。新政时期，为筹措各项改革费用，湘省遂规定向妓户按人头抽取妓捐，又称之为花捐。1911年湘省颁布的《湖南各厅、州、县警务章程》：“各厅州县之税契款项，城厢开练费，以及铺捐、车捐、戏捐、妓捐、屠捐等应作巡警经费，如各捐款尚未兴办者，地方官应会商绅士妥为兴办。”可见，当时妓捐已成为湘省警察经费的重要来源之一，同时说明抽取妓捐也成为此后政府正当而且可靠的财政收入。政府向妓户收取捐税，这在事实上已公开承认了娼妓业的合法性，娼妓业亦已公开化，同时也从一个侧面反映出当时娼妓业发展盛况，在政府这种明禁暗弛，事实上纵容的政策下，长沙的娼妓之业日兴，卖淫嫖娼之风日炽。

辛亥之后，长沙地区的娼妓业相比以往更为繁盛，在从业人

---

① 郑焱．时移势异——辛亥长沙巨变［M］．长沙：湖南教育出版社，2011：285.

数以及娼妓类别等方面有了新的发展。1912 年，长沙有注册妓户 119 家，妓女 251 名，同年 11 月，省会警察厅放开了对娼妓业的限制。1913 年，省城妓户增至 500 余家，省会警察厅发给妓户执照 337 家，871 人，并加强对妓户的管理，将清末妓女的散居制改为实行限居制，暂以高家巷、福源巷、仁美园、澹园、乾元宫后街等处及娼妓聚集之地为法定的娼妓业营业场所，不得越界，更不准邻近学校和军营；同时将妓户分为一至四等，按等级分别收取年捐。兴盛的娼妓业亦成为政府重要而稳定的财政收入来源，据统计，民国二年（1913）省城警察厅的经费总额为 363304 元，其中妓捐为7644元，占经费总额的2.1%，远超过戏捐、船捐等税种。以上只是经过政府认可的合法的娼妓业数据，事实上，根据晚清以来长沙娼妓业发展的规律，还有为数不少的私娼、暗娼未被统计在内，而且这部分娼妓数量要远远超过注册的妓女人数。因此，辛亥革命之后，长沙作为一内河港埠，虽不及北京、上海等大城市娼妓之盛，但是可与武汉相比肩，其娼妓数量不可小视。

民国元年之后，在省城长沙，各种军阀、政客、商贾等狎妓酗酒，相习成风，各政团、军队联系公事，商贾洽谈生意，也要选在妓院，不狎妓喝花酒即难以成事。上自达官贵人，下至黎民百姓，都已经对娼妓泛滥习以为常，将以娼为业、嫖娼宿妓视为等闲之事，并以此而自诩风流。长沙的娼妓业在发展过程中，也逐渐形成了固定的营业区域，不同等级的妓女聚集在各自的区域之内营业。1915 年，长沙的一等妓院和妓女主要集中在樊西巷、百花村一带，二等妓院和妓女在小瀛洲、百果园一带，三等妓院和妓女分布于大观园、小观园一带，四等妓女则集中于南墙湾、便河边、流水沟一带。同时，在省城之中的各大酒楼、大中小旅社，也都有为数不少的妓女，这些妓女大多来自于苏州、扬州等地。

长沙地区娼妓业在辛亥革命之后的繁盛，除了该业从业人数众多之外，其类别也较多。该地区的娼妓随鸨母的籍贯大致可分为本帮和扬帮，妓院鸨母为湖南人的，其堂班称为本帮，妓女不限地域，但主要来自于长沙、浏阳、宁乡、湘潭等省内地区；若鸨母是扬州或苏杭人氏，其堂班则称为扬帮，该帮妓女有来自于扬州或江北一带的，但也是以湖南省内的占多数。长沙地区的娼妓主要分为公娼、私娼和流娼三大类。娼妓来源不尽相同，品类复杂，分布广泛。流娼多寄寓于旅馆、饭店、酒楼之中，其规格低于堂班而高于一般私娼，她们在经济上有求于鸨母，须自愿作抵押，在行动等方面受制于鸨母，俗称为“搭班”。这类妓女，有擢升入堂班的，也有沦落为私娼、低等级妓女的，是娼妓阶层中最不稳定的一个阶层。

鉴于娼妓业泛滥所产生的社会危害，清代湘省政府曾一度实施禁娼，并对官吏人等狎妓冶游有严格禁止的规定，违者予以重罚，但是到了晚清之后，这些规定已是名存实亡，官府之人狎妓青楼优游宴饮遂成时尚。清末，政府对娼妓业开征妓捐，已承认了该业的合法存在，从而导致娼妓业的繁盛。辛亥之后，也有人提出要实施禁娼，民国政府也颁布了不少相关的法令。但是，这些法令也不完善。湘省政府只查禁私娼，而不禁公娼，事实上这些法令基本上就是一纸空文。由于客观的社会历史条件和政治制度的存在，自清末至民国长沙地区的禁娼效果收效甚微，娼妓泛滥的势头始终没有得到有效遏止，反而愈演愈烈。

民国初期有过一次大快人心的“警务处斩决刘麻子”事件。警务处长为张辉瓒，刘麻子为“省城里最著名营钧台业者……刘李氏，年约四十岁，满脸麻点，人称之为刘麻子”，据 1921 年 11 月 18 日长沙《大公报》报道：“大概良家子女被其引诱者当复不少。闻其数年间营业收入，已积蓄四五千金，皆造孽钱也。张警务处长任事以来，有人报告，即拟加以严惩，以儆效尤。于前十六号晚十一时后，派队至福源巷拘拿。当时有狎客数人在座打牌，闻警躲避楼上，比由警队将刘麻子及妓女三名拿到，即由科审讯。闻刘麻子供出省垣营钓台业者至八九十处之多。张处长即于昨十七号上午七时命令押赴浏阳门外斩决。”所布告之罪状于下：

> 查刘李氏绰号刘麻子，专以媒介秘密卖淫为业。其前后勾引良家妇女殆已盈千累万。无知妇女一经失足，即如鱼之吞钩，终身不能自拔。徒以分关门第，难为告发之人。事涉闺帏，又难得确实之据，以致置身法外，流毒民间，为所欲为，益无忌惮。本爰厅长职司缮俗，责在锄奸，欲为被污之妇女解已结之孽缘，为忍辱之家庭洗难言之隐痛。除已呈准省长、总司令外，密饬干警将犯妇拘拿到案，验明正身，立予处决。该犯妇设阱投机，其罪浮于蛇蛊，裂名毁节，造孽甚于人妖。为地方计，即死之已恨其迟；为风俗计，则杀之犹嫌其薄。用是敢将重典，划此淫魔。惟其有忍人之心，乃出此不得已之举。论心论事，各有然疑；知我罪我，凭之月旦。特此布告，俾众周知。

4. 破迷信

迷信专指人们笃信星占、卜筮、风水、命相和神鬼等的思想和行为。民间的巫婆、神汉、算命先生、风水先生、巫医、神骗等职业迷信者，利用人们的这种思想而从事算命、看相、抽签、卜卦、看风水、跳大神、驱鬼、扶乩、用佛水仙丹治病等借以敛财的活动，就是迷信活动。迷信、迷信活动与宗教有关，但绝不是正规的宗教，不能把迷信活动视为宗教信仰。

清末民初，包括长沙在内的湘中地区，民间迷信活动形形色色，五花八门，大多与鬼怪观念和神权思想有关，如：（1）收吓。农家有人病了，尤其是小孩，发高烧，夜不安神，昏迷不醒，就以为是白天或黑夜受了促狭鬼的惊吓，魂不守舍，必须请巫师（师公）

收吓招魂。(2)喊魂。小儿病了，昏迷好睡，就以为是三魂七魄脱离了躯体，到了二更时分，就要高呼病人名号，为其喊魂。(3)许斋饭。人偶患小病，头痛发烧，就怀疑是本家的土地菩萨索食，需备三牲、酒醴等到土地庙酬愿，求保安康。(4)夜间做梦。梦见了已亡故的亲人或戚友，适而得病，就说亡灵在阴曹地府没有钱用才归家作祟。要买晒纸封成包袱形式，备酒饭一桌，焚香秉烛，作揖跪拜，把包袱钱烧掉。(5)敬夜老爷。人患了疾病，收吓、喊魂无效，就认为是神鬼顽固作祟，即请巫师问卦许愿。(6)冲锣。人患时疫症，已至危险阶段。巫师问卦，说是凶神恶鬼附体，就许大愿，还红油天烛。酬劳奇高，有的人搞1次冲锣，往往弄得人财两空。(7)拿妖捉怪。人患有精神病症，胡言乱语，就说是蛇精作怪。家人接一位菩萨，名曰“田法官”，前来降神，拿妖治怪。(8)拜庙烧香。老年人祈求长寿，中年妇女祈求子嗣，便拜庙烧香，求茶赐水、抽签、问卦、开药方、问吉凶、查休咎。(9)孕妇画符。妇女怀了孕，怕“生产鬼”找替身，就请巫师到家敬神画符。(10)打醮。每年秋收后，乡间地主豪绅借酬谢神恩为名，向农民捐款打醮，从中渔利。(11)还虫蝗福。每年农历五、六月，正是蝗虫发展高峰期，农民以为是天降之灾，因而求菩萨吹西风扫除害虫，或接戏班到长沙都正街刘猛将军庙演戏数天，称为还虫蝗福。(12)送关煞。小孩未满12岁，谓之未出童关。算八字先生为之推算命理，故作惊人之语。称小孩带有各种各样的关煞：如阎王关、断桥关、将军箭、鸡飞落井关等，有夭折之危。必须请算命先生把关煞送掉，才能长命百岁，易长成人等。

迷信是古代人们对不可知的自然现象、社会现象和生理现象作出的一种错误的歪曲的反映，经过世代传承，已成为一种社会心理，深深地扎根于民间。迷信的泛滥造成了对社会进步极为不利的后果。迷信观念严重之人，深受宿命论的毒害，安于现状，不思变革，不愿为改变自己的命运而奋斗。辛亥前后一些开明之士已经认识到这种危害性，指出：许多妇女“极信因果轮回及听天由命之说，无论境遇如何痛苦，悉委之于命，卒能安然忍受，而无丝毫反抗思想”；有人“坐待长生富贵，不知进取，阻人类之进步，贻误国家社会”。[①] 迷信巫术治病救命，反而延误病情而送命者屡见不鲜。迷信风水，使社会经济的发展受到阻碍，如修铁路、开矿山，遇到维护风水的乡民的阻拦而影响施工的情形在湖南各地时有所见。青年时代的毛泽东发表文章指出：“现在的中国，可谓危险极了。不是兵力不强财用不足的危险，也不是内乱相寻四分五裂的危险。危险在全国人民思想界空虚腐败到十二分。中国的四万万人，差不多有三万万九千万是迷信家。迷信鬼神，迷信物象，迷信运命，迷信强权。全然不认有个人，不认有自己，不认有真理。这是科学思想不发达的结果。”[②]

清末民初，长沙破除迷信的一个举措是将一些庙宇改作公共设施。如清光绪三十一年（1905）湖南巡抚端方将寿星街玉皇殿改作官立第四校校址，光绪三十二年（1906）将都正街刘猛将军庙改作官立第四初等小学堂，宣统年间将里仁坡鳌山庙改作长沙巡警分局驻地等。民国元年（1912）湖南都督谭延闿，令将成功街长沙县城隍庙内的城隍王爷及李公真人像迁往城南原善化县城隍庙内，将庙址改建游民习艺所。至民国二年（1913）改拨给长沙师范扩充校址。后来，因为庙址校址争夺，酿成了一桩惨案。

长沙师范驻长沙县城隍庙内办学 6 年。1918 年张敬尧督湘，摧残教育，笃信迷信，将长沙师范从城隍庙强行迁走，重新迎回城隍神像，粉葺城隍庙宇。张敬尧下台后，1920 年 5 月，长沙师范学生王绳武等要求收回校址，捣毁了城隍庙神像。由于当时群众迷信思想浓厚，加之流氓地痞乘机捣乱，因而酿成一场火烧学生的惨案。一些地痞流氓，在台下掷石头喊打，与学生发生了冲

① 严昌洪 .20 世纪中国社会生活变迁史［M］. 北京：人民出版社，2007：469.
② 毛泽东 . 陈独秀之被捕及营救［N］. 湘江评论（创刊号），1919-7-14.

突。混乱中，地痞流氓抓住长师学生王绳武、李宗稷 2 人，摔入殿前大铁香炉内，泼上煤油，活活烧死。接着，他们又聚众拥到荷花池长师校舍，捣毁教室多间。待到长沙县知事公署闻讯派兵前来弹压之时，暴徒已作鸟兽散。事后，学生联合会向长沙公署提出抗议，教育界群起声援，要求维护教育事业，保障学生安全，第三次督湘的谭延闿迫于民愤，责成长沙县知事兼长师校长姜济寰进行抚慰，并惩办凶手。在为两位学生举行的追悼会上，姜亲笔作挽联云："哀二生备受火金木土诸伤，戚戚余心，事后事前终有恨；拼一死以与怪力乱神相斗，悠悠众口，孰非孰是总能明。"

二、辛亥革命前后湖南社会风气的改善

辛亥前后，伴随着长沙社会局势的剧烈变动，长沙的社会风貌亦发生了显著的转变，尤其是在辛亥之后，这种社会风貌的革新更为显著。长沙光复，意味着湖南封建专制统治的崩溃，新成立的湖南军政府，即着手革除前清种种陈规陋俗，命令禁止蓄辫、妇女缠足，在省城，剪辫易发、妇女放足蔚然成风，而且湖南军政府所实施的各种利民举措及亲民、勤政的作风，亦使得长沙政界呈现出一种崭新的面貌。在社会礼俗方面，湖南军政府通令采用西历，以"中华民国"纪年；并废除和简化各种烦琐、陈旧的社交礼俗，积极推行新式的社交礼仪，革除封建陋习；在丧葬、婚嫁方面，新式的丧礼、婚礼亦开始在长沙城乡流行，传统的婚丧嫁娶中一些烦琐的礼节、各种禁忌、奢侈之风、迷信观念以及恶俗有所淡化。

（一）剪辫易发

前额剃光，脑后留辫是与满族的生产、生活方式相适应的传统发式。满人入关之后，作为一个少数民族政权，清朝统治者意识到其人少德薄、基础不稳、社会文化较为落后，广大汉人间存在着强烈的民族和反清思想。为了巩固其统治，清政府采用同化风俗的办法来消弭汉人的民族意识和反清思想，以此来增强汉人对清朝统治的认同。于是连续发布剃发令，“剃发而垂发辫”成了清代两百多年来的民族习惯和标志，同时也是清王朝专制统治的重要象征。

清末以来，随着西学东渐的日益深入，部分有识之士已开始认识到发辫的种种不利。早在维新时期，康有为就提出了剪辫的主张。认为要发展近代机器大工业，要富国强兵，就必须从剪除发辫开始。清末以来不断发展的民主革命形势也对长沙地区产生了重要影响，早在 20 世纪初期，湖南一些激进的革命者就开始剪辫以示反清。如禹之谟，他将辫发剪去，散发长三四寸，下垂至耳，状似妇人。这批人可谓是近代以来长沙地区第一批剪发革命的人。

辛亥革命爆发之后，风暴所及，民众纷纷剪去发辫以示革命。一时间，剪辫几乎成为衡量人们是拥护共和还是忠于清朝的政治倾向的标志。1911 年 10 月 22 日，长沙革命党人响应武昌首义而举行长沙起义，当时正在长沙的曾任大清邮政司的美国人阿林敦见证了长沙城剪辫的一幕。他在 1931 年出版的回忆录《青龙过眼》中写道：“这场革命在长沙是半夜发生的”“不过据说住在城里的成千上万的当地人也不知道，直到第二天早晨，他们被一群一群的士兵喊醒，叫他们去割辫子，才知道发生了什么。割辫子看来是革命的第一个目标”“革命党人分成小队在城里巡逻了好几天，如发现有人还没有剪辫子就都给他们剪掉，很多情况下都给他们剃成光头。这样做有他们的道理，一旦帝国军队再克长沙，就分

革命军在街上为老百姓割辫子

剪辫前到照相馆摄影留念

不清谁是革命党谁不是革命党”。[①]

1912年，中华民国临时政府成立之后，则开始利用政权的力量来逐步废除前清的种种陈规陋习。1912年3月，临时政府内务部颁布限期剪辫令：“内务部通行各省都督，转谕所属地方，一体知悉，凡未去辫者，于令到之日，限二十日内一律剪除净尽，有不遵者，以违法论。该地方官毋稍容隐，致干国犯。又查各地人民有已去辫尚剃其四周者，殊属不合，仰该部一并谕禁，以除虏俗而壮观瞻。”于是社会上掀起了一股剪辫热潮。

中华民国临时政府剪辫令颁布之后，剪去发辫很快就成为一个广泛性的群众运动，在省城长沙，“剪辫子是光复后最早形成的一种风气，大家认为不剪辫子就是甘心做满奴和亡国奴的显明标志，于是在学校中剪掉同学的辫子，当街剪掉路人的辫子”。有些遗老和顽固派，“就把辫子盘在头顶上，用帽子遮盖起来，或者索性把头发全部留起来，改作道士装，借以逃过这一关”[②]。与此同时，

① 阿林敦．亲历长沙辛亥之变［M］// 张湘涛．1896—1942 外国人笔下的长沙．陈先枢，于鹏远，等译．长沙：国防科技大学出版社，2013：174.

② 刘泱泱．近代湖南社会变迁［M］．长沙：湖南人民出版社，1998：345.

随着辛亥革命之后发辫的剪除，长沙地区的男士也开始讲究发式，其发型也趋于多样化，不再是前清时期千篇一律皆发辫的局面。由于辛亥革命党人大多曾留学日本，因此，辛亥之后，日本发型遂成为长沙男士的流行发型，即在头盖顶上留有长约一厘米的圆发，时称“球头”或“东洋头”；另有一种在头顶留有一厘米长的短发（即平头），时称“陆军头”；之后，随着欧美风尚逐渐进入，流行于欧美的西式发型也随之流行于长沙，俗称为“西式头”，其中有一种西式发型将额上长发高高耸起，用凡士林或者发蜡进行固定，时称为“飞机头”。对于一般的普通长沙民众而言，剪除了发辫，对于个人头发的处理，更为随意，一般的年长者大多留光头，俗称“和尚头”“光脑壳”，小男孩头顶多时兴保留一片短发，俗称为“一片瓦”或“气门头”。

辛亥革命之后，在男子剪辫易发之时，一股妇女剪发的潮流也悄然兴起，早在辛亥革命之前，在鼓吹男子剪辫易发的同时，也有人提出女子剪发的问题。在长沙地区，辛亥之前，女子一般到十三岁之后便不再将头发剪去，而是要蓄发梳单长辫，已婚女性则发辫盘于脑后做发髻，俗称“粑粑头”。辛亥之后，不少青年女性勇敢地剪去发辫，而且还在长沙成立了“女子剪发会”，号召女性剪发，破旧立新，做民国的新国民。此时的女性多将头发剪成齐耳短发，民间又俗称之为“鸡婆头”。另外，还有些学校女生将头发修剪成新式的“学生发”。“二次革命”之后，袁世凯阴谋复辟帝制，掀起了一股尊孔复古逆流，长沙地区的守旧气氛日益浓厚，在这股逆流下，不少已经剪发的妇女又被迫恢复之前的发式，已婚妇女又将头发梳成传统的粑粑头式样，以免招致祸端。

辛亥革命之后在长沙兴起的男女剪辫易发的风潮，带动了长沙理发业的发展和革新。在前清时期，清初统治者强令汉人蓄发束辫，并由官府雇用理发工人肩挑一小担走街串巷叫唤理发，并在担子方斗之中插一小龙旗以示官方身份，被敬称之为“待诏”，长沙百姓则戏称之为“剃头孙”，多不许子孙从事该业。辛亥之后，在剪辫易发风潮的影响之下，长沙的理发业获得了极好的发展机遇，传统的理发店开始注重门店形象，由以往的简陋不堪开始向整洁、舒适、美观方面发展，旧时的剃头铺纷纷兴建门面，更换招牌，增聘帮伙，开辟码头，以揽生意。如称雄长沙理发业的周兴阶，除了扩大原有店面之外，又新设五家分店，风行一时。在1912年，长沙共有大小理发店300余家，从业人员有700余人，其中也有外商经营者，如1912年，就有日商在长沙道门口开设三好理发店，以修剪平头、球头、西式头而著称。1914年，又有日商龟田在苏家巷开设洁楼理发店，首用铁椅、推撩二剪，流水洗发，而且夏有熏风，冬有暖炉，采用先进的设备，并注重热情周到的服务，从而吸引了大量顾客，生意十分兴隆。长沙全市的理发行业耳目为之一新，纷纷仿效，争相更新设备，聘请技师，从而推动了长沙理发业技艺和服务水平的提高。

（二）妇女放足

中国女性缠足之习俗，大约起源于五代十国时期南唐的李后主时代。之后，经过风流文士的推波助澜，逐渐在社会上使广大男性形成了一种畸形的审美观，癖好“三寸金莲”，以小足为美，更将其作为择偶的重要标准。同时，男尊女卑等封建礼教思想以及男子对于女子贞操的看重，亦要求妇女足不出户，处处依附于男子。至清代，缠足尤其在广大的汉族妇女中普遍风行，被视为是讲礼数、有教养的象征，已经成为一种惯例，使得有清一朝俨然成为小脚时代。缠足之风习，延续千余年，是封建社会对妇女肉体和精神上的摧残和禁锢，它以女性肉体的残缺来迎合社会畸形审美的需要，是一种病态的陋俗，历来为有识之士所诟病。在清初，虽然政府曾下令禁止缠足，但因此风习绵延已久，并未奏效，风习所向，反而愈演愈烈。

张默君

早在维新运动之前的1891年，时任江南水师学堂提调的湖南湘乡人张通典，就赞助美国牧师在上海发起“天足会”。他把“会章”和“劝告文”寄回家中，当时还只有8岁的张通典之女张默君，恳求母亲出资印刷10万份，劝说人们“放足”。此事一经宣传，“放足”妇女无数。有一秀才撰歌嘲讽：“湘乡县，堂堂张，截观音，赫赫威灵扬。”张默君闻之，提笔写了一首《天足吟》：“悲悯人天动百神，看从苦海起沉沦。秉彝毕竟同攸好，还尔庄严自在身。”乡人为之惊讶，认为此女童日后不凡。果然，张默君后来成为中国近代妇女运动的先驱，抗日战争时期为湖南战时儿童保育会主席。

维新时期，1898年，长沙维新派主要官绅黄遵宪、熊希龄、谭嗣同、唐才常等人首建湖南不缠足总会，会址设在长沙小东街湘报馆内。维新运动失败之后，湖南不缠足总会亦遭封禁，长沙妇女放足运动尚未深入展开即告夭折。维新运动虽告失败，但这一时期所倡导的不缠足之新风依然延续了下来，使得绵延已久的缠足陋习得以逐渐革新。清末新政时期，在政府的提倡下，长沙一地的妇女放足措施取得了部分成效，而且长沙一地思想先进的女性带头放足，也起到积极的表率作用。如浏阳谭嗣同之妻李闰、焦达峰之妻沈菁莪首倡放足，尤其是沈菁莪1903年与焦达峰成婚时，是浏阳乃至长沙的第一个“天足”新娘。1910年，长沙府对城内缠足妇女进行登记造册，并申令在一年内如不放足，处以罚款，并禁止鞋店产销弓鞋，违者议罚。不过，维新时期的不缠足运动，更多的是局限于知识分子以及城市居民之中，对于下层民众的影响力不是很广泛，并未形成社会性的民众运动热潮。

辛亥革命之后，共和政体新立，在全社会发起了改革陋习的新高潮，积极倡导新风新俗，不缠足运动进入了新的发展时代。国家和地方政府通过颁布法令及行政命令的方式，禁止妇女缠足，是辛亥之后不缠足运动的显著特征。辛亥之后，湖南省城自维新时期兴起的不缠足运动在新的历史条件下日益走向高涨，已成为社会性的民众运动。都督谭延闿还责成议会通过议案，对缠足严加惩处，长沙社会各界也积极遵守政府法令，广泛宣传，敦促民众转变社会道德和生活观念，以求彻底根除缠足陋习。长沙各级学校尤其是女校成为辛亥之后发动放足运动的主力军。如长沙湘益女子学校校长，令全体女生集中于操场，当场脱去裹脚布，全部付之一炬，并严令全体女生，以后若有再缠足者，一律从重处罚。

与辛亥前后长沙地区妇女放足运动紧密相关的是，随着缠足的逐渐废除，与“三寸金莲”相配的“弓鞋”也逐渐被废弃。社会上以前以小脚为美的病态审美观也得以改变，普遍流行以“天足”为美的新式审美观。广大妇女也随之放足，弃穿弓鞋。再加上西学西俗的传入和影响，从而使得长沙地区女性所穿之鞋袜在辛亥前后也发生了显著的变化。妇女布鞋的花样日渐增多，各种时髦的与西服配套的皮鞋、高跟鞋逐渐兴起，机制的布、纱、丝袜渐渐取代了传统的家织布袜，从而带动了长沙近代鞋袜制造业的革新和发展。民国初年，长沙药王街美利长鞋庄选用英国进口的毛绒呢面料制作的平口夹层牛皮底鞋，经久耐穿，销路极好。1913年，有上海人在长沙坡子街开设华盛皮鞋厂，随后，就有上海人纷纷来长沙开鞋店。同年，长沙人何华盛、袁福田也设厂生产各种女式皮鞋。另外，在民国初年，长沙鞋店的女鞋定制业务日渐兴盛，因为之前已经缠足的妇女在放足之后，由于长期束缚，致使双脚发育受残，左右脚长短不一，奇形怪状，长沙俗称之为半大脚。这种脚很难找到合适的鞋子来穿，因此须向鞋店专门定制才可，这种定制鞋大多以毛料、绸缎、绣花为主，一般价格不菲。

在古时，长沙女性多穿自家纺织缝制的白布袜，辛亥前后，各种机制袜日渐流行，逐渐取代了家织袜。约在 1909 年，长沙浏阳县留日学生唐十七从日本购回两台罗纹紧口打袜机，在浏阳首先制造棉纱袜。在民国初年，长沙地区开始设厂采用针织袜机大量生产直筒袜，用十支、十六支或二十一支棉纱织成，质优价廉，穿着舒适。

（三）社会礼俗的改观

1. 建元改历

辛亥革命之前，湖南和全国一样在历法上沿用中国传统的阴历，在纪年上使用帝王纪年法，以清朝历代皇帝的年号以及干支法来纪年。1912 年 1 月，中华民国临时政府建元改历法令颁布之后，湖南军政府也依令推行，此后，长沙地区也开始采用国号纪年法，以“中华民国”纪年，在历法上采用世界通行之阳历。不过，由于传统的纪年和历法在长沙民间已绵延千余年，可谓根深蒂固，具有极强的稳定性。再由于农耕祭祀、民间债务、中西历法时间差异等原因，致使长沙民众在社会生活中还难以适应。尤其是在历法方面，仍只知有农历而不知有西历，绝大多数人仍以阴历为主，尤其是在农村地区，阴历更是唯一的计岁法，甚至有人依然以清宣统年号纪年。在节日方面，百姓只认阴历腊月三十日为除夕，正月初一为新年。民国元年叶德辉的一副对联生动地概述了这种社会现象：“男女平权，公说公有理，婆说婆有理；阴阳合历，你过你的年，我过我的年。”[①]

然而，革故鼎新已是大势所趋，新的历法和纪年方式也逐渐被民众所接受。尤其是在城市之中，由于市民接触时事较多，眼

① 陈泽珲．长沙名胜楹联选［M］．陈先枢，沈绍尧，辑注．长沙：岳麓书社，2010：165.

界开阔，思想较为开放，在省城长沙中的政府机关及各团体、学校、工厂中已开始逐渐使用新历新元，市民则是既按阳历进行政治活动和新节日纪念，同时又按照阴历过传统的岁时节令，从而形成了“新旧参用，官民各分”的现象。长沙《大公报》也载文记述了这种新旧并存的社会现象：“吾人既过阳历年矣，今忽又过阴历年，岂非怪事，虽然不足怪也。阳历年者，国家之政令，阴历年者，社会之习俗，吾国数千年历史习用阴历，自经民国近数年耳，夫欲以短少之岁月易数千年之习俗，谈何容易，事势所趋，报纸亦不得不从俗而停刊数日也。”谭延闿上台之后，下令阳历的元旦节军警政各界及学校均放假三天，以示庆祝，但是相对于阴历新年来说，仍然显得冷清、萧条许多，远没有旧历新年那般热闹繁华。尽管如此，元旦作为“中华民国”成立纪念日也逐渐成为一种新兴的节日形式而被民众所认可和接受，从而形成了“过了新年过旧年，新新旧旧总相连”的局面。时人指出“你爱摩登，可遵新历；我是老朽，且从夏制”，可谓这种新旧并存局面的最好注脚。

2. 婚嫁变革

辛亥以前湖南地区的婚制、礼俗是沿用源于周代的“六礼”，具有浓厚的封建专制和宗法色彩。相传西周时期周公制礼时，制定了婚姻成立的条件，即所谓“六礼”，为婚姻成立的六项内容或六个程序。清代长沙也遵守这一程序：一为“纳彩”，即男方向女方送彩礼求婚；二为“问名”，即男方媒人问女方的名字、生辰，然后到宗庙里占卜吉凶，结果为吉的才能进行下一步，凶的则到此为止；三为“纳吉”，也叫“合婚”，又称“文定”，即请阴阳先生推算男女双方的生辰八字，看相克与否，如占卜推算得到吉兆便定下婚姻；四为“纳征”，“征”有“成”之意，又称“纳币”，男方派人送聘礼到女方家，聘礼的多少及物品名称多取吉祥如意，数目取双忌单，寓示好事成双；五为“请期”，即请女方确定结婚日期，俗称“送日子”，旧时由阴阳先生推算良辰吉日；六为“亲迎”，婚礼之日，男方必须亲自去女方迎接，然后男方先回，在门外迎候。这种婚俗礼仪是建立在“父母之命，媒妁之言”的封建包办婚姻基础之上的，婚姻程序非常繁杂。民间以此为参照，将一些程序合并简化，演绎成俗。

到晚清时期，婚俗有所改变，但仍有较浓厚的封建色彩，多为父母包办婚姻。婚姻经过对象选择，凭父母之命，媒妁之言，“过草庚”，而后正式“过红庚”，即交换男女庚帖，谓之“文定”，实际上是一份买卖婚姻的文书。庚帖一红一绿，男用红色，女用绿色，均由男家准备，并在两份庚书上填好男方的生庚八字，用红绸子包好，放在礼盒内，和订婚礼物一起由媒人送到女家去。女家在两份庚书上补填上女方的生庚八字，留下红庚帖，另换一块红绸子把绿庚帖包好放在礼盒里，同礼物一起由媒人带回男家去，置于堂屋神龛上的香炉或磬下，叫“压庚”。如七日内家中没有发现不吉利的事，就认为女方没有“刑克”，再请算命先生推算男女双方的生庚，叫“合八字”。如没有“相冲相克”，则择定吉日通知女方举行订婚仪式，叫“回双庚”。男方要备首饰、衣服、鱼、肉，由媒人送交女方，女方回赠衣服、鞋帽等物，叫“下定”。

订婚之后，如果三五年不结婚，逢年过节，男家得向女家送节礼，有挑两担的，有挑一担的，也有掮个包袱或篮子的。端节送粽子，年节送糍粑，另有鸡、鱼、肉及糖果等类。无论贫富，节礼都得雇人送去。未婚女婿不去妻家。

结婚前男家择定喜日，备礼通知女家，叫“送日子”，其实是送新娘的首饰衣料等件。女家开具礼单，共有“窝脯”多少份，其中三牲者（鸡、鱼、肉）多少份，两牲者（鸡、肉）多少份，一牲者（肉）多少份，各送给谁。男家迎亲，得按礼单准备“窝脯”，用抬杆抬着。每份窝脯，还得配一份折叠式的拜帖，谓之“书纸”。书纸写得不合款式，女家可以拒绝出亲。除“窝脯”之外，还有大批礼物。

民国元年《湖南民情风俗报告书》把上述婚俗归纳为“十款”，即议婚、纳彩、请期与纳币、送奁、亲迎、合卺、庙见与见舅姑见宾客、女家会亲及男家宴会、回门、婚后馈遗。

上述情况表明，在辛亥之前的婚俗，形式极为烦琐，各种禁忌清规特多，充满浓重的封建包办性、迷信性、买卖性以及等级观念，特别是一些婚姻陋习，对女性，对社会危害很大，亟待革除。

民元之初，湖南在婚制方面遵从中华民国临时政府法令，依然沿用前清的一夫一妻多妾制，但是新增加了如“不准以妻为妾、有妻更娶，不准强占良家女子，不准同外姻有服的女子共办婚姻，不准娶逃亡在外的妇女为妻妾”等八项限制条件，同时还废止了指腹为婚的陋习。在婚姻礼俗方面，辛亥之后，婚俗新旧并存，普通民众仍沿用自清末以来历经改良之后的婚俗，不过在此基础上，又略有变更，在礼仪程序以及形式上，对于迷信的讲究等方面减少了一些，大体上变化不是很大。

而新式婚俗是与旧婚俗截然不同的婚姻礼俗，又称之为“文明结婚”“文明婚礼”，完全是西俗影响下的产物，主要流行于长沙城中的进步士绅和青年知识分子之中。这种新式婚俗主要注重自由恋爱、自主结婚，尊重男女双方当事人的意见，不经父母之命、媒妁之言，仪式倡导去奢从简，革除陈规陋习，有时还确定若双方自愿即可自由离婚。新式婚礼有两条最基本的原则：其一是必须举行公开的仪式；其二是必须有两人以上的证人。二者齐全，婚姻方可成立。其程序已简化为订婚、请期、结婚三部分。在结婚时，其礼仪大体可以分为行结婚礼、行见亲礼、行受贺礼三节。

在长沙和其他一些大城市，新式婚礼的具体礼仪如下：首先由男女双方自愿同意，各告知其父母，订立婚约，议定婚期，男女双方可交换戒指或其他物证为信物；结婚多在大旅社或公共场所举行，门首悬旗结彩，庭设礼案；出席者除新郎、新妇外，还须有家长担任主婚人；男女双方各有一名介绍人，若原先没有此时也须安排一个；还须邀请长辈或有地位的人担任证婚人，并邀请其他亲朋好友到场观礼，参加喜宴，所有来宾均有相应席次；需事先预备好结婚证书一式两份，具填男女双方的姓名、年龄、出生日期、籍贯、结婚地点和时间、介绍人、证婚人、主婚人等，均需记载其上；仪式开始时诵读婚证、颂词，然后用印（或交换戒指等），新婚夫妇互相行鞠躬礼，致谢主婚、证婚、介绍人及男女来宾，并答词，礼毕，谒见亲族如仪，至此，整个礼仪完毕。①

3．丧葬革新

在封建社会中，历来主张“以孝治天下”，极为重视孝道，而孝又莫重于丧，强调要对逝世长者“报本慎终”。经过长期的社会发展，逐步形成了一套礼仪隆重、形式繁多、体制完备，充满封建宗法色彩以及等级观念、迷信思想的传统丧葬礼俗。根据历史文献的记载，湖南传统的丧葬礼俗一般可分作初终、殡殓、丧具、赴讣、吊唁、治丧、营葬、虞祭、追荐、居丧等10个程序。

出殡前夕，孝子通宵守灵，俗称坐夜。宾客多拥聚孝堂听夜歌。夜歌是一种民间挽歌，又称为“唱孝歌”，来源已久，周朝时即有“子夜之歌”。有人认为夜歌源于“庄子鼓盆歌，是夫妇之死别”。长沙人多请歌师或亡者生前好友唱，连唱几晚，有一定的曲调，内容主要是“二十四孝”“十月怀胎”等，也有些挑逗俚俗之语。至出殡，唱“辞别歌”，唱逝者生平，催人泪下。

孝堂上挂白布帐帷，中间摆方桌，桌上置死者遗像及香炉、烛台、供果等，遗像两旁挂孝子挽联。挽联之风源于古之“旌铭”，按死者生前身份、称谓，用白粉书写在黑色旗幡上，用与旗幡同样长的竹竿挑起，竖在灵前右方，为死者歌功颂德。清末民初改

① 刘泱泱．近代湖南社会变迁［M］．长沙：湖南人民出版社，1998：405.

用祭幛，写四个字以旌死者，“歌功颂德”，以示生荣死哀。吹鼓手轻奏民乐，迎接吊丧亲友。讲排场的于门外隙地高搭芦席棚，请儒、释、道三家轮番值班。儒家俗称“喊礼”，释家称“做佛事”，道家称“做道场”。

出殡仪仗队伍前有纸扎的貔貅及仙鹤童子，紧跟两尊一丈高的纸扎神人，传说为《封神榜》中能捉鬼的方弼、方相兄弟俩，俗称“开路神”。其后是四人抬的“铭旌亭”，上书亡人官阶、享寿多少，请名人先天题写，后跟有名望的士绅及执事人等。民初还有“肃静”“回避”等虎头牌，以示官箴。其次是吹鼓手一班，6~8 人，均置身于木制船形亭内，俗称“锣鼓亭子”。和尚 9~13 人，均着红色袈裟，方丈领先敲大木鱼，其他僧人双手合十诵经；彩棚一堂计 8 人，前 4 人分别抬盘香，提香炉或肩扛碗口粗、丈余长的大香，称“朝天香”，烟雾缭绕；后 4 人抬绿呢官轿，叫“神轿”，内坐一少儿双手捧死者神主牌位。轿夫一律蓝布大褂，系青布围裙镶白边，着白布袜和快靴，类式清代衙役打扮；神轿左右各一人手提写有姓氏的灯笼，右手持篾尺劈啪作响，俗称“响尺”。其后为祭幛、挽联、花圈等，用竹竿高挑，请人肩负，招摇过市。最后即为灵柩。柩前有两块“亚”字牌引导，牌后系白布数丈牵引，白布尾端扣在灵柩的龙头杠上，形成一条白色甬道，死者亲属均穿丧服，在甬道内缓行，扶老携幼，啼哭哀号。抬柩的至少 16 人，多则至 120 人不等。步履整齐似蜈蚣爬行，灵柩左右拐弯时，领班要吆喝呼道，后面随声附和。

近代以来，在西方风俗的影响之下，中国传统的丧葬礼俗发生了很大的改变，首先在沿海开埠城市，逐渐出现了仿西俗而来的新式丧葬礼俗以及殡仪馆、公共墓地等新式丧葬设施。新式葬礼无等级之别，厉行节俭，充分体现了纪念亡者、寄托亲友哀思的近代丧葬意识。这种全国丧葬礼俗的革新经戊戌至辛亥，逐渐向内地扩展，同时也对湖南传统的丧葬礼俗产生了很大的冲击。

再加上社会上有识之士多年以来对革除各种陈规陋俗的宣传和鼓动，民众的思想观念逐渐改变，民智日开，日益认识到传统丧葬礼俗的种种弊端，从而共同推动了湖南传统旧式丧葬礼俗的改革，主要表现为丧葬仪节的简化，有的不再做佛事，撰家礼从宜从简行之，守孝期限缩短以及丧礼中迷信色彩日益减少等，总的趋势是丧葬从简。

辛亥时期，长沙地区的丧葬礼俗得到进一步的革新，新式葬礼在长沙出现。1906 年，同盟会湖南分会负责人禹之谟等组织发起的公葬陈天华、姚洪业于岳麓山的事件，就是一次与传统丧葬礼俗截然不同的新式葬礼。此次葬礼采取新式的公开举办追悼会的形式，当陈、姚二人的灵柩运抵长沙之后，各界民众集中于左文襄祠，进行哀悼活动，并积极发表演说，评论时事。之后，由长沙学界、军界等各界民众万余人，集体列队护送前往岳麓山公葬，所送挽联都带有明显的“标语”性质。在下葬之时，所有会葬人员一起在灵柩前行三鞠躬礼。从这次丧葬活动的程序、仪式等方面来看，很显然这是一个全新的丧葬之礼，深受西方葬俗的影响，摒弃了传统的旧式葬俗的种种烦琐的礼仪、拖沓的程序、厚葬的陋习，为长沙地区的丧葬习俗带来了全新因素。尽管这是一次新式葬礼，但更是一场反清的民主革命运动，具有强烈的政治色彩。

民国建立，鞠躬礼代替传统的跪拜礼，长沙地区的丧葬礼俗也逐渐地将鞠躬礼以及新式葬礼中的一些仪式和程序融入进来，从而使其面貌进一步发生了改变，传统葬俗中封建宗法因素以及迷信色彩更趋淡化，丧葬仪节也得到更多的简化。如传统丧礼中所用的“诰封亭”在民初已弃之不用，过去的“铭旌”被新式的祭幛所取代。在坟墓形制方面，传统是墓而不坟，民元之后是坟而不墓（圆形土堆为坟，平顶为墓）；传统坟墓都有记述死者姓名及生平的墓志铭，民元之后，大多只有“铭”（死者名姓）而无“志”（死者生平），俗称“墓碑”。新式葬礼，多采用公祭、追悼会的形式，其情形大致如下：丧服暂仍照旧，来宾则男子左臂佩黑纱，女子胸际缀黑纱结。具挽联、挽幛、香花和花圈等为吊仪，灵堂前供亡者影像一张，并陈列亲友所赠挽联、香花等物。追悼会及送葬仪式为：奏乐、唱歌、上花，献花、读祭文，向灵前行三鞠躬，来宾致祭，一鞠躬，演说亡人事实，举哀，奏乐、唱歌，谢来宾，一鞠躬，再用檀花提炉、盆花、挽联、挽幛、亡人照影、祭席，主人随之，后为灵柩，接着是来宾送葬者。不过这种新式葬俗在普通民众中尚未得到普及和认可，还只是处于萌芽时期。这也表明移风易俗、破旧立新是一个长期的过程，新式习俗的普及不可能一蹴而就，长沙社会的近代化转型是一个复杂的、艰巨的历史进程。

4. 礼仪风俗之变

人的本质属性是社会性，这也就决定了个人在社会生活中，不可能不与其他人及社会的方方面面发生直接或间接的联系和交往，在社会生活中，人与人之间、人与社会其他方面之间的相互往来的活动，构成人们社交活动的重要内容，如公务往来、婚丧嫁娶、男女交际、同事交往、亲朋聚会、节庆活动等，类似的社交活动在人们的日常生活中是经常发生的，人们在长期的社会交往活动中，逐渐形成了一系列被人们所认可和遵守的礼仪规范，即形成了社交礼仪。在不同的历史时期，社交礼仪亦有不同程度的发展和变化，它与各地民众的社会生活习俗密切相关，而且更容易受到政治思想、政治制度的影响，既具有显著的民俗性，同时又具有强烈的政治性，不同历史时期的社交礼仪往往体现出明显的时代特征、社会意识形态及人们的思想观念和价值取向。

湖南民风，自古以来热情好客，也借助人情往来传达人与人之间的感恩、敬重、沟通与和谐，有民谚云："千里送鹅毛，礼轻情意重。"往来待客，各种礼节都十分简洁、淳朴。客人进屋，必喊请坐，少不得泡茶递烟。如果是尊长莅临，主人要出门恭迎，让客先行，请客上座，自己坐下首相陪。谒见前辈，要磕头或行鞠躬礼，并问候健康。平辈相见则往往问身体、工作好否，遇见带小孩的女士多问毛毛乖否或夸奖一番。生人见面，必先问贵姓、台甫、有何贵干等客气话。留客人吃饭，尊客人上座，筛酒时先长后幼。客人告辞，必说“少陪”。主人起立相送，说“慢走”。赠人礼物则说“一点薄礼”“一点小意思”，受者则说“承破费”。行路，长者先；路遇肩挑重担者，自行让道。平日遇建房、搬迁、中考、上任、晋升、继嗣等，亲朋好友也应邀或闻讯前往祝贺。

亲戚来往重戚谊，尤以岳家、外家为亲。民谚说：“娘亲舅大”“郎为半子”“除开郎舅无好亲”。谚云：“远亲不如近邻。”比邻而居，俗称“打邻舍”。“亲愿亲好，邻愿邻安”，邻里之间互通有无，休戚相关，建房移居相帮助，喜事丧事相庆吊，有“三年邻舍当古亲”之说。邻里称谓，多在辈分前冠以姓氏或排行次序，如张三爹、李满爹、柳娭毑、四婶等。很多女性喜欢以儿女辈称呼长辈或同辈，即把自己降低一辈。邻里有困难，多自动热情相助，如遇起屋、乔迁、中考、荣升、远出、荣归等，邻里都赶来贺喜。但也有因小事而闹得老死不相往来的，故有“若要邻里和，少养鸡鸭鹅”之说。

长沙人尤重师生、师徒情谊。民国以前，很多民居堂屋都立有“天地君亲师”的牌位，教书先生备受尊敬。如徐特立 1904 年在宁乡师范学习 4 个月，当时朱剑凡任教。日后几十年，尽管徐位尊且长朱 6 岁，却一直以“受业徐特立”敬待朱先生。拜师学艺，对师父师娘毕恭毕敬，有“三代不忘媒，九代不忘师”之说。

社交活动，包括友朋聚会、上下相见、公务联系、节庆祝贺等，均讲礼节。社交礼也称相见礼或普通礼，它与各民族的生活习俗有关，受政治思想与政治制度的影响较深，具有强烈的政治色彩。在以严格等级制度和尊卑观念为特色的中国封建社会中，长期流行的社交礼仪是跪拜礼及其变种——作揖、打千、道万福等。

跪拜礼由来已久。《周礼·春官宗伯·大祝》有“辨九拜”之说：“一曰稽首，二曰顿首，三曰空首，四曰振动，五曰吉拜，六曰凶拜，七曰奇拜，八曰褒拜，九曰肃拜。”其中稽首、顿首、空首和肃拜四种为跪拜礼的基本形式，称正拜。但随着所拜对象身份地位的不同，而有一跪三叩、二跪六叩、三跪九叩等轻重之别。

辛亥革命推翻清王朝，社交礼俗随之发生了重大变革，其特点是反对跪拜礼，倡议改行西人鞠躬礼。民国成立伊始，南京临时政府即令革除“大人”“老爷”等不平等称呼。1912 年 1 月初，有人在《申报》发表文章，提出“拜跪、脱帽之礼，概废不用，但用鞠躬点额（军界所用之额手礼能通行最佳）”。同年 3 月，“丁祭”祀孔日子来临，地方请示是否照常祀孔，行何礼仪？内务部、教育部通电答复：在民国通礼未颁行之前，“文庙应暂时照旧致祭，惟除去跪拜之礼，改行三鞠躬，祭服则用便服”。随后，又明令废除社交中的跪拜、作揖、打千、请安、道万福等旧式礼节。

民国初年社交礼仪改革中所推行的鞠躬礼，在本质上已不同于古代社会中的鞠躬礼。传统的鞠躬礼仅仅单方面行之于下对上的恭谨，在上者是不用鞠躬回礼的；新的鞠躬礼则推广于全社会，人人奉行，含有平等的意义。废除“大人”“老爷”之类的称呼，也是从民主共和制度建立考虑的，对于破除封建等级观念具有重要意义。然而，职员称呼“咸以官职”，仍显得与“人民之公仆”的宗旨不相适应，包含有新的等级意义；而民间普通称“先生”，称“君”，在广大劳动群众中也觉得过于文雅，难以普遍实行。

辛亥之后，长沙地区社会交往中的称谓也发生了很大的变化，在废除跪拜礼等封建礼节的同时，与之紧密相连的各种旧式封建称谓也逐渐被废除。1912 年 3 月，孙中山以临时大总统的名义发布命令，指出“官厅为治事之机关，职员乃人民之公仆，本非特殊之阶级，何取非分之名称？查前清官厅，视官等之高下，有大人、老爷等名称，受之者增惭，施之者失体，义无取焉。光复以后，闻中央各地方官厅，漫不加察，仍沿旧称，殊为共和政体之玷。嗣后各官厅人员相称，咸以官职；民间普通称呼，则曰先生，曰君，不得再沿前清官厅恶称”。此后在长沙的社会交往中，前清的老爷、大老爷、大人等不平等的称呼被革除，以官职之名代之；民间普通交往则称呼先生、君、太太、小姐、女士等，在青年知识分子中互称“某君”一度十分盛行；同时，长沙民众也纷纷将在书信中的一些传统礼节性语言如顿首、叩察、百拜等，以新式的立正、脱帽、免冠、鞠躬、举手等取而代之。

另外，随着辛亥之后女性的觉醒和女权运动的初起，女性的社会地位比以往有所提高，男女平等的观念逐渐为长沙民众所认可，这就促进了长沙地区男女之间社会交往的日益增多和公开化，男性、女性共同参加各种社会活动，男女同处已不再是禁忌，“乘坐汽车马车者，男女杂坐，不以为嫌弃”，这就打破了“男女授受不亲”“男尊女卑”“男女交际不公开”的传统社交礼仪，表明辛亥之后长沙社会生活的开放性和平等参与程度得到不断提高。①

民国初年社交礼仪改革尽管还存在某些局限，但总的来说，它对近代后期社交礼俗变迁的影响，是深刻的、长远的。

三、辛亥革命前后湖南社会生活习俗的改善

辛亥革命前后，西学、西俗进入湖南，丰富了长沙民众的社会生活，湖南民众的日常生活习俗如服饰、居所、娱乐等方面亦处于不断的革新之中，呈现出新的面貌，传统风俗出现了不同程度的变动。同时，城市建设的近代化开始起步，为城市社会合理、

① 郑焱．时移势异——辛亥长沙巨变［M］．长沙：湖南教育出版社，2011：249.

有序的发展奠定了基础。

（一）服饰的改善

早在甲午战争之后，湖南的有识之士如谭嗣同就提出要“变衣冠”,革“剃发垂辫”之陋俗,倡导变革传统服饰。辛亥革命之前，是长沙服饰大变革的渐进时期，各种洋纱、洋绸等新式衣料开始大量输入,西装开始出现,传统中式服装开始革新。辛亥革命之后，则是长沙服饰的突变和迅速发展时期，传统中式服装逐渐销声匿迹，而各式新式服装则迅速大面积普及，直接推动了长沙地区社会服饰的近代化的转型，并在整体上呈现出中西并存、新旧混杂、满汉融合、异彩缤纷的时代特征。

清代，士绅一般着长袍，有单袍、夹袍、棉袍、罩袍之分，都从领下沿右侧开襟，钉一串布扣，古称“右衽”。外出罩马褂，戴缎帽，所谓长袍马褂绅士风。富家女子喜着大襟绣花衣，系百褶裙或筒裙。女性大襟上衣，5~7 粒布扣缝于大襟右侧，前襟内右侧有小襟缝一小口袋。衣襟边、衣领边、袖口边绲不同颜色的边。绲边有宽窄两类，或压一小边在宽边下，叫“ 出牙”。农家女子多穿粗布大襟衣，腰系围裙或抹裙，有的头裹方布，多为青蓝色，也有印花布，即在蓝底大布上印以白色或彩色的花鸟图案。劳动者多穿粗布大襟短衫，有的系围裙或腰裙。所谓围裙，相当于现在的工作服，既可挡灰保洁，又可紧身御寒。裤子多为大腰、直裆、大裤管的长裤，叫“扎头裤”，以青蓝色为主。老幼着布鞋布袜，雨雪天外出穿木屐油鞋。农夫雨天作田穿蓑衣、戴斗笠，上山劳作或远涉担脚穿草鞋。

近代早期，长沙地区的服饰一如旧制，并无多大变化。在服装的质料、形制等方面也无太多新的变异，但是在衣服的长短、袖子的肥瘦、领子的高低等细部则有所变更，尤其是女子服装，更是如此。自长沙开埠之后，来自国外的洋纱、洋布、洋绸及其他呢绒制品开始大量地源源不断地输入长沙，使得长沙民众衣料的来源更为广泛，做服装的选择面更宽，从而在很大程度上促进了长沙地区服饰的革新。长沙“风俗日奢，纨绔子弟立异矜奇，日以服饰争相夸耀”“男女衣式皆改旧观”，男子的衣服大多高领窄袖，腰围仅足束身，女子衣服由长变短，色彩日趋淡雅。[①]与此同时，经营各式洋货的洋货业在长沙日渐增加，绸缎店也大多经销外国绸料。为了推销洋布，一些商店还大做广告，如商号广丰森绸缎洋货布庄在《湘报》连续刊登广告——“自运纱罗绸缎、大呢、羽毛、外洋花布……一应俱全”，裕源绸布庄的广告词为“开设青石桥，自运纱罗绸缎、大呢、羽毛、时新花色洋货、布匹……”这就为长沙服饰变迁提供了物质基础。这一时期大量留学日本的湘籍学生回湘，他们将在日本的服饰习惯带回了长沙。“其有东瀛之髻，大袖围裙，效西欧之妆，细腰橐履者，此皆从外洋游学返国者”。这些留学生们在长沙或任教或在机关任职，依然如在国外一样西装革履。此后西服开始在长沙兴起，穿者日渐增多，而与之相配的皮鞋、丝袜等也在长沙开始出现。而新式教育的发展，尤其是女学堂的创立，一些新式的学生装也随之兴起。如为女生做操而专门设计的新款体操衣，穿着舒适，很受学生欢迎。

辛亥之后，长沙光复之初，“一切前清官爵命服及袍褂、礼服、翎顶、朝珠一概束之高阁”；长沙公务员一度佩戴白布肩章，上面标明职别，并加盖机关印信以示身份，穿洋装者较少。但新派人物和青年人仍多穿西服。由于前清时期各种森严的服饰禁令被彻底打破，人们从封建服制的束缚下解放出来，人人可随心所欲地穿着打扮，再没有等级界限和服制规定，为追求自由、平等，再加上好奇和趋时的心理，人们各式服装都敢穿出来，使得光复之

① 郑焱.时移势异——辛亥长沙巨变［M］.长沙：湖南教育出版社，2011：251.

初长沙地区民众的服饰变得多姿多彩起来，但是也显得较为混杂，以致西装东装，汉装满装，应有尽有，光怪陆离，令人目不暇给。在长沙街头，各种奇装异服纷纷出现，有青布包头的，有前面打一个英雄结、身穿黄呢制服的军人，有模仿戏台上武生打扮的青少年，还有时髦女子，吸纸烟，以短裤短袖为时尚。

经过光复之初一段的混乱局面之后，长沙地区的服饰变迁就逐渐走上了正轨。1912 年 10 月，民国政府颁布《服制》法令，对男女礼服作了明确规定："男子礼服分大礼服、常礼服二种。大礼服采用西洋式大礼服。常礼服又分二种，一种用西服，一种用袍褂。女子礼服用褂裙。"这一法令虽然最终并没有得到全面的具体落实，但是也对湖南的服饰产生了很大影响，使得光复之初服饰上不伦不类的现象得以改变，西装在长沙开始流行，尤其是在政府官员中，穿西服者更是日趋增多。辛亥之后，各种西方服饰大量传入长沙，各商号也积极做广告，以促进销量，如长沙《大公报》载"本号新设湖南省城坡子街中市，坐北朝南石库门面，办运泰西各国时新呢绒衣料、西装、帽、洋纱、丝布……并请高等技师制造军装、礼服、学生操衣，一应俱全"；另一家商号日新昌则经销"各种新式礼服，男女西装服，橡皮雨衣，各种风衣、便衣，各种男女卫生衣及时新风凉汗衫"，商品种类非常齐全，由此可见，辛亥之后西式服装在长沙的流行状况。

除西装外，民国初年，孙中山在西式服装的基础上，经过对衣领和口袋等部分的改良，创制出新式的中山装，后加改进，遂形成今天中山装的式样。中山装既不是外国服式，又不是中国古装，朴实、庄重、大方，颇具中国特色和气派，迅速流行起来。在长沙新派人物和政府官员之中更为盛行，中山装也迅速成为长沙城乡男子的主要服装式样。在长沙的各级学校中，男生多穿形制比较简单的学生装，学生装后成为青少年学生的常服。民元之后，长沙城区新派男性的下装多是西式裤，只是上装不同而已；另外，商人以及一般民众仍有穿长袍的，以用“士林蓝”布料做的居多；下层民众以及乡下居民，仍然以土布衣裳为主，男子穿大襟衣的减少，多穿短装，上衣分为对襟、右衽两种，以对襟短衫居多，长沙俗称之为“父母装”。冠帽方面，各种新式的学生帽、军警帽、便帽、草帽、西式毡帽等广泛流行。鞋袜方面，皮鞋开始大为盛行，尤其是在城市之中有大量商号经销各式皮鞋，而且还出现了生产西式皮鞋的工厂；各种新式的机制袜如丝袜、纱袜等逐渐取代了传统的手制白布袜。

辛亥之后，长沙女子服饰也发生很大的变化，首先是满族女子服饰已经不被时人所认同，而且政府亦明令宣布废除满装，社会上出现了“大半旗装改汉装，宫袍截作短衣裳，脚跟形势先融化，说道莲钩六寸长”的现象；其次是女子服饰中上衣下裙制的出现及固定化，民初政府颁布的服制法令规定女子礼服采用上衣下裙制，这对长沙女子服饰的变化产生了很大影响。此后，长沙女子的日常服装多采用这一形式，上穿束腰的大襟袄衫，下摆不过臀，袖呈喇叭形，长及肘下，衣摆多为圆弧形，下裙多为套穿式，裙上一般不再有纹绣，初尚黑色长裙，有褶皱，类似百褶裙，长及足踝，后逐渐缩短，裙面上褶皱逐渐减少，有时有简单纹绣。学校的女学生多穿形制更为简单的学生装，短发、短装、洋袜、皮鞋被视为女学生的标志。

（二）饮食的改善

近代以来，随着社会生产的发展、交通和市场交换的便利和扩大、西学西俗的冲击以及中西文化的交流，湖南传统的饮食状况增添了许多新鲜因素，直接促进了该地区饮食状况的嬗变，主要表现在饮食种类的日益增加，西方饮食习俗的影响日益显著，城镇餐馆、酒楼、食堂的崛起和奢靡之风的逐渐滋长等方面，自清末直至辛亥革命之后，湖南饮食状况的变化更为明显。

长沙地处华南湿润地带，农业经济历来较为发达，尤其以盛产稻米著称。在封建社会生产力较低和相对保守封闭的自然经济条件下，长沙地区一般民众尤其是下层和乡间百姓的饮食较为简朴、单调、清苦。长期以来，大多数人为一日三餐，冬季日短时，有些家庭只吃两餐，一般的家庭都采用共餐制，清茶淡饭度日，居民以稻米为主食，并佐以粱、菽、粟等杂粮。肉食主要以猪肉为主，另外还有牛肉、羊肉、狗肉和鸡鸭鹅等家禽以及鱼类等。这些肉食品除了城乡富贵之家可以天天食用之外，并不是一般民众餐桌的常物，大多数人家只是在喜庆节日或宴请宾客时才食肉。因处于南方，百姓所吃的蔬菜种类较多，有白菜、萝卜、甘蓝、莴苣、芽白、花菜、黄瓜、辣椒等数十种。湘人“喜辛辣味，虽食前方丈，珍错满前，无椒芥不下箸也”，亦有“无辣不成湘菜”之说。一般的贫寒人家还用蔬菜来补充主食的不足，长沙民间有“饭不够，菜来凑”“一仓芋头半仓谷”“萝卜萝半年，白菜又相连”等谚语，普通百姓在冬天时常把剩余饭菜掺和，添加萝卜白菜一起煮烂，再加少许盐，称之为“烫饭”。

清末民初，长沙地区的饮食状况发生了很大的变化，长沙人的饮食种类不断增多，其一是除了主食稻米之外，杂粮的种植面积不断扩大，尤其是红薯，其产量更是急速增加，将红薯掺入大米煮饭，几乎成为秋冬农村贫苦人家的主食，俗谓之“红薯半年粮”。其二是近代以来，随着交通条件的改善和市场贸易的扩大和发展，原产北方的小麦面粉大量南运，长沙开始盛行麦面食品。清末特别是辛亥之后，随着近代工矿企业、新式学堂、新军兵营以及机关团体的增多，在这些人群比较集中的地方，早餐由以往的以稻米为主，逐渐改为食用馒头、面条、米粉，既方便实惠，又可口耐饥，而且制作也省时省力，花样较多。同时，在长沙的市面上，出现了不少著名的面粉馆、糕点店，如长沙的甘长顺、杨裕兴等面馆，和记、黄春和、半雅亭等粉店，包点和糕饼有长沙德园的包子、九如斋的法饼、怡丰斋的香麻饼等。其三是外地以及国外的舶来物迅速增多，近代以来，商品流通日益频繁，许多外地特色产品不断地涌入长沙，如山西的汾酒，清香甘甜，颇受欢迎，民众俗称之为“西汾”，后来武汉仿制的汾酒也流入长沙，俗称之为“汉汾”。特别是随着中西之间的经济文化交流，西方的饮食习俗和食品等亦不断传入长沙，其中有英法等国的西式菜品，各式糕点，洋面，罐头，香烟等。尤其是长沙开埠之后，西方食品的输入更是与日俱增，据长沙海关税务司兼办通商事宜的夏士立的记载，长沙的店铺“无论大小专事铺张，尚形工整，一如其市，五光十色，层出不穷，即罐头、水果、洋酒、面包、番菜等物，无不美备，欲购极为方便”，“复进口之货……日本海菜今年八百八十担，上年有五千五百八担，糖一万一千三百三十三担”。1907 年，国外输入长沙的洋糖有 6000 余吨，长沙的洋货店也日益增多，经营种类可谓一应俱全，“英法大菜，各式点心，各国洋酒、罐头、食物、吕宋香烟”，应有尽有。[①] 辛亥革命之后，这种趋势更是有增无减，甚至有西方人来长沙开设旅馆、酒楼餐馆进行直接经营。

自长沙开埠以来，随着来长沙的外国人日益增多以及留学生大量返湘，这些人亦将国外的生活、饮食习惯带回了长沙，他们除了穿西装外，还经常吃西餐，长沙的一些开明士绅、新式知识分子也竞相效仿，西式食品和西餐受到越来越多长沙人的喜爱。辛亥时期，西餐、西菜、西式蛋糕、面点、奶油等已成为长沙人常见之物，西式糕点和啤酒、汽水、咖啡、香槟酒、白兰地酒、冰激凌等西洋新式饮料，已成为一些新派官绅的常用饮品，西式菜肴、罐头等也逐渐走上了宴席的餐桌，餐馆酒楼开设西餐者逐

① 湖南历史资料：第 1 辑［M］. 长沙：湖南人民出版社，1980：200.

渐增多，民初政府还将“西宴凡十项列为宴会节目”。1905年创刊的《长沙日报》上出现了大量“番菜馆”的广告,如“四海春”“万祥春”等。辛亥之后，长沙的西式食品加工业逐步兴起，食品加工开始向近代工业化生产发展，长沙陆军干粮厂曾采用西法生产肉类、甲鱼罐头和水果、蔬菜罐头等新式食品。

长沙地区较大型的、成规模的酒楼、餐馆、茶馆以及食堂等饮食场所，在清末民初进入了快速发展的时期，而公共食堂则是近代以来长沙地区饮食方式中出现的新生事物。辛亥前后，酒楼餐馆业得到更快的发展，经营酒家者日益增多，著名的挹爽楼、天然台、曲园、玉楼东等高档酒楼餐馆相继开业，而且民初以来，各酒楼餐馆经营西餐的也大量增加，来自美国、英国、日本等国的洋商也相继在长沙开办各式饭店。

另外，民国初年，长沙的旅馆业亦进入鼎盛时期，全市有大小旅馆440余家，这些旅馆除提供住宿、澡盆、各项娱乐活动之外，还经营中西大菜，生意非常红火。据记载，长沙“自反正以来，酒席业生意发达，有茶馆而兼酒楼者，有旅馆而兼酒席馆者，有洋行而兼卖酒席者……中西番菜,各色俱全”[①]。同时,近代以来湘省的奢靡之风渐盛，也推动了长沙酒楼餐馆业的发展，促进了长沙饮食日趋奢华。在前清中期，长沙人宴客用四拼盘两碗，婚嫁用十碗蛏干席已是极盛了，至清末已开始盛行海参席、燕窝席、鱼翅席，“一日靡费二十万钱，不为侈也”，可谓“富家一席酒，贫家半年粮”。[②]辛亥之后，随着工商业经济的发展，各派政治、军事势力的更替，长沙奢靡之风又有新的滋长，在善化，一般宴客“数十年前惟大宾客始用海味，今则率以为常，博古杯盘，肴

① 兰心．省城酒席及詹王宫之沿革［N］．湖南大公报，1925-9-21.
② 徐珂．清稗类钞［M］．北京：中华书局，1984：6273.

核错列”，还要看戏以供娱乐，“动费多金”，场面颇为壮观。[1]

（三）住房的改善

湖南传统的民居具有造型均衡简洁、色调素净明雅的特点。多由前后两个一明一暗的三间房组成，屋体的构架采用“三间四架”“五柱八棋”的形式，灵活运用吊脚楼穿斗、马头山墙等手法构成多变的形制。中间为一内院，种植花木，形制较小者则成为天井，以此作为整个住宅平面布局组合的中枢。房屋的空间高大通敞，便于通风除湿。房顶覆青瓦，墙体刷白粉，其山墙多做成“马头墙”，又称“风火墙”，用以封闭隔绝邻居可能发生的火灾。风火墙高出屋面，随屋顶的斜坡而呈阶梯状。

1907 年长沙城内各式屋顶和风火墙

由于长期受儒家文化的影响和封建礼教的束缚，湖南社会形成高下有等、内外有别、长幼有序，以及中为尊、东为贵、西次之、后为卑等礼仪制度。这种制度反映在民居上，无论是城镇公馆还是村落民居，都形成以堂屋为中心，正屋为主体，中轴对称，厢房、

① 丁世良，赵放．中国地方志民俗资料汇编：中南卷：上册［G］．北京：北京图书馆出版社，1991：479.

杂屋均衡扩展，天井院落有序变化的基本格局。[1]

湖南民居，反差很大。清末以来，湘军将领及民国湘籍军政要员不少都曾在城乡广建深宅大院、公馆别墅，玉宇琼楼，散落各地，花木扶疏，宽敞气派。城镇一般富裕人家住宅的典型单位布局为:大门临街，门内为过堂;过堂两侧为两耳房，为仆人住房;第一进堂屋为全家活动中心，两侧是正房，为主人的卧室；第二进堂屋设有祭奉祖先的供设，两边正房是晚辈卧室；厢房放置家庭生活用物，退堂屋放置杂物；厕所设在后院隐蔽处。而在城镇偏僻地区，多见低矮破烂的茅屋棚户，伸手触瓦，拥挤潮湿，为无产者聊蔽风雨之所。市井街巷店房，多为木架砖瓦结构或竹木结构。

辛亥时期，伴随着西学西俗在长沙的深入传播，各种西式建筑形式和风格也逐渐地传入长沙，对长沙地区民居建筑的变化产生了很大影响，在传统民居建筑继续传承的同时，一栋栋西式楼房逐步兴建，出现了传统建筑与西式建筑并存的局面，两者相互影响、渗透、融合。辛亥之后，中西结合的建筑样式日益增多，从而使得长沙地区的民居建筑的种类日趋繁多，异彩纷呈。但是辛亥前后，长沙民居的这种变化更多的是体现在城镇之中，而乡下众多的民居，则基本上仍保持着传统特色，总体上并无太多的变化，只是在某些方面有所变革。

长沙民居形制自清末以来的变迁，除了西式建筑风格兴起之外，中式民居建筑特别是园林式住宅也获得了空前的发展。

清末民初，随着湖南地区商品经济的发展，近代工矿业的兴起，陆续产生了不少腰缠万贯的商人、企业主等新贵。另外，这一时期，一大批湖南人士在全国或省内担任军政要职，也积累了不少财富。这些达官富商在暴富之后，大多不惜巨资在省城长沙营造规模庞

① 陈先枢．长沙老建筑［M］．北京：五洲传播出版社，2006：2—4.

民国初年长沙的洋楼

大、精致豪华的公馆、别墅等园林式住宅，从而使得长沙园林式住宅获得前所未有的大发展，盛极一时。在长沙城区和郊区陆续兴建各类带庭院的大型住宅、宅园、别墅达数十处，著名的有：陶澍的印心石屋、罗汝怀的荷池精舍、胡兴仁的旷寄园、黄月厓的晚香山馆、朱剑凡的蜕园、朱昌琳的餘园、何键的容园等。这些巨家大宅均规模庞大，布局精巧，富丽堂皇，表现了很高的建筑技艺。“长沙第一富商”朱昌琳所建的餘园，俗称“朱家花园”，占地400余亩，园内建有兰堂、宜春馆、一笠亭、云寮亭、延眺轩、众绿轩等亭台楼阁，回环错列，所悬匾联，均出自郑板桥、左宗棠、谭延闿等名家手笔。亭台楼阁四周，池塘漾波，假山嶙峋，奇花异草争妍斗彩，间有乔木绿竹，风景十分绮丽幽雅。

另外，自近代长沙开埠以来，外国传教士、商人、领事、海关人员等纷纷大量拥入长沙，亦将他们本国的生活习惯和居住方式带到了长沙，陆续兴建起许多不同类型、不同风格的西式建筑，有领事馆、教堂、海关、洋行、商店、育婴堂、医院、学校、住宅等。长沙北门外至西城区沿河一带以及湘江中间的水陆洲是各式西式建筑最为集中的地方，前者主要是外国商业活动区，各式商业建筑较多，而后者则是外国领事馆和外侨居住区，多是政府和居民住宅建筑。这些西式建筑的出现，对长沙包括民居在内的各式建筑的发展具有重要影响，促进了长沙民用建筑业的革新。

（四）家庭关系的改善

家庭是指因婚姻、血缘和法律产生的由一定范围内的亲属所组成的社会生活组织形式，是构成社会有机体的细胞和基础，而且还承担着生产、教育、赡养、延续后代等诸多社会功能。家庭是人类社会发展到一定历史阶段的产物，在人类社会发展的不同阶段，家庭的形态、功能、结构、规模等方面也会发生相应的变革。

传统的家庭模式是以父系和丈夫为核心的宗法家长制，这种模式是在长期的封建社会中逐渐发展形成的，是与封建专制制度和自然经济基础相适应的，并具有浓厚的封建等级、宗法色彩，深受封建礼教思想的影响。具体来说，长沙地区旧式传统家庭的特点主要表现在以下几个方面：第一，家庭构成封建时代长沙社会生活的基本经济单位，家庭首先是生产单位，其次是生活消费单位，人们以各个家庭为单位进行农业和手工业生产，在自给自足的自然经济基础上，男耕女织是最典型的家庭生活模式。第二，父系制，即血缘关系按父系计算，以父系为基础分世系、别亲疏，因此，传统的旧式家庭极为重视传宗接代，续香火，注重宗亲，这也是传统的重男轻女思想和习俗形成的重要原因。第三，父权制，就是父权家长制，每个家庭都是由祖父或父亲担任家长，家长是一家之主，对内，家中的大小事务均由其主宰，对外，是整个家庭的代表，出面处理与外界各方面的关系，作为晚辈尤其是儿子辈的，必须绝对尊重和服从父亲，是为封建礼教所宣扬的“父为子纲”。第四，夫权制，夫妻关系是构成家庭的基础，也是家庭各种关系中最核心的关系，在夫妻之间，丈夫处于支配和统治的地位，是为“夫为妻纲”，对女性而言，“未嫁从父，既嫁从夫，夫死从子”，可见夫权制也是父权制的延伸，妇女完全处于无权的附属地位。第五，传统的旧式家庭在规模上总体上偏大，尤其是累世同居的大家庭在封建时代更容易获得政府的褒奖和提倡。这种现象在浏阳一带最为普遍，尽管大多数的家庭主要是三代同堂，累代同堂的大家庭所占比重并不是很高，但是，总体上而言，传统的旧式家庭在规模、人口等方面要比近代的小家庭明显偏大、偏多。

湖南传统旧式家庭的变革，起始于戊戌维新时期，至辛亥革命时期得到进一步的发展，并趋于高涨。辛亥前后，长沙地区新兴的资产阶级知识分子面对风云变幻的时局，将家庭作为影响社会变革的重要因素，宣扬家庭革命的主张，认为欲革政治命，先革家庭命，并形成一股强大的社会思潮，提出要冲破封建大家庭和家族主义的种种障碍，打破传统家庭的陈旧观念，实行分居，建立平等的新式小家庭，以婚姻自由为基础，形成“新家庭”或“新青年家庭”，这种关于家庭的新观念对长沙地区的家庭变革产生了重要影响。辛亥革命埋葬了延续千年的封建君主专制制度，帝制的崩溃，使得传统的父权家长制失去了政治根基，日益动摇。而随着共和政体的确立，民主、自由、共和观念在民众之中广为流行，深入人心，这对传统的家庭观念产生了极大的冲击和挑战。民国初年，唐群英、林宗素、张汉英等人联合湖南女国民会等五个团体组建了“女子参政同盟会”，并提出实行一夫一妻制、实行男女权利平等、禁止无故离婚、禁止强迫卖娼等十一条政纲，争取女性在政治、经济上的权利，也争取妇女在家庭中平等的权利和地位，摆脱传统家庭中女性只能处于附庸地位的状况。1913 年，唐群英在长沙创办了《女权日报》，倡导男女平权，同时还先后创办了长沙女子法政学校和长沙自强女子职业学校、长沙女子美术学校，提高女性素质和技能，以便于女性在社会上立足，获得经济上的独立，改变在家庭中依赖于男性，只能从父、从夫、从子的旧式传统，争取做自尊、自立、自强的民国新国民。辛亥时期，湖南社会局势的变化，进步观念和民主革命运动及女权运动的兴起，推动了传统旧式家庭的近代化变革。仿照西方核心小家庭的模式，在婚姻自由的基础之上，建立由一夫一妻及其子女为成员所构成的，并实行分居、异财和人伦平等的小家庭成为省城长沙家庭变革的主要趋势。

辛亥之后，在民主革命运动和自由、平等、独立等新观念、新思潮的强烈冲击下，长沙地区延续了千余年的以男尊女卑、父权家长制为基础的传统旧式封建家庭，无可抗拒地产生了裂变，在家庭规模、家庭关系、家庭结构以及家庭的功能等方面产生了显著的变化。在家庭规模方面，前清时期那种受到政府旌表的规模较大的累世同居的大家庭，在辛亥之后已日趋衰落，大为减少。在长沙地区于三代之内析居之风渐盛，析居而成的小家庭，其规模比以往的家庭要小。据统计，前清时期家庭的人口平均数为 5.87 人，而在辛亥时期则下降到 5.38 人。

辛亥时期家庭变动的另一个重要表现是宗法家长制下的家庭关系的松动，首先是夫妻关系的变化，无夫妻即无家庭，夫妻关系是家庭关系的基础和起点，各种家庭关系以其为中心展开，夫妻关系是家庭中最为全面、最为深刻、维持时间最长久的关系，是整个家庭的枢纽。在封建时代的夫妻关系中，丈夫处于支配和统治的地位，妇女在家庭中处于很低的附庸地位。辛亥之后，随着女权运动的兴起和女性的觉醒，妇女在家庭中的地位有所提高，妇女的权利也得到一定程度的保障，突出的表现就是妇女在离婚再嫁问题上有了一定程度上的自由，离婚已不再是男子单方面的权利，妇女为争得平等幸福主动提出离婚者也日渐增多，寡妇再嫁在辛亥之后也具有一定的普遍性，如黄兴与徐宗汉结婚就是革命党人与寡妇相结合的典型事例。同时，妇女在妆奁及家产的所有权方面，也逐渐获得了部分权利和认可。

在传统的旧式家庭中，父权家长制是一个很重要的特征，作为家长的父亲居于绝对统治地位，父亲与子女之间的关系是一种上下、尊卑、绝对服从的关系，子女的切身利益被极度漠视和淡化。

封建时代以孝为核心的伦理纲常在传统家庭中根深蒂固，“父为子纲”是父子关系的基本准则，封建国家也以法律的形式确认和强化了父母对于子女的权威，即对子女有惩处权、教令权、主婚权等。辛亥革命时期，随着民主革命运动的持续发展和近代西方进步思想的广泛影响，推动了传统父子关系的变革。尤其是受过新式教育的资产阶级青年知识分子，在思想上和行动上，已摆脱了传统的家庭观念的束缚和禁锢，对父母之命已不再盲目顺从，而有了自己的主张和见解，敢于表达自己的意愿和看法。同时，辛亥之后，随着社会商品经济的发展，子女在经济上日趋独立，对家长的经济依附程度逐渐减轻。而且随着社会上人际关系中趋利因素的增强和影响，子女对父母之间的感情因素趋于淡化，甚至出现“父子不相顾”的现象。子女在婚姻问题上自主权的增加是辛亥之后父子关系变动的一个突出表现，封建时代父母对子女绝对的婚姻支配权受到了冲击，自由恋爱、婚姻自主，青年男女对自己的婚嫁有了更多的自由选择权，婚姻征得当事人的同意已逐渐成为一种新的社会时尚。在辛亥之后长沙地区的新式婚俗中，“父母之命，媒妁之言”已不重要，更多的是凸显青年男女的婚恋自主，婚介形式出现了社会化和公开化的趋向，这也是一种社会进步的表现。

辛亥时期长沙地区家庭关系的变动是多方面的，除了上述的夫妻关系、父子关系有变化之外，兄弟关系、婆媳关系、妯娌关系、妻妾关系、主仆关系等都发生了不同程度的变化，主仆之间的人身依附关系日趋衰减，兄弟之间为利而分崩离析等现象在社会上已是司空见惯。时人指出“辛亥大变以来，伦常全行破坏，风气更奢靡，礼义廉耻望谁讲究，孝悌忠信，何人实行，世变日亟，岌岌乎其可危”，这是对辛亥前后长沙地区社会家庭关系变动的真实反映。[①]

① 徐永志.辛亥革命前后的家庭变动［J］.中州学刊，2001（6）：87—91.

在这一时期，湖南社会生活中并存着父权家长制大家庭和一夫一妻小家庭两种不同的家庭模式，这种状况的存在体现出近代以来湖南社会政治经济发展的不平衡性，也表现出湖南辛亥革命的不彻底性和局限性。

四、民国初期湖南的尊孔复礼思潮

辛亥革命后，中国进入民主共和时代。由于这一过程来得过于迅猛，而绝大多数的中国人尚不具备民主共和的知识和经验，旧有的价值体系崩溃之后，在中国传统社会生存方式还来不及根本转变、广大士民无所适从的情况下，一部分人把目光投向中国传统文化，企图以传统文化为本位来解决社会转型时期所出现的问题和矛盾。他们并不完全反对学习西方，而是主张回到洋务运动时期的“中体西用”，人们称之为“文化保守主义者”。

（一）以王闿运为首的孔教会湖南支会

1912 年上海孔教会成立。该会主张立孔教为国教。当时逗留上海的湘中耆宿王闿运曾于 1913 年正月拜访孔教会。也就是在这一年，湖南成立了以舒礼鉴为会长的孔道会。1913 年 4 月，湘人看到其他省份纷纷设立孔教会，于是亦在长沙孔庙（今西文庙坪）成立孔教会支会，并推王闿运为会长。此后，孔道会与孔教会合并，成为康有为孔教会的湖南支会。

王闿运（1833—1916），字壬秋，又字壬父，湘潭人，咸丰举人，是近代卓有盛名的经学大师和诗文大家，经学治《诗》《礼》《春秋》，宗法公羊，为“汉魏六朝诗派”的代表作家。晚年在长沙办碧湖诗社，诗论主张模拟古人诗，可以“治心”，可以通入大道。除作

长沙孔庙老照片

王闿运在长沙孔教会对联前留影

经子笺注外，有《湘军志》《湘绮楼日记》《湘绮楼诗文集》等。

康有为成立孔教会的目的在于将儒家学说宗教化，借宗教、国教的神秘性、排他性来恢复孔子的独尊地位。王闿运亦谓："人类之所以能团为国者，以其具有磁性也，道德即其磁性之见端，道德之原出于天，而成于教。"又说："各国有各国之礼教，各国有各国之风俗，不相谋也，吾国以孔教为立国之本。"[①] 显然，王闿运认为不同的国家有不同的国教，孔教是中国的国教，是中国的根本所在，应当成为我们国家的立国之本，所以必须保护、继承和发扬。在这一宗旨下，孔教会将立孔教为国教作为政治诉求。

① 王闿运．王湘绮讲经之欢迎者［N］．申报，1914-4-24.

湖南的孔教会在共同的宗旨下，还有着保护学产这一具体的目标，因为长沙府学宫时为军队所占据。

（二）以叶德辉为首的湖南经学会

民国初年，叶德辉曾经风光一时，他主张通过对经学的倡导来恢复纲常名教。[①]1915 年，他被选为湖南教育会会长，又发起成立经学会，出任过支持袁世凯复辟的湖南筹安会会长，并在汤芗铭的一手操纵下，被指定为湖南“硕学通儒”代表。在当时的文化守旧思潮中，叶德辉成为最引人注目的一位。

叶德辉（1864—1927），字奂彬，号郎园，湘潭人。祖籍苏州。其父在坡子街开公和染坊，家道殷实。叶少时就读岳麓书院，21 岁乡试中举，28 岁会试中第九名进士，殿试二甲，官吏部主事。然而他对仕途不感兴趣，不久就弃官归里，开始营造他的“观古堂”，醉心于藏书，其学术成就最大的方面是版本目录学研究。但叶德辉的政治思想比较保守，于维新运动中反对变法，辑录《翼教丛编》护卫纲常伦理。袁世凯复辟称帝时，他组织筹安会湖南分会，拥护复辟君主制。大革命时反对工农运动，1927 年 4 月，湖南农工商学各界团体召开大会叶德辉被处死。据传，毛泽东闻讯后，对叶氏之死深表惋惜。

叶德辉通过湖南经学会，大兴“尊经”“兴学”之风，企图以此来恢复纲常名教。湖南经学会由叶德辉发起，1915 年 8 月在长沙成立，以“研究经义，发扬国学”为宗旨，宣称“经学以发明义训、通知世用为本，本不分汉宋门户，亦不拘守乡里私学小派，惟遵‘纲要’按经分科，经编要义以广切磋之益”。经学会活动主要是叶德辉的定期演讲。在讲授经学之际，他还编写了《经学通诂》作为

① 杨锡贵．民国初年的长沙政局演变与社会发展［M］// 谭仲池，彭平一．长沙通史：近代卷．长沙：湖南教育出版社，2013：942—943.

叶德辉

民初湖南省教育会的教科书，在全省广为发行。书中把哲学、文学、史学、文字学、金石学都作为经学的附庸，有意与当时新学派所倡导的近代学科的开创与设置相抗衡。叶德辉明言该书的宗旨是“不言微言，而言大义”，认为“大义虽乖，可以随时匡正。君不君、臣不臣、父不父、子不子，是之谓乖；君君、臣臣、父父、子子，是之谓不乖”“大义明而后六经如日月之昭垂，治经之能事毕矣”。在治经方法上，叶德辉提出了“六证”“四知”“十戒”的主张。六证即以经证经，以史证经，以子证经，以汉人文献证经，以《说文解字》证经，以汉碑证经等考证经学的六种途径。四知即知源流、知体例、知存亡、知真伪等必具的治经学识。十戒即戒僭妄、戒武断、戒杜撰、戒割判、戒空疏、戒破碎、戒穿凿、戒傅会、戒攘窃、戒党伐等应当避免的错误。叶德辉希图通过他所提出的治经门径，来重振古文经学，昌明正学，进而挽回世道人心。

无论是孔教会，还是经学会，它们的共同点都在于对传统文化的保守，试图通过对传统学说的继承与阐发，为国民树道德之基，以纲常名教来规范人们的行为。其思想主张及活动，是在旧的规则已经破坏，新的规则尚未确立，道德标准混乱的情况下，对于如何确立国人的价值体系、重建意义世界这一重大时代课题的回应。但它们企图单纯从中国传统文化中寻找出路的药方不可能担负起解决时代课题的重任，给人留下保守、落后和顽固不化的印象。

民初船山学社旧影

（三）以刘人熙为首的船山学社

刘人熙主张昌明学术、提倡道德以救治社会，这也是他成立船山学社的目的。船山学社旧址位于长沙今开福区中山东路，其前身是郭嵩焘创建的思贤讲舍，砖木结构，内有庭院、讲堂和多间厢房。船山学社屋舍又是原曾国藩祠的一部分。20世纪初，长沙时兴新式学堂，思贤讲舍停办，郭氏亦早辞世，而曾祠也渐趋门庭冷落。直到民国三年（1914），屋舍再次开辟为讲堂，此即刘人熙创建的船山学社。民国初年，长沙出现了一批以保存国粹，弘扬国学为己任的知识分子，他们以刘人熙为代表，创办船山学社，发行《船山学报》，在湖南教育文化界产生了相当影响。

刘人熙（1844—1919），字艮生，号蔚庐，长沙府浏阳县（今浏阳市）人。光绪三年（1877）进士，任工部主事，官至广西道员。光绪三十三年（1907）回湘，任中路师范学堂监督、湖南教育总会会长。辛亥革命后，任湖南都督府民政司司长，曾电促王芝祥策动广西巡抚陆荣廷宣布广西独立。1914年在长沙创办船山学社，任社长。1918年与上海爱国人士组织“策进永久和平会”，被推为会长。1919年病逝于上海，归葬家乡浏阳。著有《刘人熙日记》《蔚庐文集》。

刘人熙早年就读长沙城南书院，服膺船山学说，注重经世之学。1907年秋，湖南教育会成立，他被推为会长。辛亥革命后又一度担任湖南都督府民政司司长，因感社会政事日非而辞职。刘人熙认为王船山学说是“救时之良方”，呈请成立了船山学社，编辑《船山学报》，并创办船山中小学，筹建船山专祠、船山大学和船山图书馆，供奉船山遗像于学社中。刘人熙的目的是想通过这些活动来弘扬传统国学，并依凭它改良社会。他反对封建君主专制，1915 年袁世凯企图复辟帝制时，刘人熙与贝允昕等创办《大公报》，公开抨击欲帝制自为者。

刘人熙与船山学社的创始人都是传统的道德决定论者。他们一致认为，民初之所以社会动荡，根本原因在于固有道德沦丧。因此，他们以拯救社会的精神道德为己任，他们创办船山学社的本意即在于此。所以有人评论说：“先生（刘人熙）组织斯社之意，一面为抚怀先哲，表彰船山之绝学；一面为拯溺救焚，亟于维持人心风俗……本社对于讨论学说，须以阐发义理为主旨；对于指导社会一世之事，必以提倡道德为要素。”怎样来做到这一点呢？船山学社同仁认为办法是提倡气节，发扬国学，演进文化，首要的是重新弘扬与光大孔子学说。他们陈言，要提倡道德必须先昌明一种社会历史上最有势力的道德学说，使人人闻之而生信仰之心。信仰既深，才会奉行。而我国社会上、历史上最有势力的道德学说都是以孔子为源头，因而“舍昌明孔子之学说无下手处”。为此，他们对孔子学说极尽赞美之辞，称“集群圣之大成，为生民所未有”“大义微言，搔之无尽”；认为要改善社会道德，“不必专贩异说以求新，在温故而知新，则日新之盛德在是矣”。[①]

1915 年 8 月 20 日，刘人熙、曹佐熙、徐明谔、彭政枢、廖名缙等人创办了《船山学报》，至 1917 年 8 月，一共出版了 8 期。该刊是刘人熙等船山同人传播船山学说、宣传其思想及主张的主要阵地。从所刊载的文章来看，在如何解决民国初年的社会问题上，船山学社同人视道德为救世法宝，是传统的道德决定论者。据《船

① 张湘涛．名人与长沙风景［M］．陈先枢，撰稿．长沙：湖南人民出版社，2012：302.

山学报》第1卷，归纳起来，船山学社同人的道德救世思想主张主要有以下几个方面。

第一，视道德的堕落为民初国家社会问题严重的根源。刘人熙指出，“迩日权利之争几危社稷”。一个国家和社会出现如此严重的问题，首先要找出致病之源，方才好对症下药。“痛定思痛皆以人才衰息，民德堕落为其病源”“国体既更，未堪多难，深思其故，惟在人心陷溺，道德堕落”。

第二，认为只有通过昌明学术，才可以医国家社会之病。廖名缙认为，“生物以病，病不可无药”“国家社会以病，病不可无以药之”。刘人熙更认为，“欲正人心，舍昌明学术，实无他法”。在他们看来，在圣哲仁贤创立的医治国家社会的学说中，只有孔子学说才是医治当时中国社会之病的灵丹妙药，因为孔子学说“集群圣之大成，为生民所未有”“大义微言，挹之无尽”。

第三，对于指导社会一切之事，必以提倡道德为要素。彭政枢在演讲中说：“吾辈讲学之旨云何？亦修至德以凝至道而已……吾辈生圣人之后，读圣人之书，则卫道之责任，不容辞也。”

第四，应该遵守固有的人伦道德，维护社会正常秩序。刘人熙在兼任法政学堂会办时，就专门开设了人伦道德课，认为人伦道德事关“一身善败吉凶之数，国家存亡治乱之机”，“君臣有君臣之道，父子有父子之道，夫妇昆弟朋友有夫妇昆弟朋友之道”这些固有的人伦道德不能违背，应该遵守。刘人熙还认为，从人类历史发展的长河来看，无论何朝何代，都“不可无君臣”，既有君臣，自不可无君臣之道，这一点，古今中外概莫能外。民国既已建立，“大总统为国家元首，一日在职，发号施令”，这就是君道，只是不世袭罢了；文武官员服从命令，为“万世之公仆，则亦有臣道也”，只是已不是一家之私臣了。

第五，提倡道德，须造就具备时代优良道德之人。刘人熙将有“极高人格”者分为“积善成德”的“大人”、“道在吾身”的“天民”和“以安社稷为悦”的“安社稷臣”，而人格最低者则为“事君人”。他认为“事君人”只知有君而不知有己，更不知有社稷，只知“揣摩君之情欲，以效己之奔走”，“故君有所为，则阿徇之，以使君之容已；君即有所未为，亦逢迎之，以使君之悦己”，他视此种人为“奴隶”“鹰犬”“牛马”。他心目中最理想的救世济世人物是“大人”“天民”，如果能有“大人、天民出，则可以合地球谋乐利，而臻世界之大同”，可惜见不到，退而求其次，“得见安社稷者斯可矣”。

第六，反对帝国主义的侵略，要求民族解放与独立。刘人熙在《船山学报叙意》中说：“船山学报何为而作也？忧中华民国而作也。其忧中国奈何？”“愤政府之昏暗，悲列强之侵凌，人人有亡国灭种之惧。”“因以导众人之忧，今国家危而不亡。”他不满北洋政府所为，担忧列强侵略，要求改革现状和挽救民族危亡之情溢于言表。当袁世凯接受日本提出的灭亡中国的“二十一条”的消息传到长沙后，船山学社组织会讲，声讨袁世凯的卖国和日本的侵略，听讲者数百人。为了激发爱国爱民思想，《船山学报》每期还辟有《国语》《邻戒》两个专栏，分别选登国内外大事，专门揭露帝国主义侵华的罪行。

第七，赞成民主，拥护共和，指出宪政之路是必然的发展趋势。船山学社同人清醒地认识到了民主政治是人类社会发展的必然趋势，政治民主化是中国近代化的题中应有之义。在《人伦道德讲义》中，刘人熙认为，“自元黄剖判以还，文明渐启……由射猎时代进为畜牧时代，由酋长时代进为封建时代，由封建时代至于统一时代，由专制统一至于君主立宪、民主立宪时代”。华盛顿颁布宪法，已“开环球民主立宪之先声”。“当民智已开、民德已蒸之日，则必以宪政改造国民。”可见船山学社的办学宗旨与叶德辉等不同，他们不反对推翻清王朝，赞成建立民国；当袁世凯复辟帝制时，船山学社的许多社员都公开加以抨击。

第三章

近代民权思潮和新文化运动对湖南社会的影响

“民权”是近代西方传入的语汇，是“民主”的近义词。“民权”是以“权利”学说为基础的，是指法律赋予公民的各种权利，包括生命权、平等权、财产权、选举权、国民免于被国家强制机关施暴的权利等。中国近代民权思潮始于戊戌维新运动，只是有限的参政权、一定程度的分权于下，意在辅助君权，弥补其偏失。它通过与现实妥协、与君权合作的方式来取得中国社会最大限度的支持和认同。这便是这些维新士人的政治创造，他们历来既把自己看作是君主政治的道德评判者，又充当民众的代言人。民权在调和了“民主”和“君主”两个政治形态的极端之后，在近代中国积贫积弱的政治土壤中破土而出。

一、近代湖南的民权思潮

近代中国的“民权”，是受到西方（代议）民主制的深刻影响又不同于西方民主的一个概念，它既由民本资源支持并超越了民本的语义，又有西方民主的因素，是西方民主转换为中国语境的产物，是把君民“轻重关系”改变为“平衡关系”的一种隐喻式表述。中国近代的知识分子认识到了“民”在政治结构中的重要性。他们与传统儒家不同，儒家对“民”表达的是一种道德的关怀和怜悯，而民权论者表现的不仅是道德上的怜悯，还希望“民”在政治上拥有一定的力量和权力。在政治结构中重新审视和安排被统治者（民）的作用和地位就成了解决中国问题的关键。民权的重要性由此显露出来：“民”在政治上得到一定的力量以后，随之就会出现君民这两种政治力量的均衡，两个对立的阶级之间就会出现微妙的互相牵制又互相联合的效用，类似于西方的权力分立。这样，统治者与被统治者双方都会从中获益。显然，民权有利于培养民众的爱国心、有利于政治关系的和谐、有利于共同意志和集体力量的形成并成为国家强盛的推进器。

（一）近代湖南人为争取民权的斗争

戊戌维新运动的失败，给民权思想以沉重的打击，促使新一代知识分子寻求彻底解决问题的途径，民权思潮逐渐发展为民主共和思潮。19 世纪末 20 世纪初，随着戊戌维新和义和团运动的相继失败，特别是《辛丑条约》的签订，中国已完全沦为半封建半殖民地社会，衰败的清政府已成为帝国主义统治中国的代理人，中国的民族危机更趋深重，严重的灾荒加剧了社会的动荡，阶级矛盾、民族矛盾更趋尖锐，越来越多的人认识到：要反帝，就必须要推翻已沦为“洋人的朝廷”的清政府，只有打倒腐朽的清王朝，才能挽救民族危亡，才能振兴中华。在这种时代背景下，反清革命思潮因之而逐渐兴起。湖南逐渐出现了一个以留日学生和国内青年知识分子为主体的新式知识分子群体，这一人才群体以黄兴为领袖，其核心骨干有陈天华、宋教仁、秦力山、杨毓麟、宁调元、章士钊、李燮和、禹之谟、蔡锷、焦达峰、陈作新等人，他们大都接受过新式教育，深受西方资产阶级民主政治、社会学说等西学的影响。“六君子”被杀，《辛丑条约》的签订以及自立军起义失败后唐才常等人的死难，使他们进一步觉醒，更加认清了清政府的本质，加剧了对清政府的仇恨，抛弃了改良思想而倒向革命，要以暴力手段推翻衰败的清政府。

湖南的留日学生对反清革命思潮的兴起起到了关键的作用，他们看到日本的强盛，深感祖国的衰败和严重的危机，在强烈的爱国精神驱使下，他们积极参加各种救亡政治运动，在运动中走向革命，接受反清革命思想。以黄兴、秦力山、杨毓麟、宁调元、毕永年、焦达峰等为代表的长沙籍留日学生先后创办《国民报》《开智录》《游学译编》《洞庭波》《汉帜》《湘路警钟》等多种革命刊物，并积极著书立说，大量翻译介绍西方的民主政治、社会革命等方面的书籍，大力宣传反清革命思想，并组建了诸如兴汉会、励志社、兴亚会、军国民教育会、同盟会等革命团体，积极从事反清革命，有力地推动了反清革命思潮的发展。

与此同时，留在国内的新式知识分子也积极开展反清革命活动，随着留日学生纷纷返回湖南，大量的革命刊物也在长沙等地得到广泛的传播，推动了湖南革命事业的快速发展。长沙出现了许多新的书局、出版社，大量印刷、出版宣传民主革命的书刊。据湘省候补道沈祖燕的报告，“近年来，革命党人倡为逆说，编辑成书，甲辰之岁，湘中亦遍行流布，偶于友人处见之，大为骇异，询所自来，则以书肆购售及有人分送对，因微服诣书市查阅，见罗列满市者，触手即是”①。革命书刊的大量出版发行，有力地宣传了反清革命思想，促进了湖南民众的觉醒，清廷视之为洪水猛兽，惶恐不安，饬令严厉查禁，但愈禁愈传，无法遏制。随着长沙反清革命思潮的高涨，长沙地区的革命志士还建立了诸多革命团体，如华兴会、体育社、共进会、四正社、图强社、黄汉会等，并积极联络会党、发动新军，发动了一系列的反清武装斗争，将暴力反清革命推向高潮，推动了辛亥革命的历史进程。

20 世纪初期，反清革命思想的广泛传播，对宣传和发动民众推翻清政府的封建专制统治起到了巨大的作用，从而推动了辛亥革命的历史进程。1911 年 10 月，长沙光复之后，湖南军政府在发布的《中华民国湖南军政府讨满清檄文》中再次重申了反清革命的思想，指出要“重瞻上国之衣冠，驱群胡于关外，定霸图于亚洲”。在辛亥时期，长沙地区不少的革命志士，在其思想认识方面，反满的种族意识要超过民权、民主观念，他们大多以单纯的反满兴汉为行动的宗旨，这种反满意识不可避免地带有狭隘种族主义

① 郑焱．时移势异——辛亥长沙巨变［M］．长沙：湖南教育出版社，2011：101.

长沙华兴会旧址纪念馆华兴会志士群雕

的色彩，是数千年来“夷夏之辨”观念在新时代的延续，过度强调反满，不加区别地将满族全部打倒，无疑是极为错误的，事实上也无法做到，同时也削弱了资产阶级民主革命的积极意义。随着历史的进步，这股单纯的反满思潮必然被民主共和思潮或地方自治思潮所取代。

（二）民主共和思潮

起源于西方的民主共和思想，在 19 世纪末 20 世纪初，随着中国社会变革的推进以及西学东渐的深入，逐渐传入我国。以孙中山为首的革命党人在承袭中国传统的“汤武革命”“顺天应人”“相与和而共政事”的精神基础之上，对西学中的民主共和思想进行吸收和消化，在中国掀起了一场以建立民主共和国家为目标的社会革命，从而使得民主共和思想在中国悄然兴起，经过革命志士的大力宣扬，民主共和思想被越来越多的人所认识和接受，最终形成了一股强大的社会思潮。总体上来说，民主共和思潮所涉及的内容是多方面的，包括批判封建君权，提倡民权，批判封建纲常伦理、天命论，宣传契约说、天赋人权说以及进化论等，其内容相当广泛，而且在一些问题上的发论也相当深刻，其核心在于批判君权和提倡民权，其根本目的则在于推翻帝制，建立民主共和的国家。

民主共和思潮自发轫以来，就以其崭新的政治理念和强大的生命力在中国迅速发展起来，成为继洋务运动、维新运动之后最具影响力的社会思潮，对中国原有的旧制度、旧观念产生了强烈的冲击，形成了一波波澜壮阔的思想解放潮流。资产阶级革命党人在民主共和思想的指导下，身体力行，付诸实践，使得民主共和思潮转化为声势浩大的社会革命运动。它以资产阶级的民主、平等、自由相号召，要求扩大和保障国民的基本权利，实行西方民主政治，反对封建专制统治。在湖南，随着辛亥革命志士的大力宣扬以及革命书刊的大量刊行，民主共和思想广为流传。1903年前后，许多长沙籍革命者竭力倡言个人权利，鼓吹民主共和，他们接连不断地翻译和撰写介绍西方政治学说的文章，并对它们加以阐述和发挥，极大地促进了民主共和思潮的发展。与此同时，也涌现出了如杨毓麟、宋教仁、章士钊、蔡锷、杨昌济、易白沙等宣传和研究民主共和思想的得力者。

1．杨毓麟

杨毓麟（1872—1911），长沙人，湖南近代蹈海（江）四烈士之一。杨毓麟是较早接受西方资产阶级民主政治学说的革命宣传家，其思想深受法国启蒙思想家关于民主、共和、人权、社会契约等学说的影响，他的著名作品《新湖南》是辛亥时期对西方近代民主政治思想论述得最全面、最深刻的著作之一。他在该书中以论述民族建国主义为出发点，系统地阐述自己关于民权和国家民主的思想。他认为每一个民族都有自己特定的语言、习惯、宗教以及不同的生活方式，亦有各自的生存权利和手段，即有“特别之性质”和“特别之思想”。所以，各种族之间应该互相独立、平等，互不侵犯，否则“一种人得有特别之权力者，必对于他一种人生不平等之妨害”。而且，每个种族都应有以维护自己种族特质和权力为目的的国家政府。这就是杨毓麟的“民族建国主义”，它的实质其实就是民族主义。杨毓麟还认为宣扬民族建国主义是抵御列强侵略的一种好方法，“故民族主义者，人生之公理也，天下正义也……欲起国民之痿痹者，此其一事也”①。

杨毓麟的观点可简单概括归纳为：第一，国家由人民契约而成，主权完全归于人民；第二，政府秉承人民意志而行使权力；第三，共和立宪是维护人民、国家权力的最好政治制度。杨毓麟还对西方的三权分立学说加以解释和赞扬，指出三权分立说的根本宗旨是体现全体国民的意志。“立法权者，由国民全体付之少数人之部分，以达全体之意识者也；行法权者，国民少数之一部分，受全体之委任而奉行主权之职务者；司法权者，所以监督行法者与人民之奉法者也。”因而，人民可以对任何违背人民意愿的人加以惩罚。这就是杨毓麟对国民权利和国家民主论说的最后总结。

2．宋教仁

宋教仁（1882—1913），湖南桃源人，号称民主共和思想的宣传家。宋教仁力图在近代中国建立一个责任内阁制的资产阶级民主共和国，采用西方的行政、立法、司法三权分立的原则组建国家政权，主张以民主法制建设为共和制度的根本。可以说他是近代民主宪政的中坚力量，其宪政思想又有别于孙中山的民主思想而独具特色。初到日本时，他看到日本自明治维新后的发展，工商业的进步，民风的改易，思想的开发，并逐渐步入世界强国之列。这些所见所闻都刺激了宋教仁的神经，特别是近代西方新的政治制度和社会新思潮呈现在他的眼前时，他更加坚定了对中国

① 杨毓麟．新湖南［M］// 饶怀民．杨毓麟集．长沙：岳麓书社，2001：51.

社会出路的探讨。1905 年宋教仁与陈天华组织了“二十世纪支那社”，并且以此作为杂志的名称，自任总庶务，负责组织和联系事宜。《二十世纪之支那》为当时留日学生界具有全国性名称与内容的革命刊物，后改为《民报》，作为同盟会机关报。该报关注国内政治发展走向，针对西太后“预备立宪”的闹剧，宋教仁先后在《二十世纪之支那》发表《清太后之宪政谈》《钦定宪法问题》《宪政梦可醒矣》和《希望立宪者其失望矣》等大量时论，揭露了“立宪”的骗局。1906 年 2 月，宋教仁进入日本早稻田大学学习，在此期间先后研究和翻译了英、美、德、法、俄、奥与比利时等国政治制度和官制，翻译的文章有《俄国之革命》《英国制度要览》《万国社会党大会史略》《国际私法讲义》《俄国制度要览》《奥地利匈牙利制度要览》《美国制度要览》《奥匈两国财政制度》和《德国官制》。这样他对西方资本主义各国的政治制度、政权组织形式有了全面的认识，这为他以后从事政治活动作了知识准备，为以后提出在中国实行宪政体制奠定了坚实的理论基础。

1910 年 11 月，宋教仁结束在日本的留学生涯，回国参加组织武昌起义的准备工作。1911 年 10 月起草了《中华民国鄂州临时约法》，规定政府由相互制约的都督和政务委员会（行政）、议会（立法）、法司（司法）构成，都督由人民公举，议会在《约法》施行三个月后成立，人民一律平等，享有言论、集会、结社、信教、选举和被选举等自由。[①] 该《约法》以西方自由、平等、博爱和天赋人权的资产阶级思想为基础，在中国历史上较早地提出以三权分立的原则组织国家政权。1911 年 12 月 27 日，在商谈新成立政府的组织方案时，孙中山极力倡导美国式的总统制，而宋教仁则提倡内阁制。在宋教仁看来，“在一个民主国家里，政治的权威是集中于国会的”，坚持内阁制。“盖内阁不善而可以更选之，总统

① 李时岳．辛亥革命与中国民主化进程［C］// 中华书局编辑部．辛亥革命与近代中国：纪念辛亥革命 80 周年国际艺术讨论会文集．北京：中华书局，1994：525.

不善则无术变易之，如必变易之，必致摇动国本”，“此吾人不取总统制，而取内阁制也”。[①] 宋教仁提出的国家政权组织形式主张不仅是建立在对当时世界各国宪政体制的深刻了解基础之上，而且也是对民主共和理念的认同。

1912 年 3 月 1 日，袁世凯当选临时大总统，唐绍仪组织第一任内阁，宋教仁被任为农林总长。但唐绍仪内阁不久就倒台，将举行新一轮国会选举，国会选举是实现政党组阁的关键。在同盟会内部，宋教仁是中坚人物。在宣传中国民主政治的活动中，宋教仁的政党思想有了新的发展，实现了从责任内阁制到政党内阁制的转变。宋教仁代起草了《国民党大政见》作为将来国民党内阁的施政纲领。3 月初到达上海后，宋教仁和黄兴等召集国民党议员共商大政方针，并达成三点共识：一是总统的选举，以各省省议会及蒙古、西藏、青海地方议会为选举机关。二是组织政府，采取议院政府制，即国务总理由众议院选出，大总统任命，各部总长由国务总理推定，大总统任命。三是地方保存省制，划分中央与地方的权限。针对即将召开的第一届国会，宋教仁提出先制定出一部充分体现民主共和精神的宪法，再选总统，总统只能遵宪法精神行事。宋教仁为维护民主共和思想，实现资本主义的宪政政治，通过政党责任内阁制度的设计而积极奔走。他认为：“实现政党对集权的由此所产生的政治腐败的监督，使中国社会走上民主宪政和自由秩序的康庄大道，把中国社会从背负着浓厚的专制包袱的羁绊中解脱出来,从而步入政治民主化的轨道。”[②] 为了达到这样的目的，宋教仁所做的努力大致可以归纳为以下几点：

第一，建立国民党，使其成为国会选举中的第一大党，以在国会选举中取得优势，进而以政党组织内阁，以内阁的权力掣肘

① 陈旭麓 . 宋教仁集：下册［M］. 北京：中华书局，1981：456.
② 朱联平 . 中国近代政党监督思想研究（1900—1927）［M］. 上海：上海人民出版社，2010：110.

总统。辛亥革命后，中国出现了人们参政议政的热潮，政党社团如雨后春笋般蓬勃兴起。1912 年 8 月，宋教仁促成共和党、国民共进会、国民公党、共和实进会等四小党派合并，将同盟会改组为国民党。1913 年初，宋教仁在湖南大力宣传政党责任内阁制时，明确地指出：正式总统可举袁世凯，但内阁必是在国会中占多数席位的政党组织，以符合立宪政治的正轨。在 1912 年末至 1913 年初国会选举时，国民党在国会参众两院选举中获得席位比第二大党共和党超出一倍以上。国民党选举获胜后，将由以宋教仁为首的国民党组织内阁，这是对袁世凯权力的严重挑战，为袁世凯所不能容忍。

第二，反对实行中央集权制，主张地方自治，让民众直接参与政权。他认为："划分中央行政与地方行政，乃中国宜采之制度，一曰中央行政消极的多，地方行政积极的多；一曰中央行政对外的多，地方行政对内的多；一曰中央行政政务的多，地方行政业务的多。""吾人谓今日之中国，中央集权制固不宜，偏重地方官治之地方分权制亦不宜，谓宜折衷，以对外的消极的各政务归之中央，以对内的积极的各政务归之地方。其地方制中，则尤注重于地方自治一途，使人民直接参与施政，以重民权。"①

第三，主张健全司法机制，统一司法，完善监狱制度。在他看来，"司法为三权之一，亟宜统一。其今日统一方法：一曰划一司法制度，各省司法制度，并不一律，宜实行四级制，使各省归于统一，其未设裁判所地方，亦便增设；一曰养成法官律师，盖增设裁判所，则今之法官尚行缺乏，一面养成法官，并设法保持法官地位，俾司法得以独立，一面养成律师，以保障人权；一曰改良监狱，中国监狱制度极形野蛮，今宜采各文明国监狱制度，极力改良"②。

① 陈旭麓. 宋教仁集：下册［M］. 北京：中华书局，1981：472.
② 同① 495.

1913年3月20日，宋教仁准备从上海北上回京组织责任内阁，在上海火车站被刺身亡，年仅32岁。在弥留之际，他仍念念不忘中国民主政治之事业及民权法制，致电袁世凯："开诚心，布公道，竭力保障民权，俾国会得确定不拔之宪法，则虽死之日，犹生之年！"①

宋教仁首倡的宪政体制反映出近代中国的知识分子试图破除几千年来传统的专制独裁统治，孜孜以求地以宪政制度来改造国家、开发民智和改良民风。他不仅将宪政民主制度的思想提升到制度层面，而且付诸实施，发扬了辛亥革命精神，推动了中国政治制度的发展。他所进行的事业，不仅是武昌起义前民主政治斗争的延续，也是对国家民主建设的理论和实践的探求。宋教仁将西方民主政治引入中国的尝试，使得当时中国政治发展呈现活力，推动了民国初年政党政治热潮的出现。

3．章士钊

章士钊（1881—1973），长沙人，是20世纪初期对西方民主共和制度最有研究的学者之一。1903年末，章士钊参与华兴会的筹建，旋即赴日本留学。之后，他逐渐由以前的革命救国转向求学救国，大量研读各类书籍而不再参加具体的革命活动。1908年，他赴英学习法律政治，兼攻逻辑。这期间，他对西方社会学说极为信服，发表了一系列的文章，提出"国会万能"与"政党内阁"的观点，鼓吹西方的民主共和制度。所谓"国会万能"，是指经国民选出的国民代表应有权通过或否决任何法律，没有任何法律能凌驾于国会之上。他以英国为例指出，英国宪法的核心是"不出代议士不纳税"的原则，即人民纳税出钱，然后由人民选举出来的代表组成国会监督政府使用和管理这笔钱，如果人民没有选举

① 徐血儿，等．宋教仁血案［M］．长沙：岳麓书社，1986：28.

自己代表的权利，他们就可以拒绝纳税。[①] 章士钊又认为，要在重大政策问题上给选民提供真正的选择机会，就必须允许在国会中有两党存在，并由其中的多数党组成政府，这样，政府的政策才会认为基本上代表了这个国家大多数人的意见。这即是章士钊的责任内阁主张，他再三强调，只有政党内阁才可以有效地联结立法机构（国会）与行政部门（政府），以使它们有效地管理国家。显然，他的国会万能与政党内阁的主张，其现实意义在于反对清政府的封建专制统治。

可以说，20 世纪初期，长沙籍人士中对西方民主共和制度最有研究的是章士钊，他在 1903 年担任《苏报》主笔，并与他人合办《国民日报》，在这两份报纸上，他发表了《读〈革命军〉》《王船山史说申义》等一系列的文章，积极鼓吹反满革命，他借鉴和发挥湘省先贤王船山的民族主义学说，借古代历史斥责清朝贵族为“异族”“夷狄盗贼”，指出革命必须反满。不过，他虽然积极主张反满革命，但是却不像宁调元那样具有强烈的种族主义的色彩。他认为，反满革命还必须与民主共和革命紧密联系起来，要培养民众的国民意识和精神。如果仅仅以反满为革命的主旨，而不注重向民众灌输和培养国民主义、民主共和思想，那么社会可能仍转向专制主义统治而需要进行第二次革命。所以，他认为必须使人人成为国民主义者、民主共和主义者——能“以其知识技能尽国民之职”的共和公民，才能建立一个民主共和的新政府、新国家。

章士钊在英国所写的许多政论文章都寄回国内发表，刊登在由革命党人控制的《帝国日报》上，产生了广泛的影响。另外，著名的湘籍革命党人刘揆一也在《民立报》上撰文主张汉、满、蒙、回、藏联合组织民党，并声明“吾之所言，非革命主义而宪政主

① 郑焱．时移势异——辛亥长沙巨变［M］．长沙：湖南教育出版社，2011：109.

义”。这似乎说明，在辛亥革命前夜，资产阶级革命派与立宪派的政治主张并非截然对立，也存在着许多内在的契合点。

民国建立之后，章士钊仍然进行对政治法律问题的研究。民国初年，他极力主张责任内阁制，企图以此限制袁世凯的权力，捍卫民主共和。他说："论者绝对主张内阁制者也……一防元首之专横，一防国本之动摇。”“二次革命”失败后，他流亡日本，创办《甲寅》杂志，结合反袁继续发表介绍和探讨西方社会学说的文章。他指责袁世凯是“阳奉共和之名而一切惟返乎专制是务”，与前清君主独裁政府无有二致。他逐条批驳“袁记约法”，针对其中第二章第四条“大总统为国家元首，总揽统治权”，曰“愚闻统治权，犹言一国最高之权也，国而无此最高之权，则不国，是故国家与统治权合体也。今曰总揽统治权，是不啻曰总揽国家也。国家而有总揽者，是别建一国于国家之上也…… 其结果乃至贷国家于一人，而所谓国民者，将自屠毒其肝脑，离散其子女，以博一人之产业，外可无他事也”。为此，他再三号召国民保卫自己的个体权利，捍卫民主共和，以免被独裁者所蹂躏，强调“国民者，宜享受权力者也”①。章士钊这种带有学理色彩的批判，显然比其他革命者纯粹的政治声讨更有说服力，更能击中要害，当黄兴等革命志士从事武装反袁的同时，章士钊所进行的理论反袁和民主共和思想的宣传，自有其独特的意义和作用。

4．蔡锷

蔡锷（1882—1916），湖南邵阳人，年少即有“神童才子”之称。蔡锷不仅是军事家，也是革命家，他把民主共和思想发展为宪政思想。蔡锷的宪政思想萌芽于他在湖南时务学堂求学之时。在梁启超、唐才常、谭嗣同等维新人士的教育和影响下，蔡锷开始接

① 郑焱．近代湖湘文化概论［M］．长沙：湖南师范大学出版社，2008：176.

触西学，对西方近代政治制度产生了兴趣。经过对中西政治制度的比较，蔡锷对君有权而民无权的封建专制制度感到不满，认为这是造成社会动荡不安的根本原因。他希望中国改行“西人之法”，并认为西法就是“议院之制”。①

留学日本时期蔡锷通过对日本宪政现实的身历亲见和对西方政治学说的研究而对宪政逐步达到了理性认识的阶段。1900 年，蔡锷东渡日本留学后，看到明治维新后的日本“道路修夷，市廛雅洁，邮旅妥便，法制改良，电讯、铁轨纵横通国，警察严密，游盗绝踪，学校会社，公德商情，农工实业，军备重要，日懋月上，不可轨量”。而反观中国，则是“以我四百州之土地，五百兆众之人民，势利社会，国体精神，一切授人以包办，任人以奴肉”②。中日两国强烈的对比，使蔡锷感到“几无地以自容”。为什么三十年以前，中日两国相差无几，而三十年以后，中日两国差别如此之大呢？经过分析，蔡锷认为，根本原因就是日本“纯用西法，而判断决定，勉强蹈厉，稽合国情已耳”。而中国则不思进取，“自足过甚，自信太深”。也就是说，其根本原因就在于一立宪，一专制。经过对西方发达国家强盛之因的研究，蔡锷指出，“近百年来，为一切政治之原动，而国制组织之根本者，则立宪制度是也”。辛亥革命成功后，蔡锷主张“定国体政体为民主立宪”“设立民主立宪政府”。南北议和期间，蔡锷坚决反对君主立宪，多次致电孙中山及独立各省都督，进一步明确表示民主立宪的要求。之后，蔡锷积极投身民国宪政实践，并提出了一系列有关的观点和主张，形成了以宪法为基础、以分权为主要内容、以强有力的政府为保障的宪政思想。

蔡锷在学习和研究西方政治理论的过程中，对西方三权分立学说进行过比较深入的研究，对孟德斯鸠的三权分立、以权制权

① 邓江祁．蔡锷思想研究［M］．长沙：湖南师范大学出版社，2008：251.
② 曾业英．蔡松坡集［M］．上海：上海人民出版社，1984：36.

的理论尤为推崇。蔡锷领导辛亥云南起义成功后，对于云南省乃至全国的政权机构建设进行了认真思考。基于对西方三权分立制度优越性的认识，他认为，清朝封建专制制度废除后，中国应当像西方资产阶级国家那样将国家权力分为立法、行政、司法三个部分，分别由三个不同的机关来行使，实行三权分立，并将之视为推行宪政的重要内容。与此同时，蔡锷还十分注重国家三种权力之间的相互均衡和相互制约的问题。在他看来，一种权力一旦缺乏另一种权力的制约，就会导致滥用，这对宪政的实施是十分有害的。因此，蔡锷在云南省军政府条拟的二十三条中央会议大纲中明确要求中央会议研究三权分立的问题，确定国家“立法行政司法机关之组织”。

在云南，蔡锷按照西方三权分立的理论初步构建了地方权力机构，并主张行政权属于云南军政府，立法权属于临时省议会，司法权属于检察厅和审判庭。1913 年 2 月，云南省议会正式成立，蔡锷亲往祝贺并致祝词：“吾国既由专制而跻于共和，则立法机关之权责至重且巨，在国则曰国会，在省则曰省议会。”他希望省议会“代表民意，发抒谠论，内体社会一般之要需，外应世界潮流之趋势，务尽其机关本能，以定吾滇适用之方策”，并表示军政府要与省议会“连轨并进，冀收福国利民之功，绝隔阂拘牵之弊”。

《临时约法》公布后，蔡锷对《约法》扩大参议院的立法权而大大限制行政权的规定是不满意的，认为“《临时约法》之结果，致陷政府于极疲惫之域”，违反了西方三权分立、权力制衡的根本原则。他指出：“立法之权，操之议会。故善用之，则福祉可期；不善用之，则流弊滋大。”如何保证立法权“善用之”，防止其“不善用之”呢？蔡锷主张立法权与行政权相互制约。他认为：“就法理论，立法权固当尊重，行政权亦须有严格之保障。若立法部对于行政部为过度之干涉，而无救济之途，则行政权直被立法权侵压束缚而无所施。是国权将只有消极限制之作用，不能有积极活动之能力，势必日即于萎靡。”蔡锷多次提出要尽快制定民国正式宪法，真正按照西方三权分立的理论，合理划分立法权和行政权，使“两权得其平均，互相钳制”，以建立名副其实的三权分立的政权体制。

蔡锷从法理角度出发，对《临时约法》扩大立法机构权力，限制总统权力表示不满。后来他又对国会依据《临时约法》赋予的权力对政府限制的行为也多有不满。在 1912 年 6、7 月份的唐绍仪内阁垮台和陆徵祥组阁风波中，蔡锷通电各省都督指出：“近闻有唐总理引退，内阁势将瓦解之说，滇处边远，不悉内情，而眷念时艰，五中溃裂。”“若因党见轧轹，至令内阁动摇，复陷于无政府之状态，万一祸机乘虚爆发，大局何堪设想？”他希望“国务院诸公忍辱负重，维持危局”，“尤望各政团、党维持劝导，不加牵掣，庶政务得以进行，大局不致牵动，则民国幸甚”。同时，他还致电袁世凯、国务院、参议院及各省都督，宣布愿先自取消统一共和党，并提出“毁党造党”的主张。

1914 年 1 月，袁世凯通过“政治会议”这一“御用组织”，停止参、众两院议员职务。2 月，又颁布命令停办各省地方自治会和解散省议会。至此，国会这个资产阶级民主政治的象征被袁世凯全部毁灭。对于袁世凯破坏国会、违反三权分立的民主政治原则的行径，蔡锷是不赞同的。1914 年 1 月，蔡锷受命审查《救国大计咨询案》和《增修约法程序咨询案》时，虽然迫于袁世凯的淫威不得不同意停止国会议员职务，但他仍然提出，“我民国决不能无国会，国会组织旦暮改定，大总统决不能不仍行召集”。到 5 月份，蔡锷见袁世凯非但没有重开国会之意，反而公开宣布废除国务院，设立政事堂，改国务院总理为国务卿后，感到“越看越不对了”，于是和梁启超一道公开号召参政不能“纯粹作政府一留声机器”，对其“不足之处”，应根据民意“立即纠正”，以利国计民生。

护国战争爆发后，蔡锷与唐继尧等人发布的《讨袁檄文》历数了袁世凯的罪状，其中第三条至第十二条就是声讨袁世凯违反三权分立原则、停止国会议员职务、鸠杀国会、并吞立法、尽灭各级地方议会等罪行。护国战争一结束，蔡锷就提出，“百政待决于国会，亟宜克期召集”。

总之，建立三权分立的政治体制是蔡锷宪政思想的主要内容。在蔡锷看来，没有三权分立就不可能有民主政治，宪政就无从谈起；没有三权之间的均衡和相互制约，宪政就无法实施。因此，蔡锷主张三权分立，特别是坚持权力均等、互相制约，表现了他维护资产阶级民主共和制度的决心。

5．杨昌济

杨昌济（1871—1920），长沙人，杨开慧的父亲、毛泽东的老师。作为我国近代积极向西方学习的知名伦理学家和教育家，杨昌济对中国近代学术思想和文化做出过重要贡献。他对中国近代学术思想史的贡献主要有两个方面，即最早全面而系统地向国人介绍了西方伦理、哲学、教育和心理学说；最早总结了中国近代向西方学习的历史进程，明确提出要学习西方的精神科学，实际上是在呼唤新文化运动的出现。

1915 年《青年杂志》的创办，标志着新文化运动的兴起。在此之前，杨昌济即已在长沙以西方资产阶级的自由、平等、博爱为武器，利用讲台开始了对旧道德的批判工作，斗争的主要锋芒直指“三纲”（君为臣纲，父为子纲，夫为妻纲）这一封建礼教的核心。他在 1914 年出版的《论语类钞》中说：“中国三纲之说，严责卑幼而薄责尊长，实酿暴虐残忍之风。君子之为教也，与父言慈，与子言孝。卑幼者自由之意志，独立之人格，尊长者固不可蔑视之。人有自重知耻之心，乃能以进德修业相尚。过度之压制，固非训育之所宜也。”① 在1914年的日记中还指出，驸马为公主服丧三年、夫杀妇减死、妇人淫荡者沉江等种种恶习，其弊端与中世纪欧洲教会焚杀异教徒相同，“此皆过重伦理而轻视民命，不可为典要者”。这与其后不久新文化运动旗手陈独秀在对待礼法、旧伦理上的主张有异曲同工之妙。杨昌济还对封建家庭主义加以揭露和批判，认为家庭制度是封建君主统治赖以存在的组织基础，而家庭主义又是族权、夫权和家长制赖以存在的精神支柱。对社会上的种种陈规陋习，诸如欺诈虚伪、好逸恶劳、铺张浪费、无谓的应酬、打牌赌博、不讲卫生等，杨昌济也曾进行过尖锐的抨击。

在批判和否定旧道德和旧的社会恶习的同时，杨昌济主张对农业文明社会形态下的国民思想进行改造。1914年，他在《公言》杂志上发表的《劝学篇》一文指出：“吾国近来之变革虽甚为急激，而为国民之根本思想者，其实尚未有何等之变化。正如海面波涛汹涌，而海中之水依然平静。欲唤起国民之自觉，不得不有待于哲学之昌明。”② “唤起国民之自觉”，就在于以民主、科学启蒙民智。他之所以特别强调哲学在改造国民思想中的作用，是因为“近世各种科学，各研究宇宙现象之一部，哲学则以宇宙之全体为其研究之目的物，故学问以哲学为终极。宇宙为一全体，有贯通其间之大原则，宇宙间所有一切之现象悉自此大原则而生，吾人当深思默会，洞晓此大原则，所谓贯通大原也”。③ 为此，杨昌济通过讲课、写文章、翻译西方的有关著作等方式，不遗余力地介绍宣传自由、平等、博爱这些具有普世价值的哲学伦理，以期实现深层次的思想文化变革。

① 杨昌济．杨昌济集：论语类钞［M］．王兴国，编注．长沙：湖南教育出版社，2008：253—254.

② 杨昌济．杨昌济集：劝学篇［M］．王兴国，编注．长沙：湖南教育出版社，2008：74.

③ 杨锡贵．民国初年的长沙政局演变与社会发展［M］//谭仲池，彭平一．长沙通史：近代卷．长沙：湖南教育出版社，2013：962.

6. 易白沙

易白沙（1886—1921），本名坤，因其家所在地在长沙白沙井附近，从小对白沙井充满了感情，又因他仰慕明代学者陈白沙（字献章）之为人，乃更名白沙。易白沙少年聪颖，勤奋好学，熟读经史百家，尤喜墨家学说，才华横溢。16 岁时曾被延聘于永绥师范学校；随后赴安徽，先后担任安徽师范学堂、旅皖湖南中学校长；还曾在湖南省立第一师范、天津南开大学、上海复旦大学短期任教。同时，他又积极投身民主革命斗争：辛亥革命中，他参加安徽光复工作；二次革命期间奔走湘、皖之间，力劝当事者武装反袁；斗争失败后，流亡日本，参与《甲寅》杂志创办工作。洪宪帝制败亡后，易白沙回国。1921 年，愤于军阀统治、革命者屡遭屠杀，他只身去北京，伺机行刺北洋军阀头目，未果。而后南下广州，在前往他所一向尊崇的陈白沙家乡陈村的途中蹈海自杀。易白沙还撰写了许多有重要价值和影响的文章与专著。他流亡日本后，即在《甲寅》杂志上先后发表《教育与卫西琴》《铁血之文明》《平和》等论文。1915 年《新青年》杂志创刊后，易白沙积极撰稿,先后在该刊发表了《述墨》《孔子平议》《诸子无鬼论》《我》《战云中之青年》等论文。1916 年编写了《帝王春秋》一书。

易白沙在行动上是民主革命的斗士，在思想上是一位激进的民主主义者。他“早岁读郑思肖《心史》及黎洲、船山、亭林、密之遗书，恍然种族之恫，亟思摈满”。到了安徽后，他结识了许多民主革命派的要人，如孙中山、章太炎、陈独秀等人，其思想更加激进。其后，他高举“真理以辩论而明，学术由竞争而进”的旗帜，在其所撰写的论文和编写的专著中，“以文献解读的方式阐发自己的政治见解”，大胆地怀疑和批判陈腐的观念和学说，深刻地揭露和痛斥封建军阀与帝国主义的罪行，竭力宣扬和提倡民主、共和、法治等近代价值观念及近代政治制度，体现出救世救国的高度社会责任感。

在《孔子平议》一文中，易白沙系统地阐述了他对孔学的看法和认识。他一方面指出：孔子当春秋之世，"主张君权，于七十二诸侯，复非世卿，倡均富，扫清阶级制度之弊，为平民所喜悦。故天下丈夫、女子，莫不延颈举踵而愿安利之"，有其适应和代表所处时代之要求的一面，对其所具有的历史地位予以肯定。另一方面，他又指出：孔子在春秋之时，"虽称显学，不过九家之一"；从汉武帝始，"罢黜百家，独尊儒术，利用孔子的傀儡，垄断天下之思想，使失其自由"；以后历代专制君主、独夫民贼、野心家"皆傀儡孔子"。这就是两千年来尊孔的大秘密，从而揭去了孔学头上的神圣光环。《孔子平议》是新文化运动开始后易白沙第一篇比较系统地评价孔子的论文，对孔子的思想进行了历史的分析和批判，"不仅较为准确地揭示了孔子学说固有的主要弊端，而且由此较为深刻地揭示出孔子之道与君主专制主义的内在关联，从而将对政治问题的考察深入到了对文化问题的考察"；"破解了中国两千余年尊孔之大秘密，为改造旧文化、提倡新文化提供了历史依据"；呼吁发扬学术民主，鼓动思想自由，对当时那些长期被儒家"正统"思想束缚的人们破除旧观念和旧思想，起了振聋发聩的作用；对反击尊孔复古的政治势力也产生了十分积极的影响。"他在批孔的同时，对孔子所具有的历史地位给予了必要的肯定"[①]，这也是难能可贵的。

在《帝王春秋》一书中，易白沙用大量的历史资料，全面揭示了几千年封建专制帝王政治上的反动，思想上的愚昧，生活上的荒淫，将人祭、杀殉、弱民、媚外、虚伪、奢靡、愚暗、严刑、奖奸、多妻、多夫、悖逆等十二个方面的罪恶一一罗列出来，以求"探其病源，以示救民之道"；并指出清政府和北洋军阀袁世凯政府与

① 陈先初．易白沙集：前言［M］．长沙：湖南人民出版社，2008：1.

封建帝王无异，在他们身上集中了历代帝王的种种罪恶，必须将专制主义的余毒和专制帝王的近代继承者彻底推翻。该书在易白沙逝世的当年出版，孙中山亲自为之作序，流传甚广，名扬一时。

纵观湖南先贤倡导民主共和的系统论述，可以看出，民主共和思潮推动了中国社会的发展，辛亥革命的胜利，清政府封建专制统治的崩溃，可以说是长期以来民主共和思想在中国传播、浸润的结果。辛亥之后建立的中华民国临时政府，是中国历史上第一个民主共和政府，临时政府颁布的《临时约法》以国家根本大法的形式确认了民主共和的国家政体，赋予人民享有广泛的民主权利和自由，中国社会进入了新的时代，民主共和思潮在这个新的时代背景下，获得了更为广泛的发展，民主共和的观念已深入人心。所以当袁世凯倒行逆施，阴谋复辟帝制时，广大民众就运用民主共和思想为武器来反对袁世凯破坏共和的卑劣行为，各种舆论纷纷要求人们“今日宜认明时势，群起逼迫袁氏退位，还我共和”，号召民众起来坚决捍卫民主共和政体。这表明经过民主革命的洗礼，民主共和已是中国社会的大势所趋，人心所向，中国之所以能进入一个“民气勃发，思潮泉涌，革新观念，亦如春笋之怒生”的时代，民主共和思潮功不可没。

（三）地方自治思潮

地方自治思想源于欧美，是欧美国家新兴资产阶级反对封建专制统治，争取自由、平等的参政权而提出来的，有着特定的时代背景和内涵。要求实行广泛的资产阶级民主，由资产阶级掌握地方政权，促进资本主义工商业的发展是西方地方自治思想的核心。近代以来，西学东渐之潮涌动不息，地方自治思想作为近代西方社会民主政治思潮的一个重要组成部分，也逐渐传入中国。

19世纪末20世纪初，地方自治思想经过维新时期的初倡，经立宪派、革命派的广泛宣传和鼓动，在广大留日学生、国内知识界以及开明地方官绅和朝廷官员的共同呼吁和响应下，形成了一股颇有声势的地方自治思潮。在辛亥时期，清政府宣布预备立宪之后，更是直接推动了地方自治思潮的日趋勃兴和高涨，而且带动了清末大规模的地方自治运动的兴起，一直到民国之后依然持续发展，而联省自治运动的出现，则标志着地方自治思潮和地方自治运动发展的高潮。总体上而言，地方自治思潮作为近代中国时期具有重要影响和意义的社会思潮，对19世纪末20世纪初中国的改良、立宪、革命运动都产生极为重要的影响，推动了中国近代化的变革。

地方自治思潮，就其主旨来讲，属于近代启蒙思潮的范畴，其最终的目的就在于培养国民的政治参与意识，推进政治体制的近代化，用资产阶级的民权和民主思想来根治中国的封建独裁专制政策，增强国民的参政意识和权利自觉，由资产阶级重建地方自治政体，控制地方政权。地方自治思想在维新运动时期传入湘省，梁启超、黄遵宪、谭嗣同等在湖南"专以提倡实学，唤起士论"，以图"完成地方自治政体主义"，在其倡导下，从而在长沙产生了地方自治的萌芽。他们将地方自治视为挽救当前国家危局的重要途径，"夫地方自治制……于救亡之事，至为切要"，甚至把地方自治视为革命成功的先决条件，"竭我今日谋革命之力而谋自治，能谋一家自治即自治一家，力能一党自治即自治一党"，那么即使国家灭亡，亦能因"其心不亡，其气不亡"，而迅速恢复民族独立，建立民族国家。①

在积极宣扬地方自治思想的同时，维新人士并着手将理论付之实践，先后创办了浏阳算学社、时务学堂、南学会、课吏馆、保卫局等一批具有近代地方自治色彩的维新事业。其中尤以南学

① 刘小林，梁景和．论清末地方自治思潮［J］．学术论坛，1998（2）：96—99.

会和保卫局最为突出，而南学会又具有“学会和地方议会”之特征，维新人士希望以此建立“吾湘永远不拔之基”，逐渐形成一种地方自治之局面，从而使得湘省在地方自治方面走在全国的前列。

维新运动失败之后，长沙一地的地方自治思想一度陷于沉寂。进入20世纪之后，随着民主革命运动的发展，特别是一批新式知识分子的崛起，在清政府推行新政的时代背景下，一度受到压制的思想再度活跃起来。资产阶级知识分子将兴办实业、教育，推行地方自治视为富国强民的济世良方，而地方自治的确立实为强国富民之根基。于是，国内外的先进人士又再次倡导地方自治，地方自治的思想再度兴起，湘省亦出现了一批介绍和翻译欧美和日本地方自治思想的书籍，一批新兴的报刊也以鼓吹和实行地方自治为宗旨，刊登大量宣扬地方自治的社说、论说等文章，呼吁、倡导之声此起彼伏。此时，鼓吹地方自治最力者当属湘籍留日学界。他们大量收集、阅读和翻译欧美和日本鼓吹民权自治的书刊，如法国孟德斯鸠的《万法精理》、卢梭的《民约论》、英国斯宾塞的《社会平权论》、美国勃拉司的《平民政治》、日本井上毅的《各国国民公私权考》等，并将这些书刊输入国内，广为传播。同时，他们还创办了大量的刊物，如《游学译编》《汉帜》《洞庭波》《民报》等，宣扬民权自治思想的文论占有显著的地位，尤其以长沙籍革命者黄兴、杨毓麟等人创办的《游学译编》最为突出。该刊物以寻求独立、自主、自治为首要，常以留日学生集体或个人的名义致“湖南绅士”“青年”“邑人”，以公开信的形式，表达地方自治的急切愿望和主张。在国内外新兴知识分子不遗余力的宣扬之下，地方自治思想日益勃兴，形成一股广泛而又颇具声势的社会思潮。

随着社会形势的发展，围绕如何救亡图存这一主题，资产阶级知识分子产生了两种不同的主张和道路，即主张激进的革命派和主张温和的改良派。两者从不同的主张出发，对地方自治思想进行研究和论述，阐述了各自的地方自治方案，从而进一步丰富和促进了地方自治思潮的发展。

革命派以反清革命的角度关注地方自治，尤其是湘籍革命者认为反清革命“只宜采取雄据一省，与各省纷起之法”，若湘省独立自治，他省起而应之，则可直捣幽燕，驱除鞑虏。[①] 长沙籍革命者杨毓麟是湘省地方自治的积极倡导者，其作品《新湖南》是这一时期论述地方自治思想的上乘之作。他指出：“湖南者，吾湖南人之湖南也。”彰显出强烈的独立性。他认为欲谋中国之独立，必以先谋湖南独立自治为基础，“欲谋中国，不得不谋湖南”。并从学术方面论述了湖南所具有的特别独立之根性：自周敦颐始，后来者王船山、魏源、郭嵩焘、谭嗣同在治学上莫不独树一帜，成一家之说，皆湘人“独立之根性使然也”。并以英国开疆扩土为例，赞颂了独立性之重要。指出“惟其有独立性，故能以少数人控驭多数人而驯抚之；亦惟有独立性，故能以少数人抚有多数人之领土而承袭之。美哉，独立性之作用乎！能使其国为头等国，能使其国民为头等国民”。为实现湖南自治独立，必须依靠革命党人采用暴力革命方可。“改造社会者，不能仍旧社会而组织之，则必破坏旧社会而涤荡之。”“未来之湖南犹树也，溉之以顽官、劣绅、朐民、瘁士之血，而后生长焉。”并提出了湘省自治的规划，“建天心阁为独立之厅，辟湖南巡抚衙门为独立之政府，开独立之议政院，选独立之国会员，制定独立之宪法，组织独立之机关，扩张独立之主权，规划独立之地方自治制，生计、武备、教育、警察诸事以次备举”。只有如此，湖南方可成为独立之“古巴、比利时、瑞士”。“在公共之湖南中，必使各个人自任一部之位置，各个人发见其独体之亲和力，则湖南独立矣。在公共之中国中，必使各分省自任一部之位置，各分省发见其独体之亲和力，则中国

① 黄兴．在华兴会成立会上的讲话［M］// 湖南省社会科学院．黄兴集．北京：中华书局，1981：2.

独立矣。”[①]

另一位长沙籍革命者秦力山（1877—1906）则以法、美独立为例，阐述了革命须以唤起民众和实行地方自治为基础的道理。指出：“彼其真以法国革命为拿破仑一人之力，而美之独立乃华盛顿一人之功乎？……美之独立，美之自治为之也，法之革命，法之民气为之也。”在专著《论革命》中，秦力山又再次阐述了注重地方自治的思想。指出：“今欲革命而先不确定地方自治之规模，则犹之动众兴师，而无营伍，蜂聚蚁集，号令全无，即令民气如火如荼，而一经对垒，如鸟兽散”，故“舍自治以言革命者，无根本之论也”，“自治为革命之基础”。[②] 而陈家鼎在《二十世纪之湖南》一文中则从反面阐述了若湖南不尽快主动独立自治将会产生严重的后果，强调了主动实行自治的重要性，依靠清廷诏令而自治非真自治。他说：“迩者清廷预备立宪之议成，将亦诏各省自治矣。然而自治而俟清政府诏办，则治出于被动，而非自动之治也。为欢迎立宪而自治，则清政自治而汉族自乱也，非自治也。”

同一时期，改良派也致力于地方自治的宣传，其最终目的也在于挽救危亡，但其主张则力求回避反清革命问题，反对暴力革命，而力求以和平方式实现湘省地方自治，从而达到存湖南、救中国的目的。如清末湖南留日同乡会刊物《游学译编》所发表的《湖南自治论》是一篇系统探索湖南自治的文章，该文分析了湖南的历史与现状，指出当前湖南所处的危殆形势，论述了实行自治的必要性：“中国之梦梦，当以吾辈唤醒之，吾辈而亦梦梦也，是欲蹈棕色人种黑色人种红色人种之后尘而使白人掀髯大笑也，然则如之何而后可？曰其惟自治乎其惟自治乎！”“不能自治则必亡，能自治则或可以图存，存与亡之分，能自治与不能自治决之矣。”并提出了实行自治的规划和方案，“由个人自治而至府县自治，由

① 杨毓麟．新湖南［M］// 饶怀民．杨毓麟集．长沙：岳麓书社，2001：29—68.
② 彭国兴，刘晴波．秦力山集［M］．北京：中华书局，1987：8—123.

府县自治而至合省自治”。关于个人自治，不是效宋儒之束身寡过，而应扩充知识，养成进取之气。关于府县自治，则以“监制官吏之行为”和“兴革团体之利弊”为两大核心。“个人自治者，府县自治合省自治之张本也，合省自治者，中国全部自治之起点也；言中国自治而必始于湖南自治，犹言湖南自治而必始于个人自治也。”此外，改良派还颇为重视实行地方自治与发展实业之间的关系，认为：“地方自治者，为当今世界立国之基础。地方自治制最完全者，其实业必最隆起，其国力必最强盛。地方自治制与实业要有密切之关系。凡一地方之实业，其合同组织之力，惟其本地之居民之所构成，而在今日则以实业之组织，寓地方自治制之组织，即借地方自治制之组织，而益兴发实业之组织。”①

在辛亥前后，长沙地区的资产阶级立宪党还发起创办了《湖南自治报》《湖南地方自治白话报》《宁乡地方自治白话报》《长沙地方自治白话报》《自治旬报》《自治报》等多种报刊，大造舆论，积极宣扬地方自治思想，促进和汇集了长沙一地地方自治思潮的发展。资产阶级改良派还将有关地方自治的论说文章定期结集出版，以供湘人学习，不断探讨“自治之精思，自治之沿革，自治对于内政外交之关系，与我国亟行地方自治之要旨”②。

总而言之，不管是改良派还是激进的革命派，虽然他们对地方自治思想的认识和理解的维度不同，提出的自治方案也有所差异，在实现自治的手段和途径上更是大相径庭，但是他们的终极目标是相同的，都希望通过实现地方自治进而挽救危亡，均具有强烈的救亡图存色彩。在湖南，在长沙，地方自治论者都力图以湘省自治存湖南、救中国。辛亥前后长沙地区的地方自治思潮的兴起和发展，体现了新兴资产阶级反对封建君主专制政治，要求提高自己的社会地位，发展民族资本主义的愿望。他们对地方自

① 郑焱．时移势异——辛亥长沙巨变［M］．长沙：湖南教育出版社，2011：116.

② 转引自刘建强．湖南自治运动史论［M］．湘潭：湘潭大学出版社，2008：29.

治的鼓吹和宣传，具有启迪人民的民主参与意识和推进封建政治革新的进步作用，构成了资产阶级民主政治思潮的重要组成部分，在促进民众的政治参与、培育代议政治的过程中发挥了积极的作用，推动了长沙地方自治运动的发展。但是其间也屡有波折，近代民主政治在湖南的发展不可能是一帆风顺的。

（四）湖南知识界学习西方的努力

民国之初的湖南，在王闿运、叶德辉、刘人熙等人探索以中国传统文化为本位来改良社会风俗问题的同时，另一部分知识分子精英则主张以西方文化作为挽救时艰的武器。

1. 宏文图书编译社对西方著述和思潮的翻译介绍

宏文图书编译社成立于 1914 年初，止于 1919 年冬。社址初设在长沙黄泥塅余肇康公馆，后迁浏阳门正街李星沅公馆。创办人李实对于文化事业颇有雄心，自设印刷局从事书籍出版。在他的礼聘下，省内文教界名流黎锦熙、杨昌济、徐特立、方维夏、刘宗向、刘汉良、曾运乾、陈天倪、黄锡卣等一时云集该社。社内成立编译部，由黎锦熙负责。编译社的主要任务是编辑共和国中小学各科教科书和“翻译东西著述”。编有初中国文读本（刘宗向、刘汉良合编）、农业教科书（方维夏编）、小学教科书（徐特立、黄锡卣合编）、师范教科书（包括教育史、教育学、心理学、伦理学，杨昌济编，未正式出版，一师曾采用作为讲义）。同年 10 月，该社又创办《公言》杂志，声言将“选译西洋报章杂志”，包括“欧美日本最近之种种思潮”，以求实现“刷新社会”这一“救亡至计”。该社“开设期间虽短，实为湖南文化的先锋”[①]。

① 杨锡贵．民国初年的长沙政局演变与社会发展［M］//谭仲池，彭平一．长沙通史：近代卷［M］．长沙：湖南教育出版社，2013：954.

2. 湖南《大公报》拥护共和、反对帝制的思想与斗争

辛亥革命后，新闻出版受到鼓励和保护，报刊通讯社风起云涌，蔚为大观，湖南也出现了一个办报高潮。湖南《大公报》就是在这样的背景下诞生的。

湖南《大公报》于1915年9月1日正式创刊。这是一份独立的民营报纸，湖南《大公报》能成为民国时期湖南地方报刊中极有影响的一份民营大报，与该报团队成员的价值观念、知识储备、道德状况等有着极大的关系。湖南《大公报》编辑部同仁可以说是长沙乃至湖南第一代近代型知识分子。

湖南《大公报》的创始人、第一任社长是刘人熙。但刘人熙在报社只是挂名，报社主要由其女婿贝允昕负责。贝允昕（1865—1927），字元徵，浏阳人。清末留学日本法政大学，回国后从事教育，并执律师业务。辛亥革命后任湖南都督府法制院院长、政报处处长，1912年6月被推举为新成立的湖南报界联合会干事。《大公报》的其他骨干有李抱一、张平子、龙兼公等。这些人在加入《大公报》之前，担任过其他报纸的编辑或主笔，既有着丰富的办报经验，又有着坚定的职业操守，矢志以办报为终身职业，以监督政府、指导社会作为报纸的使命。他们既受过传统教育，又受过近代新式教育，新旧学问兼备。一方面传承了湖湘文化忧国忧民、经世致用的精神；另一方面在政治上、思想上接受了西方的自由、民主和个人主义。

民主共和与实业救国是民国初年的两大社会思潮，实行民主共和还是实行专制独裁是当时政争中最为激烈的问题。湖南《大公报》诸同仁在这场政争中，旗帜鲜明地将拥护共和作为第一主旨。该报创刊宣言称：“当此强邻生心，鲁难未已之秋，岂容发为动摇国本之谈，以希冀个人不可靠之宝贵，而酿国家之祸？……本报则断断不附和之，唯知以维护共和，巩固国家为职志。”

湖南《大公报》在创刊之日即刊登大量反对帝制复辟的文章，

至1915年12月12日袁世凯发布文告、接受帝位之前，发表关于国体问题（政体问题在当时被误认为是国体问题）的文章达80余篇。除直接对筹安会及其主张进行批驳外，还对全国舆论界尤其是京、津、沪报刊对国体问题的态度进行及时报道。湖南《大公报》认为立宪是必要的，关键在于是采用共和立宪还是君主立宪。筹安会提出君主立宪，湖南《大公报》极力驳斥筹安会的观点，主张共和立宪。筹安会鼓吹变更国体的目的，是要为袁世凯复辟帝制造舆论，其背后的指使者也是袁世凯。但在袁世凯公开宣布复辟之前，湖南《大公报》对袁世凯还抱有一丝幻想，因而将斗争的主要矛头对准筹安会而非袁世凯，认为鼓吹国体变更是筹安会所为。

从取消帝制到1916年6月6日袁世凯死去，湖南《大公报》秉承一贯的立场，围绕惩办帝制祸首、逼袁退位、各省独立、南北议和等主题展开讨论。“帝制撤消，全国之观念一变，言论界、思想界顿呈异彩，民主立宪之声，洋洋然充塞于宇内。”[①]

袁世凯死后，湖南《大公报》密切关注时局的发展，以重建共和为主旨，围绕护国军的去留、各省独立与取消独立、约法恢复、国会召集等问题展开讨论，积极为民国及湖南建设建言献策。

湖南《大公报》是一份政论色彩十分浓厚的报纸，它一以贯之的反袁称帝立场，在同时代的报刊中极其少见。湖南《大公报》通过舆论鼓吹，推动了反对帝制斗争的发展；通过对共和立宪的宣传，促进了读者和公众对民主、共和、宪政的了解，有利于促进政治的进步和社会的发展。

初期的湖南《大公报》除了旗帜鲜明地反对帝制、维护共和外，还有两个方面比较突出。一是反对日本的经济侵略。1917年，该报揭露了湘省政府与日本汤浅洋行之间的“抛砂借款密约”15条，

① 兼公.司法独立问题［N］.湖南大公报，1916-5-3.

并连续发表评论，指出抛砂借款的条件异常苛刻，日人在长沙开设银行为非法。省议会和各界人士也群起反对，掀起排斥日货的热潮。湘省政府不得不取消“抛砂借款密约”。二是敢于为湖南人民说话，批评政府与议会。尤其是在金融问题上，多次发表言论，批评谭延闿滥发纸币；对当时工农群众的痛苦，曾发表同情的言论。

二、近代民权思想在湖南的社会实践

近代民权思想在湖南不仅有先进知识分子从理论上系统地探讨和阐述，还有过三次规模甚大的社会实践，即立宪运动的开展、谘议局及省议会的建立，以及“湘人自治”与制宪运动。近代民权思想对湖南民众的思想产生了不可忽视的影响，民众有较强的参与度。

（一）立宪运动的中心

19 世纪末 20 世纪初，为了应对日益严重的国内危机，遏制蓬勃发展的革命形势，自 1901 年起，清廷连续发布上谕，推行新政，但收效不大。清廷遂于 1905 年，派载泽、端方等五位大臣出洋考察宪政，以求通过宪政挽救危局。五大臣回国后提出“欲防革命，舍立宪无他”。在朝野上下的极力吁请和推动下，清政府于 1906 年 9 月正式下诏，宣布“预备仿行宪政”。上谕一经发布，立即在立宪派中引起了强烈的反响，“上自勋戚大臣，下逮校舍学子，靡不曰立宪，一唱百和，异门同声”，以至于“立宪之声，洋洋遍及全国矣”。国内外资产阶级立宪派以极大的热情掀起了一场大规模的立宪运动，强烈要求设立议院，制定宪法，实行议会君主制，或二元君主制的政治体制。

清末立宪请愿

在这场大规模的立宪运动中，湖南的立宪派一经形成就表现得极为突出。他们以省城长沙为中心，开会演说，通电请愿，集会选举，组织政团，大造舆论，以和平方式自下而上地向清廷统治者展开一系列民主政治活动。尤其是谘议局、资政院成立后，他们即以此为合法的政治舞台，要求扩大政治参与权，掀起了湖南立宪运动的高潮。

湖南立宪派的出现和立宪运动的兴起是与湘潭人杨度（1875—1931）对立宪的鼓吹分不开的。1907年初，杨度先后创办《中国新报》和政俗调查会，主张实行君主立宪，请政府速开国会。同年7月，杨度又改组成立旨在“预备宪政进行之方法，以期宪政之进行”的宪政讲习会。杨度还提出，要以“设立民选议院”为立宪运动的中心目标。[1]杨度的立宪思想对湖南民众产生了很大影响。10月，熊范舆等人联名上书，敦请朝廷设立民选议院。12月，杨度联络谭延闿、龙绂瑞、廖名缙等人在长沙发起成立湖南宪政公会作为对清廷“预备立宪”的积极响应。该公会的成立也就标志着湘省立宪派的正式形成，湘省立宪派主要包括绅商、拥有实

① 田伏隆.湖南近150年史事日志（1840—1990）［M］.北京：中国文史出版社，1993：50.

业的上层民族资本家、新型知识分子群体以及少数资产阶级革命党人。这是近代湘省社会急剧转型的特定时期出现的一个政治派别，主要代表着民族资产阶级的利益。省城士绅谭延闿（1880—1930），因其显赫的家庭背景、炫目的科甲光环及待人处世的圆滑周详、与湖南上层官绅和商界人士的广泛交往，成为湖南立宪派的领袖。

湖南立宪派形成后，立即对全国范围内立宪运动的发展产生了积极的重要影响。1907年12月，雷光宇等人代表湖南人民向清廷递交了由杨度起草的《湖南全体人民民选议院请愿书》。湖南立宪派谭延闿、刘人熙、龙璋等100多人在长沙联名呈递都察院代奏该请愿书，恳请清廷速开民选议院，召开国会。该请愿书递呈之后，震动朝野。但是，都察院却将请愿书扣押未呈。于是，湖南绅、商、学界代表于1908年春、夏两季先后两次派萧鹤祥、胡挹琪及陆鸿第、仇毅等人为请愿代表赴京，催促都察院将请求开国会的请愿书呈送御览，从而揭开了全国请愿活动的序幕。在湖南立宪派的影响下，河南、江苏、安徽等地的立宪派亦纷纷派出请愿代表赴京，把请速开国会的请愿书递送都察院。此后，立宪即成为人们普遍关注的问题，请开国会的函电交驰至京，立宪运动在全国范围内迅速开展起来。

在全国立宪运动的冲击下，清政府不得不于1908年7月批准颁布各省《谘议局章程》及《议员选举章程》。自此以后，湖南及各省立宪派暂时将请开国会的事搁置下来，都积极着手各省谘议局的筹建工作。经过一段时间的积极筹备，1909年10月，湖南省谘议局在长沙成立。此后，湘省立宪派即以谘议局为中心，更为积极地开展各种立宪活动，并在湘省的护矿、保路运动，抵制美货运动，辛亥革命等一系列的重大运动中扮演了重要的角色，发挥了重大作用。但是，谘议局并不是清政府认可的立法机构，清廷并未赋予各省谘议局相应的法定权力，它只是当时清政府提出的“预备立宪”的过渡形式，是一种议事机构，它的议案生效与否，丝毫没有法律保障，地方督抚可以不同意或不执行谘议局通过的任何决议；即将成立的资政院，其性质和作用，也与谘议局相类似，权力极为有限，而清王朝对它的控制则更为严密，两者与立宪派本来的愿望和要求相差甚远，根本无法满足立宪派的需求。而且在谘议局成立之前，1908 年 8 月 27 日，清政府颁布了《钦定宪法大纲》，从头到尾都是保障君主绝对集权专制主义的条文，又规定“预备立宪”以九年为期，立宪派对此亦大为不满。而谘议局成立之后，又毫无保障，致使立宪派对清廷的这些举措大失所望。因此，在沉寂了一年多之后，从 1909 年底起，至 1910 年底止，立宪派又掀起了三次大规模的国会请愿运动。

1909 年底，湖南立宪派在省谘议局决议，派遣罗杰、刘善渥为代表赴上海与各省代表会商请愿大计。起程时，徐特立断指血书“请开国会，断指送行”八字为代表送行。此后，湘省立宪派积极参加各省立宪派代表在 1910 年 1 月 16 日、6 月 16 日在北京的联合请愿行动，而且在其中起了重要作用。这两次的请愿均被清廷拒绝，而且湘省谘议局议长谭延闿亦被清廷以逾越权限、不安本分为名而予以严行申饬。10 月 8 日，各省立宪派代表又发动了第三次请愿行动，改向资政院投书。参加第三次请愿的湖南代表易宗夔、罗杰在资政院召开的大会上对于国会请愿运动慷慨陈词，态度非常强硬，措辞异常激烈。易宗夔指出：“根本上的问题，就是速开国会。当此存亡危急之秋，惟国会可以救亡。现在各省谘议局联合会陈请速开国会，这是本院根本问题，应当先解决的。请议长改定议事日表，请议速开国会事件。”罗杰亦疾呼：“国会速开一事，为我国存亡问题。何以言之？外患日迫，非国会担负财政，扩张国防，不足以抵制；内政腐败，非国会与责任内阁对待，不足以促其负责任。”并要求资政院全体通过速开国会案，否则其他各议案均不能决，资政院议长应从速上奏，请摄政王允诺速开国会。在他们的努力下，资政院通过了《陈请速开国会具奏案》，请求于 1911 年召开国会。清廷迫于形势的压力，允许缩短立宪预备期，将九年改为五年，定于 1911 年成立责任内阁，1913 年召开国会；在国会未召集以前，先厘定官制，设立内阁。国会请愿运动是清末立宪运动的主要形式，是由资产阶级独立发动的一场政治运动，其根本目的是为资产阶级争取参政权，在这一斗争中，云集长沙的湖南立宪派是积极参与而又坚持到最后的。

1911 年 5 月 8 日，清廷组织的内阁正式出笼，结果十三名内阁成员中，满族有九人，皇族占了七人，十足的“皇族内阁”。立宪派再次大失所望，决定提前赴京举行谘议局联合会第二次会议。于是一个以要求撤销皇族内阁为主题的请愿运动迅速兴起，5 月中旬，谭延闿、周煦埏从长沙火速赶到北京。谭延闿随即被各省谘议局议长推举为大会执行主席。6 月 10 日，由谭延闿主持的各省谘议局联合会向都察院呈递了《亲贵不宜充内阁总理，请实行内阁官制章程，另简大员组织》一折，请求代奏，然而了无结果。谭延闿等人仍不死心，又再次上书，重申“君主不担负责任，皇族不组织内阁，为君主立宪国唯一之原则”。这次不仅毫无结果，反而招来一道措辞严厉的上谕。立宪派闻听，情绪激愤，谭延闿等人立即以各省谘议局联合会名义发表一份《宣告全国书》，揭露王公贵族们的行径是“名为内阁，实为军机，名为立宪，实为专制”。接着，他们又发出一份《通告各团体书》，分别对上谕逐条进行辩驳，指责其避重就轻，答非所问，牛头不对马嘴，并且郑重声明，定于 9 月间再聚北京续行请愿。①

立宪派与清廷之间关于立宪问题的矛盾，主要在于两者对于立宪的目的和宗旨有着很大的差异，这也就决定了两者在立宪模式选择上的不同。清政府推行立宪是为了挽救日益严重的社会统

① 梁小进，杨锡贵．长沙历史风云［M］．长沙：湖南文艺出版社，1997：194—195.

治危机和岌岌可危的统治地位，是为了自救，加强中央集权，巩固和扩大皇族权力；而立宪派推行立宪的目的在于限制君权和皇族权力，实现和扩大资产阶级的政治参与权，维护资产阶级的利益，他们希望采用英国式的议会制君主立宪制，主张议会有独立的立法权和修改宪法、议决法律等权力，其最重要的职务在于代表民意、监督政府，君主只是国家名义上的元首，不应掌握具体的实际权力。清廷和立宪派的立宪之争，其实亦是权力之争，是以何者在国家权力运行中居于主导地位之争，两者根本利益诉求的不同，也就决定了两者不可能妥协，也就决定了立宪运动失败的结局和清政府最终灭亡的命运。

但是，在辛亥革命之前，立宪派始终没有放弃依靠清政府坚持改良主义道路的努力，他们为了扩大自身的实力和社会影响，相继组织了宪友会、宪政实进会和辛亥俱乐部等政治团体，为日后竞选国会议席，参与政府权力的分配作准备。湘省立宪派由于饱受清政府的愚弄和欺骗，对清廷的信赖和眷顾之情日趋淡化，并逐渐意识到“欲救中国，舍革命无他法”。随着社会局势的变化，湘省立宪派最终实现了他们向革命的转变，实现了与资产阶级革命派的合流。

（二）谘议局及省议会的建立

19 世纪末 20 世纪初，经过维新派的首倡，立宪派、革命派的大力鼓吹和宣扬，在广大留日湘籍学生、开明士绅和地方官员的共同吁请和支持下，地方自治思潮在三湘大地广为传播，产生了很大的影响。湘籍士绅、开明官员以及新型知识分子不仅大力倡导地方自治思想，而且亦积极地将地方自治思想付诸实践，从而推动了近代湖南地方自治运动的兴起和发展。

1906 年，随着清廷“预备仿行宪政”诏令的颁布，国内外资产阶级立宪派所发动的大规模的立宪运动在全国范围内迅速开展起来，立宪、速开国会成为立宪派积极追求的目标。在朝野上下一致的大力吁请下，清政府不得不于1907年9月颁布上谕，决定先在中央设立资政院，“以立议院基础”。10月15日，又颁布上谕，令各省督抚在各省“速设立谘议局”，以为“采取舆论之所，并为资政院预备议员之阶”。1908年7月，清政府又颁布《谘议局章程》及《议员选举章程》，“即着各督抚迅速举办，实力奉行，自奉到章程之日起，限一年内一律办齐”。根据《章程》，谘议局为“采取舆论之地，以指陈通省利病，筹划地方自治为宗旨”，具有议决本省应兴应革事件、预算、决算、税法、公债、税役增加、单行章程修改、权利存废、选举资政院议员、申复资政院及督抚咨询等方面的职权。谘议局的设立，是中国数千年来的一大创举，是资产阶级和社会民众政治参与意识日益增强的结果，在很大程度上奠定了中国近代地方议会的基础。

清廷上谕颁布之后，1908年12月，湖南巡抚岑春蓂在长沙设立谘议局筹办处，派布政使庄赓良、按察使陆钟琦、学政吴庆坻为总办，谭延闿、王先谦、朱延熙等人为会办，分别负责筹办谘议局一切事宜。接着又在长沙设立选举调查研究所协助筹办处工作，研究调查选举之法，由立宪派人士黄忠浩主持。各厅、州、府、县则设立选举调查事务所，具体掌握选举调查事宜。根据谘议局《议员选举章程》规定，各省谘议局议员人数“以各该省学额总数百分之五为准”；选举方法为复选制，初选以厅、州、府、县为单位，复选以府、直隶厅州为单位，初选额为复选额的十倍，湖南以取进学额为准，应举议员82名。经过一段时间的准备，1909年6月18日，湖南各地选举投票工作正式进行，参加投票的选民共计100487名，其中长沙地区选民有37727人，分配议员额数为30人，另选1人为候补议员，实际选举议员人数为31人。在初选基础上，又于8月6日举行了复选投票，选出正式议员82人。

10月初，各地议员陆续到达长沙。8日，在长沙召开省谘议局预备会议，选举谭延闿为议长，冯锡仁、曾熙为副议长。1909年10月14日，省谘议局第一届会议在长沙府学宫明伦堂开幕，会议选举李永翰、钟才宏、谢宗海、李执中等16人为常驻议员，易宗夔、周广询、罗亮杰等8人为候补常驻议员，陈炳焕为常驻正委员长，刘润珩为副委员长，选举罗杰为审议长，冯锡仁、罗杰、易宗夔、汤鲁璠、唐右桢5人为资政院议员，并讨论了全省有关铁路、文化、教育、政治、实业以及外交等问题的议案，直到12月2日才闭幕。

湖南谘议局通过常年会和临时会议开展议政活动。议长“总理全局事务，副议长协理全局事务”，议长有维持秩序、整理议事和对外为议会代表的职权，还可以为会议主席，任命会议秘书及对某项议案在赞成、反对人数相同时的决定权；谘议局办事处“经理局中文牍、会计及一切庶务，由议长、副议长监理”，办事处设书记长1人，书记4人。谘议局常年会每年1次，会期40天，若有必要延长会期，最多不得超过10天，议员须半数以上到会方能开议。在组织程序方面，湖南谘议局没有设立分理各项议案的专门委员会，但是对于每一件议案，都指派专人负责审议，在集中讨论时开议、根据情况自由发言。议案经谘议局大会表决通过后，呈请巡抚颁布实施；若巡抚有异议，可要求谘议局复议，若谘议局仍坚持原议，巡抚须将议案呈请资政院审议。在议员的组成方面，湖南谘议局第一次常年会选举82名议员，其中76人拥有功名，占议员总数的92.7%，包括进士6人，举人13人，贡生30人，生员27人，其中有6人既有功名，又有留学日本的经历，没有功名的仅6人，正、副议长都是进士出身。

湘省谘议局第一次常年会，历时50天。会议期间，首先审议抚院提交议案20件，通过18件，合并1件，否决1件；讨论议员自提议案39件，1件被否决，1件撤回，7件未提议，5件被合并，25件被通过，其中原案通过的11件，并入抚院交议案通过的4件。

由于议员们经验不足，事先又未经过周密的磋商，致使所提议案有 18 件因为相近或重复而合并；审议人民陈请建议 12 件，谘议局认为有效并呈报抚院的 2 件，无效的 8 件，缓决的 2 件。出席本届年会的议员实到 78 人，有 29 人参与提案工作，议员提出的 39 件议案，包括了经济方面 17 件、政治方面 11 件、教育方面 4 件、军事方面 3 件、社会风俗方面 2 件、交涉方面 1 件、交通方面 1 件。议员关注的范围比较广泛，其中地方政治权利和地方兴革事务是议员关注的重点。抚院所提议的 20 件议案，亦多关注地方政治、经济和社会改良等方面的事务，大多都获得通过。从总体上来看，本届年会的议案都把发展湖南经济，增加财政收入，切实解决人民所关心的社会问题作为重点议题。这符合当时湖南的实际情况，体现了地方议会讨论和决定地方大政的基本特征，贯彻了决策民主化的基本原则。1910 年，省城爆发了大规模的抢米风潮，省谘议局第二届常年会针对这一特殊事件，着重讨论了筹款救荒、解决财源、复兴工业、设简易工艺所、以工代赈等甚为紧急的社会问题。

但是，谘议局并非立法机构，而只是当时所谓“预备立宪”的过渡形式的议事局，它的议案生效与否，丝毫没有法律保障，其本身的权力极为有限。但是湘省谘议局成立之后，议员们毫不顾忌清廷对于谘议局的定位及对其职权范围的划分和限制，将其作为“立法机关”，强调谘议局应发挥地方议会的作用。因此，湖南谘议局积极为资产阶级争权益，表达资产阶级的利益诉求，抵制政府当局的反动措施。1910 年，在谘议局第二届常年会上，谘议局也重点审议了财政问题，提出要划定中央与地方在税收方面的权限和比例，打破税收统归中央的传统，并议决通过了《划分国家税地方税》的呈文，明确提出属于国家的税收为地丁、漕粮、关税、契税、印花税、烟酒税及杂税，属于地方者为牙税、当税、厘金，官业收入盐课、茶课两者均分，中央取三分之一，地方取

湖南省议会大楼旧址

三分之二，并直截了当地指出“地方税之必多于国家税”[1]。湖南谘议局向中央争取财源，体现了一种强烈的参政意识。

1910 年 10 月 22 日，长沙光复，湖南宣告独立，谘议局随之转向革命，宣布解散，另组临时省议会。该会作为省议会的过渡性机构，为省议会的召开作了准备。1913 年 3 月 15 日，湖南省议会在长沙正式成立，欧阳振声为议长，王上仁、苏鹏为副议长。同谘议局相比，省议会组织有所扩大，议员由 82 人增加至 108 人，并由省议会推举 10 人为国会参议院代表，推举 27 人为国会众议院代表。与谘议局相比，省议会在诸多方面都有着明显的进步：对选民的资格有所放宽，以年龄而言，选民从 25 岁降为 21 岁；不动产方面，由 5000 元降为 500 元；教育程度方面，由中学毕业降为小学毕业；选民人数大为增加，共得合格选民 227 万人，比谘议局时期提高了 22 倍有余，占到湘省人口总数的 9.45%，这就扩大了议会的政治基础，提高了民众的政治参与程度。全省划分为 5 个选区，长沙地区为第一选区。在省议会及国会两院的选举中，

① 张朋园.湖南现代化的早期进展（1860—1916）[M].长沙：岳麓书社，2002：157.

国民党人以绝对的优势获得了胜利，在省议会 108 个席位中，国民党获得 90 席，共和党仅获得 18 席，国民党党首宋教仁更是以百分之百的高票当选为参议员。

省议会的政治地位和权力得到进一步的提高和扩大，具有与行政长官同等的地位。按照规定，省议会可对本省行政长官的违法事件进行弹劾，对本省行政官吏的违法纳贿行为咨请省行政长官查办；若对本省行政事务有疑义时，可提出质问，行政长官须于限期内答复；省议会议决的议案，省行政长官须在十日内公布，若有异议，须声明理由，咨由复议，若出席会议议员三分之二以上多数仍持原议，议案仍然有效。省议会审议的议案大多重点关注于与资本主义工商业发展利害攸关的重大问题，如保护路权、矿权、税收及交通业的发展等方面。湘省省议会处于国民党控制之下，在抨击专制、守旧复辟、宣传民主共和方面不遗余力，毫不顾忌。1913 年初，省议会开始了反对袁世凯的斗争，发布通电反对袁世凯的善后大借款。“二次革命”爆发之后，湖南省议会又发表通电，宣布湖南独立，呼吁不承认袁世凯政府，还通电吁请取消国会参、众两院，态度相当强硬。但是，在“二次革命”失败之际，省议会又与总商会联名致电袁世凯政府，谓湘省宣布独立“系为保持现状，消弭内讧”，这一说辞，自不为袁世凯所接受。1913 年 8 月，袁世凯饬令谭延闿将省议会即行解散。从成立到解散，省议会存在时间不过三个月而已。自 1913 年 10 月至 1916 年 7 月汤芗铭督湘期间，省议会不复存在，汤芗铭兵败逃离湘省之后，省议会才得以逐渐恢复。

近代以来，湘省地方自治运动的发展经历了一个曲折的历程，自南学会、谘议局到省议会，勾勒出湘省以议会宪政为主线的地方自治发展的脉络，亦体现出近代以来湘省民众社会政治参与意识的逐步增强。如果说南学会只是自治的萌芽，谘议局粗具议会之特性，那么省议会即是完全意义上的资产阶级性质的立法机关，是湘省地方自治运动发展到成熟阶段的产物，对近代中国议会政治的发展具有里程碑式的重要意义。

（三）“湘人自治”与制宪运动

1920年初，中国出现风靡一时的联省自治运动，而且发展成为紧接五四运动后规模最大的带有一定群众性的政治运动。清末民初的地方自治运动在袁世凯倒行逆施之时名存实亡。袁世凯死后，段祺瑞上台，提出武力统一全国，遭到孙中山为首的民主派和西南各省地方军阀的反对，形成南北对峙。至1920年，北方自直皖战争、南方自粤桂战争后，两方都失去统一中国的较为强大的政治力量，不仅南北不能统一，南方北方各自的内部也不能统一。在此形势下，联省自治运动思潮再次出现。

联省自治运动的基本主张是，先由各省自制省宪法，依法自组政府，实行省自治，然后在此基础上，互派代表开联省会议，制定联省宪法，组织中央政府，完成国家统一。此种主张反映了资产阶级要求国家和平统一、民主参政、顺利发展资本主义经济的愿望，无疑具有进步意义，但寄望于通过封建军阀来实现和平与宪政，却是一种幻想。联省自治运动思潮的一再出现，说明自辛亥革命以来资产阶级民主政治的影响已经深入一部分人的心，两次帝制复辟的失败，证明民主政治的潮流已成不可逆转之势。于是，一些地方军阀接过“联省自治”的口号，高唱民治、和平、统一的曲调，以达到他们实行割据的目的。在此潮流中，湖南最早揭起“联省自治”的旗帜，成为全国联省自治运动的先驱。

1920年谭延闿再次入湘主政，蹂躏湖南两年多的直、皖、奉、鲁等各系北洋军阀和黔、桂等省西南军队全部退出湖南，多少年来湖南的土地上第一次没有客军；而直皖战争已正式爆发，南方粤桂战争亦已成一触即发之势，在这一段时间内南北双方均自顾不暇，不可能对湖南进行武力干涉。人们认为这是实行湖南自治千载难逢的大好时机，全体湖南人几乎都有这个倾向。在这一背景下，青年毛泽东也极力倡导“湘人自治”。3 月，旅沪湘人彭璜等发起成立湖南改造促成会，毛泽东在其起草的《湖南改造促成会复曾毅书》中公开主张“湘人自决主义”，认为与此相敌对的一切势力，应一律退出湖南，使“湖南人得从容发展其本性，创造其文明”。此后，以中小资产阶级及知识分子为主体的各阶层民众，推动着这一反对封建军阀统治的民主运动迅速发展。

打着“湘人救湘”“湘人治湘”招牌进入长沙的谭延闿利用这股思潮，于 1920 年 7 月 22 日代表湖南当局发表通电，鼓吹自治，“爰本湘民公意，决定参合国会讨论之地方制度，采用民选省长及参事制，分别制定暂行条例，公布实行”。通电发出，长沙报纸上关于自治运动的文章每天少则一两篇，多则三四篇。许多旅居外地的湘籍人士，亦十分关心湖南自治。资产阶级提出“职业自治”的口号，要求自治要“充分的应用职业主义的原理”，“充分予职业团体参与政务的机会”；有的更进一步主张“职业的全民政治”，认为这既可免除代议制政治中代非所代的流弊，又可扑灭以官为生的政客阶层。在经济上，他们希望采取“废除繁苛之税”“裁并关卡”等措施，来发展湖南资本主义经济。[①] 因此，他们关心和追求的主要目标是制定一部民主宪法。学界、新闻界、律师界等自由职业者，不满当时中国的政治制度，向往西方的民主自由、议会制度及直接选举和普遍选举的参政原则，主张把西方的政治制度首先移植到湖南来，并认为湖南自治当务之急是制定省宪法。以毛泽东为首的新民学会会员，主张“湖南的事，应由全体湖南人民自决之”，反对那种少数人做治者，把一般平民当被治者的自治主义；认为政治并不是“一个特殊阶级的事”，也不是“脑子头

① 谭仲池，薛其林．长沙通史：现代卷［M］．长沙：湖南教育出版社，2013：79.

装了政治学法律学身亡穿了长褂子一类人的专门职业”，而是“大多数人的事”。[1]至于制定自治法，新民学会成员主张不分职业、贫富、性别，农民、工人、商人、学生、教员、兵士、警察、乞丐，均有发言权，并且应该发言，也“一定能够发言”。他们对自治法并不十分关心，而是强调要造成“湖南自治的事实”。这是一个比较彻底的“民治”主张，不只是一般资产阶级的民主，而是全体人民的民主，这在某种程度上已经带有一些新民主主义思想的色彩。

上述三部分人，虽然对自治的具体内容各有强调，但都主张“民治”，反对武人独裁，而谭延闿提出“湘人治湘”，其目的在于对付北洋军阀的武力统一政策和异己势力的入侵，以便巩固他“官治”。

实行湖南自治如何着手，各界的一致意见是首先制定省宪法。而谁能掌握制宪权，宪法就将体现谁的意志与利益。于是民治与官治的斗争即围绕争夺制宪权而开展。谭延闿先发制人，于1920年9月13日召集官绅开“自治会议”，决定由省政府10人、省议会（任期已满，已过时效）11人起草湖南自治法。各界对此强烈不满，纷纷声明不承认此次会议的效力。谭延闿变换手法，改将制宪权完全让与省议会。省议会也以民意机关自居，组织自治研究会。23日，谭延闿决定由省议会首定一个宪法会议组织法，以便据此召开制宪会议。主张民治的各派，为了不让省议会包办制宪，出现了一种联合的趋势。经毛泽东、龙兼公、彭璜等学界、新闻界人士多方联络，各法团各阶层人民共同提出“公民制宪”，与“官绅制宪”相对抗。10月5日、6日，湖南《大公报》连载龙兼公、杨绩荪、匡互生、朱剑凡、罗教铎、毛泽东、何叔衡、彭璜等377人提出的《由“湖南革命政府”召集“湖南人民宪法会议”

① 王子今.青年毛泽东的自由意识[J].中共中央党校学报，2007（6）：100.

制定“湖南宪法”以建设“新湖南”之建议》。[①]10日，万人举行游行示威，要求政府立即召开人民制宪会议，以实现真正的自治。12日，谭延闿邀集各校校长，各报馆经理，教育、农、工、商各会会长及“建议案”的代表开会，会议决定由各法团共同起草《湖南宪法会议组织法》。但会后谭延闿又利用自己控制的自治期成会及湘西善后协会等团体反对12日决议，坚持由省议会起草组织法。22日，湖南学生联合会组织游行，坚持要由政府召集各法团会议制定组织法。11月，长沙各界联合发出通告，反对谭延闿利用省议会包办制宪。至此，制宪问题出现僵局。

在制宪运动出现僵局之时，湘军也出现内讧，最终谭延闿被迫辞职，赵恒惕成为湘军总司令。此时南方、北方均已结束战争。北方直奉两系击败皖系后共同控制北京政府，实力暂时达到平衡。南方桂系惨败，宣布取消两广自主，解散军政府，听候中央处理。北京政府下达统一命令，准备趁机统一南北。在此情况下，赵恒惕急需一部省宪法作为自治的招牌，以应付环境。

1921年1月25日，赵恒惕取消省政府组织的“制宪筹备处”，成立“省自治根本法筹备处”。省自治根本法筹备处随即拟订了制宪计划，将制宪分为起草、审查、公决三阶段进行，即组织省宪法规定起草委员会，草拟宪法。1921年3月20日，省宪法规定起草委员会会议在工业专科学校教学斋举行开幕式，宣布从即日开始起草省宪。在宪法起草期间，委员们就人民的基本权利、省政府省议会的组织及职权、下级地方自治的推行等一一进行详尽讨论，到4月20日，共起草完毕文件6份，即《湖南省宪法草案》《湖南省省议会组织法草案》《湖南省省议会议员选举法草案》《湖南省省长选举法草案》《湖南省法院编制法草案》《湖南省县议会议员选举法草案》。4月22日，各县议会推举的155名审查员

① 中共中央文献研究室，中共湖南省委《毛泽东早期文稿》编辑组．毛泽东早期文稿［M］．长沙：湖南出版社，1995：148.

1921 年湖南省宪法审查会会场

组成湖南省宪法审查会，开始审查这 6 份文件。审毕后这些文件公诸全省人民，由人民投票，如获通过，则宪法成立。1921 年 12 月 1 日至 11 日，举行全省公民总投票，票上标明“可决”与“否决”两个选项,结果“可”字票 18158875 张,“否”字票 575230 张，《湖南省宪法》以绝大多数赞成票获得通过。这是湖南省历史上第一次，也是唯一的一次“全民公决”。

省宪法的实施从选举省议员、改选省议会开始。1922 年 1 月 7 日，竞选活动展开。3 月 30 日选举结束，最终全省 75 个县选出议员 163 人。5 月 1 日，湖南第一届省议会自行集会，选举林支宇为议长，孔昭绶、雷震寰为副议长。第二项工作是选举省长。1922 年 8 月 20 日，省议会预选省长。在三天预选中，赵恒惕得 133 票，熊希龄得 115 票，李汉丞得 89 票，谭延闿得 87 票，田应诏得 76 票，彭允彝得 65 票，宋鹤庚得 80 票，都取得候选人资格。然后交由全省县议员投票表决，以得票最多者当选省长。湖南全省共有县议员 2761 人，9 月 10 日选举，出席投票者 2593 人，赵恒惕得赞成票 1581 张，当选省长。

1922 年 1 月 1 日，赵恒惕正式公布《湖南省宪法》。公布之日，赵恒惕命人以黄纸书写宪法全文，张贴在一个特制的亭子中，由军警开道，用八人大轿抬着游行于市街。还开放各个衙署，任人参观，“以示民主之意”。长沙造币厂赶制“湖南省宪成立纪念”银币、铜币，以资纪念。1922 年 12 月 28 日，赵恒惕正式向省议会“誓以至诚，遵守宪法，执行省长之职权”，就任由《湖南省宪法》所产生的中国首位“民选省长”，并组成了第一个行宪政府。

《湖南省宪法》在当时的历史条件下，赋予公民广泛的自由权利，把选举权、被选举权普及全省男女，对省长权力加以约束，是有进步意义的。它借鉴了西方资本主义国家宪法的民主内容，表达了民族资产阶级和人民群众反对军阀专制，争取民主自由的迫切要求。《湖南省宪法》是当时全国“联省自治”运动中唯一的一部比较正式的宪法，为其他各省制定宪法提供了蓝本。当时，全国不少省份受湖南的影响，也以制定省宪法相号召，所采取的制宪程序和宪法草案内容，有许多与湖南近似，只是都未能见诸实行。

赵恒惕制定《省宪法》，推行省自治，实际上是实行地方割据，为南北统一派所深忌。高唱“武力统一”的吴佩孚借 1923 年援赵（恒惕）败谭（延闿）之机，要挟赵恒惕废除《省宪法》，取消自治。双方僵持数月，最终决定仍维持湖南自治局面，但须对《省宪法》加以修改。1924 年 10 月 10 日，宪法会议开幕，历时 40 天完成修改工作，于次年 5 月 13 日公布《修正湖南省宪法》。修正的《省宪法》削弱了省的“自治”地位，将虚位省长制改为省长独裁制，并削减了人民行使民主权利的机会。至此，湖南自治运动终以军阀取得决定性胜利而告终，资产阶级联省自治救国方案在湖南的实践宣告失败。

三、新文化运动中的移风易俗浪潮

新文化运动以 1915 年陈独秀主编《新青年》杂志的创刊为标

志，1919 年因抗议“巴黎和会”而引发的五四运动又把新文化运动推向高潮，近代产生的“民权”口号被“民主与科学”的口号所取代。新文化运动提倡新道德、反对旧道德，提倡民主、反对独裁，提倡科学、反对迷信，提倡新文学、反对旧文学，这本身就是一场移风易俗的运动。

（一）新文化运动时期的移风易俗思潮

20 世纪 20 年代初，“民主共和”和“地方自治”均遭到失败，中国的先进分子陷入苦闷彷徨之中。他们在思考：中国的出路究竟在哪里？怎样才能拯救中华民族于危难之中？怎样才能使老百姓享受民主与自由？怎样才能改善广大人民群众的生活？这一时期，新思想加速传播，省城长沙各种学会纷纷成立，新文化刊物不断创办与发行，社会风俗逐渐改观。中外文化名流梁启超、蔡元培、吴稚晖、杨端六、杜威、罗素等先后来长沙讲学。新式教育理念、教育思潮传播速度也加快了。

新文化运动高举“民主”“科学”两面旗帜，一时间，文化领域的哲学革命、文学革命、史学革命、宗教革命和白话文运动风起云涌；男女平等，婚姻自由，女子放足，现代服饰，反对封建“贞操观”“节烈观”等社会风俗革新运动，如狂风巨浪，横扫社会的每个角落，冲刷着封建习俗的种种污泥浊水。恩格斯曾经指出：“妇女解放的程度是衡量社会进步的天然尺度。”中国的这场旷日持久的社会风俗变革运动，就内容而言，主要是围绕妇女解放这个中心展开的。湖南在这场社会风俗革新运动中的影响和作用是十分突出的。1919 年 11 月，长沙女青年赵五贞因反抗包办婚姻而自杀；1920 年春，长沙女青年李欣淑因反对包办婚姻毅然出走。这两大事件的相继发生以及围绕此事件展开的波及全国的关于婚姻自由的大讨论，表现尤其典型，影响尤其突出，对推动全国妇女解放和革新社会风俗具有巨大的作用。

封建专制主义的理论基础和精神支柱是孔子之道，孔学的特点之一是宣扬命定论和封建道德。青年毛泽东在他主编的《湘江评论》上称孔子是“思想上的强权”，“独霸中国，使我们思想界不能自由，郁郁做二千年偶像的奴隶”，“不可不竭力打破”。长沙周南女学的创始人朱剑凡指出，孔子说的“获罪于天无所祷也”，集中体现了凡事皆有命定的观点，它使“我国人意志不能自由，全然为命运所支配”，人们应该摆脱这种“最可恐怖的人生观念”，“我们在世界上生活一日，应该努力去造生命与幸福”。①

新文化运动时期的移风易俗思潮比以往更深刻更有针对性，人们常常抓住某种流毒深远的观点、某个影响广泛的事件、某种发人深省的现象，加以剖析、批判，挖掘其根源，同时宣传新的主张。如，针对当时政府和社会舆论“表彰节烈”的鼓噪，新文化运动的倡导者们喊出了反对封建贞操观、节烈观的时代强音。针对当时社会流行的“祀天、信鬼、修仙、扶乩”等迷信活动，新文化运动的倡导者们请来了“赛先生”，用科学做武器，有力地抨击有神论和有鬼论。陈独秀发表《有鬼质疑》,《新青年》登载《论迷信鬼神》《辟“灵学”》等文章，以说理的方法解释鬼神迷信产生的原因，用自然科学知识论证鬼神并不存在的道理，用扶乩者作弊露马脚的事实揭露扶乩的欺骗性。这些文章用普及科学知识来破除迷信，通过破除迷信的宣传来普及科学知识。

当时人们对旧道德、旧礼俗的批判集中在封建伦理的忠、孝、节三个观念上，陈独秀对此作了说明：“中国的礼教（祭祀教孝，男女防闲，是礼教的大精神）、纲常、风俗、政治、法律，都是从这三样道德演绎出来的；中国人的虚伪（丧礼最甚）、利己，缺乏公共心、平等观，就是这三样旧道德助长成功的；中国人分裂的

① 朱剑凡.我国人生的观念与死的观念之根本误谬［N］.湖南大公报，1919-6-24.

生活（男女最甚），偏枯的现象（君对于臣的绝对权，政府官吏对于人民的绝对权，父母对于子女的绝对权，夫对于妻、男对于女的绝对权，主人对于奴婢的绝对权），一方无理压制一方盲目服从的社会，也都是这三样道德教训出来的；中国历史上、现社会上种种悲惨不安的状态，也都是这三样道德在那里作怪。”[①] 这段话对各种旧礼俗与忠、孝、节旧道德的关系作了深刻的分析，可谓击中要害。当时先进的人们在批判旧道德、旧礼俗的同时，大多提出了自己关于树立新道德、新风尚的主张。陈独秀认识到西洋的旧道德观念与中国的旧道德同样的不彻底，便主张一种“公有、互助、富于同情心、利他心的新道德”，能够“彻底发达人类本能上光明方面，彻底消灭本能上黑暗方面，来救济全社会悲惨不安的状态”。[②]“五四”以后，陈独秀终于觉悟到了“我们所讲的伦理，不是牺牲弱者以助强者，就是帮助弱者抵抗强者。后者就是社会主义”[③]。从此，批判“男尊女卑”“男女大防”“三从四德”等旧观念、旧风尚的先进女性，提出了女子有选举权与被选举权、女子教育应与男子平等、女子职业须与男子同视、女子有婚姻自主权、女子有财产继承权等要求。这种大破大立的主张，使新文化运动时期移风易俗思潮比清末显得既更激进，又不乏理性，而且突破了以往仅以西方礼俗作参照的眼光，流露出对大同世界新道德、新风尚朦胧的向往。

1919 年 6 月 15 日，湖南省教育会会长陈润霖邀集省会各校教职员徐特立、汤松、杨树达、朱剑凡、向绍轩、方克刚、何炳麟等约 20 人，发起成立学术性组织健学会，“以输入世界新思潮，共同研究，择要传播为宗旨”“会友公认辩论为发达学术之当然途

① 陈独秀．独秀文存：调和论与旧道德［M］．合肥：安徽人民出版社，1987：565.
② 同① 566.
③ 陈独秀．女子问题与社会主义［M］// 陈独秀文章选编：中．北京：生活·读书·新知三联书店，1984：106.

径”，规定每周星期天聚会，举行学术讲演。健学会会员思想复杂，主张民治主义、杜威教育主义、国家社会主义以及防止过激主义者，一应俱全。但从他们讲演的内容来看，要反对封建主义的文化，则是一致的。社会上对健学会的评论不一，有的甚至求全责备，毛泽东却称这个团体的出现为“空谷的足音，我们正应拍掌欢迎”。

1919 年 7 月以后，湖南除早已刊行的《大公报》外，还涌现了《湘江评论》《救国周刊》《新湖南》《女界钟》《明德周刊》等 10 余种周刊。这些报刊均以研究和宣传新文化为主要内容。它们在新文化运动反对旧道德提倡新道德、反对旧文学提倡新文学的文化革命旗帜下，向着孔子偶像、命运观念、封建婚姻制度以及文言文等封建专制主义的思想文化，展开了前所未有的抨击。

健学会成员张效敏在演说中，批评中国学术界“总是崇拜古人”，至今仍将生活在 2000 多年以前宗法社会时代的孔子，奉为“万世师长”；若有人反驳孔子学说，便被斥为“非圣叛徒”。他反对这种奴隶式的劣根性，主张独立、自由，发挥个性。毛泽东除在他主编的《湘江评论》上批判外，还发表一系列杂评，针对康有为、张元奇（国会议员）等封建卫道士的言论，进行辛辣的讽刺。

对于道德，湖南学界提出“要取消忠、孝、节、烈四个根深蒂固的信条，一件一件地改造起来”①，主张“把各种交互关系，放在公道、平等、自由的基础上，维持、继续起来，使之相调剂而不相冲突，使之交相利而不交相害”②。

争取妇女解放、反对旧道德和“吃人”礼教，成为新文化运动的一个重要课题。当时湖南的一些周刊常载文为妇女诉说不平。《湘江评论》号召组织“女子革命军”，摧毁封建礼教，扫荡破坏妇女“身体、精神的自由的恶魔”。湖南《大公报》等围绕长沙女

① 百杭．我对于忠孝节烈的一个小批评［N］．湖南大公报，1919-12-13，1919-12-14.

② 慎庵．新国民的新道德［N］．湖南大公报，1919-11-13.

青年赵五贞抗议包办婚姻无效后于出嫁途中在花轿内自刎身亡一事，载文揭露和控诉封建礼教的罪恶，从而掀起反对封建婚姻制度的高潮。

反对旧文学，提倡新文学，是五四新文化运动的另一面旗帜。新知识分子认为孔孟之道的陈腐内容与僵硬的文言文相结合，窒息着文学的生命，束缚着人们的思想与学术的发展。《湘江评论》创刊宣言说，文学革命的潮流，是要“由贵族的文学，古典的文学，死形的文学，变为平民的文学，现代的文学，有生命的文学”。当时的文学革命是从反对文言文、提倡白话文开始的。湖南《大公报》讽刺那些“入了文言定”的人士说，他们叠用典故，“总以为他是‘笔底生花’，其实这个花，只可以算得大姐儿鞋上的花，十双百双鞋子，一个样儿上脱下来的”，他们说“黑话”，“总以为他是‘古奥险峻’，其实这些粪渣儿，怎值得嚼了又嚼呢？”他们用僻字古字，“总以为他是‘博古通今’，其实他是个现代人，却要来茹毛饮血，岂不是笑话么”。[①] 因此，提倡白话文的斗士，喊出了“国语的文学万岁”的口号。随后，各国民学校普遍采用白话文的国语教科书，中等以上学校的国文教学也参用一些白话文教材。在内容上，也注意到教育适应社会进步的需要，从而初步地把文学革命的形式与社会进步的内容统一起来。

不过，当时知识界也存在新旧文学之争，这属正常的学术争论。1922 年 6 月，长沙出版过一本名为《湘君》的文艺季刊，主编者是吴芳吉和刘永济。吴芳吉，重庆江津人，曾在上海中国公学任教，1920 年来长沙明德中学任国文教师。刘永济，湖南新宁人，早期在明德中学毕业，后去上海复旦公学学习。1917 年，刘永济应明德校长胡元倓之聘回母校任教。1918 年正是军阀张敬尧统治湖南的时候，胡是孙中山领导下的革命党人，张密谋加害，胡仓

① 衍仁．文言与同善社［N］．湖南大公报，1919-12-23.

皇出走，刘永济将多年积蓄预备出国留学的3000银元全部取出，作为学校开支，表现出一种“公而忘私”的办学精神。吴芳吉来明德任教，是刘以同学关系请来的。1920年前后，正是五四新文学革命的大潮时期，《新青年》《新潮》是当时提倡新文学、反对旧文学，提倡新思想、反对旧思想的号角。但反对之声也非常强烈，刘师培、黄侃主办的《国故》和1922年梅光迪、吴宓等主办的《学衡》，就是反对新文学的异帜。《湘君》是在《学衡》创刊半年后在长沙出刊的。它的宗旨与《学衡》相同，是《学衡》的盟友。《湘君》上发表的文章,多为《学衡》转载。如吴芳吉在《湘君》第一期发表了《吾人眼中的新旧文学观》一文，自称“吾人之于新旧，向来无所偏袒”，并断言“真正之文学乃存立于新旧之外，以新旧之见论文学者非妄即讹也”。而实际上，吴在文中不厌其烦地为旧文学辩解，指责新文学“唯尚感情，不计道理”，“数年以来所谓新文学之作品，不是诱人自杀，便是勉人发狂”。吴还写了《再论》《三论》《四论》陆续在《湘君》发表，且为《学衡》先后转载。刘永济在《湘君》一期发表了《论文学中相反相成之义》，谓文学之模仿与创造这个争执不休的问题，二者既矛盾又不矛盾，他说“万物毕同毕异”“文学中的摹仿与创造也是相反相成的”。1926年刘又发表了《文诣篇》，批评新文学“奉鄙俚为宗风，尊谣谚若经典，视闾巷如庠序，以童蒙作大师，恣其所为，必将变黼黻为草卉，返栋宇于巢穴，其行乖反，盖甚彰著。乃犹自托于进化，责人为逆施，是殆昧上下之向，迷南北方者矣”。

封建势力对新文化运动的抵制则是另一回事。如湖南军阀张敬尧委派专人祀孔，资助修建庙宇，亲自恭行拈香礼，还运用政权力量压制进步活动。旧知识界的封建卫士，或公开打出“保存国粹”的旗帜，或玩弄辞藻为封建道德“忠孝节烈”进行诡辩，或变换手法，用“儿女自行择定，经父母鉴定”来维护封建婚姻制度，用“文言白话参用”来保护文言文，等等。他们都不同程度地遭到先进知识分子的驳斥。

“五四”时期湖南人民反对封建文化的斗争，主要是在市民阶层的知识分子群和青年学生中进行的，尚未普及工农群众中去，没有也不可能摧毁封建文化思想阵地。这一方面是由于民族资产阶级软弱性所决定。另一方面是由于旧的经济基础没有改变，即使是旧的经济基础已经改变，旧的思想文化残余，也将会在一定的时期停留在物质变革的后面。当时反对封建文化所使用的方法，一般还是形式主义的方法，坏就是绝对的坏，好就是绝对的好，有矫枉过正之嫌。尽管如此，“五四”反封建文化的斗争，从多方面冲击着封建专制主义的文化阵地，对促进湖南民众的移风易俗，促进湖南社会风气的开放，起到了鸣锣开道的作用。

（二）围绕“赵五贞抗婚事件”的一场社会大讨论

新文化运动倡导民主与科学，强调个性解放，反对形形色色的封建礼教，其锋芒也曾指向旧的婚姻制度。正当新文化运动深入发展之际，长沙青年女子赵五贞，因拒绝由媒婆撮合、父母包办，许配给富商品古斋少老板为继室的婚事，出嫁时在花轿内以剃刀自杀身亡。

据当时报纸报道，长沙南阳街22岁的赵五贞“曾在某学校毕业，工刺绣，善缝纫”，遵循父母之命，择配吴姓商人为夫，于1919年11月14日举行婚礼。婚礼采用传统形式，新娘乘坐喜轿由吴家的接亲队伍迎娶入门。然而，迎亲队伍“行至青石桥协中孚南货店门首，抬喜轿者忽见新娘轿内滴出鲜血，牵丝不断”。待队伍到达吴家门外，媒人揭开轿帘，“但见新娘仰面而卧，颈项割有刀痕，宽约寸余，血如泉涌，奄奄一息”“随在轿中寻出剃头刀一把，早已鲜血模糊”。后虽经抢救，但新娘还是于当天身亡。湖南《大公报》还披露了事件的“前因”：“赵姓眼镜店之女，曾许配某氏。未嫁夫亡，经佘四娘说合吴姓后，该女累次表示不愿之意。女家在今年七月间要男家的金钏和绸缎衣服六套，就是表示悔婚的意思。赵女又对娘说，前夫托梦，叫我守节，立意不愿再嫁。赵母未注意。女知无可挽回，曾自缢一次，遇救幸免于死。赵家乃正式向吴家悔婚，吴家不肯。又经佘四娘说合，事乃中止。喜期前数日，赵家失去剃头刀一柄，亦未介意。数日以来，赵女忧甚。开容后更换新衣，不肯解裹腿。舆中刎颈之刀，想系早已藏裹腿中矣。"①

事发后，一时舆论大哗，长沙轰动。湖南《大公报》主笔龙兼公撰文称："中国人都不是些聋子瞎子，必定总有一丝半点儿良心，就应该有一个彻底的觉悟，不再去干涉他的儿女婚姻。这个女子还死得值……我们不要辜负她，不要使她白白的送一条性命。"此后，张平子、舒新城、李柏荣、李肖聃、龙伯坚、萧汝霖、彭璜等知名人士，读者天籁、筠园、纬文、不平、苏润波、新曼等人，均就这一事件发表文章。长沙周南女校周刊《女界钟》还出版特刊。

这个事件迅速轰动了长沙，青年毛泽东立即抓住这个事件，让刚刚加入新民学会的周南女校学生李思安等去调查，并于11月16日至28日13天内在湖南《大公报》上连续发表9篇文章，对封建婚姻制度、妇女解放的问题做了一番扎扎实实的分析研究，激励人们奋起反抗黑暗的封建社会。

对父母包办婚姻，湖南新文化分子有和缓与激进两种态度。和缓派主张父母作为子女婚姻的参与者，反对无限制的自由婚姻。而其主要依据在于，"国人多不解自由的'真谛'"，未必都达到自由结婚的程度。这种颇带国情色彩的论调在当时看来，并非空穴来风。其时即有论者看到社会有一帮"无聊——没有修养的——人"打着自由、解放的旗号来满足"他的——非人生的——欲望"，并

① 剩闻．新娘自刎案前因后果［N］．湖南大公报，1919-11-16.

为此慨叹“解放世间许多人假汝以为罪恶”。或许有见及此，和缓派表示反对“极端”“急切”的婚制改造，而实行“折中”的办法，其具体对策为：(1）改定结婚的年龄；(2）儿女自行择合经父兄鉴定；(3）由父母择合经儿女的许可。激进的毛泽东却对和缓派的主张不以为然，批评他们的议论“对于父母干涉子女婚姻一点，尚多徘徊两可之谈，未明绝对难侵之理”。他强调，“子女的婚姻，父母绝对不能干涉。在子女方面，对于父母干涉自己的婚姻，应为绝对的拒绝”，只有如此，“资本主义的婚姻才可废止，恋爱中心主义的婚姻才可成立，真正得到恋爱幸福的夫妇才可出现”。

这场讨论涉及的范围很广，其中有关赵女士自杀的主要有两个方面。首先是造成赵女士自杀的原因。当时大多数评论文章都是就事论事地把原因简单地归结于母家或夫家，认为赵的自杀是“社会的铁网造成的”。赵的父母和媒婆“都应受刑事的制裁”。毛泽东也说“天下类于赵女士父母的父母都要入狱”，但他更认为“究竟母家和夫家都含在社会里面”“罪恶的来源仍在社会”“这件事的背后，是婚姻制度的腐败，社会制度的黑暗，意想的不能独立，恋爱不能自由”。其次是对赵女士自杀行为的看法。一种意见是赞同自杀，如苏润波、新曼认为“赵女士是个不为环境所屈的铁汉，同时是个完成自己意志的自动的牺牲者”，赵的自杀，“分明是一件最快心的最可喜的事”。一种意见认为赵的自杀是软弱的消极的行为，万万不可提倡，而应提倡积极奋斗，可以以离家出走等方式来反抗。毛泽东“排斥自杀”，“主张与社会奋斗，争回所失的希望”“截肠决战，不碎而亡，则真天下之至刚勇”。

鉴于赵女士自杀的悲剧，社会人士纷纷提出改革旧的婚姻制度的主张。有的主张废除早婚，限定结婚年龄，儿女自行择合，经父兄鉴定；或由父母择合，经儿女许可。有的认为普及教育是男女社交公开的先决条件，主张实行男女同校，为他们提供交际机会。有的主张男女婚姻如受干涉，或誓死不允，抱独身主义；

或出走，谋独立生活。

这一时期真正对旧的婚姻制度进行全面而深刻的批判，并且提出改革婚姻制度独到见解的，当推毛泽东。毛泽东针对封建婚制的“父母之命”这一原则，提出以“恋爱中心主义”与之抗衡。他认为“夫妇关系，完全是要以恋爱为中心，余事种种都系附属”，因而要“打破父母代办政策”。针对封建婚制“媒妁之言”这一原则，他力主“打破媒人制度”，因为媒人“是以‘拉合成功’为根本主义”，离不开“说谎”。他认为“新式婚姻的成立，便只要男女两下的心知，到了交厚情深，尽可自由配合”。若要令亲友皆知，最好在报上登一启事，说明我俩愿做夫妻，婚期是某月某日。不然，便到官厅或自治局注册，就算完事。“媒人这种东西，应该投畀到九霄云外，再也不要理他。”毛泽东进一步指出，旧式婚姻之所以尚能维持，“是由于有一种极大的迷信”，其中最主要的是“婚姻命定说”。他说“那许多号称家庭和睦的好夫妇，都是脑子里装满了‘婚姻命定’四个大字的”。这种服从命定说的婚姻，在中国社会大概要占十分之八。由于有此“命定说”，于是那极无道理的“指腹为婚”“襁褓择配”，都从此发生出来。因此他提出：“我们倡言改革婚制，这些关于婚姻的迷信应该首先打破。此说一破，父母代办政策便会顿失护符，家庭革命军便会如麻而起，而婚姻自由恋爱自由的大潮，便将泛滥于中国大陆。”

当时的激进派大多主张追究新娘自刎一案的主要相关者赵五贞父母和媒人佘四婆婆的法律责任，随着这种惩办元凶的情绪的扩散，毛泽东也认为“天下类于赵女士父母的父母都要入狱”，因为在他看来，只要父母主婚的事存在，“危险的种子终伏在里面”，“其极必有子女自杀的事”。

附：对于赵女士自杀的批评

泽东

社会上发生一件事，不要把他小看了。一件事的背后，都有重叠相生的原因。即如“人死”一件事，有两种解说。一是生理的及物理的，“年老寿终”属于这一类；一是反生理的及反物理的，“夭殇”“横死”属于这一类。赵女士的死，是自杀，是横死，是属于后一类。

一个人的自杀，完全是由环境所决定。赵女士的本意，是求死的么？不是，是求生的。赵女士而竟求死了，是环境逼着他求死的。赵女士的环境是：（一）中国社会，（二）长沙南阳街赵宅一家人，（三）她所不愿意的夫家长沙柑子园吴宅一家人。这三件是三面铁网，可设想作三角的装置，赵女士在这三角形铁网当中，无论如何求生，没有生法，生的对面是死，于是乎赵女士死了。

假使这三件中有一件不是铁网，或铁网而是开放的，赵女士决不至死。（一）假使赵女士的父母不过于强迫，依从赵女士自由意志，赵女士决不会死的。（二）赵家父母以强迫从事，使赵女士能达其意于夫家，说明不从的原故，夫家亦竟从其意，尊崇他的个人自由，赵女士决不会死的。（三）父母及夫家虽都不能容其自由意志，假使社会上有一部很强烈的舆论为他的后援，别有新天地可容其逃亡栖存，认他的逃亡栖存为名誉的举动而非所谓不名誉，赵女士也决不会死的。如今赵女士真死了，是三面铁网（社会、母家、夫家）坚重围着，求生不能，至于求死的。

去年日本东京发生一件伯爵夫人和汽车夫恋爱发泄后同自杀的事，东京新闻为之发刊号外，接着许多文人学者讨论这件事亘数月不止。昨日的事件，是一个很大的事件。这事件背后，是婚姻制度的腐败，社会制度的黑暗，意想的不能独立，恋爱不能自由，吾们讨论各种学理，应该傍着活事件来讨论，昨日天籁先生和兼公先生已经作了引子。我特为继着发表一点意见，希望有讨论热心的人，对于这一个殉自由殉恋爱的女青年，从各种论点出发，替他呼一声“冤枉”！（情详昨日本报）[1]

（三）新民学会在新文化运动中的作用

1918年4月14日，在长沙周家台子蔡和森家中召开了新民学会成立会。参加会议的有：毛泽东、蔡和森、萧子昇、萧植藩、陈绍休、罗章龙、邹鼎丞、张昆弟、邹蕴真、周名弟、陈书农、叶瑞龄、何叔衡、李维汉等14人。会上讨论通过了会章，选举了干事。会章规定学会的宗旨是“革新学术，砥砺品行，改良人心风俗”。还规定了会员必须遵守如下纪律：一、不虚伪；二、不懒惰；三、不浪费；四、不赌博；五、不狎妓。会议选举萧子昇为总干事，毛泽东、陈书农为干事。积极倡导留法勤工俭学运动是学会成立后在国内首先开展的一项重要活动，是学会讨论会员向外发展的一个主要措施。据不完全统计，全国共有1700余名赴法学生，其中湖南达430人之多。

毛泽东送走第一批赴法学生之后，于1919年4月从北京返湘。随后，五四运动爆发，湖南学生开展了抵制日货、罢课游行等爱国活动，建立了以新民学会会员和非会员积极分子为骨干的湖南学生联合会。7月14日著名的《湘江评论》创刊，由毛泽东主编及主笔，这一学生联合会会刊在湖南乃至全国都有很大影响。它以不妥协的反帝、反封建的战斗姿态，投入五四运动，宣传科学和民主思想，提倡新思想新文化，激发人们起来与旧思想旧势力作斗争，在政治上对湖南地区的五四运动有很大的指导作用。《湘江评论》被军阀张敬尧查封之后，毛泽东于9月主编第七期以后

---

① 泽东．对于赵女士自杀的批评［N］．湖南大公报，1919-11-16.

新民学会旧址

的湘雅医学专门学校的《新湖南》周刊，并通过学会会员在长沙掌握湖南《通俗报》和“通俗讲演所”。“驱张”运动时，在北京、上海、衡阳办刊物，办通讯社，并且重视利用如湖南《大公报》这样的社会舆论工具。以后又办文化书社。通过这些阵地，揭露旧制度，传播新思想，聚集革命力量，打击反动势力，对于湖南的革命运动起了很大的作用。

五四运动前后，军阀张敬尧对湖南的残暴统治，激起了人们强烈的痛恨和反对。张敬尧对爱国学生运动的镇压，成为“驱张”运动的导火线。在“驱张”运动中，新民学会联合各界一面进行“驱张”宣传，一面组织各界“驱张”代表团分赴北京、上海、衡阳、常德、郴州、广州等地活动，争取全国的同情。毛泽东等联合湖南在京各界，组织了旅京湖南各界委员会作为“驱张”机关，并在北京办“平民通讯社”，专门报道“驱张”活动。彭璜、易礼容、何叔衡、夏曦等从1919年下半年起先后分赴上海、武汉、衡阳活动。彭璜等在上海办了《天问》杂志，驻衡阳学生请愿团办了《湘潮》杂志，宣传“驱张”。湖南各界进步士绅也对“驱张”表示某种程度的支持。1919年12月6日，新民学会组织各校学生1万余人举行罢课游行，喊出“张毒一日不去湘，学生一日不返校”的口号。

最后，由于群众斗争的压力和直皖两系军阀之间的内部矛盾，“驱张”斗争获得了胜利，1920 年 6 月张敬尧结束了在湖南的统治。

张敬尧被逐出湖南之后，新民学会会员们发起建立了“湖南改造促进会”，提倡“湖南人民自决”，发动争取真正“民治”的群众运动。毛泽东于 1920 年 9、10 月间，连续在湖南《大公报》上发表文章，评论“湖南自治运动”，说明“自治”必须是人民的“自治”。10 月 10 日，各界代表向省政府请愿，要求召集“人民宪法议会”，解散旧的省议会，并扯下了省议会的旗帜。这些斗争对提高人们的觉悟，起到了重大的作用。

第四章

近代湖南工商业的转型与商业民俗的变化

清光绪二十五年（1899）岳州开埠后，长沙就成为帝国主义列强觊觎的下一个目标，长沙开埠已在预料之中。1902年，清政府在上海与英国签订《中英续议通商行船条约》，第八款规定长沙“开为通商口岸，与江宁、天津各条约所开之通商口岸无异”。次年，美、日两国也与清政府签订了上项条约。光绪三十年（1904）七月长沙正式开埠，属全国80处“约开商埠”之一。长沙开埠对长沙市场乃至湖南省的社会经济起到了很大的分解作用，它破坏了湖南自给自足自然经济的基础，破坏了城市手工业和农村家庭手工业。但同时也促进了湖南自然经济向商品经济的发展。长沙的开埠也促进了湖南工商业的转型，使湖南民族资本主义进入了一个新的发展时期，随之带来的是商业民俗的巨大变化。

一、岳州、长沙开埠——自然经济迈向商品经济的起点

岳州、长沙开埠，外国洋行蜂拥而至，对湖南市场起到了很大的分解作用，从客观上促进了湖南经济从自然经济向商品经济的过渡，给民族主义工商业的发展造成了某些条件和可能。特别是长沙开埠，使长沙逐渐成为全省农副产品、矿产品的集散转运中心和外来工业品转销口岸，发展成全国四大米市之首、长江中上游七大棉纱市场之一，灵官渡锑矿价格成了国际锑矿行情的晴雨表。

（一）岳州开埠及其对长沙的影响

1899年11月，湖南的北大门岳州开埠。鸦片战争以来，中国被迫开放一系列口岸，使国家主权一再受到侵掠。因此一些有识之士从维护国家主权和主动对外开放的角度提出了“自开商埠”

的主张。维新运动中，维新派人士也提出了“自开商埠”的主张，而光绪皇帝也电谕各省督抚为“添设各处口岸”出谋划策。湖南督抚最初的打算是开放湘潭。当时主持湖南维新运动的陈宝箴征求湖南在籍士绅的意见，王先谦、王闿运等士绅激烈反对开埠通商。陈宝箴明知拒绝开埠是不可能的，也不愿意因拒绝开埠而开罪总理衙门和英国人。但要开放湘潭显然无法得到湖南士绅的认可，在这种两难的情况下，他暗中向总理衙门发电，提出以岳州交换湘潭开埠的意见，并建议假英人“作为发端”。经过一年多的筹备，岳州于光绪二十五年十月十一日（1899 年 11 月 13 日）正式开辟为商埠。

岳州开埠后，对省城长沙产生了重要的影响。首先，岳州开埠后，列强有了一个向湖南内地渗透的据点和基地，同时也使列强势力进一步进入湖南有了更明确的目标。岳州开埠后，西方列强纷纷在岳州设立教堂、码头、公司等，并以此为基地向湖南内地渗透。列强当然并不以开放岳州为满足。随着外国势力在湖南的渗透日益深入，湖南士民的排外情绪也在高涨。列强认识到只有促使湖南更进一步开放，才能使这种排外情绪逐渐平息下去。岳州开埠后，担任江汉关税务司的英国人马士在其报告中认为：“湘江所包城市埠头甚夥，其最著名者长沙、湘潭外，尚有衡州、宝庆、平江等处。”他认为长沙更值得重视，“按长沙为湖南省会，地方之繁盛，货物之销畅，不待言喻。即城外船户生意，沿江约有十余里，城内居氓［民］不下六万家”[1]。而且，无论从岳州向湘江上游各埠，还是从湘江沿江各埠往岳州，长沙都是必经之关。特别是长沙作为湖南省会城市和政治文化中心，对于列强控制湖南全省无疑具有非常重要的作用。经过岳州开埠后几年的运转，长沙官绅也逐渐认识到开放是大势所趋，也都希望长沙在“自开口岸”

① 马士．光绪二十五年岳州口华洋贸易情形论略［M］// 湖南历史资料．长沙：湖南人民出版社，1979（1）：166.

的框架内开埠。岳州作为中国最早的“自开口岸”之一，其示范作用对于长沙官绅产生了很大影响。湖南巡抚端方曾为常德、湘潭“自开口岸”上奏说：“窃维采买土货，订为专条，内港行轮，载于附约，不独门户洞辟，即堂奥腹地亦无不流通，贸易日盛月新。居交通之时代，而为闭塞抵制之谋，诚非策矣。顾各国约开口岸，动多牵掣，实费磋商……诚不如自开商埠，犹足顾主权而防流弊也。”① 这虽然是端方在长沙开埠后的感慨，但却能够反映长沙开埠前的官绅的一般心态。

从湖南经济社会发展需要和岳州开埠的实际效果来看，长沙开埠也是大势所趋。岳州开埠后，江汉关税务司马士对其前景非常乐观。他在开关后的当年（1899 年）的报告中写道：“查岳州为湖南一省之门户，凡进口、出口大宗货物，莫不悉由于此。兹既开作通商口岸，一则轮船运载之妥捷，再则费用公道而便宜，惟盼春水源深，风气一广，湖南之生意谅可从此畅旺而隆兴。”然而，岳州开关后的几年，华洋贸易都没有很大的改观。究其原因，主要有两个方面：一是岳州的商业贸易基础差，二是岳州距离湖南大宗商品的产地太远。马士在 1899 年的报告中就已经分析，湖南“考其土产生意，拟有三端”，一个是洞庭湖至长江一带，“产米、棉、芝麻、青靛等物，市廛小而不多”；一个是沅江流域，一个是湘江流域。岳州往沅江之船只“不过洞庭，悉欲绕道进湘江口，转湘阴等处入西湖而到常德”。湘江流域“形势颇广，约居全省东方十成之六”，“而土产亦饶，除米、麻、棉花、芝麻外，如出自山中者，茶叶、煤炭、锑砂各项俱有”。② 而湘江流域往北至岳州，下游的重要城市就是长沙。无论是湘潭的米，衡州的煤，平江的

① 端方．自开商埠筹办情形折［M］// 湖南历史资料．长沙：湖南人民出版社，1980（1）：211.

② 湖南省哲学社会科学研究所古近代史研究室．帝国主义与岳长等地开埠资料（一）［M］// 湖南历史资料．长沙：湖南人民出版社，1979（1）：165—168.

布都通过湘江及其支流汇聚于长沙。因此长沙开埠对于湖南经济社会的发展有着巨大的调控和辐射作用。

（二）长沙开埠

岳州开埠后，因岳州商货寥寥，生意冷落，驻汉口各国领事要求“再开长沙”，欲通过长沙把经济触角伸向湖南腹地。同时，清政府也开始进行“自开口岸”的准备和“约开口岸”的交涉。光绪二十八年（1902）清政府在上海与英国签订《中英续议通商行船条约》，第八款规定长沙“开为通商口岸，与江宁、天津各条约所开之通商口岸无异”。清政府将长沙“作为自开码头”后，湖南省洋务局即会同长沙、善化两县对长沙城四周地势进行勘查，当时作为通商租界的候选地有三处，即三汊矶、水陆洲、北门外。经过勘查，洋务局和长、善二县官员认为“三汊矶离省较远，河滩水浅，无岸避风，应请无庸置议”；水陆洲“洲浮水中，水大时全行淹漫，如在该处开设码头，加培地基土方，一切工费较巨；且船货装运入城，多一往来，风浪可虑，是否可用，尚需详酌”；而北门外一处“地势宽平，以之修筑码头，较为便利；惟地处低洼，亦需培垫；新开河尚须远引深浚，始能泊船避风”，“但加培土方，工费甚巨，事关商务久远利益，尤须详审，以重始基”。因此，洋务局和长、善二县官员主张“暂缓开办”，“应俟湘省开埠有期，再为妥慎酌度办理”。[①] 但不久后，中英和中日的新商约相继签订，长沙从“自开口岸”变为“约开口岸”，湖南地方官不得不再次筹划此事。赵尔巽致电外务部，请外务部饬总税务司转饬岳州税务司夏立士来长沙会同湖南方面勘定界址，并厘定章程。经夏立士与湖南洋务局官员实地查勘，认为“长沙城外东门距河太远，南

① 洋务局会议详复长、善两县禀会勘三汊矶等处地段情形暂缓开埠由［M］// 湖南历史资料．长沙：湖南人民出版社，1980（1）：172.

门人烟沓杂，且系丛葬之所，西门过于狭窄，均与商界不宜。惟北门地势平衍，西枕湘河，东傍铁路，袤长六七里，宽方二三里不等”，作为通商租界较为合适。夏立士和湖南洋务局官员“佥以北门为宜”。嗣后，日本驻汉口领事永泷久吉“奉本国政府训条，前来勘查地势”，经过勘查，日本人也认为“舍此别无他处”。[1]

然而，英国认为长沙北门一带系“洼下”之地，易遭水淹，“极诋租界地段不便”，并提出通商租界应该包括城池在内，应允许洋商进长沙城开行设栈等要求。于是，英国联合美国等国向清政府外务部提出交涉。清外务部致电湖南巡抚部院，饬海关就近会商英、美两国领事，迅速划定长沙口岸商埠地界。而为了与英国进行竞争，日本抓紧时间与湖南方面进行谈判。在谈判中，永泷久吉声言租界内工程、巡捕等一切管理事宜，悉由中方“自行办理”，“日领事并允即在税司所定界址之内，分段租认，不再另索专界”。[2]1904年6月，日本与湖南长沙关监督朱延熙签订了《长沙通商口岸租地章程》。该章程规定了通商租界界址：“长沙通商租界定于省城北门外，所有应需地段，南以城为界，东以定修铁路至新码头为界，北以浏渭（阳）河，西以湘江为界。”这一租界范围“地势颇宽，比较岳州加增不止十倍”。并规定“各国商民在通商界内侨寓，中国地方官自应按约保护……倘敢有违，一经查出，各照本国律例惩办。惟约束商民章程由监督照会领事官酌定”。考虑到英、美的要求，章程还规定“租界以外沿河地段，原不准租用，兹因长沙通商租界沿河一带，目前于轮商贸易尚未便利，特议于关章所定起下货物处之沿河地段，即自永州码头起，下至西门鱼码头止，准各轮商指明租用”[3]。也就是说，外商可在西门外沿河一带任意租

① 北平故宫博物院．清光绪朝中日交涉史料：卷六八［A］．故宫博物院，1933.
② 湘抚赵尔巽奏陈长沙开埠请拨经费折［M］// 湖南历史资料．长沙：湖南人民出版社，1980（1）：173.
③ 长沙通商口岸租地章程（内附租界外租地章程）［M］// 湖南历史资料．长沙：湖南人民出版社，1980（1）：175—177.

橘子洲长沙海关旧影

地设行。后来蔓延到整个西城区，形成规模庞大的西城洋行贸易区，但工程巡捕可由华官自办。最终在整个长沙市形成了“华洋杂处”的局面。

帝国主义依据不平等条约规定的种种特权，掌握着长沙海关。海关设在风景如画的橘子洲，海关税务司由美国人夏立士担任。德、英、美、日等国在长沙开设了领事馆。英国太古洋行、怡和洋行和日本日清洋行3家经营的轮船公司几乎垄断了整个湖南内河航道，为在湖南发展经济打下了基础。

开埠不久，日、英、德、美等国商人在长沙大西门至小西门一带开设洋行17家。这些洋行经营范围没有任何约束，也没有行业界限，大至开矿设厂，小至缝衣钢针，无所不有，以至于洋货充斥长沙市场。输入的商品以纺织品、五金制品、搪瓷制品、电器材料、化工产品、煤油为大宗，还有白糖、海味、药品等，均由长沙销往省内各城乡市场。1904—1911年，长沙开埠的前8年，长沙海关进口洋货共3388万关平两；1911年进口净值为642万关平两，比开埠当年增长2.23倍。洋货的大量倾销，逐渐排斥了土货，打击了长沙传统的手工业和新兴的工商业。以洋纱、洋布为例，1904年从长沙海关进口洋纱3445担，至1911年增至32696担，为开埠当年的近10倍；1904年洋布进口值79.5万关平两，1911 年增至 287.9 万关平两，为 1904 年的 3 倍多。洋纱、洋布进口的迅猛增长，使本地所产棉花其价自贱，且无人问津，土布销行亦滞，大批手工纺织业者因而失业破产。

此时，长沙市场逐渐被各国所分割。日本、英国垄断着纺织工业品和轻工业品，德国垄断着化工染料，英、美则垄断着煤油、香烟。专门为外商办事的买办商和承销商日增，到宣统元年(1909)，长沙已有洋货号 40 余家。

洋商还以长沙为据点，大肆收购他们所急需的桐油、茶叶、猪鬃、皮毛、棕片、苎麻、湘莲、烟叶、五倍子和矿产品等。外销物资大部分是初级原料，价格低贱。长沙开埠后的进出口贸易是一种不等价的交换关系。例如，每百斤五倍子售价只能折合大米百斤左右，仅够采摘、加工、装箱的劳动工食用，而回过头来看，德、英、美等国向我国输入了以五倍子作原料的高价染料和高价药品。又如矿产品，由于湖南民族工矿业的衰弱，铅砂售给洋商，屡受抑勒。锑砂从前每吨价三百余金，跌至六七十金。正如当时进步思想家陈炽在《庸书·考工》中所说 ：“外洋入口之货，皆工作所成 ；中国出口之货，皆土地所产。工拙相越，贵贱相悬，而中国之金银，山崩川竭矣。”

外国洋行的活动，对长沙市场乃至湖南省的社会经济起到了很大的分解作用，它破坏了湖南自给自足的自然经济基础，冲击了城市手工业和农村家庭手工业。西方国家大量工业品潮水般涌入湘省各地，长沙作为省城更是首当其冲，直接加速了长沙城乡的农业和家庭手工业等传统经济领域的分化和瓦解，传统的男耕女织的自然经济模式日趋崩溃，湘省新兴的民族工商业亦深受打击，造成湘省大批农民和手工业者破产。以洋纱、洋布为例，从 1900 年至 1911 年，输入湘省的洋纱迭年激增，1900 年为 573 担，总值为 14838 关平两，至 1911 年已猛增到 52837 担，总值达到 1331446 关平两，十年内净增 88.7 倍，平均每年增加 5226.4 担 ；

长沙关的洋纱输入量亦由1904年初开埠时的3445担，84786关平两，猛增到1911年的32696担，825862关平两，几乎为1904年的10倍。自然经济的解体从客观上促进了长沙城乡商品经济的发展，给民族主义工商业的发展造成了某些条件和可能。长沙在开埠以后，逐渐成为全省农副产品、矿产品的集散转运中心和外来工业品转销口岸，发展成全国四大米市之首、长江中上游七大棉纱市场之一，灵官渡锑矿价格成了国际锑矿行情的晴雨表，长沙区域经济中心的地位得以确立。

外商以长沙为据点从湖南全省掠夺了大量廉价的农副产品和矿砂等工业原料，但同时也促进了湖南自然经济向商品经济发展。开埠后，不少外商来长沙从事粮食贸易，或贩卖至粤、鄂、川等邻省，或转运外洋，1904年半年中，经长沙海关出口的谷米即有13.3万石。此后，湖南当局曾禁运谷米出口，自民国初年解禁，出口又回升，增至每年200万石之巨，占全省年产的8%。商业收购的活跃大大提高了农民种粮和其他经济作物的积极性。生锑、白铅等矿砂也是长沙开埠后的大宗出口产品，1904年下半年即达2万担，价值约占同期出口总值的50%，至1908年达到高峰。自开埠以来湖南对外贸易首次出现出超，出口超过进口50余万关平两。

长沙的开埠也给湖南民族资本主义的发展带来了新的机会，使湖南民族资本主义进入了一个新的发展时期。据统计，1903—1911年，即清末的最后9年，湖南共创建路、矿、厂、航企业104家，总投资1707.4万银元。① 比戊戌维新时期大为增长，其中绝大部分属商办性质，改变了陈宝箴当政时期以官办为主的状况。湖南一批爱国志士并没有屈服于帝国主义经济侵略的压力，就在长沙开埠当年，禹之谟将他在湖潭的“湘利黔”织布厂迁往长沙荷花池，并附设工艺传习所，生产的各种棉织品和工艺品，在市场上

① 长沙日报［N］.1906-7-25.

颇为畅销。湘省工业之发达，盖自此始。长沙的民族资产阶级也不甘心大批的初级原材料被外商贱价掠走。1908 年，梁焕奎、梁端甫兄弟将久通公司扩充改组为华昌炼锑公司，在长沙南门外西湖桥设立炼锑厂，开始提炼纯锑。1909 年由陈文玮、李达璋、饶祖荣 3 人发起组织的“湖南电灯股份有限公司”奏请“外务部转照各国政府，所有湘省电灯，概归本省绅商自办。外商不得仿设”，并获清政府允准。[1]

这些公司的发起人成为长沙乃至湖南省最初的一批民族资本家。清末湖南资本主义生产方式的出现和资本主义经济的发展，不能不导致清末湖南社会阶级结构的这种新变化。除了上述大企业外，一些地主、绅士和商人，也投资兴办了一些中小企业，或附股于铁路公司和矿务总公司，成为它们的中、小股东，借此跻身于民族资产阶级行列。据记载，宣统二年（1910）前 10 个月，在湘路公司入股 1000 元至 5000 元的股东达 149 人，入股 500 元以上的多达数百人。随着湖南民族资产阶级的逐渐形成，管理他们内部事务，体现他们经济利益的团体也出现了。开埠前夕就设立了半官半商性质的湖南商务总局。1906 年正式成立了完全商办的商务总会。曾任淮盐公所总董的大盐商郑先靖、“急图抵制”外商创办湖南电灯公司的大商人兼产业资本家陈文玮、长沙交通业巨头龙璋分别任前四届总理（陈文玮当了两届）。可见，上层民族资产阶级利用其较高的政治、经济地位，控制了这一团体。1910 年又有湖南工业总会问世。这些机构和团体的先后出现，不仅反映长沙开埠以后湖南民族资本主义得到了一定程度的发展，而且说明随之而兴起的民族资产阶级已经开始成为一种独立的力量，在社会上占有了一席之地。

① 长沙日报［N］.1909-2-17.

（三）长沙开埠后湖南民族工商业的发展

长沙开辟为商埠之后，西方资本主义经济开始全面大举进入长沙，已渗透至社会生活的诸多领域，省城绅商及民众的反帝爱国、维护利权、保护身家的意识和情绪高涨，更为有力地投资和支持发展民族工业，掀起了一股兴办实业的热潮。同时，还积极引进和学习先进的生产技术，加上对外贸易的急剧增长，从而推动湖南民族资本主义经济进入了一个新的发展时期，获得了进一步的发展。据统计，自1903年至1911年辛亥革命之前，湘省共创办各类企业104家，总投资额达到1707.4万元，比维新时期大为增加。[①]省城长沙亦新创办了铁路、航运、纺织、农业、矿厂、冶炼、电力、铸造等各类企业20余家，而且这些厂矿企业绝大部分均为商办，这就改变了维新时期以官办、官督商办为主的局面，此后，长沙的近代民族资本主义经济开始了真正的兴起之路。

1. 工矿企业的发展

湖南近代工矿业发轫于维新运动时期。光绪二十一年（1895），湖南先后开办了履和裕锑矿和湘裕炼锑厂，随后新任巡抚陈宝箴奏办矿务总局，首先对铜、煤、铅、磺等矿“试行开采”。同年“善记和丰火柴股份公司”成立，厂址设在长沙北门外开福寺和迎恩寺之间，为湖南最早的近代工厂。几乎与火柴厂创立的同时，陈宝箴又支持湘绅王先谦、黄自元、张祖同等自筹资金，在长沙创办了湖南第一个近代机械工业企业——湖南宝善成机器制造公司，初为官督商办性质，由于经营亏损，一年后，转为官办。戊戌前后，长沙除宝善成机器制造公司外，还出现了不少民营机械制造企业，如1898年陈万利开办的生产石印机的机器厂；1900年姜华林开

① 傅志明．清末湖南资本主义的发展和辛亥革命［C］// 湖南史学会．辛亥革命在湖南．长沙：湖南人民出版社，1984：36.

办的裕湘机器厂等。

自清末新政至辛亥革命之前，湖南民族工业的发展以工矿业为重心。由于收回利权运动的影响和湖南矿务总公司的成立，湖南采矿业特别是有色金属采矿业得到了较大的发展。戊戌维新运动中创办的湘裕、大成两个炼锑厂仍在进行生产，两厂每年的生锑产量大约为2700吨。光绪三十二年（1906），这两个炼锑厂经呈请清政府农工商部分别注册为湘裕湘盛合股有限公司和大成合资有限公司。①

当时，大成厂的炼锑方法被其他各矿所知，从1901年开始，各地矿山纷纷开厂自炼，“数年之间，继起者无虑八家之多，而由旧法合股营业之蓬厂，且有百家以上也”②。这些用土法冶炼的厂家，炼出来的生锑在国际市场上价格不高。因此提炼纯锑，就成为湖南锑业发展的一个重要突破口。1902年以后，当时的湖南巡抚俞廉三以及继任者赵尔巽都曾派学生到日本、美国和欧洲学习矿学，以求发展湖南的矿冶业，而对于湖南炼锑业做出重大贡献的是梁焕奎。

梁焕奎（1868—1931），湘潭县人，举人出身，1896年陈宝箴聘他为湖南矿务局文案。光绪二十五年（1899），湖南新任巡抚俞廉三将官办的益阳板溪锑矿招商承办。梁焕奎预见到锑矿业前途广阔，多方筹措资金，甚至变卖了妻子的贵重首饰，接办了锑矿，并将其改组成为久通公司，派二弟梁端甫坐驻益阳，整顿矿场，设立炼锑厂。但由于矿质较差，冶炼系用土法，加上洋商压价，专炼生锑殊不合算。梁焕奎决心采用西法提炼纯锑。他从矿务总公司拨借资金，创办实业学堂，着力培养采矿、化验、机械等人才。

① 彭平一．20世纪初年长沙开埠与长沙近代化的发展［M］//谭仲池，彭平一．长沙通史：近代卷．长沙：湖南教育出版社，2013：541.

② 汪敬虞．中国近代工业史资料：第二辑 1895—1914年：下册［M］．北京：科学出版社，1957：789.

并先后送三弟鼎甫、四弟和甫、五弟硕甫分别留学日、美,学习矿冶。

1907 年，正在英国伦敦皇家物理大学学习的梁鼎甫得知法国巴黎有一个叫赫伦士米的专家已研究出一种能将低品位锑提纯的方法，便亲往巴黎与赫氏商谈，并以 7 万两银购买这一“秘法”。梁氏兄弟欣喜之余却苦于巨款难筹。正当焦急之际，适逢留日学生领袖杨度回到长沙，答应设法筹措经费。杨度神通广大，竟说通了张之洞、袁世凯代向直、鲁、湘、鄂、苏五省筹拨银 16 万两，解决了资金问题。梁氏兄弟利用这笔资金买下了专利，购买了机器、炼炉等设备，还聘请了一名法国机械师。在此基础上，梁氏兄弟将久通公司改组为华昌炼锑公司，并由杨度领衔禀呈湖南巡抚批准立案。由于华昌公司拥有五省补助款，“公司不付息银，不给股票，惟以补助名目，借为保息招股之资，于是商股渐多”，资本银达 30 万两。加上杨度又进呈农工商部，清政府特准华昌公司有 10 年的专办权，“无论何国官商，不得在中国境内设同样之炉座,亦不得在湖南境内设他样炼锑之炉座”①,使华昌公司在初办时占尽了天时、地利、人和。

1909 年春，公司正式开工生产，所出纯锑，运往欧美，售价颇高，成色可与世界著名锑矿英京郭克逊的产品媲美。在此以前，中国的炼锑业都只能用土法炼生锑。汉口加尔威公司铅锑矿场附设的粗锑炼制厂，见华昌公司可炼纯锑出口，不得不自动歇业。1908 年法国容母司会社本打算在湘设炼锑厂，也因竞争不过华昌公司而放弃计划。当时全省各地锑矿均交华昌公司代炼并集中出口，使洋商暂不能再在湖南廉价收购锑矿，华昌公司的股本亦由开办时的 30 万两增至 60 万两，成为清末湖南最有生气的商办企业。1901—1913 年湖南共出口锑品 9.16 万吨,其中纯锑 2.78 万吨，大部分出自华昌公司。 1914 年第一次世界大战爆发，列强各国纷

① 梁培肃.湖南华昌炼锑公司经过略述[J].湖南实业杂志，第 1178 号.

纷在湘争购锑矿产品，致使锑价大涨。1915 年华昌公司趁此千载难逢之机，扩充为股份有限公司，资本增至 96 万两，1916 年又增至 300 万两。1915 年华昌公司共炼锑 15095 吨，占全国总出口量的 78%，年获利 300 余万银元。

在矿冶方面，除华昌炼锑公司外，清末还有常宁水口山铅锌矿、益阳板溪锑矿、新化锡矿山、平江黄金洞金矿和湖南黑铅炼厂等。从 1899 年开始，水口山矿在廖树衡的主持下就开始试验自行炼铅，但都因经营不善或技术落后等原因而失败。到 1908 年，时任湖南巡抚岑春蓂以涂懋儒为总办，委留美归国的矿业专业学生江顺德为总工程师，负责筹办黑铅炼厂。江顺德受命筹办黑铅炼厂后，一方面“派员赴美购运机械等件，陆续运湘，共费美金四万四千余元，纹银一千五百余两”；另一方面，他“就省城南门外六铺街地基（一万一千三百八十六亩）建厂房炉座，共费银三万二千余两”。[1] 该厂“工场方面分压砂、烘砂、鼓风、提银、净铅、翻砂、提金、机械各部。其动力设备，用蒸汽引擎，共有直立锅炉四座，卧式一次膨胀引擎三部，卧式二次膨胀引擎一部，竖式三次膨胀引擎一部，共约一百匹马力”。主要机械设备有铗砂机、碾砂机、自动砂戽装置、鼓风炉、烘砂炉、炼铅炉、提银炉、起重机、抽水机和修理用的车床、钻床、钳桌等。“该厂不动资本约二十万元、流动资本约一十万元”[2]。宣统二年四月初一（1910 年 5 月 9 日），湖南黑铅炼厂正式开工炼铅。然而开工后不久即由于矿砂供应严重不足而处于时停时办的境况，直到 1916 年才完全恢复生产。

在煤矿方面，早在光绪二十六年（1900），宁乡县煤炭坝就成立了民营煤矿天一煤矿公司，该公司每年产烟煤 1000 多吨。[3]

① 湖南省地方志编纂委员会．湖南省志：第一卷湖南近百年大事纪述［M］．长沙：湖南人民出版社，1979：291.

② 张人价．湖南之矿业［M］．长沙：湖南经济调查所，1934：158—159.

③ 长沙市志编纂委员会．长沙市志：第二卷［M］．长沙：湖南出版社，1995：96.

从其产量来看，规模不是很大，机械化程度也不是很高。宣统二年（1910），宁乡人贺锡林又在煤炭坝创办守一煤矿公司，这是清末宁乡县内开办时间最久的一个煤矿，直到民国时期还存在。[①]煤矿的开采和城市的发展推动了煤炭贸易的兴盛。光绪三十一年（1905），陈文玮、程景光、常振复三人集资10万银元，在长沙创设了长沙地区见于记载的首家大型煤炭贸易企业——同人豫煤务公司。[②]

辛亥革命前夕，长沙创办的近代企业中较为突出的还有湖南电灯公司。创办于维新运动中的宝善成公司的发电厂在变法失败后不久就停办了。直到1909年才有以陈文玮为首的绅商共同发起成立“湖南电灯股份有限公司”。

陈文玮，长沙县人。二十多岁时，补博士弟子员，参加科举考试未中，遂决意科举，弃文经商，曾在长沙城内开颐庆和钱庄及绸缎庄。后捐得湖北试用知府。1896年，王先谦等筹建宝善成机器制造公司时，陈文玮投资入股，参与其中。陈文玮等创办湖南电灯公司有抵制外人之意。宣统元年（1909）春，在长沙的外国商人集议，“拟在湘垣开办电灯，为垄断独登之计”[③]。另外，又有“亚细亚洋行自包大批洋油在西门外设站零卖”，大有垄断长沙市民照明用油贸易之势。在这种情况下，长沙绅商认为：“若不急图抵制，匪特利源外溢，损失遍于湘垣，抑且交涉日多，纠葛蔓延于官署。”当年宝善成机器制造公司开办电灯的实践也给他们以很大的启示。于是，陈文玮和李达璋、饶祖荣共同集资发起成立“湖南电灯股份有限公司”。湖南电灯股份有限公司的招股章程规定集股20万元，以100元为整股，10元为零股，合并为2000整股。

① 长沙市志编纂委员会．长沙市志：第八卷［M］．长沙：湖南人民出版社，2003：572.

② 同① 593.

③ 长沙日报［N］.1909-2-27.

湖南电灯公司发电厂老照片

同时规定入股在2000元以上者，方能有资格推举为公司的董事。宣统元年(1909),该公司在长沙和汉口等地设立招股处,开始招股。到宣统三年（1911）共招股13万余元，用于建厂及购买设备尚不足，只得向湖南总商会借款8.7万元，后来这笔借款转为了公股。这样共筹得股本20余万元。但立杆架线，发电耗煤，资金仍不敷周转，于是决定继续招股本30万元，前后合计招股本50万元。[①]

公司办公处开始设在长沙皇仓坪，后来相继搬迁到苏家巷和六铺街，而发电厂一直设在长沙南门外中六铺街（后长沙发电厂所在地）。发电厂向法国瑞记洋行购得160千瓦三相交流发电机组3台，容量共400千瓦；水管式锅炉3台。[②]1911年4月，发电厂装机竣工，同年5月28日正式发电。

机械工业方面，光绪二十八年（1902），长沙有两家私营的机器厂，即发昌机器厂和德昌机器厂。但两家机器厂的生产情况无资料记载。光绪三十一年（1905），在长沙贡院西街的善竞公司

① 长沙市志编纂委员会．长沙市志:第八卷［M］．长沙:湖南人民出版社，2003:6.

② 陈先枢，金豫北．长沙地名古迹揽胜［M］．北京：中国文联出版社，2002：397.

试制出木质纺纱机和毛巾织机。其中纺纱机“每日以一人之运动，可出纱12斤”[①]。宣统元年（1909），梁啸岚和郭石岑合伙在长沙设立和丰翻砂厂，铸造矿山机器零件和轮船用螺旋推进器，这是湖南专业铸造厂的起源。[②]

在轻工业方面，20世纪初年，长沙出现了一些以生产日用化学品和玻璃制品为业的近代企业。据宣统二年（1910）出版的湖南出口协会说明书载，光绪三十一年（1905），长沙出现了制造油墨的华光公司。光绪三十二年（1906），长沙有民立实业社创办，生产油墨、酒精、花露水、樟脑、香油等化工产品。在此前后，长沙出现了肥皂制造业。光绪三十年（1904），王先礼兄弟在营盘街创办手工习艺学堂，向学生教习制皂技艺。同时，设在长沙的省城官立艺徒学堂也向艺徒教习肥皂制作技艺。到宣统三年（1911），在长沙创立了湖南丽记升茂肥皂公司，生产含水皂，“日可出货40余箱”[③]。长沙的玻璃制造业也产生于这一时期。光绪三十二年（1906），由文经纬、肖仲祁、肖利生等集资20多万元，在六铺街创办了麓山玻璃公司。该公司以倒焰炉生产煤油灯灯罩和灯座，“颇获利润”[④]。据光绪三十二年（1906）的《东方杂志》载：“湘省本有一种土造玻璃，因不能清爽遂致辍业。兹闻省城西门外新设一玻璃厂，所出之货颇称明亮，且能将碎玻璃重作，已拟集资大办矣。”

到民国初，湖南工矿业发展更为迅速，这与谭延闿主政有很大关系。谭延闿（1880—1930），茶陵州人，在清末是湖南立宪派首领，到长沙光复之前，革命胜利在望之时，他改变了君主立宪

---

① 长沙日报［N］.1905-3-18.

② 湖南省地方志编纂委员会．湖南省志：矿产工业志［M］．长沙：湖南出版社，1992：29.

③ 长沙市志编纂委员会．长沙市志：第七卷［M］．长沙：湖南人民出版社，2001：142.

④ 同③6.

主张，投身革命运动，并提出“文明革命”的口号。此后，他加入同盟会、国民党，先后担任同盟会湖南副支部长、国民党湖南支部长。在1912—1920年不到10年的时间内，谭延闿在湖南三起三落，先后三次担任湖南都督（督军），成为民初湖南政坛首屈一指的风云人物。

谭延闿政权虽然是一个短暂的、过渡性的政权，但对民国初期湖南经济开发的作用是毋庸置疑的。谭延闿政权实施的各项政策都有利于湖南资本主义经济的发展。

在经济政策上，谭延闿厉行“开明专政”，放手发展民族资本主义。光复后长沙首任知事姜济寰也竭力推行谭的政策，只要检索一遍民初的长沙报纸杂志，就不难发现字里行间充斥着办交通、工矿和商业的新闻和广告。英国驻长沙领事基尔士在1912年的《长沙商务报告》中称：长沙“自从辛亥革命以来，发起工厂企业得到很大的动力，几乎每天都有新公司注册。其最大的目的是尽可能使湖南在工业上不仅不依赖外国，而且不依赖其他省份”[①]。辛亥革命前，湖南有500名以上工人的厂矿企业只有和丰火柴公司和华昌炼锑公司两家，而广东有38家，江苏有66家。谭延闿决心改变这一落后局面，“希冀洞庭以内月发起无数公司，洞庭以外的日发起无数公司”[②]，以抵御外来资本及商品的渗透和倾销。这一时期，长沙创办的工矿实业公司，著名的有谭延闿亲自发起组织的洞庭制革股份有限公司，黄兴和龙璋等人创建的旨在“收回外溢之权利，扩张自由之营业”的汽船公司，以及经华纱厂、长沙自来水公司、麓山玻璃公司、湖南面粉公司等。

为了振兴工业，谭延闿拨出了许多公款办实业。时《长沙日报》载：“当时的什么实业公司和某项工业筹备处的招牌，到处皆

① 汪敬虞．中国近代工业史资料：第二辑 1895—1914年：上册［M］．北京：科学出版社，1957：849.

② 长沙日报［N］.1912-12-1.

是。有官办的，有商办的，也有官商合办的。”1912 年，谭延闿令湖南督署拨款 30 万余元，在省城留芳岭创建了湖南军工厂，建筑面积达 2.6 万平方米，配置了数百台机器设备。同年，都督府参议员吴作霖筹借公款 60 万元，在长沙河西银盆岭购地 256.93 亩，创建了经华纱厂，从英国购进 4 万锭的纺纱机，是湖南当时规模最大的纺织企业，是民国时期湖南第一纺织厂的前身。同时，在长沙豹子岭开办了华丰纸厂，有资本 2 万元；兴建印刷厂 11 家，规模较大的当属吴绶民、徐延祉集资 5 万元在 1912 年于长沙织机巷创办的湘鄂印刷公司，有机器设备 50 台。

湖南省第一条公路长潭公路的修筑，粤汉铁路武昌至长沙段的筹划勘测，都是在谭延闿手中促成的。谭延闿政权鼓励发展资本主义经济的政策，对湖南特别是长沙近代工业的发展起了很大的促进作用。光复前一年湖南全省矿产毛砂 27240 吨，到 1913 年增至 43273 吨，增长 59%。1916 年，谭延阎第二次督湘时又积极向中央推荐长沙地方产品。1917 年，长沙生产的双幅牌丝棉袜、铜器、玻璃器具等 10 多种产品，由国家农商部组织送各省官厅商会交流推广。谭延闿第三次督湘时还倡办生产合作社。1920 年成立的长沙大同合作社是中国最早的工业合作社，其产品有毛巾、袜子、布匹、信纸、学生制服等。

20 世纪 30 年代是湖南近代工业发展的鼎盛时期，出现了一些颇有名气和成就的工矿企业和科研机构，如湖南省炼锌厂、湖南机械厂、湖南工业试验所等。

湖南省炼锌厂是我国第一座近代化的炼锌厂。湖南常宁水口山所产锌砂历来售与洋商，受人操纵。早在 1921 年，水口山矿务局就想利用外资建设炼锌厂，但未能实现。1932 年，省政府以锌块为军用重要原料为由，与国民政府军政部兵工署签订合同，由军政部垫款 10 万元，在长沙兴建炼锌厂，派长沙县金井人饶湜为总工程师兼厂长。饶湜历尽艰辛，试验成功西式的“横罐炼锌”法。

湖南炼锌厂老照片

试验成功后，即在三汊矶以北、古三石戍以东的沿江地势高处选定了厂址，奠基建厂。1934 年 7 月 26 日正式建成投产，设备有发动机、洗矿机、磁选机，炉座有烘砂炉、蒸馏炉、反射炉、烘罐炉等。9 月开炉炼锌一举成功，结束了我国 1000 多年来的土法炼锌历史，也打破了国内市场洋锌一统天下的局面。1935—1936 年每年产锌都在 700 吨以上，产品供不应求，每年盈利超过 2 万元，全部上交政府。省政府为奖励饶湜的"劳绩卓著"，发给他奖金 4000 元，并将锌厂列为湖南省四大工矿企业之一。

在机械工业方面，1928 年创办的湖南民生工厂，1932 年 10 月改名为湖南机械厂。1934 年与湖南汽车修理总厂合并为第一厂，如意街经理总局为第二厂。湖南机械厂主要生产汽车零件，视市场需要，间或生产抽水机、印刷机、煤气机及浅水轮等。1936 年一、二厂合并，拥有金属切削机床 49 台，锻压设备 2 部，发电机 1 台，动力机 9 部，锅炉 6 座等，共计设备 137 台，生产规模扩大，委周凤九为厂长。1936 年 8 月全国交通会议认定该厂汽车配件符合要求，交通部拨款 7 万元，指定该厂生产 19 种汽车配件。产品除供本省需要外，还畅销于安徽、江西、贵州等省。该厂已具有一定的配套生产能力，曾试制 75 马力汽车引擎，组装"衡岳"牌

2 吨载重汽车，制造汽划艇，生产汽车煤气发生炉，成为湖南省规模最大的机械工厂。

20 世纪 30 年代初长沙试制煤气汽车和酒精汽车一举成功，成为轰动全国的新闻。当时外商垄断汽油价格，省公路局汽油费用占去运输成本的 50%~60%。长沙实业界的有识之士决心研制煤气汽车和酒精汽车。1932 年 2 月省工业试验所成立，由向德（湖南衡山县人）主持煤气发生炉研制，先后研制出 5 种煤气发生炉。煤气发生炉以木炭为燃料，1932 年 8 月 11 日，“271”型煤气发生炉安装在汽车上进行第一次试车，获得成功。10 月 10 日，在长潭公路上举行试车典礼，有实业部和全国 14 个省市的代表及外国专家观看，评价甚高。后又研制成除尘器，并获得专利权，解决了木炭污染问题。1935 年，湘省汽车有 20%~30% 改装成煤气汽车，到 1939 年发展到 50% 以上。1935 年又试验成功酒精汽车。因酒精比汽油价格低，到 1940 年全省有 32% 的汽车以酒精代替汽油作动力。这样，煤气车和酒精车占全省汽车总数的 82% 以上，每年节省汽油 18 万 ~30 万加仑，价值 40 万 ~100 万银元。

长沙的轻纺工业在 20 世纪 30 年代也有一定的发展，除前已述的湖南第一纱厂外，还有福星机器印染厂、长沙华新羽绒公司、湘鄂印刷公司、长沙菲菲制伞商社等。有的产品，如羽绒制品和“菲菲”纸伞还远销日本、英国、东南亚和港澳等地，在历届博览会上多次获奖。30 年代中期还是长沙湘绣业的鼎盛时期，1934 年，长沙绣庄多达 40 余家，长沙城乡有绣工 1.5 万余人，年产绣品 3 万件以上，价值约 120 万银元，行业资金积累约 50 万银元。

2．商业的繁荣

在清代中晚期以前，湘省的商贸中心是在湘潭，而长沙仍是一个“安土重迁，为商贾者殊少”的城市。“除装运米谷而外，鲜商贾贸于远邑者”[①]，商业范围局限于市民的日常生活用品及达官贵人所需奢侈品的贸易，贸易量很小，商品种类亦不多。然而近代以来，随着西方资本主义经济的进入，“五口通商”格局的形成，九江、汉口等长江流域城市被辟为商埠，原来集中于广州的贸易开始向汉口、上海等地转移，湘省的商业贸易格局也随之发生极大的改变。长沙因地处湘江下游的长浏平原，湘江、捞刀河和浏阳河穿城而过，有便利的水运交通条件，而且比湘潭更靠近汉口，从而使得湘省的转口贸易中心转移到了长沙，省城的商业贸易日渐兴起，一时间湘江河道商船云集，呈现一派繁荣景象。

咸丰八年（1858）汉口开埠后，外国的棉布、棉纱、颜料、煤油、食糖及煤、铁等商品大量涌入长沙，带动了湖南商业的发展。同时，大批外省客商进入湖南，从事贩运贸易，带动了许多新兴行业的产生，长沙城内商业店铺激增。有经营高档商品的金银首饰店、绸缎店；经营风味食品的饮食店、南货店；金融市场、服务行业也相继兴起。商业店铺逐渐由集中于城西河边，向城内零星扩散。如苏州帮、南京帮在大西门正街开设协泰祥、聚锦祥绸缎店，开长沙绸布业之先河；江西人在坡子街开设余太华银楼，开长沙金银首饰业之端。这一时期，外地人在长沙的著名店铺还有：安徽人经营的詹颜墨店，福建人经营的赖德隆烟丝店，江苏人经营的马明德堂酱肘店等。

湖南本地人开设的店铺也不乏驰名字号。如咸丰三年（1853）长沙河西人胡自成开设于下太平街的利生盐号，以销售食盐、茶油为主，兼营棉花、棉纱、桐油等，着重零售，辅以批发，因经营有道，货真价实，日售银千余两。同年，宝庆（今邵阳市）人杨长贤兄弟在太平街开设杨隆泰钉子铺，经营各种手工锻造铁钉、木屐钉、雨鞋钉等。当时正值曾国藩在长沙训练湘军，为营造船只，

① 吴兆熙，张先抡．清光绪善化县志：卷十六土风［M］．长沙：岳麓书社，2011，282.

需要大量铁钉，“杨隆泰”开张逢时，生意兴隆，获利颇丰。随后杨氏家族、同乡纷纷来长开铁铸品店铺，至清末已增至9家，多为父子、兄弟独资经营，世代相传。又如同治元年（1862）一刘姓手工业者在东牌楼开设六合庵蚊烟铺，其所产蚊香枝条均匀牢实，驱蚊力强，接火容易，气味芬芳，深受顾主欢迎，销路日广。刘氏乃收徒传艺陆续发展到20余人，年产蚊烟50万支，以致后来长沙城内“真六合庵”“老六合庵”层出不穷，仿名者日盛。

到光绪年间，长沙商品市场更趋繁荣，绸布店、苏广杂货店、玉器店、木器店、美容店、风味食品店、茶馆、酒楼、南货店和比较高档的旅馆、浴池、照相馆等与日俱增。此时的商品流通没有区域限制，百货商品除麻线、纱带、罗布巾等手工业品外，大多数从江苏、上海、广州、北京等地进货，如苏州的绣品、花边、草席、绉纱包头、妇女装饰品；上海的镜箱、文具盒、首饰盒；扬州的座钟、胭脂、香粉；杭州的扇子、丝绸；广东的牙刷、筷子、算盘、玉器、镜子；北京的绒花；山东的料器；南京的缎带等，可谓琳琅满目，美不胜收。但前店后坊式的铺号在长沙仍占一定的比重。如光绪六年（1880）曾德友在里仁坡开设的锁店，以铸制铜锁闻名省城，生意颇为兴隆。

尤其值得一提的是，光绪年间长沙省城的蔬菜市场已粗具规模。那时的长沙城郊多为菜地，蔬菜四季常青，农民自产自销。善化“城厢内外”菜园，“铺管都管五里之处，约有百十余家”。为了抑制欺行霸市的行为，光绪二十三年（1897）订立有“菜园条规”。至光绪二十五年（1899）后，长沙城内菜市渐兴，“行路小卖”中常见“挑菜”小贩，以“圃家四时所种蔬笋之属，瓜芋之类，隔夜采拾，黎明入市”[①]。同时，长沙的屠宰业和猪行、蛋行、鱼行也相继出现。光绪年间长沙的屠宰户就有了“公庙”组织，

① 湖南调查局．湖南商事习惯报告书［M］．长沙：湖南教育出版社，2010：136.

名曰“三圣殿”，奉张飞为祖师，公推大户任总管、值年，管理会务及公产。1904 年长沙屠宰业定有“屠业条规”10 条。条规规定，每 4 个路摊分销一头猪，需隔店铺码头上七下八家，不准停留摆设、撞门喊卖，肉价只准低于行市 4 文。可见，当时长沙城内猪肉供大于求，自给有余。因而出现了从事说合买卖的猪行，到清末长沙已形成较大的生猪集散市场，外运生猪主销汉口。

1904 年长沙开埠，长沙商品市场的发展进入了一个新的起点。大批洋商、洋货涌入长沙，对长沙市场来了个阵痛式的冲击。清政府因势利导，实施振兴商业的政策，成立商部，制定商法，建立商会，开办商学。湖南巡抚亦大力推行，商品流通日益发展。据海关统计，1911 年，湖南全省通过长沙、岳州两关输出输入贸易总值为 1864.77 万关平两（1000 关平两折合 1088.8 两省平银），其中长沙关为 1599.62 万关平两，占 85.8%，比 1904 年增长了 5.14 倍。谷米交易增长更快，1911 年长岳两关输出量为 188.37 万石，其中长沙为 107.93 万石，占 57%，比 1904 年增长 7.88 倍。谷米贸易的增长，带动了谷米加工业的兴旺，1908 年全城碓坊发展到 500 余家。

清末也是长沙城商贸零售业的大扩展时期，据宣统三年（1911）湖南调查局编印的《湖南商事习惯报告书》记载，这一年定有商业条规的行业达 83 个。市内商业中心区开始形成，从太平街、药王街到八角亭、司门口、红牌楼（今育婴街至苏家巷一段）、南正街、坡子街、臬后街连成一体，热闹非凡。各行各业打破了新设店必须间隔“上七下八家”的陈规陋习，同行业中较大商户鳞次栉比的现象较为普遍，同业常集中在一条街上，形成了数十条商业街市。这既为招徕顾客，也有利于同行业的合作竞争。如粮行米厂集中在草潮门一带，油盐花纱号多设大西门，鞭炮土布庄分布在太平街，绸布店盘踞在八角亭，书局集中在南阳街，土果行主要设在下河街一带，衣庄以走马楼最为有名，皮货店多设在白马巷，油鞋店集中在化龙池，雨伞店以老照壁较集中，木器荟萃于皇仓坪，铜器店聚集于铜铺街，荒货集散于藩城堤等。这些都是闻名全省的专业街，外地顾客慕名来访，专往这些商业街采购或谈生意。

1904 年长沙开埠时，已有英、美、德、日等国设立的洋行 17 家。此后,外商来长者不断增加。1914—1918 年“欧战”时期，由于中德断交，德商撤离，英、法等国外商也无暇东顾，日本因与我系协约国未受影响，其在长洋行数量超过英国而居第一位。到 1924 年长沙已有洋行 75 家，计日商 36 家，英商 24 家，德商 10 家，法商 5 家。次年增至 88 家，1926 年增至 91 家，新加入的国家有意大利、瑞士、葡萄牙、瑞典、丹麦、挪威等。美商美孚火油有限公司、德士古煤油股份有限公司也在此时进入长沙，设立了分公司。这时比较有名的外国公司还有：英商楚南烟草公司、通用电器公司、亚细亚火油公司湖南分公司、太古股份有限公司长沙分公司，日商广益堂、三菱公司、野田公司，德商长沙德孚公司、开利进出口公司，以及美英合办颐中烟草运销股份有限公司湖南省分公司等。这些公司以长沙为据点，在全省设经销处、货栈、商店百余处,形成了一个庞大的销售和收购网络。这些处、栈、店大多由各地殷实商户代办，代理商向公司缴纳一定的押金，按押金多少领取相应的货物，销售之后再付货款。各地商人由于能赚得一笔佣金，并可打着洋行的旗号来对付官僚军阀的盘剥，因而都乐意为洋行服务。在长洋行之间的竞争相当激烈，如美商正大洋油公司在小吴门外、西湖桥、北门外设有 3 个分公司，英商福记洋油公司也旋即在这 3 个地方设东、南、北 3 个分销处，同美商唱对台戏。

日本商界为打开湖南市场，曾派农商省委托员太田世外雄来长沙进行市场调查，他在 1913 年所写的调查报告中称：“湖南地大物博，人民富裕，可称一大消费市场……长沙为本省商业中心，复为消费焦点，凡外国商品多先卸于此，然后散销于其他市镇……其为日本的飞腾地无疑。”“商业中心”“消费焦点”正是对民国初乃至整个民国时期长沙经济特征的最好概括。

洋行在长的经营也带动了湖南矿产品、农副产品、土特产品和部分日用工业品的出口。如矿产品出口，日美等洋行就地收购出口的占到出口总额的4/5，当地矿商自己直接出口的只占1/5。1914—1918年5年间长沙口岸出口矿产总值3075万关平两，是湖南矿业的黄金时代。长沙是湖南省农产品出口的最大口岸，如1909—1933年，从长沙海关出口的各种茶叶共18.72万担，占同期全省海关出口32.13万担的58.3%。这一时期，湖南部分传统土特产品的出口也呈上升趋势。1922年前后，鞭炮每年输出价值达180万关平两，出现了前所未有的好景况。1926—1929年是民国年间长沙鞭炮生产的鼎盛时期。1926年，仅从长沙海关出口的鞭炮就达11.3万担，价值226万关平两。长沙地区的土布生产虽受洋布的冲击，产量有所下降，但土布也有洋布所不具备的优点，仍有大量出口。如1918年浏阳夏布出口达485万担，价值近百万关平两。长沙等地的土青布也深受外商青睐，据长沙、岳州两海关统计，1902—1933年32年中，输出纯棉布总值402.86万关平两，年均达12.59万关平两。长沙民族工业生产的日用品出口也始于民国初期。民国元年（1912）长沙工商业者彭次英、萧丽生等人集股白银18万两，在长沙六铺街创立了麓山玻璃公司，制品除煤油灯外，还有彩缸、花瓶、电灯罩等。1915年，其制品在美国巴拿马赛会上获一等奖。到1918年产品开始出口东南亚各国，据海关册载，年出口值达6万~7万关平两。

民国时期湖南商业行业进一步扩展，据1922年1月5日《大公报》调查，长沙在商会注册的行业达95个，比晚清时期增加13个，其中纯商业行业57个，占60%，饮食服务行业10个，占10.5%，产销结合的手工行业25个，占26.3%，其他如钱业、牙行业、典当业3个，占3.2%。店铺达3342户，其中户数较多的行业有：南货土果业181户，苏广杂货业136户，酒业186户，鞋业133户，烟业116户，衣业188户，药业133户，米业197户，木业137户，绸布业52户，茶馆业79户，屠行业69户，面馆业61户，丝线业71户，油盐业71户，旅馆业87户等。这些店铺遍及全城大街小巷，商业中心由沿河各地段继续分别向城内扩展，形成南北两大商业区。南部从大西门延伸到太平街、药王街，从小西门延伸到坡子街，从西湖桥延伸到南正街、八角亭，再与药王街对接连成一大片，成为长沙百货荟萃之区。北部由中山路经北正街至湘春街，与通泰街、潮宗街纵横相接，形成长沙杂货繁盛之区。清代后期业已形成的专业商业街市，此时更趋繁华。坡子街毗邻批发商业地段，是河埠进入城中区的要道，钱庄、扇店、金银首饰店、铜器店、笔墨店、药材号在此处麇集；南正街是城区南北交通干线，南货店、刀剪店、烟店、颜料店、红纸店和茶庄等杂货商店甚多；具有现代气派的百货店、绸布店则大多数集中在八角亭、红牌楼一带。

商业繁华的红牌楼（后黄兴南路的一段）

此后，经过北伐战争和湖南农民运动，长沙人民反帝反封建情绪高涨，洋货进口锐减。加上武汉国民政府滥发纸币，湖南亦发行金库券，长沙市场曾一度混乱。1927年5月，长沙发生“马日事变”，街头一片白色恐怖，导致部分商店关门。“农产品不能出口，外货进口亦减，于是经济衰落，商场凋敝”①。

1931年后，湖南政局暂趋稳定，长沙商贸又渐趋回升，到1933年商店增至12484家，是“商场凋敝”的1929年的5510家的2.27倍，平均每千户居民拥有商店31.5家，在全国处于领先地位。位于中山路中段的国货陈列馆也在这时落成，于是中山路、北正街也连成一片，成为繁华的商业区。到1935年，长沙商业、饮食服务业已发展到312个自然行业，14654户，其中经营工业品和手工业品的有157个自然行业，7754户，如广货店229户，洋货号233户，鞋店490户，纸张笔墨店137户，铜铁器店452户，绸布店155户等。全市共建立各种同业公会76个，长沙已成为当时我国重要的消费城市之一。商业各业都呈稳步上升之势。南门口、道门口、东庆街、小吴门、水风井、先锋厅、通泰街7处设有菜市场。文化娱乐市场也有相应发展，全市有电影院6家，京剧院7家，话剧院3家，花圃店36家，照相馆21家。抗日战争前夕，长沙市场进入全盛时期。这时的著名商店，绸缎店有“介昌”“大盛”，百货店有“太平洋”“新世界”，南货店有“九如斋”“稻香村”，照相馆有“蓉光”“四明”，钟表眼镜店有“寸阴金”“亨得利”，中药店有“九芝堂”“四怡堂”，金银首饰店有“余太华”“李文玉”，鞋店有“美利长”“云飞”，茶叶店有“吴中和”“詹恒大”，笔店有“彭三和”“桂禹声”等。著名的菜系有：南国酒家的粤菜，中央酒家的浙菜，又一村川菜馆的川菜，双品香酒家的湘菜，还有徐长兴、李合盛的教门菜，佛教居士林的斋菜等。风味小吃闻名的有：德园的包子，柳德芳的汤圆，𩟔香居的馄饨，杨裕新的面粉，火宫殿的姊妹团子等。

① 民国实业部国际贸易局．中国实业志：湖南省（1935）［M］．刊本．长沙：湖南人民出版社，2008：254.

民国时期湖南各地商业也有所发展[①]。

据民国十八年（1929）《湖南全省农矿工商统计概要》载，衡阳共有服饰品、日用品、食品及其他各类商店3689户，营业人员12575人，资本额309万余元。城内繁盛，首推南北正街，自北门经南门至回雁峰麓，“珍物罗陈，光灿夺目”。司前街、常公街、道前街、道后街以及南门外的宣扬街、河街，北门外的仓前街、石狮街等均属热闹街市。

据民国二十九年（1940）湘潭县经济调查，有绸布、中药、百货、南货、卷烟、色纸、油盐纱、膏盐、金银首饰、柴炭、香烛等12个行业566户，从业人员7743人。湘潭历有“药都”之称，抗日战争时期又骤然转旺，陇、川、滇、黔、粤、桂、鄂、冀、晋等省巨商，将当地药材运集湘潭，或自立字号经营，或委托代购代销。大户有安吉、大德、永昌、聚成、生泰等33家药材行，另有协盛西、太真知、松鹤龄等中药大店，膏丹丸散，道地药材，一应俱全。

岳阳素称鱼米之乡，鱼、茶等为商品贸易大宗，这从岳阳鱼巷、茶巷等街名可得到印证。岳阳鲜鱼远销湖北、长沙、常德、湘阴等地。据民国二十三年（1934）调查，岳阳年产鲜鱼达5.4万担，除本县食用外，运销汉口、通城、长沙、临湘等地。茶叶，民国十八年（1929）产6.5万担，输出4.1万担，以绿茶为主。加之省内各县所产茶叶从岳阳报关，运汉口销售，输出数量颇大，据统计，从宣统元年（1909）至民国二十三年（1934）共输出各种茶叶32.13万担，占岳、长两关输出总量的41.74%。

益阳城区自东关至接龙堤街口，长7.5公里，人烟稠密，纯系市廛。民国时期，著名的商铺有天锡福南货号、有成斋南货店、福昌药号、同福百货店等。但益阳商业更具其地方特点，与益阳土特产品的产销紧密联系在一起。如竹制品，民国十六年（1927）

① 陈先枢．民国时期湖南各地商业发展概况［M］// 柳思维，欧阳煌．湖南省商贸流通产业发展报告．北京：社会科学文献出版社，2012：55.

前，益阳操竹器业者达千余家，生产篾簟、竹床、竹椅、篾丝、缆纤、竹黄等，产品除销本地及滨湖各县外，并销长沙、桃江、安化、湘潭及湖北等地。7.5公里沿河两岸，制作买卖竹器的作坊店铺，鳞次栉比，竹艺工人占城区人口的3%，竹器品种繁多，顾客络绎不绝，因而益阳有“竹器城”之称。

民国时期，湘西无铁路、公路，运输不发达，但沅、澧水纵贯全境，其支流密如蛛网，与广大山乡连接起来，商品运输大部分仰赖舟楫之利。常德、津市、洪江逐渐成为沅水和澧水流域及湘鄂、湘黔边区农副产品的集散市场。集散的商品，以桐油、棉花、木材为大宗。民国时期湖南桐油，沅水流域为主要产地，每年产桐油约40万担，占全省总产量的66%。澧水流域年产桐油约10万担，占全省总产量的17%。湘水、资水流域年产也在10万担左右。由沅水流域输出之桐油，集中于洪江、常德，由澧水流域输出者，集中于津市，由湘江流域输出者，集中于长沙，以上均经岳阳报关，输往全国两大销场——湖北汉口和江苏镇江。

湘黔桂边境历来为湖南木材主要产区。品种有松、杉、柏、楠、檀、栗、榆等。洪江为湘西木材的最大集散市场，木商经营多以松、杉为主，昔称西湖木（沅、澧流域所产者为西湖木，湘、资流域所产者为东湖木），多在洪江集中，顺沅水而下，运销常德，再转销汉口及江浙沪一带。晚清时期，洪江木材年运销量约40万两码（每两码等于1.2立方米）。民国二十三年（1934），洪江有木行13家，资金总额3.3万银元，年营业额68万银元。这13家木行分别为德大、福顺和、张合顺、康茂永、德泰蔚、王义发、永贵昌、谦森祥、合发祥、乾泰美、利厚昌、崇国松、贺晋丰。

二、近代湖南工商业的转型

按照现代企业理论，商业组织分为个体业主制、合伙制和公司制（股份制）三种主要形式。近代以前湖南大多数工商业均为前店后坊式的家庭或家族个体组织，这是自然经济时代主要的商业组织形式。清同治以后湖南的手工业开始向商品经济发展，出现了行业分工细密、生产规模日渐扩大、合伙制和公司制企业开始出现、资本主义生产方式有所发展等明显的特点。

（一）近代湖南工矿业的转型

近代湖南工矿业的转型其实就是小手工业生产方式向资本主义生产方式转变，主要表现为以下几个方面。

第一，手工业的行业分工和行业内部的分工已经十分细密，并逐步向专业化发展。在长沙，专一生产某种小商品的行业已非鲜见，其细密程度令人惊叹。按行业分工，不仅有湖南的特色行业，如湘绣、陶瓷、花炮、纺织、造纸等，还有角盒花簪行、戥秤行、京刀行、明瓦行、棕绳行、锡器行、翠器行、铜器行等；从行业内部分工来看，表现在生产工序的单一化、专门化趋势加强，一件产品的制成不再是一人包干到底，而是从粗坯、成型、加工等工序依次由众多的工人完成，出现了流水线作业的雏形，反映出商品生产的专业化特征。

第二，手工业作坊的规模及产品种类大大扩大。19 世纪后期长沙的手工业，虽然仍以家庭小作坊为主，但在某些行业也出现了规模较大的作坊。如随着长沙周边地区冶铁业的发展，长沙在同治年间出现了大型铸锅作坊，冶铸鼎锅之冶坊，始于逊清同治年间，现所存者，概为清光绪三十年后所立。[1]随着西方商品的输入，长沙手工业产品也开始突破传统产品的局限，当时被称之为“西洋货”的某些商品，长沙人也能自己制造。如光绪十五年（1889）长沙人罗福庭在西牌楼开设福记制镜作坊，采用锡箔光工艺制镜。光绪十八年（1892）湖北人汤光明从上海学回日本烤光制镜技术，随后与长沙张学云、刘正庭合伙在三泰街开设云记作坊，生产烤光镜。这一制镜工艺以后沿用了60余年。清末长沙的手工业作坊还可以生产肥皂、玻璃瓶、棉纱袜等商品。

第三，伴随着手工业、商业和矿业的发展，出现了一批工商业集镇。随着工商业的发展，长沙附近发展起一批工商业小集镇。铜官有“十里陶城”之称，与铜官一江之隔的靖港有“小汉口”之称。靖港地处湘江西岸，东望铜官，是沩水入湘江之三角洲地带，昔为天然良港，水路畅通，帆影不绝。凡滨湖湘阴、益阳及宁乡和本区粮食、土产多以此为集散地。靖港碾米业发达，曾为湖南四大米市之一，又是省内淮盐主要经销口岸之一，商贾云集，市场活跃，为境内第一繁荣集镇。往来于沩水、湘江的宁乡“乌舡”船有3000多艘，平日停靠千艘左右。清末民初，有粮行50多家，粮栈、米号各20余家，还有造船、酿酒等一批其他工商业户。同光年间，靖港与津市、洪江并称为湖南繁盛三镇。此外，浏阳县东门市（今大围山镇）、大瑶市，宁乡县黄材镇、玉潭镇等都是手工业发达、商贸繁盛的著名集镇。

在清同光年间，湖南手工业行业中依稀出现了初步的资本主义萌芽。这可从几个具体行业的历史资料来分析。

同光年间宁乡县有冶铁与制锅两个行业。冶铁始于道咸年间，制锅则至光绪中叶始兴。湖南制锅业以益阳、新化和安化最盛，宁乡制锅业就是安化、益阳锅商来境开办的。但就其资本、炉厂、

① 民国实业部国际贸易局. 中国实业志：湖南省（1935）[M]. 刊本. 长沙：湖南人民出版社，2008：278.

庄号来看，宁乡冶铁铸锅业已经具有相当的规模，特别是大量使用了雇用劳动力。一座冶铁的高炉雇用炉工、杂工、炭工等70余人，另外还有运夫；一座铸造锅的炉子雇用炉工、杂工、炭工等约50人，另外也要雇用运夫。这些工人都是靠出卖自己的劳动力，以换取“工价”为生，因此，工人的“工价”被计算在生产的成本之中。这说明，这些冶铁铸锅业有了资本主义生产关系的萌芽。

同光以前，湖南各县种茶者，专业户极少，大都为农户家庭副业。同光以后出现了专业茶农。在产茶季节，茶农通常“呼集邻近男女老幼采摘”，按量计酬。粗制成毛茶后，茶农除留少量自用外，大多售与附近的茶庄茶号，茶庄茶号则再售与茶厂，或直接设厂制作精茶销售。湖南省银行经济研究室《湖南之茶》载，茶厂将毛茶加工成精茶，一般须经拣、焙、筛、车、磨、捞、簸以及装箱、起运诸工序，皆雇工进行，其中拣茶更大量雇用妇女、儿童。醴陵县城常有茶号十数家，于各乡设庄，“自采摘、运送以至发拣、装箱，贫民资以为活者，不可胜计”①。而拣茶之方法，早年“均由造茶之人（庄号和厂家）发给女工携回家中，拣去茶梗、茶包及黄叶片，缴茶时验视最严”；至19世纪80年代（光绪中叶），则“皆在栈房雇用女工入拣”。这些情况，均可看出茶叶采摘、制作过程中，资本主义生产关系有一定程度的发展。

湘绣是19世纪后期崛起的外向型手工业。“构成湘绣业这个行业的，一方面是专业的绣庄（坊），另一方面有环绕着绣庄的广大农村和一部分城市居民中的刺绣手工劳动者……除部分粗绣庄有少数固定雇工外，所有粗、细绣庄的绣品，绝大部分都是发交城乡绣工加工代绣，即由绣庄发给原料，并画出图样，载明颜色，配好色线，绣成后按件计给工资。”② 这些情况，就决定了湘绣业在其发展过程中，具有如下几个特点：第一，它崛起较晚，当它开

① 傅熊湘．醴陵乡土志［M］．醴陵：［出版者不详］，1926：27.
② 长沙市工商业联合会．湘绣发展史略［J］．湖南文史资料选辑，1978（9）：133.

始成为一个行业的时候，便从产到销，具有明显的资本主义性质；第二，绣庄主不仅收购、贩卖绣品，而且发放原材料和图样，直接控制生产，这样，他们就不仅是包买商，同时还是企业主，他们所拥有的资本同时也具有商业资本与工业资本的双重性质；第三，由于技艺上的特殊性，湘绣业很难使用机器生产，因而长时期使用人数众多的、分散的城乡个体手工业者的家内劳动进行生产，这是一种典型的资本主义家庭劳动。

湖南陶瓷器主要来自长沙县铜官陶瓷和长沙府醴陵县瓷器。从总体上说，陶瓷业的分工较细。就制瓷的工序来说，主要有采泥、制坯、贴花、上釉、过烧等项；而从事此项生产的人，又有窑户（作坊、工场）、搭烧户和彩花红店的不同。大体说来，从事土瓷生产的窑户，因生产品种不多，品质不精，大多以小作坊的形式进行生产，一般雇用二三十人，最多四五十人，共同操作，很少分工。而制作细瓷则相对规模较大，每家窑户有工场四至六个，雇用工作人员常七八十至百余人不等，分工也较细。至于搭烧户和彩花红店，对于窑户来说，处于附属地位，不同于湘绣业中的城乡手工业者的家庭劳动。所谓搭烧户，是指技术工人自组工场，但因资金不足无力建窑，而将制造的瓷坯搭在有窑之窑户烧制。“其搭烧手续，除匣窑、装窑、出窑概须自费外，尚须预先向窑主租定窑位，缴纳租金”[①]。搭烧户规模比窑户小，一般有工人数人或十余人。彩花红店则为瓷器再加工的店家，即将窑户已烧好的白瓷器，用矿石制作的特种颜料，加以彩绘，增其美观，以便高价出售。彩绘人数一般较少，每店一至三五人不等。不难看出，以上窑户（包括土瓷、细瓷）、搭烧户、彩花红店，均属资本主义作坊或工场手工业的经营性质。[②]

鞭炮制作工艺比较简单，长期停留在“纸包硝磺”的手工劳

① 王彦．醴陵瓷业调查［M］．长沙：湖南省银行经济研究室，1942：21—22.
② 刘泱泱．近代湖南社会变迁［M］．长沙：湖南人民出版社，1998：175.

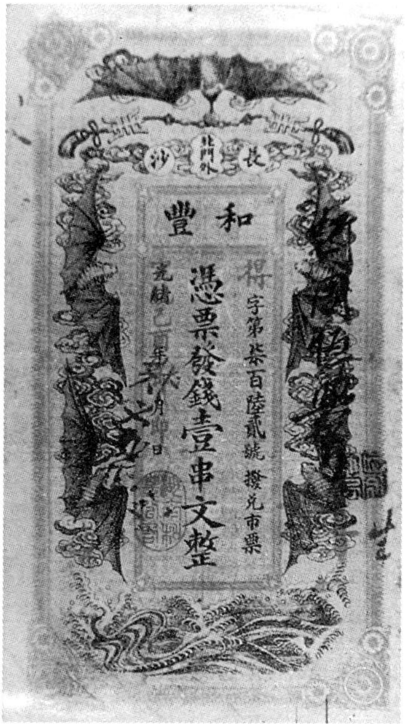

1909 年和丰火柴公司发行的钱票

动状态。除原料的加工外，鞭炮生产工序主要有八，即扯筒、褙筒、洗筒腰筒、上盘、钻引孔、插引、轧引颈、结鞭。其中仅“腰筒、上盘、钻孔、结鞭等，须富于经验之技工始能为之，余如扯筒、褙筒、插引诸端，皆属易学而且易为之工作，不独壮年男女可作，即老人、稚童以至残废者，亦能胜任”。这就决定了近代时期鞭炮业生产关系的特点，是手工作坊与家庭劳动紧密结合：“普通作坊除专雇技工担任腰筒、上盘、钻引孔、轧引颈、结鞭等工作外，其他简单工作，或由（作坊主）自己家中人作，或分发各民家，备价包做。”[①] 作坊于鞭炮结鞭后，即卖与运销商。此种运销商人于各主要鞭炮产地设立庄号，名曰炮庄。炮庄备价向作坊收买各种鞭炮后，另雇工人，加以包装成封、成箱，然后运往外埠销售。显然，这些炮庄主具有资本主义包买商的性质。

洋务运动时，西方的现代企业制度传入中国，但湖南起步较晚。长沙真正的近代工矿业的产生已经到了 19 世纪 90 年代，它是在维新思潮的影响下湖南当局大力推行“新政”的结果。当时建立的近代工矿业，除一部分由原来的商办手工业作坊和小矿窑发展而来以外，一般还有 3 种形式：一是“官办”，不招商股；二是“官督商办”，官不入股，由商请办；三是“官商合办”，官商都入股。

湖南最早的公司制工业企业为 1895 年成立于长沙的湘善记和丰火柴公司。和丰所需资金，除以赈灾银 1 万两为创办基金外，

① 张人价．湖南之鞭炮［M］．长沙：［出版者不详］，1935：19.

还实行招商投资。由于当时风气未开，且事属创始，一般商民多存观望，以致历时一年之久，仅得散股 8000 两。张祖同、刘国泰、杨巩三位董绅见此情况，遂以“立本堂”名义，共集资 1.2 万两，合成股本 3 万两。于是在长沙北门外开福寺与迎恩寺之间，购地建厂，置机采料。次年正式生产火柴。

1896 年成立的宝善成机器制造公司为“官督商办”性质，公司是以商股为基础开办起来的，发起人王先谦本人 1 万两，陈文玮 5000 两，他们亦绅亦商，当时的绅商无论在政治上，抑或在经济上，本来是不可分割的。后来资金增至 6 万两，也主要是商股，包括张祖同所联系的天成丰、谦益两钱店的投资。

1909 年，湖南商会总理陈文玮创湖南电灯公司，按《湖南电灯股份有限公司招股章程》和陈文玮的计划，公司先拟集资本 20 万元，分整股、零股两种，以 100 元为整股，10 元为零股，合共 2000 整股，每入股满 2000 元，增红股一整股，并可举为公司董事，以示鼓励而谋扩展。他们还于《禀文》中要求农工商部“援照北京、镇江、汉口各电灯公司成例，准予专利。嗣后华商只准附股，不得另设”，以确保公司立于不败之地。

从这时起，直至 1949 年，湖南省内凡具一定规模的工矿企业均为股份制企业。

（二）近代湖南商业的转型

维新运动期间，湖南商业基本上还是处于传统阶段，但也出现了一些新的因素。随着维新思潮的传播和西学的传播，西方生活方式也开始对长沙市民产生影响，从而导致一些经营西方商品和西式服务的新式商铺的出现。1895 年，在长沙药市集中的坡子街，出现了湖南第一家经营西药的药房——中西药房。该药房虽然中西药兼营，但因长沙以前没有西药房，因此，中西药房的开张引起了时人的注意。1898 年，湖北人范锦堂在长沙吉祥巷租借湘军旧将、提督熊铁生的公馆，开设了长沙第一家西式旅馆，以其所在地名为旅馆名称，称为大吉祥旅馆。他带来了武汉的经验，用高薪聘请两名湖北籍的茶房，并仿上海式样，置办了床帐被褥、什物器皿，使大吉祥旅馆成为“当时长沙的第一家高级西式旅馆”[①]。皮锡瑞在光绪二十四年（1898）四月十二日的日记中记载：“赴公度廉访席……席属番菜，无大味，洋酒亦不醉人。”[②] 这说明，至少在 1898 年，长沙城内已经有了经营西餐的餐馆。

长沙书业在这一时期发展很快，成为受维新运动影响最大的一个行业。首先，《湘报》所登载的广告，大量是书局或与书局业务有关的广告，如书局开业、刻印新书、招售股票等广告。从这些书局的名称可以看出维新运动的影响：如新学书局、经济书局、实学书局、维新书局等，甚至有称学战公司的书局。其次，书局刻印或销售的书籍也呈现出明显的时代特征，各书局广告推销的书籍除传统书目和湘籍名人的文集外，大量的是与西学或新学有关的书籍。如新学书局在《湘报》第 2 号至第 7 号上刊发广告，声明其业务是“发兑各种算学时务书籍”；经济书局在《湘报》第 8 号广告中推销的有“《华氏学算笔谈》足本、《数学启蒙》《英法政概》等”；湖南实学书局在广告中开列的“第一次校刻大板书”的目录有：《谭天》《列国变革兴盛记》《公法总论》《交涉公法论》《经济书目表》《佐治刍言》《测地绘图》《公法会通》《万国公法》《万国史记》等；维新书局则刻印了康有为的《孔子改制考》《春秋董氏学》。[③]

自清末新政至民国时期，湖南各大中城市稍具规模的商铺已

① 张朝祥．日新月异的旅馆业［M］// 长沙市政协文史资料研究委员会，长沙市二商业局．长沙名老字号．北京：国际展望出版社，1993：169.

② 皮锡瑞．师伏堂未刊日记［J］．湖南历史资料，1959（2）：119—120.

③ 湘报：第 2 号至第 48 号各书局“告白”［M］．北京：中华书局，2006：16—402.

少有独资者，多为合伙、集股或招股。合伙以二人居多，次则三四人，多至五六人。其合伙之时，须请凭中证人，书立合伙字，分执为据。如果合伙之人，出资不能同一，则预计资本总数，平均作若干股，听合伙人各认占若干股。有以一人占一股半，或二三股，或四五股者，有以二人共占一股者，还有以劳力信用作一二股者，于平均之中复有差异，是为集股。其订立合同与合伙无异，在习惯上外部亦通认为合伙，并应负无限责任。而其内部则多以占股之差异，为责任之重轻，是又近于有限性质。集股商铺仍以合同为凭。而招股之商铺，则先进一步，是以股票为凭。由发起人预算资本总数，股份零数，刊发股票，招集股东，以达营业之目的。一切商业组织负无限或有限责任，悉遵商律。

近代长沙著名商号基本上都是股份制企业。如位于长沙市北正街的北协盛药店，创建于清光绪元年（1875），由黄伯郘、周菊香等集资 32 股，每股纹银 500 两，共计资本纹银 1.6 万两开办。周菊香任经理。1905 年股东有所变更，改名为和记北协盛药店，股额仍为银元 1.6 万元，陈夒臣任经理。1919—1937 年，余德任经理。这一阶段是北协盛的全盛时期，获利颇丰。每股每年所得股息股红银元 140 余元，尚有高达 220 元的年份。

1915 年开设于长沙药王街口的九如斋南货号开业时资金为银元 500 元，计 5 股，每股 100 元。其 5 人是：饶菊生、张达聪、易雪明、黄乐山、李希庭。1931 年成立股份有限公司，聚资 10 万元，计 200 股，每股 500 元，发行股折，认股不认人。是时，药王街支店改为一分公司，又在国货陈列馆内成立二分公司，接着又在中山路新建三层楼房，为三分公司。1936 年又在日新昌绸庄内设立临时分售点。营业额每月收入 4000 多元，农历年关日营业额高达 1 万多银元。员工有 300 多人，逢年过节尚须加雇临时工 200 余人，学徒最多时仅总公司就有 24 人。

1929 年开设于长沙八角亭（今黄兴中路）的太平洋百货庄，

由原大五洲百货店股东张子法、徐岂岭、周馥泉、伍经文等集资14000银元创办，推周馥泉为经理。1938年毁于“文夕大火”。1940年复业，专营批发。牌名新太平百货店，伍经文任经理，周镇华任副经理，合计股金3600元（银元），股份原老板占60%，在职人员占40%。1944年6月长沙陷落，人货逃离到重庆。1945年8月日寇投降，太平洋百货庄于年底在原址开业，仍营门市和批发，恢复申、汉、粤的进货，人员60多人，原股东占70%，店员占30%。

集股或招股之商铺均实行分红制度，员工持股成为普遍现象。如大盛绸布庄年年有盈余，年终分红按16.6%分配，股东红利占10%，员工分红占6.6%。员工分红不搞平均主义，成绩突出者由经理批给特红或加薪，乃至提为红股股东。因而大多数员工都爱店如家，“不轻易放走一笔生意”，成为大盛绸布庄全体员工一致努力的目标。

长沙市档案馆馆藏的兴记云靴鞋庄1946年和1949年两种股折，折页的另一平面印有同一《兴记云靴鞋庄简章》。从《简章》中可了解民国后期长沙合资商户的组织形式和经营模式，具有较高的档案价值。《简章》全文如下：

第一条　本庄于中华民国三十五年四月接收上首星记云飞即同德堂名义地基、码头、牌名及呈奉经济部设字2117号营业执照重新合资组织，冠以兴记二字，以昭区别。

第二条　本庄业务宗旨以发展工商业，自造男女靴鞋、呢绒鞋料、百货经营之。

第三条　本庄组织股份资金共计叁仟柒百万元，每股为一权，计股本国币洋壹百万元正，不认零股，概以记名式按股分发股折，不得向外抵押。

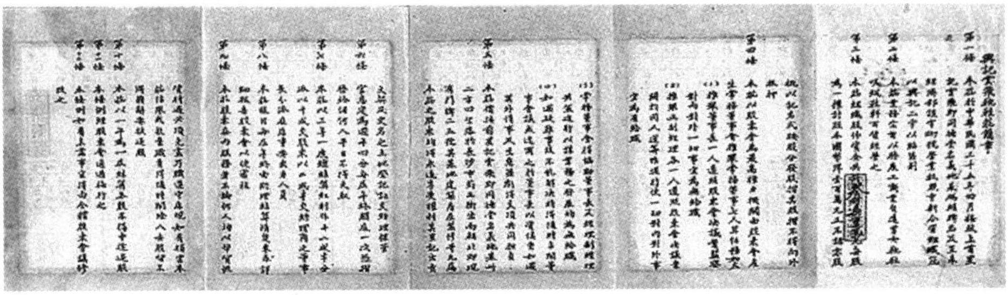

《兴记云靴鞋庄简章》复印件

第四条　本庄以股东会为最高权力机关，由股东会产生常务董事会，推举常务董事七人。其任务如下：

（1）推举董事长一人，遵照股东会决议案，监察对内对外一切事宜为无给职。

（2）推举正副经理各一人，遵照股东会决议案，关于用人运筹，推握行使一切对内对外事宜，为有给职。

（3）常务董事会得协助董事长及经理、副经理共策进行，以谋业务之发展，均为无给职。

（4）如遇疑难事故不能解决时，得随时召开董事会议或径商之于董事长，以资慎重。如遇异外情事及生意盈亏得失，须共同担负。

第五条　本庄价接前星记云飞即同德堂名义地基卅二方四，坐落于长沙市药王街，坐南朝北，即现有门牌二五号。其基地建筑房屋装修等凡属本庄之股东，均得永远享受权利。其星记出卖文契及更名之土地登记证交经理保管。

第六条　官息定为周年四分，每届年终腊底一次凭折发给，任何人平日不得支取。

第七条　本庄以三年一度总结算红利作十二成半分派，以十成交股东，以二成半交经理，商之董事长分派在店重要出力人员。

第八条　本庄账目每届年终由经理结算清楚，来春详细报告股东会，以便审核。

第九条　本庄股东在内服务者，不论何人均以帮贸性质待遇，必须克尽乃职，遵守店规。如有损害本庄信誉或放弃职责，得随时开除，人去股留，不得借辞要挟退股。

第十条　本庄以一年为一届，结算各股，不得中途退股。

第十一条　本条例经股东会通过施行之。

第十二条　本条例如有未尽事宜，得由全体股东会议修改之。

三、近代湖南商业民俗的变化

开埠以前的商业，常以商号、店铺的形式出现。古时商业有商贾之分，“行曰商，坐曰贾”，或“通物曰商，居卖物曰贾”。商店多独资经营，父子、兄弟、夫妻一家班，当家人俗称“老板”。商户有大小之分，大者有自己的店铺，小者为流动摊贩。无论大小，都奉赵公明为神主，称 “财神爷”。每年农历三月十五日，各行帮会馆聚会，用猪头敬奠。新店开张，要张灯结彩，鸣放鞭炮，大宴宾客，有的还要演戏。最初几天为了招徕顾客，货价以七、八、九折出售。可见其商业民俗既淳朴又十分原始。而开埠以后以适应生产方式的转变，湖南商业民俗有了如下明显的变化。

（一）商业理念从“唯利是图”向“利义并举”转变

“诚招天下客，誉从信中来”是湖南商业所遵奉的信条，但在漫长的封建社会中也不乏“奸商”。少数商人信奉“人为财死，鸟为食亡”，在经营活动中唯利是图，采取各种手段获取非法收入，如计量欺骗，买青放账，高利盘剥，骑盘（卡买卡卖）避盘（议价时不使买卖双方知道，从中渔利），欺行霸市等。有专为买方代理的牙行，既大量预收货款，以图利息，又靠压级压价、大秤进小秤出等手段获取暴利。清后期随着商品经济的发展，假冒伪劣也应运而生，宣统三年（1911）《湖南商事习惯报告书》即有记载。如食盐中掺杂泥沙硝盐，桐油、菜油掺枯渣，“鹿茸冒充鹿茸，桔梗冒充洋参，料货冒充水晶、玉器，洋铜首饰冒充银器之类，价资侈口而出，泛于实价倍蓰”。假冒驰名招牌的情况也时有发生，如“钱清汉楼香粉，冒者不下数十家，同在省城青石街开业者，居三分之二”。

古代对于“义”与“利”的关系，还有与“唯利是图”截然不同的态度。“君子喻于义，小人喻于利”，将经商谋利视为君子不齿的小人行径，与朱熹“存天理，灭人欲”的教条一脉相承。南宋湖湘学派的代表人物张栻对“义利之辨”作了新的阐发，他在《孟子说·序》中认为：“无所为而然者，命之所以不已，性之所以不偏，而教之所以无穷也。凡有所为而然者，皆人欲之私而非天理之所在。此义利之分也。”[①] 不像以往仅仅把“利”同所谓商贾货殖等同起来，而是以道德良心上的“无所为（欲）”和“有所为（欲）”区分义与利。这种思想对宋代商业伦理文化的形成起到了催化的作用，“灭私欲，则天理明”的信条也成为商业道德的行为准则，即提倡以义求利，诚信无欺，买卖公平，货真价实，反对不正当竞争，以求得同业共同发展。长沙商业从此深受这种文化的熏陶，诚信无欺、讲求信誉成了长沙商界的主流。清代长沙经世致用学派又较之宋明理学有了很大进步，他们抛弃了“君子喻于义，小人喻于利”的教条，认为“天理”即在“人欲”之中，

① 陈先枢，黄启昌．长沙经贸史记［M］．长沙：湖南文艺出版社，1996：81.

更加倡导“留心经济之学”。[1] 这对湖南社会的“开风气”和近代工矿业及新式商业的发展，起到了积极的推动作用。

到近代，湖南一些著名商号不仅商业业绩令人瞩目，而且许多老商号以其良好的商业精神和商业道德为世人所称道。商业精神是商业经营者和员工共同拥有的价值观念和行为准则，是推动商号发展的主体意识和群体意识。商品经济原则，要求等价交换。讲求经世致用的湖南老字号既讲义，又言利，义在利先、义利并重。同时，“追求卓越”的观念，体现了商号经营者不仅以赢利为目标，而且还要追求自身的社会地位，实现其自我价值，以满足其精神需求，从而使义与利在一定程度上达到统一。

旧商业的终极目标是求利，但近代湖南老字号常讲“君子爱财，取之有道”，他们追求的是利与义的统一。湖南老字号信奉《左传》中所说的“信载义而行之为利”。意思是说要取信于人，取信于社会，在此基础上服务于社会，利自然会到来，即所谓“以义求利，德惠同至”，这是近代湖南老字号普遍追求的商业精神。

1．视诚信为商业精神的核心

在市场经济条件下，商品交换的基本原则是等价交换。湖南老字号遵循等价交换的原则，在长期的经营中建立商业信誉，增强效率意识、竞争意识和进取意识，对商业道德的建立起到了促进作用。市场经济本身不可能自发地，更不能自觉地促进道德的发展。各行各业靠“行规”来规范它的运行机制，调整它的运行方向。如规定商品买卖要明码实价、优质优价，而哄抬物价、短斤少两、不标明原价或抬高原价的所谓“跳楼价”“大出血”都视为价格欺诈行为。

信，就是诚实不欺，财务上讲究金融信用，及时清偿债务；

① 柳思维．评长沙经贸史记［M］// 陈先枢，黄启昌．长沙经贸史记．长沙：湖南文艺出版社，1996：跋 13.

业务经营上守信合同，互惠互利，而“货真价实、公平交易”是商业信誉的核心，也是商业职业道德遵循商品等价交换原则的具体表现。“诚招天下客，誉从信中来”，诚信是商业活动中信用和商誉的统一，是在长期的商业经营活动中建立起来的。近代湖南商家深信，要取得成功和发展，就要以诚信待人，否则会因无信而身败名裂。信誉是商家在长期商业活动中以信待人而形成的，信而不证是不可估量的无形资产。“市不豫贾”正是近代湖南老字号所奉行的商业道德精辟的总结。“豫”，欺骗也。因此，“货真价实，童叟无欺”成为湖南老字号的商业信条之一。

清末“戊戌”之前，省城长沙绸布业商品售价均由店铺与顾客当面议定，时人谓之“漫天要价，就地还钱”，带有很大的欺骗性。光绪二十四年（1898），九章绸布店老板谢芷香首创明码实价的“一言堂”，随后各店仿效，称之为绸布业的“戊戌改革”。讲究诚信经营，坚持信誉取胜，开始成为长沙绸布业的优良传统。

湖南老字号以诚信为本，还体现在倡导同行业的平等竞争，他们认为同行既是竞争对手，又是合作伙伴。同行之间要互相尊重，要守约、守信，绝不可采取欺诈手段，或以钱开路、买通有关人员来算计同行。他们反对不正当竞争，如窃取商业秘密，中伤诽谤同行，联手垄断价格，低于成本价倾销商品等。他们认为不正当竞争是不道德的，它不仅使经营者失去信用度，结果还失去顾客，更难于开拓市场，不能保证在竞争中取胜。

在经营中信守合同是诚信最重要的一面，如向丁三泰织染号订货，丁三泰会严格守约，从不误期，即使交货时价格已涨甚多，依旧信守“君子协议”，按期按质按量交货。因此，多年来往的老主顾情笃谊深，慕名前来的新主顾也不断增多。

在物价不稳定的情况下，利生盐号接纳顾客将钱存入自己的账户，按存钱的当日价格换算成茶油，由“利生”出具存油凭证，存户随时可以持证提油，无论油价已上涨多少，仍按存钱时的价格提油给顾客，从不爽约。1938 年长沙“文夕大火”，利生盐号损失惨重，此非人力所能抗拒者，于法于理，均可取得存油户之谅解。但利生盐号仍不失信，多方筹措现金，将存油按时价折成现金，挨户送上门去，从此利生盐号信誉益著。

2．视质量为字号的生存基础

质量是字号的生命，字号即招牌，它的显著特征就是向顾客提供可信赖的、可感觉到的商品质量。质量与字号是紧密相连的，名老字号都是以其产品或服务的上乘质量作保证的。字号即企业的品牌，丧失质量也就丢掉了品牌。商品质量包括理化性质和感官品质。前者可用量化的指标来评价，如性能、安全性、可靠性、适应性、经济性和时间性等，后者指商品完美的外在形式，如造型、色彩、包装、装潢、商标等。商品外在美和内在美的和谐统一，决定着字号和品牌的形象。

长沙最早的老字号之一玉和酱园以“玉醋”驰名省内外，虽几易其主，牌名一直保存。玉醋以优质糯米为主料，以紫苏、花椒、茴香、食盐为辅料，以炒焦的节米为着色剂。从原料加工到成品的各道工序，操作规程极为严密，精工细作，消毒封口，储存一

劳九芝堂瓷质老药罐

两年后方出厂销售。

创建于清乾隆年间的劳九芝堂药号既制药，又卖药，胶、丹、丸、散、饮、片的制作，均有一定的规程，一丝不苟，从不马虎。根据古典药书《圣济总录》配方，采用52种名贵药材精制而成的“大活络丸”；根据皇室太医秘方，选用上等人参、鹿茸、海狗肾、牛鞭、北黄芪、枸杞、杜仲等名贵药材精工佳制的“生龙活虎精”等成药，在清代中叶就已负盛名。劳九芝堂进货非常认真，非正宗药材不采，如黄芪必到内蒙古库伦进货，厚朴、天麻坚持进四川货，绝不以乙地货充甲地货。药材采购回来后，必须按质分等，按质论价，诚实待人，绝不以次充好。切制十分考究，洗、润、抖、折、切制、烘烤，以及熬胶、成丸，严守操作规程，务求质精形美，而且品种齐全，应有尽有。

老牌钢针“吴大茂”由于选料上乘，火候适当，操作严密，磨工精细，渐渐饮誉省城。每磨一贯针（5000口）用工达两小时，比其他作坊多出一倍时间，产品要求达到光滑、坚韧、锋利、笔直、均匀5条标准方能上柜出售，故有“老牌钢针，货真价实”之誉。

绸布业大户“天申福”以稳健著称，视商品质量为生命，进货检验把关十分严格。该店上海庄聘请了一位老行家吴鉴堂鉴别商品质量。吴对纺绸、线春一类织品可从生坯中看出好坏，能一眼报出缎类的等级和规格。他经手进货非常认真，假冒伪劣绝不会从他手下溜过。

“陶恒茂”的伞做工精细，谨守祖传工艺，因而能在长沙伞业中独树一帜，经久不衰。首先是选料考究，做伞骨用的竹子，必须是越冬老竹，去其头尾，留用中筒。云皮纸要选用上等纸，结边的纱要用自纺的土纱，因为土纱的吸油性比洋纱好。其次是操作细严，篾工都要按规格尺码精制，伞用丝棉盖顶层，中骨用头发绳穿结，伞边用土纱夹头发绳，还要用粗丝线结边，伞坯制成一律集中到三伏天用生桐油连续上油三次，不准在其他季节上油。

因此，陶家的老油纸伞，货真价实，赢得信誉。

“德茂隆”酱园以产优质“德”字香干为竞争品，其香干制作，从选料、浸泡、淘洗、磨豆、摆浆、煮浆、凝固、成片、造色、瓮色，以及配卤各道工序，层层把关，一丝不苟。

3．视顾客为“上帝”，为“衣食父母”

近代老字号的形成，在很大程度上取决于顾客对其信任度和好感，因而各字号无不把为顾客、为用户提供尽善尽美的服务作为他们成功的标志，无不把服务作为商品整体不可分割的一部分。他们深知，为顾客提供优质、完善的服务是本字号接近消费者、打动消费者的捷径，也是本字号树立品牌形象的捷径。视顾客为“上帝”，即顾客至上，一是服务热情，无微不至；二是不断推出便民措施和新的商品；三是讲信用，一诺千金；四是认真对待和正确处理顾客的批评和挑剔；五是对顾客一视同仁，急顾客之所急，想顾客之所想。

近代湖南老字号都订立有严格的服务公约和纪律，如大盛绸布庄规定，店员热天不准穿短裤拖鞋，并督促店员勤理发，勤刮胡须，勤换衣服，衣着仪表保持整洁端正，时人谓之“盛派”。徐长兴烤鸭店规定，顾客入座笑脸相迎，首先由堂倌（服务员）接待入座敬茶，询问需要品种数量。上菜后，服务员仍要伫立在旁，等候呼唤，添酒加菜。顾客吃完后，服务员还要为顾客“打吧子”（送毛巾抹嘴）、“送牙签”，然后由账房开票收账。顾客满意，另给小费若干。顾客出门时，服务员还要笑脸相送道谢，欢迎再来。

大盛绸布庄还以开拓进取令同行折服。“备货齐全，货真价实，珍视商誉，服务周到，专人经手，分地包干”，是“大盛”快速发展的要诀。经理魏韵篁亲自站柜，对顾客不分生意大小、成交与否，都是“百拿不厌，百问不烦”，和颜悦色，迎进送出。对经常往来的顾客固定专人接待，以便于了解顾客心理，建立信任。对往来大户的婚丧嫁娶，由经手人员前去应酬，费用由店开支，顾客买错了商品，或发现买去的商品有毛病，都可以退换。批发业务按地区固定专人分管，各路批发大户来长时，分管人须做礼节性拜访，以致批发业务遍及全省，外省如江西之萍乡、莲花，广西之桂林，贵州之铜仁、镇远等市县亦有批发往来，年营业额最高时达 200 万银元。天申福绸布庄的营销策略也可谓无微不至，如对生病顾客赠送仙鹤草等治病良药，对爱好书法的顾客赠送曹广桢所书字帖《太上感应篇》，以此来感动“上帝”。

1945 年抗日战争胜利后，长沙照相馆恢复到 20 多家，其中以“蓉光”“凯旋门”和“云芳”最负盛名。照相业的竞争也非常激烈，各店频频推出种种优惠新招、服务新举。蓉光照相馆曾以赠送五彩大像（即按原价照 4 寸美术像 1 张，加赠 8 寸彩色放大像 1 张）为优惠，一时轰动全市，顾客有如潮涌，从早到晚排座等候。两部大座机，十几个人连续不停地工作，仍照不完，不得不发售预售票，每天收入 1000 多银元，打破了行业纪录。安徽省安庆市照相业独资大户云芳，抗日战争中逃难到长沙，刚来时，因业务未能打开，就主动到各大医院，义务为医院拍广告照，为医师拍工作照，深受医务人员欢迎，因此招来许多生意。1946 年开设的凯旋门摄影社，在一次拍摄集体婚礼照时，不慎失误，经理朱振三亲自逐个登门道歉，并邀接至店重拍，博得顾客赞誉。

在付款结算方面，老字号也纷纷推出方便顾客、让利顾客的措施。九如斋南货号，顾客进店请入内堂，免费品尝。如遇女孺，由女店员出面接待。对殷实大户，可赊销记账，“三节”（春节、端午、中秋）结算，一次总付。玉和酱园设有酱、醋、苏酒等 5 个作坊，前店后坊，经营范围甚广，业务发达，年盈利上万。“玉和”批发外销业务甚广，由于底子殷实，客户可先提货后付款，一年或半年结算一次。如此优待，吸引了新客户，稳住了老客户，生意越做越大。

4. 富不忘回报社会，做湖南慈善事业的积极推动者

到近代，见利忘义、唯利是图，已非湖南商界的普遍现象。聪明的商家都懂得“欲取之，先必予之”的道理。尤其是经营成功的大商号，热心于资助公益事业，常以慈善家的面孔现身于社会，因而更加获得顾客和商户的好感，其美誉度愈加提高，其市场地位也愈加巩固。

在这方面，以大粮商兼盐商、茶商的朱昌琳和魏鹤林最为典型。朱昌琳乐善好施，热心资助地方公益事业，常年拿出田租 1 万石，对于育婴、施药、办义学、发年米、送寒衣等，辟专项资金，保证支付。光绪三年（1877），朱昌琳应山西巡抚曾国荃（长沙府湘乡人）、陕西巡抚谭钟麟（长沙府茶陵人）的嘱托，捐献大批粮食、布匹赈济两省灾民，功授候补道员。时人赞曰：朱昌琳“生平以济人利物为己任，自道光己酉，赈水灾为致力善举之始，其后历咸、同、光三朝五十年中，善行不可枚举”，“尤尽心于救荒，秦、晋、皖、鄂，蠲赈辄数十万”。光绪二十三年（1897），他倡议疏浚新河，开辟新河船埠，振兴浏阳河至湘江的航运，历时 10 年竣工，先后捐银 13 万两。光绪二十五年（1899），他又捐资修建湖南平江县长寿街麻石路面。宣统三年（1911），年近九十的朱昌琳被举耆贤，特授内阁学士衔。魏鹤林“对于慈善业亦甚慷慨，于育婴捐助三四千金以为之倡，于郵鳌捐谷一百五六十石作为基金，于童媳捐银一千余两，凡贫家小户童养媳者，给以补助之。种种善事举，受惠者长久称道勿衰”。[1]

泰和合茶号的兴盛曾为闭塞偏远的石门泥沙古镇带来新气象。泰和合茶号创始人卢次伦利用宜红茶的兴盛，大兴义举，历时 10 年，疏通渫水 200 余里险滩礁石。开山凿石，铺成泥沙至津市，泥沙通往鹤峰、渔阳关等数百里青石板道路。他兴建义仓、义渡，

① 陈先枢．19 世纪 60 至 90 年代中期长沙传统社会的缓慢变化［M］// 潭仲池，彭平一．长沙通史：近代卷．长沙：湖南教育出版社，2013：169.

兴办义学，按每只渡船置课田 20 担，将泥沙以下 300 里水路上的渡口全部办成义渡。为了淳化风俗，他甚至办起了宜红戏班。

株洲木商唐春和乐善好施，凡亲戚朋友遇到困难，只要恭维一声“唐老太爷”，把困难说清楚，他就从口袋中拿一把钱，数也不数，交给这人。南北军阀在株洲混战时，唐春和买过 400 多口棺材收殓尸首。1946 年天旱，赤地千里，唐闻讯后，从湖北买了上万斤蚕豆和大米，运到三门，免费发给了灾民。平时逢年过节，唐春和也给家乡的贫苦者每人发米 1 升或 20 斤不等。他先后为新群、石浦、江声 3 所中学及郴县商校、唐氏族校捐了 5000 余银元。不论株洲街上，还是唐的老家，举办公益事宜，如古岳峰、朱亭修建茶亭，株洲建徐家桥等，他总是捐献银元一百或两百，名列前茅。

（二）商业经营从传统推销向市场营销转变

商业的兴衰始终是与商品市场的兴衰紧密联系在一起的。商家要占领市场少不了做推销,但传统的推销方式无外乎叫卖、招贴、旗帜等较原始的手段。到了近代，湖南一些著名的商号已善于文化创意和市场营销。文化创意和市场营销虽是 20 世纪 70 年代末才从西方引进的新名词，但湖南老字号早就有了实践。市场营销实质上是一种市场经济行为，或市场参与活动，它不仅仅指产品的分销选择、广告宣传、销售促进，而且包括产品生产之前的消费需求调研、市场预测分析、产品创意开发、市场定位投放、营销咨询、营销服务等一系列活动。近代商家深知字号即招牌，是顾客或用户记忆商品和服务的符号和工具，招牌不仅要将商品或服务销售给目标顾客或用户，而且要使顾客或用户通过使用对商品产生好感，通过口碑相传，形成对老字号的信任，达到使顾客或用户重复购买的目的。因此，老商号的字号，即招牌，是产品或企业核心价值的体现，是识别商品或服务的分辨器，是本商号质量和信誉的象征和保证。

1．在营销活动中注重形成自身的经营特色和招牌产品

企业及其产品是否有自己的特色和优势，是区别名老字号和一般字号的重要标志之一。特色即个性，构成个性的因素是多方面的，如家传秘方、拳头产品、地方特色、经营风格、行业优势、产品新颖程度等都可成就一家字号和品牌的特色。

近代湖南各中药字号各具特色。创立最早的“九芝堂”虽几度兴衰，但一直注重保持“为民除病，济世救人”的传统风范，积累了大量独特处方，精制成“大活络丸”“参苏丸”“生龙活虎精”“松鹤补酒”等许多市场走俏药品。创立于清光绪元年（1875）的百年老店北协盛药店以备货齐全，药材道地，切片质精形美，明码实价，诚实待人而得到“品重万金”的盛誉。创立于1913年的中华国药局，以制作经营龟、鹿、驴胶、参茸、虎骨等滋补药品而闻名。李氏四兄弟经营的四怡堂药铺虽开业较晚（1934年），但独辟蹊径，用纯金锅炼制紫雪丹，并着力改进药品包装，因而名声大震。达仁堂药店是天津“达仁堂”于1935年在长沙设立的分店，专售天津达仁堂生产的中成药，尤以小儿科、妇科用膏、丹、丸、散药品最为齐全。营业员皆能“问病卖药”是该店的另一特色。

湖南餐饮业老字号更是各具特色。火宫殿自20世纪20年代形成品种多样、风味独特的小吃店群，其规模与特色均可与当时上海“城隍庙”、北京“天桥”和天津“三不管”媲美。火宫殿的小吃品种从民间小贩开始，经年积累，具有浓郁的地方特色，著名的有姜二爹的油炸臭豆腐、姜氏姐妹的姊妹团子、李子泉的神仙钵饭、张桂生的煮馓子、胡桂英的麻油猪血、周福生的荷兰粉、邓春香的红烧蹄花等。这些小吃从选料、配方到制作，代代相传，各具风味，一直流传至今。长沙各大酒家饭馆也各具特色，各有各的“拿手菜”。曾国藩之孙、湘乡翰林曾广钧曾上“玉楼东”用膳，留下了脍炙人口的“麻辣子鸡汤泡肚，令人常忆玉楼东”的诗句。回民徐沛斋开设的徐长兴烤鸭店则以经营烤鸭、油鸡著称，尤以独创的“一鸭四吃”而闻名遐迩。汨罗人许少蘅在三兴街开设的许宏茂饭馆则以明码实价、薄利多销取信于民，一跃成为全市著名餐馆。“德园”始建于清光绪年间,所制包点以其“色白膨松，皮喧透油，馅芯鲜美”而备受称赞。杨裕兴面粉馆首创鸡蛋面条，以软硬适度、风味独特著称，杨裕兴因之成为省内一流面粉馆。

2．保持长久活力的关键是创新

近代湖南老商号深信，只有通过持续、稳定的创新，本字号才会不致衰退，才能在市场上占据一席之地。如果一味安于现状，墨守成规，必然会遭到市场的否定和淘汰。

如创立于1919年的湖南商药局，经理郭厚坤精明干练，敢于创新，颇有抱负。他认为道守古方，固所应该，但不能墨守成规，食古不化，而应在“遵古”的基础上，根据病情的需要有所创造和发展。他请了名医郑守谦、曾觉叟、吴汉仙、彭韵伯等处方，经过反复试验，制成膃肭补肾丸、当归补血精、人参补脑汁、参桂鹿丸等成药，还引进杭州“胡庆餘堂”、上海“雷上允堂”、北京“同仁堂”等名店所保存的皇宫秘方，推陈出新，经名医审定并加增减，制成各种成药，对其主治病症卓有疗效，一经问世，不胫而走，把经济效益寓于社会效益之中。

菲菲伞社打破百年如一日的“老油纸伞”和“青布雨伞”老面孔，开创了长沙制伞工艺融欣赏美和实用美于一体的新路子。菲菲伞分为雨伞和阳伞两大类。款式多样，有大盆边、荷叶边、鱼齿边、平整边等；图案造型有绘花、喷花、印花、贴花4种。伞面装饰千姿百态，有芳草奇花、才子佳人、飞禽走兽、青山绿水等。菲菲伞不仅是一种轻便适用的日用品，而且是一种美观雅

鬅毛针绣的老虎

致的工艺品，产品除销本省和长江流域外，还远销港澳地区和东南亚一带。1929 年在中华国货展览会上，长沙菲菲伞获优等奖。

湘绣虽是中国四大名绣之一，但湘绣业的老字号，如锦华丽、红春簃等绣庄却不满足传统刺绣针法，他们在掺针的基础上创造出一种专用于绣狮、虎的针法——鬅毛针。绣的时候，使针呈聚散状撑开，撑开的一头线粗、疏，另一头线细、密，使人感觉到绣线像真毛一样，一头扎进了肉里，一头鬅了起来，使所绣狮虎宛如活物。老字号“金球”“金彩霞”还创造出双面全异绣，即在一块透明刺绣底料的正反两面上，绣出形象、色彩、构图、针法完全不同的两种物体，形成完全不同的两个画面，使湘绣艺术进入出神入化的境界。

3. 注重企业的经营管理，善于运用灵活多变的营销策略

近代老商号的成功靠管理。管理就是充分利用各种资源，使其发挥最大的效用，主要是组织、协调、领导、控制与决策等行为。长沙老字号的经营者深知，老字号必须依靠管理才会出效益，经营管理关系企业的生死存亡。

1929 年组建的大德昌百货号是当时经营国货的批发名店。“大

德昌”进货地区以沪为主，汉、穗次之。林绍钧、林绍奇于沪坐庄采购，店庄之间信息灵通，总店每天将长沙走销行情、银根松紧、汇水涨跌等情况通报沪庄，沪庄则每日将市场动态、赊销期口、新品采样、厂商变化等情况回报。多方预测，看准行市，适时批进。上海厂商对“大德昌”十分信任，凡所要之货，无论品种、数量、价格、时间均按合同或口头承诺执行。“大德昌”经营方式灵活，一切为招揽客户着想。大小百货分店经营，大百货号设在臬后街，小百货设在朝阳巷。商品分针织品、棉织品、钢（铝）制品、搪瓷制品、玻璃制品、日用化妆品、钟表、胶鞋、五金、热水瓶、小百货等，与今日百货商品经营范围无异。花色品种多达数千种，交易不论大小，一视同仁。商品批发可降低起点，拆零供应，同样按批发价优待。小百货按九八折供货，以招徕省内各县、本城同行、店铺摊贩、挑脚商担各路生意。薄利多销的策略使“大德昌”生意越做越大，到 1936 年股金增值十多倍。1944 年长沙沦陷，许多百货号因辗转流离，损失惨重，而“大德昌”却高人一筹，竟能在辗转途中，将存货全部脱手，换成黄金美钞，以致抗战胜利后威风不减当年，店铺增至 4 个，还在司门口新建了门面，

利生盐号旧址

改牌大新商场。

利生盐号制定了一套具有利生特色的经营管理制度。利生盐号以销售食盐、茶油为主，兼营棉花、棉纱以及桐油、煤油等，着重门市零售，辅以批发。它的主营和兼营不是自顾自地，而是互为促进，相得益彰。“利生”的食盐、茶油顾客，主要来自农村，特别是河西一带的油、盐零售生意，几为“利生”所独占。还有平江、浏阳、湘阴等县顾客亦多在“利生”购买油盐。每年冬季，农民添置棉衣棉被，而平江、浏阳、湘阴等地春冬农闲季节，农民多以纺纱织布为副业，亦需棉花为原料。“利生”乃在津市、常德购买棉花加工弹制，以利于农民在购买油盐的同时可以购去棉花，有的购买棉花又顺便买去油盐，群众称便，“利生”也做活了生意，从中获利。

衡阳协盛西中药店实行“三堂”领导下的经理负责制。该店系家族商号，为防止家族内部争权夺利，每堂推一人为代表，再从三堂代表中，举一人为三堂办事处负责人，其权限是：制定各店资金管理和分配股东红利、股息，以及听取各店经理汇报等。店内处理重大问题，必须持有三堂公信。如股东及其子弟，无三堂公信，私自来店者，一律以外人对待。职工来店或回乡，也须到三堂办事处办理报到手续，否则不予支付旅费。在三堂办事处的领导下，店内一般派有两个经理，不分正副，轮流主持店务。店中实行独立核算，自负盈亏。经理对企业人、财、物有经营自主权，对职工有安排调用权，对失职或乱章人员有向“三堂”提请辞退权，对考勤、提级和红利分配有建议权，对资金运用、财务管理、业务经营有指挥权。显而易见，“三堂”制已具备了现代企业管理制度的雏形。

岳阳味腴酒家经营有方，其成功原因有三点：第一，不惜重金聘请厨师。厨师分为五个行当：案子厨师、碟子厨师、炉子厨师、叉子厨师和点心厨师，都系科班出身。第二，力求照菜谱选料，不搞代用品，按价配料，不减量降质。第三，管理严谨，经营灵活。厨房确定一名“神墨”，负责主管店内所有厨师。店堂设有一名“坐柜”，负责开单结账，接待应酬。餐厅配备一名“堂头”，每天了解厨房货源，掌握当天能够供应的品种，列好菜单交“坐柜”，还负责招呼顾客落座，介绍菜味。

4．注重商业文化氛围的营造和广告宣传，发挥品牌效应

老字号形成的过程乃是知名度、美誉度、信任度、追随度等的提升过程，或字号（招牌）无形价值提升的过程。近代湖南商号的经营者十分明白，这种提升离不开商业文化的营造和巨大广告的支持。那时还没有 CI（企业形象设计）的概念，但湖南老商号的经营者似乎已十分懂得建立本商号的符号识别系统，包括理念的、行为的和视觉的识别系统，他们对本号的门面、装饰、店堂、广告、商标、招牌等别出心裁的构思和设计，丝毫不逊于现代的所谓营销大师，他们已经具备了前卫意识，但又不失湖湘文化的优秀传统。

民国初年创办于长沙八角亭的介昌绸布店，门店广告很有特色：门前竖一时钟楼，指针到点，当当鸣响，行人争相观赏；店堂中设立玻璃橱窗，陈列高档商品，使人一进店便有琳琅满目之感。离“介昌”不远的华丰绸庄也不甘示弱，橱窗广告别出心裁，橱内装饰一个“鬼”字，声言谁能猜中这一字谜，窗内的商品就送给谁。引来众多围观者，广告效应初显。一天，一大汉猛击一拳，砸破橱窗玻璃，取走橱内商品。老板见状连声称赞，并设宴款待猛汉。众人问其意，老板解释说，字谜他猜中了，他就是我要找的“冒失鬼”。华丰绸庄从此声名大震，营业日盛。

一些中药店的厅堂则设置假山水池，饲养金鱼，培植花草，陈列老虎标本和各种名贵药材，悬挂名人字画，装饰古雅，着意营造中医药文化的氛围。湖南商药局招牌系湖南都督谭延闿所题；

1915 年悦昌祥绸庄广告

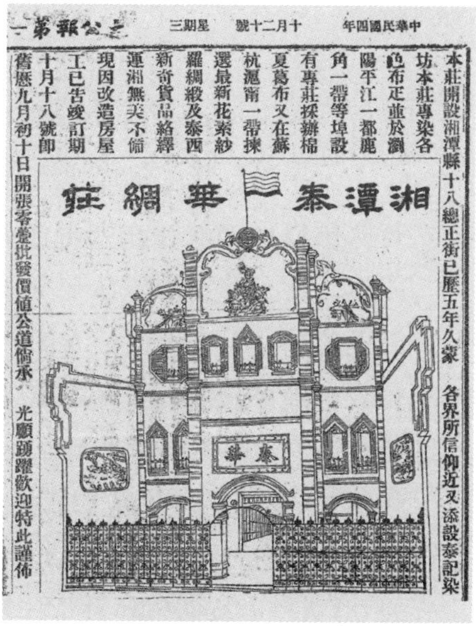

1915 年湘潭泰华绸庄广告

石库型门面上摹绘着“韩康卖药图”；从上海定做的大型霓虹灯，每当夜幕降临便灯光闪烁，还特制大批印有湖南商药局牌名的彩印铁皮日历牌赠送顾客和茶楼、旅社。1915 年创办的长沙《大公报》，历时 30 年，在前 10 年每日出版 5 张对开报纸，共 10 个版面，广告占去 5 个版面，其中不乏老商号的广告。从笔者所编《长沙百年老照片丛书》中可见到当时“长沙寸阴金钟表公司”“长沙八角亭时新昌百货庄”“长沙八角亭伟成鞋帽庄”“上坡子街和记靴鞋批发号”“清泰街余天宝金号”等广告。

20 世纪 30 年代是长沙商业广告迅速发展的时期，此时已出现了专营广告业务的新兴行业。1934 年周林合等 4 人组建的乌金广告公司，是湖南第一家广告公司。以后又陆续有飞马美术社、纵横广告行、西风广告社、长城广告社问世。这些广告经营企业的业务一般是设计和绘制墙壁广告，制作招牌、路牌、橱窗广告等。此外还有兼营广告业务的单位，如印刷厂兼营广告印刷，电影院兼营幻灯广告等。从今存的一些老照片可得知，长沙天心阁西轩门下、司门口省会警察局前等地方都设有专门的广告墙。抗日战争后，长沙有了丽华、金华两家霓虹灯制造厂。

太平洋百货庄每逢建店周年纪念都要举行大型游行活动，游行队伍以形如航行在太平洋上的巨轮彩车做前导，油画广告牌、彩旗、管乐队、国乐队尾随其后，在大街小巷、城乡内外巡游，随发传单，引来无数行人围观，广告效果可想而知。各商号纷纷仿效，弄得长沙街头锣鼓喧天，乐号齐鸣，热闹非凡，以致长沙警察当局不得不出面干预，于 1934 年发布《长沙市游行广告管理规则》，规定凡举办游行广告，要先报警察局核准，发给许可证方能举行。广告游行时间规定为上午 9 时至下午 8 时，人数不得超过 20 人，游行队伍经过学校和医院要停止奏乐。

长沙广告在走向近代化的同时，传统的广告形式仍占有一席之地，如招牌广告、诗联广告等。这些广告融合着浓厚的湖湘文化意蕴，给生活在嘈杂、喧哗的商业都市中的人们以一丝清雅感。请名人题联作对是长沙传统广告的精粹，许多名联佳对至今使人回味无穷。长沙近代名老字号的许多名联佳对出自名人之手。左宗棠为柳德芳汤圆馆作：“枵腹而来，君休问价；从心所欲，我亦重涎。”李元度为天然居酒家作：“客上天然居；居然天上客。”曹典球为德园茶馆题联：“德必有邻邀陆羽；园经涉足学卢仝。”田汉为李合盛餐馆题联：“其味非羊能易；此间有鸡更佳。”吴恭亨为天乐居旅馆题联：“ 画本妙天然，此楼真高百尺；人生行乐耳，有酒更进一杯。”谭延闿更是商业楹联的高手，许多名店都有他的墨迹，如天然台茶馆的“客来能解相如渴；火候闲评坡老诗”，介昌绸布店的“通功易事无余布；纬地经天具大材”，北协盛药店的“大开窗户纳宇宙；醉与花鸟为友朋”等。这些名联佳对画龙点睛地道出了商店的经营特色，再配上精湛的书法和工艺，成为湖南老商号广告的佼佼者。

一些老商号直接在招牌的形式与内容上做文章，当作区别于其他商号，并引起顾客关注的重要手段。这里的招牌专指以悬挂、嵌镶、砌筑或光电等方式固定于门市的牌、匾、额、壁、幌、旗、帘、灯箱、霓虹灯等，上面附着有店名，有的还附着店徽、标记、图案和相关广告语。中国古代的商店招牌是颇有诱惑力的。“试问酒旗歌板地，今朝谁是拗花人”（李贺）、“河桥酒旆风软，候馆梅花雪娇”（杜牧），在这些唐诗中，作为一种景物出现的酒旗，就是古代酒肆富于诗情画意的招牌。由此可见，商号招牌由来已久，是中国商业、服务业传统的经营特色。在老商号中有所谓“卖招牌”的说法，信誉度高的招牌被消费者称之为“金字招牌”，正说明招牌的重要性。在繁华的商业区里，消费者往往首先从大大小小、五光十色的商店招牌中，寻找实现自己的购买目标或值得游逛的商店。因此，具有强烈吸引力的招牌，对诱发消费者的视觉美感和心理美感都是很重要的。从市场营销角度来讲，商店招牌起着引导与方便消费，引起注意和兴趣，加强记忆与易于传播，反映经营特色与服务传统等作用。招牌的美感主要来自招牌的形象美和寓意美两个方面。

招牌是商店的门面，一些形式新颖独特，富于艺术性和形象性的招牌，能迅速抓住消费者的视觉，给人以美的享受，诱发浓厚的兴趣和丰富的想象。湖南老商号招牌的传统形式主要是牌匾、招幌、帘望等。民国以后，长沙、湘潭、衡阳等城市商号开始采用灯箱、霓虹灯等立体化形式的招牌，选用木材、铜材、铝片、塑料、釉面砖、有机玻璃等材料制成造型美观、鲜艳醒目的大型招牌，配以传统的（如挑檐）或现代的（如拱式门窗）建筑装饰，引起消费者极大的注意和兴趣。请名人或书法家题写招牌，是老商号的惯用手法，这不仅可让美的形象呈现在消费者面前，而且还可以提高商号的知名度。如湖广总督林则徐为鄢复兴药铺题写招牌，湖南巡抚王文韶为三吉斋南货号题写招牌，民初湖南都督谭延闿为陈力新曲局、北协盛药店、湖南商药局、介昌绸布庄题写招牌，书法家王运长为师古斋纸庄题写招牌，书法家周介祹为瑞丰绸庄题写招牌，书法家黎泽泰为九如斋南货号题写招牌。火宫殿的“乾元宫”门额更是大书法家黄自元所题写。名人题额使这些商号名声大震。

（三）行会风俗从行业神崇拜向行业秩序化转变

1. 湖南行会风俗的沿革

行业最先在城市出现。唐代长沙实行坊市制，在规定的地点经商，经营同一种商品的店铺集中在一条街上，同类手工业作坊也集中在一块，形成行的组合。行业就是这样产生的，所以，“行”就是专业经营的代称。随着商业和手工业的发展，每一种行业的从业人员很多，同一商品有多家经营和生产。这样，同行业内部以及行业与行业之间，必然有许多问题需要协调，行会组织就应运而生了。因此，行会的产生最初完全是自发的，是商业、手工业维护同业利益的自发要求。

到宋代，情况就发生了变化，坊市界限被打破，商人和小手工业者在缴纳赋税的条件下可随处开店、开坊，同一行业也不一定集中在一起。在这种情况下，行会自然被封建官府所利用，逐渐成为官府对商业和手工业实行管理和统治的一种重要组织形式，正如《梦粱录》“团行”条说的“市肆谓之团行者，盖因官府回买而立此名”。与官府关系密切是宋代行会的一个重要特点。行会权力甚大，对内涉及组织货源、分配货物和货币，对外排斥非行户，垄断市场。行会首领称为“行头”，一般都是由少数富商大贾担任。他们操纵行会，垄断价格，勾结官府，能有效地排斥和盘剥广大的中小商户。明代行会仍沿宋制，但出现了会馆组织，成为清代商帮的前身。

清代早期，行会的性质又有所变化，不仅保留了原有的行业管理职能，而且还具有了帮会的性质。湖南商人经商，皆自行成帮。

有以同业为帮者，如盐帮、茶帮、匹头帮、竹木帮、票帮、钱帮、典当帮，以及各种营业各为一帮。有以同籍为帮者，如盐帮有南帮（江南）、西帮（江西）、北帮（湖北）、本帮（湖南）；茶帮有西帮（山西）、广帮（广东）、本帮；匹头帮有苏帮（江苏）、本帮；竹木帮有西帮（江西）、本帮；钱帮有西帮（江西）、苏帮（江苏）；典当帮有南帮（江南）、西帮（江西）、本帮。各种同业以同籍名为一帮。帮名五花八门，颇带神秘色彩。以同籍为帮者，江西帮名“万寿宫”，福建帮名“天后宫”，广东帮名“岭南会馆”，江苏帮名“苏州会馆”，安徽帮名“徽州会馆”“太平会馆”等。

以同业为帮者，各自建起本行业的祖师殿，祭祀自己的祖师神，开展行会的频繁活动。湖南三十六行业各有各的祖师殿，也各有各的行业祭祀活动。如钱铺、杂货业、绸缎业的“财神殿”，药材业的“神农殿”，屠宰业的“桓侯庙”，酒馆业的“詹王庙”等。此外还有鲁班殿、老君殿、轩辕殿、药王殿、雷祖殿、罗祖殿、孙祖殿、李祖殿、梅葛祠、文昌阁等，不胜枚举。同行业的帮会各自祭祀一个祖师神主作为本帮的崇拜偶像，每年都要举行祀神年会，如纸业祀蔡伦为祖师，并祀福禄财神和梅葛二仙（相传梅、葛系颜料祖师）。每逢农历三月十五日举行财神会，还有八月十八日的杜康会，八月二十日的赵公会等。又，农历二月初三为刻字匠祖师文昌帝君生辰，在文昌阁祭祀；二月十五日是铁匠、铜匠祖师太上老君生辰，在老君殿祭祀；四月十四日，染匠们在梅葛祠内祭祀其祖师“汉洪都尉梅”“晋关内侯葛”；四月二十八日，药业界在药王殿祭祀其祖师孙思邈；六月十五日为厨师们祖师雷祖（也有以詹王为祖师的）华诞，在雷祖殿（或詹王殿）举行祭祀；十二月二十日是木匠们祖师鲁班华诞，在鲁班殿举行祭祀。还有漆匠祖师乳安，织机匠祖师麻田七妹（女），玻璃业的祖师六毒大王（据说他生前是位绿林豪杰，绰号“六毒大王”），豆腐业的祖师淮南子，鞭炮业的祖师李祖（本名李畋），窑匠以陶正为祖师，阉割匠以华佗为祖师，财神殿供奉的赵公元帅像是各商会、牙行（协助买卖双方成交的经纪行业）的共同祖师，老郎庙供奉唐明皇神像，是艺人、演员们的开山祖师等。

各行各业每逢祖师生辰或“传真得道”之日，由值年（或称首事）准备三牲（鸡、鱼、猪头）与酒醴举行隆重的祭祀盛典，并推所在地区本行业颇有声望又殷实的作坊主以及社会名流主祭。祭典中，祖师殿香烟缭绕，灯烛辉煌，钟鼓、弦管与铳（鸟铳）炮（鞭炮）交相鸣响，执事、宾客与祭品（市、县各大作坊主均备祭品来祭）来往穿梭。中午时分，行业会首率领总管、值年等向祖师神（神龛、神像）恭恭敬敬行三跪九叩大礼，揭开祭祀典礼序幕。祭典之后，各店铺店主和大小作坊主都要备酒肴款待所雇店员、技师、工匠，称为“会酒”。

各个行业收录艺徒，也在祖师殿进行。届时，设香案，点燃“久煌烛”一对、线香三炷，上面摆着祖师牌位。艺徒在主持礼仪者率领下，先向祖师神行三跪九叩大礼，次向师祖暨乃师分别行一跪三叩之礼，再向师伯师叔一跪一叩，最后向众师兄作三揖参见。拜师时，照例要办进师酒，款待师祖、师父、师母、师伯、师叔、师兄及行业值年。

清乾隆以后，各行逐渐采用了公所的组织形式。如长沙纸业的行会称“同义公所”。公所是打破了地域界限的同行业组织，它比原来的同乡公馆大大前进了一步。此时的行会，组织十分严密，领导机构由大商号派代表组成，公推董事或由各商号轮流分年管理会务，称之为“值年”。值年负责对外办理交涉、谈判，处理商事纠纷和诉讼，制定行规，主持神祭，支差派捐，商定市价等。值年必须热心公务，没有薪俸，但每年可得到一些“车马费”。

行会经费主要来自捐款，有基金捐款、常年捐助、临时派捐三种。基金捐款包括上缴会费和殷实富户提供的房屋、田产及大宗款项；常年捐助由各商号缴纳；如发生特别事件或举办慈善救济，则临时向各商号派捐。

同行业的公所，突出了保护同行业利益的一面，削弱了保护地域性利益的一面，为此都制定了相当严格的行规。行规是经本行商议，必须共同遵守的条款，如有违反，轻则罚以唱戏、办酒席、罚款；重则“禀官究办”“革出本行”。行规内容大致包括 4 个方面。一是开业的规定，开业必须具备一定的条件，履行一定的手续，缴纳一定的牌费。二是限制不正当竞争的规定，如不准互相抢生意，限制随意扩大销售市场。三是罚规，同行间有纠纷大都由本行会议评断曲直，仲裁是非。行规虽非法律，但当事人必须服从，否则会受到同业的排斥。四是对招收徒弟的规定。自乾隆时起，长沙即有关于学徒投师、上会、待遇、学习、出师等的规定。学徒进店要托保人，要缴纳保证金，“多者百金以上，少亦数十金，或数十串不等”，进师之日要备拜师酒，立投师字据，还须报公入册、上会，方能获得行会的公认，进入“帮友”之列。各行会对招收徒弟的数量限制极严，不许多收。如长沙京刀行规定“带学徒者，三年为满，出一进一，公议出备上行钱五串文归公，如违不遵，罚戏一台敬神”①。

2. 近代湖南行会风俗的变化

在道光三十年（1850）至同治三年（1864）长达 14 年的太平天国农民战争期间，长沙行会组织被破坏殆尽，有的解体，有的形同虚设，以致太平天国失败后的十多年时间里，长沙市场秩序紊乱，商事纠纷不断发生。如长沙糖业生产，“自乾隆嘉庆道光年间以来，章程划一，近因粤氛（指太平军）犯境，致规条紊乱，积弊丛生”。广大手工业者和中小商人迫切要求重建行会，恢复行规。如长沙的干湿靴鞋行，因“手艺不无巧拙之分，工价亦有低

① 长沙锡店条规［M］// 彭泽益 . 中国工商行会史料集：上册 . 北京：中华书局，1995：457.

昂之别”，如果采用整齐划一的价格，似为不公，故各店家都希望恢复原有的上中下“三等之价”，“次第增添”。而没有行会来做这个协调工作，价格划等是不可能做到的。因此，在19世纪60年代中期，行会开始逐渐恢复活动，是长沙重建行会和整顿行规的活跃时期。长沙清代前期原有的行会大部分恢复，重新议定了条规；新出现的行业也建立了行会，制定了条规；行会活动较前更为频繁，行规也较前完备、严密。据《中国近代手工业史资料》统计，这一时期长沙共有手工业行会21个，旧行会恢复整规13次，新行会议规9次；商业行会9个，旧行会恢复整规5次，新行会议规6次。长沙在同治年间新建有锡器行、鞭炮蚊烟行、碓米行、面店粉馆行、生药行和干湿靴鞋行等；光绪年间新建的行会更多，计有糖坊行、油漆行、锯木行、篾行、绸布行、白铁行、铜器行、竹木伞三行、烟袋行、四帮木行、西货毡毯行等。

到19世纪末期，长沙共有各种行会组织30个左右，涉及钱业、盐业、杂货业、木业、纸业等多种行业，同时还有12个商业会馆。1904年长沙开埠之后，长沙各业行会也随着形势的变化，对各业的行会章程进行了相应的修改或另定新规，以更好地适应当时社会的经济环境。1904年，由省城会馆、同乡会出面，向抚院申请，在长沙储备仓成立了湖南商务公所，委派王铭中为总理。1906年，湘省商界人士发起成立了湖南商务总会，推举大盐商、淮盐公所总董郑先靖为首任总理，实行议董制，并在宁乡等地设立商务分会。1910年，湖南省手工业工场主、作坊主和包买商等人士还发起组建了湖南省工业总会，辛亥革命之后并入商会。

在维护行业公平竞争方面，行业公会起了不可忽视的作用。清末，南京人杨寿芝来长沙开设杨寿记绸布庄，主营批发，获利颇丰，致使苏州、南京商户接踵而来。长沙本帮有“九章”“万生”“聚生泰”等。商号众多，竞争自然激烈，行业公会应运而生。绸布业同业公会始建于清光绪末年，会址设在白马巷。绸布公会又叫

“天孙宫”，取“天孙织绵”之意，奉祀“天孙娘娘”。公会推举正副总管及值年6人，3年一换。清末长沙绸布店已有50多家，业主虽来自各帮，但在公会的组织下，尚能友好相处。为了避免价格涨落起伏过大，引起不平等竞争，各商号定期会与行会共同议定各种商品买卖价格，称为“行市”。行会还作出规定，以维护本行业度、量、衡的统一。如长沙绸布业行规议定，以官尺为准，“每年较准一次，不得擅自增减，有滥成规，如违公同禀究”。

辛亥革命之后，长沙的行业组织有了更大的发展，1911年，拥有固定商业条规的行业多达83个。1914年，湖南商务总会改组成立长沙商务总会，仍兼理全省商会事务。采用会董制，选举正副会长各1人，总务2人，评议员30人，调查员16人，会计员4人，会董116人，周国钧为首任会长。此后，长沙的行业组织开始逐渐向近代化转变。工商业行业组织的兴起，既是长沙资本主义工商业繁荣发展的结果和产物，同时也是省城工商业进一步有序、规范发展的重要保障。行会组织开始有了些现代色彩，行会改称公会。如翠湘公会，即古董业的组织；万育群生会是南货业的组织。其他还有茶叶公会、瓷业公会、纸业公会等近60家。有仍叫公所的，如淮南公所是豆腐业的组织，梅葛公所是裱业组织，还有米业公所、铁业公所等近20家。这样的行会组织估计在百数以上，真是百业皆有会、所。这些公会、公所等均须向官府呈报备案，目的是维护本行业的利益，调解行业内部纠纷，具有一定的执法性质。如凡开钱庄，必由钱业公所核实资本总额，并取得5家钱庄联保，报官府备案方可设字号办理转账、贴现、兑换、抵押业务。挑担、推车者要加入“脚行”“箩行”。没有“箩折”，不准在港口码头挑箩。未入“轿行”者，不准抬轿进城。轿子放空回程，不得降价抢接乘客。豆芽菜业则规定了各家游街发卖路线，如越街叫卖，可按行规夺其扁担，交公会处罚。又如算命业确定了盲人与明眼人经营的差别，盲人游街算命可拉二胡，也可打小锣，没有地域限制；明眼人算命只准弹三弦，穿行僻街小巷，否则盲人可举棍乱打，明眼人不得还手，如还手，可交官府究办。

行会的行规行约常体现出强烈的排他性和同业保护性，主要表现在如下几个方面：

一是会籍制度和商号注册方面。会籍制度很严格，入会必须缴纳一定的银钱，承担公共义务，遵守共同的条规。如同治年间长沙京刀行入会则需纳银 15 两；长沙锡器行外行与内行合伙开店者，纳银 15 两。新设商号须向行会捐纳牌费，方准设立，如鞭炮蚊烟行规定，"城厢内外新开店铺""出牌费钱一千二百文"[①]。对于外来的客师、伙计、帮工入会，行会规定应由值年首士查明来历，方可入帮或开业。行会值年首士的选任特别强调"公正廉明、殷实老成、品行端正"。有些行业对新开店铺还有"相隔上七下八家"的规定，如省城纸店行规规定，新开字号"必须采访码头，视其街道原有是店，必须远离三对门一隔壁，任凭设立门店，倘有觊觎之心，抢行夺市，公同议罚"。[②]这表明长沙开埠以前的商业还未摆脱自我封闭的旧习，但较之完全排挤外来商人的旧条规有了很大的进步。

二是原料分配和度量衡器方面。对原料分配，行会起了很好的协调作用，原料一般要平均分配，不准抢购或囤积居奇。如长沙制香行规定，每月各店进料 20 盆，五八月 18 盆，腊月 17 盆。[③]清代长沙的度量衡器名目繁多，大小不一，常有奸诈之徒从中牟取暴利。为此，各行会各自作出规定以求本行业度量衡器的统一。如长沙绸布业行规议定，以官尺为准，"每年校准一次，不得擅

① 清同治长沙鞭炮蚊烟公议条规［M］// 中国工商行会史料集：上册．北京：中华书局，1995：361.

② 湖南调查局．湖南商事习惯报告书：附录［M］．长沙：湖南教育出版社，2010：146.

③ 清光绪长沙香店条规［M］// 彭泽益．中国工商行会史料集：上册．北京：中华书局，1995：309.

自增减，有滥成规，如违公同禀究”；山货业行规规定衡器“每年农历三月十六日至公所，将颁请正十六两官秤，公同校准，烙盖火印为记，倘无火印秤称货，出罚戏一本”。[①]

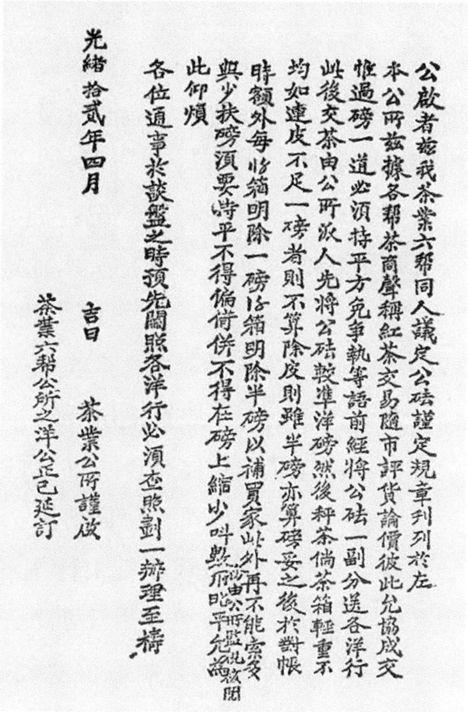
公啟者茲我茶業六帮同人議定公砝謹定規章刊列於左
本公所茲據各帮茶商聲稱紅茶交易隨市評貨論價彼此允協成交
惟過磅一道必須持平方免爭執等語前經將公砝一副分送各洋行
此後交茶由公所派人先將公砝較準洋磅然後秤茶倘茶箱輕重不
均如連皮不足一磅者則不算除皮則雖半磅亦算磅妥之後於斷帳
時額外每收箱明除一磅收箱明除半磅以補買家此外再不能索多
與少扶磅須要持平不得偏倚併不得在磅上縮少斗數以昭平允
此仰煩
各位通事於談盤之時預先關照各洋行必須查照劃一辦理至禱
光緒拾貳年四月　吉日　茶業公所謹啟
茶業六帮公所之洋公砝已延訂

省城茶叶公所公砝规章

三是商品质量和查禁假冒商品方面。行会对本行商品质量也有统一规定，如长沙烟行规定，制烟撕叶时，“无论何地头烟及秋伏，脚叶头尾，均须好歹索用，扯筋折净，不得草率”[②]。打击假冒伪劣商品也是行规的重要内容。如省城盐号议定：“分销票引，专提官盐，间有煎卤掺硝等弊者，为害民间不浅”“嗣后如有射利之徒，胆敢仍蹈前辙”“一经查出，公同察宪清封；同行徇隐者，公同议罚”。[③]

四是商品价格方面。为了避免价格涨落起伏过大，引起不平等的竞争，同业各行号多定期于行会共同议定各种商品买卖价格，称为“行市”。如长沙角盒花簪行对本行业所生产的 26 种产品，包括同类不同花色或不同款式的产品，均定期规定统一价格。[④] 省城屠宰业则规定“猪价早晚不一，公同酌议，不得私自涨跌”。特

① 湖南调查局 . 湖南商事习惯报告书［M］. 长沙：湖南教育出版社，2010：72.
② 清同治长沙烟店条规［M］// 彭泽益 . 中国工商行会史料集：上册 . 北京：中华书局，1995：426.
③ 湖南调查局 . 湖南商事习惯报告书：附录［M］. 长沙：湖南教育出版社，2010：146.
④ 湖南调查局 . 湖南商事习惯报告书［M］. 长沙：湖南教育出版社，2010：135.

别规定不得压价贱卖，如有滥价滥规者，一经查出，将受到罚戏、罚酒席等处理。

做说合生意的牙行（经纪行）有独特的行规。商店向外地客商大批进货必须通过牙行，买卖才能发生效力。牙行的员工多少不一，一般设拿盘、跑街、下河、管房、管线等人。拿盘又称“头靠”“大码”，是与买卖双方洽谈成交的主持人；跑街又称“二靠”或“堂面老板”，给买卖双方牵线搭桥，沟通信息；“下河”到船仓验货，看样品与仓储是否一致，是否有掺假、霉变或伪劣商品；管房和管线分别担任司秤、量斛桶、记码、防盗等。

各类牙行均有行规，其中行规最突出的中药材牙行，只准江西人开业，员工也只准雇用江西人，待遇亦较各业牙行丰厚。所有牙行员工必须遵守商业道德规范，不准徇私舞弊。如犯行规，轻则开除，重则将其行李衣箱送同业公会当众焚毁，同业永不录用。

牙行的衡器和量具于每月二十四日送同业公会校正，烙盖火印为记，校秤（斗）时宣誓：“公平交易，远近无欺，瞒秤吃价，永世不昌。”倘用无火印的秤（斗）称货，罚酒席数桌。

牙行在执行大宗货物交易时，由牙行的“拿盘”邀集买卖双方代表见面，看过样品后开始议价。首由拿盘抓捏双方手指暗示价格，俗称“抓羊”。经纪人认为双方价格差距不大，便用算盘（有底板）侧向卖方，要卖方扒拉一个数，并将数字抹去，然后要买主也扒拉一个数，俗称“叫盘子”。此时买卖双方互不对话，由经纪人从中斡旋，最后折中定价，俗称“定盘子”。算盘一经敲定，即表示买卖成交，牙行可从中收取货价 2%~3% 的手续费。货物样品由牙行封存，买卖双方在封口处签字，起货时如与样品不符，买方可拒绝收货。

第五章

湖南宗教与民间信仰的近代变迁

宗教是人类文化的重要组成部分，在其漫长的传播与发展过程中，积淀了丰富多样的文化。自古以来，人类就有着自己的精神寄托与信仰，从自然崇拜、祖先崇拜、神灵崇拜再到对人为宗教的信仰，无不是人类内心精神渴求的体现。在古代，湖南先民与全国许多地方一样，除继续保持着对自发宗教的信仰外，所信仰的人为宗教主要是佛教、道教。进入近代以来，湖南民众所信仰的宗教又增加天主教和基督教新教（习称基督教）。伊斯兰教虽较早传入湖南，但湖南回族居民不多，信徒较少。无论是传统的佛教和道教，还是外来的天主教和基督教，都有一个与近代社会相适应的问题，也都会受到当地风俗变迁的影响。

一、传统宗教的近代变迁及其与近代社会的适应

佛教是传入湖南最早的宗教，始于三国吴宝鼎三年即西晋武帝泰始四年（268）创建的麓山寺。道教是中国土生土长的宗教，传入湖南的确切年月无可稽考，但东汉末年即有天师张道陵游南岳礼祝融君祠的记载。到近代，尽管有天主教和基督教的传入，但佛教和道教仍是湖南信众最多的宗教。

（一）湖南佛教、道教源流及其信仰

1. 湖南佛教源流及其信仰

佛教起源于印度，大约在两汉之际，由陆路和海路传入中国。由于湖南远离政治中心和佛教东传通道等原因，佛教传入湖南的时间大约在魏晋之际。魏晋南北朝时期，儒学从汉代的独尊走向衰微。追求轮回转世的社会风尚促进了倡言空无的佛教的发展。长沙一带出土的晋代陶俑，眉心多饰一圆形肉痣，正是佛教经典

中的"白毫相"。三国吴宝鼎三年（268），亦即西晋泰始四年（时晋已称帝，但吴未灭，长沙属吴），著有《法华义疏》4卷的剡县僧人竺法崇来到长沙，创建了"湖湘第一道场"——麓山寺。自法崇之后，麓山寺讲学之风一直沿袭不绝。

隋唐五代是湖南佛教的鼎盛时期。长沙出土的唐代铜镜上有与佛教相关的"飞天"图像，旁饰珍禽瑞兽。隋代著名的天台宗创始人智顗最初出家长沙杲愿寺，后以传授《法华经》为己任，开讲于麓山寺鹿苑。六朝时建立的道林寺，也在岳麓山，到唐代时更加兴旺。大约在唐肃宗时唐将马燧在此造"道林精舍"，有"道林三百众"之说。唐统治者尊道、礼佛、崇儒，鼓励三教自由辩论，促使三教相互渗透，相互吸取，造成了一种开放的文化心态。其时，中国佛教已建立起大乘八宗，而长沙可以说是八宗之一的禅宗的重镇，号称有"十大丛林"，高僧辈出。如智俨禅师就开讲于褚遂良题写寺名的大唐兴寺。麓山寺的景岑、浏阳石霜寺的庆诸、宁乡密印寺的灵佑，都是中国佛教史上有影响的高僧。

唐代晚期，笃信佛教的宰相裴休贬职潭州，长沙佛寺建设达到巅峰。裴休奏建的密印寺和石霜寺，分别成为沩仰宗和临济宗的祖庭。五代马楚王朝把长沙丛林再次推向高峰。建于927年的开福寺，寺僧众多，达千余人，法席之盛，胜过前代。这一时期，佛教八大宗派中的禅宗在湖南广为流传。

宋代时期长沙佛教依然较为兴盛，政府对佛教实行宽容政策，一些文人在佛、儒、道之间出入，促进了三教之间的融合。至元代，湖南佛教衰落，多数寺庙毁于战火，寺院荒废，僧侣四散，佛学研究销声匿迹，宗派传承无形消散。明清时期，长沙佛教逐渐恢复生机，特别是在康熙时期，长沙地区的寺庙或重修，或重建，并新建了一批丛林，寺产日增，僧徒日渐增多，佛学研究也逐渐活跃，虽然未及唐宋盛况，但是也产生了一批重要的佛学著作，特别是出现了诸多文化素养很高的僧人，对佛学的更新和发展起到了重要的作用。古代长沙是佛教禅宗的重镇，规模不等的佛教寺、庙、阁遍布湖湘，信徒众多，对长沙社会及本土文化、生活民俗等方面产生了广泛而深远的影响，佛家居士中也多儒学之士，从而使得长沙佛教也具有浓厚的儒家文化特色。

至民国时期湖南省尚存的著名佛寺有：长沙麓山寺、开福寺、洪山寺、铁炉寺、玉泉寺、清泉寺、谷山寺、杲山寺、华林寺、灵云寺，衡山南台寺、福严寺、上封寺、祝圣寺、方广寺，宁乡密印寺、白云寺，浏阳石霜寺、道吾寺，湘潭石塔寺、海会寺，衡阳云溪寺、西禅寺，湘乡云门寺，沅陵龙兴寺，津市药山寺，澧县龙潭寺，醴陵云岩寺，石门夹山寺，益阳白鹿寺，常德乾明寺，岳阳白鹤寺，攸县宝宁寺，永州法华寺，汨罗资圣寺，等等。

"缘起"理论是整个佛教学说的基石。所谓缘起，是说一切诸法、世间的万事万物，都是因缘而起的；因为是因缘而起的，所以都无自性，都只是一种假相，亦即"空"。由于不懂这一基本道理，人因而有种种痛苦。要解脱痛苦，就得遵照佛教所说的方法去修行。佛教宣扬慈悲普度、善恶报应、轮回转世，认为"人生皆苦""一切皆苦"，但只要掌握"道谛"，便能脱离苦海，进入"常乐我净"的涅槃境界。人生问题是整个原始佛教的出发点，其思想归趣则是个人的"解脱"，而借以达到解脱的最根本途径，则是悟解"缘起性空"理论及遵照佛法的各种修行方法潜心修行。开福寺大佛殿的一副对联极为准确地点出了佛教的这一趣旨，联曰："斋鱼敲落碧湖月，觉、觉、觉、觉，先觉后觉，无非觉觉；清钟撞破麓峰云，空、空、空、空，色空相空，总是空空。"

佛家站在远高于人的立场，总是超于人来说话，更不复归到人身上，而归结到成佛。传统佛教讲出世，他们多以"远离尘俗""不问世事"相标榜。隋唐以后，中国佛教逐渐接纳了儒家的出世思想，把出世主义衍变成"亦出世亦入世"，即通过阐述"治心"与"治世"的相互关系，把出世与入世统一起来，这是佛教的一大进步。

朝南岳的香客

佛教毕竟是外来文化，它有一个中国化的过程。这一过程乃是中国佛教在逐渐追寻与儒学相同之处的过程。在中国佛教诸宗派中影响最大的禅宗，有人说它是佛教中国化的标志。禅宗学者以“心性本净”“心性本觉”来阐明伦理自觉的基础，强调“即心即佛”“明心见性”，认为道德修养是主体的内在本性开发，是自我意识的自觉活动，主张行善积德，认为恶有恶报，善有善报，因而其教化作用显而易见。天台宗的学说虽以“中道实相”为标识，但最后还是把实相归结于一念——心，认为“心是诸法之本，心即总也”。《大藏经》也主张佛性即是“觉心”，修行的关键在于能“反观心源”“反观心性”。郭嵩焘也说：“华藏庄严并是众心感说。”这与孟子所说“尽真心者，知其性也；知其性，则知天矣”十分相似。

每到秋季，湖南人有到南岳进香的习俗。进香的人都是向南岳菩萨许愿的，或为自己避灾祛病，或为父母祈福增寿。有的许愿进香一年，有的进香三年。进香者要做一个专用的小木凳，高约三寸，凳上插香三炷。第一年进香，三步一拜；第二年进香，五步一拜；第三年进香，七步一拜。美国医生胡美在他的著作中记录了这感人的一幕，他说：“当朝圣者经过长沙的主要街道时，我们常常怀着崇敬的心情看着他们。每个人都穿着朝圣者的服装。

在宽松的上衣上缝着一块方形的白布，上面写着四个大字‘南岳进香’。这是朝拜的旅程。他们是让人感动的一群人，常常一个人行走，不慌不忙。有些人在几百里的旅程中，每隔七步或九步就停下来，在地上点上香磕头，这使他们的朝圣之旅更加困难。”[①]

2. 湖南道教源流及其信仰

道教是中国土生土长的宗教，原始道教的源头是楚地的巫文化。屈原《九歌》中的东皇太一是道教神仙谱中最为尊贵的神仙。湘君，即舜帝的两个妃子——娥皇和女英，是楚地民间祀奉的湘水之神，她们也成为道教神仙谱的成员。

先秦诸子百家中的道家代表人物老子、庄子、鹖冠子、老莱子、文子等，无一不出自楚国，他们对湖湘地区的影响十分深远。长沙马王堆汉墓就出土了帛书《道德经》，而且与今传世的各种版本恰好相反，是《德经》在前，《道经》在后，可称《德道经》。中国古代道家的黄帝之学与老子之学并称为“黄老之学”，但几千年来却没有一部黄学书籍流传，而马王堆汉墓神奇地出土了“黄学”的 4 种佚书的抄本，即《经法》《十六经》《称》《道原》。这对人们了解黄学的要旨具有重要意义，也证实了黄老之学当时已在长沙地区得到传播，且地位在其他学派之上。

道教正式产生于东汉，它的渊源主要就是古代的神鬼崇拜和黄老之道。现在一般认为道教形成于东汉时代张道陵首创五斗米道。据明代《衡岳志》记载：“东汉末年，天师张道陵，尝自天目山游南岳，谒青玉、光天二坛，礼祝融君祠。”可见东汉末年，湖南道教已具雏形。魏晋时期，道教在湖南已有一定的影响。随着道教的发展壮大，道教对湖南民间社会的影响非常广泛，信徒众多。东晋年间，陶淡自幼好道，与其侄陶烜共同在长沙临湘山结庐修炼，

① 胡美．一位美国医生在中国的生活[M]// 张湘涛．外国人笔下的长沙．陈先枢，于朋远，等译．长沙：国防科技大学出版社，2013：348.

南朝梁天监四年（505），长沙士民建祠祭祀陶淡叔侄，称之为陶真人庙，又名陶公庙，这是长沙出现的第一座道庙，有“丹后丘紫府”之称。唐宋时期是长沙道教的鼎盛时期，此时长沙地区建有多处道观，唐宋之后，长沙道教中的各个不同的教派逐渐合流，在元朝时期，长沙道教统归于正一派，此后，元至明清，全真派逐渐成为长沙道教的主流，正一派道士部分皈依全真派，自清末以来，长沙全真派道士尽出武当门下。

正由于道教与楚文化有不解之缘，湖湘大地的名山秀水便成了四面八方修仙求道的人的乐土。唐杜光庭所著《洞天福地记》列有道教七十二福地、三十六洞天，其中今长沙地区占有二福地、三洞天。开福区鹅羊山为第十九福地，传为成少卿升仙之处，旧有仙坛、丹台等遗迹。岳麓山为第二十福地，抱黄洞下旧有洞真观，传为东晋邓郁炼丹处。岳麓山顶云麓宫为宋代建立的道观。浏阳大围山为第十三洞天——“好生元上之天”；洞阳山为第二十四洞天——“洞阳隐观之天”，相传是药王孙思邈炼丹升仙之处。此外，汨罗玉笥山郁木洞为第九洞天，醴陵彰龙山为第四十八洞天等。望城县的黑麋峰山上有大“寿”字石刻，相传为道教祖师吕洞宾所书。

民国时期长沙尚存道观有云麓宫、东岳宫、河图观、陶公庙、戴公庙等。长沙城现存的街巷名斗姥阁、寿星街、玉皇坪、白鹤观、雨花亭、太乙寺、三宫殿、南元宫、药王街、轩辕殿等均是道教留下的“遗产”。湖南各地的著名道观和道教名山还有南岳大庙、玄都观、黄庭观、紫竹林，浏阳青阳山道院、升冲观，攸县阳升观，芷江天后宫，益阳城隍庙，溆浦景星观，桃江三仙观，湘潭东岳观，大庸朝天观，常德太和观，郴州苏仙观，永顺祖师殿，岳阳大云山，慈利五雷山，茶陵云阳山，桃源九龙山等。所祭拜真人、神仙有陶真人、李真人、上元天官、邱长春祖师、江守德真人、太上老君、道德天真、慈航真人、真武圣人、吕纯阳、都城隍、灵宝天尊、斗姥、关圣帝、中元地官、灶君、九皇大帝、下元水官、江大仙人、元始天尊、救苦天尊、南岳圣帝、东岳圣帝、玉皇大帝等。

道教的基本信仰——“道”，被解释为宇宙本原，是“灵而有性”的“神异之物”。这是对《老子》所说的“道”作的宗教阐发。道教尊奉的“三清”（玉清、太清、上清，均为神仙居住的地方），便是“道”的人格化。道教修行的终极目标是得道成仙，使人返本还原，与道合一。长生久视，全性葆真，却不放弃人生享乐是道教的一大特点。先秦道家主张一切顺应自然，因而在政治上强调无为。后来道家的无为思想与法家的法治思想相结合，便发展为黄老思想。道教对中国文化有多方面的影响，其炼丹术积累丰富了化学知识，长生术中的吐纳导引对中医学颇有进益。此外，对文学艺术乃至民俗信仰，道教都提供了一种底蕴。所以鲁迅先生说：“中国文化根柢全在道教……以此读史，有许多问题可迎刃而解。”

道家的最大特点就是强调“自然”，老子有“人法地，地法天，天法自然”和“以辅万物之自然而不敢为”的说法。庄子进一步发挥老子“道法自然”的思想，把“道”进一步泛化、物化、自然化，认为“道”无知无为、无所不在，主张逍遥放任，坐忘成真。长沙陶公庙戏楼联“凡事莫当前，唱戏何如听戏好；为人须顾后，上台终有下台时”即是这种思想的极好写照。

在外来佛教中国化的同时，道教从魏晋开始，一方面吸收佛学的教义，衍生出轮回成仙说、善恶报应说、天堂地狱说；另一方面与儒学相糅合，吸收儒学的修养心性之说。如东晋道家葛洪著《抱朴子》，“内篇”讲“神仙方药”“养生延年”，“外篇”言“人间得失”“世事臧否”，其基本思想是以神仙养生为内，儒术应世为外，一面用道家术语来阐释金丹、神仙之道；一面又倡言儒家的纲常名教。

湖湘学派鼻祖北宋道州（今道县）人周敦颐的《太极图说》

把道家思想推到极致。《太极图说》仅249个字，另附一个上下5个层次、大小10个圆圈的太极图。《太极图说》融合儒、道两家思想，以道家思想补儒家不足。与儒家不彻底的宇宙生成学说相比，道家特别注重对宇宙最终本原的探索，颇有寻根究底的精神。道家认为“太极”是宇宙的本原，但不是宇宙的最终本原，“太极”之前还有别的物质。周敦颐打破门户之见，大胆吸收了道家的这种有益思想。《太极图说》与宋代道士陈抟的《先天图》有着密切联系，但对《先天图》的丹法思想进行了改造，将其衍变为宇宙生成程序，认为无极和太极是宇宙万物的本原，太极动而生阳，动极则静，静而生阴。阴阳生出金木水火土五行，五行生成万物，在阴阳二气和五行的相互作用下，万物变化无穷。

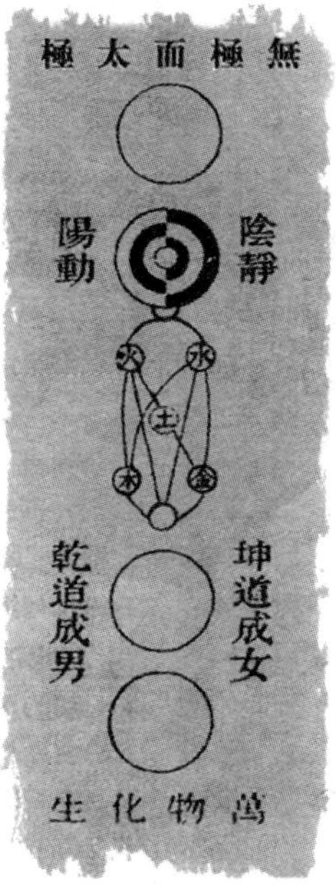

周敦颐太极图

佛教、道教的祭拜风俗大同小异，常见的有：烧香、点烛、供果、跪拜、开光、诵经、奏佛（道）乐、许愿、还愿、捐功德、吃斋饭、放生、抽签、解签、卜卦、烧包、超度、忏悔、祈福、连环唱、盂兰盆会、唱戏酬神、贴平安符、点光明灯、挂神帐等。寺庙为信众举办消灾祈福的各种仪式，需收取一定的钱财，称为“做斋事”，有些风俗流传至今。

（二）湖南近代佛教、道教的流变及其与社会的适应

1. 湖南近代佛教的流变及其与社会的适应

近代以来，湖南地区天灾人祸，战乱频仍，社会动荡，加上西方文化的涌入，再由于佛教自身的局限性，致使佛教日趋衰落。特别是辛亥之后，长沙资本主义获得了发展的机遇和空间，兴办

实业的风潮渐起，长沙的民族资产阶级迫切地希望大力发展民族资本主义工商业，以实业救国，打破传统的封建专制的禁锢，积极进取的创业精神日益高涨，这就与传统的佛教所宣扬的生死轮回、因果报应、忍受苦难、断绝尘缘、苦行修炼等人生价值观产生矛盾。而且自近代以来，长沙佛教自身的弊端也日益暴露，辛亥之后，湖南佛教界“丛林轨范虽存，已多弛缓”，寺庙僧人“不事奢摩静虑，而唯终日安居；不闻说法讲经，而务为人礼忏。属累正法，则专计资财。争取缕衣，则横生矛戟。驰情于供养，役形于利衰”[①]。有些寺庙的主持更是贪图享受，对于佛教公共利益以及当时所面临的危机问题一概置之不顾。而且长沙佛教界也较为涣散，史载，当时的长沙寺院僧尼“出游不归者有之，辗转迁徙者有之……又有别营庙宇，独力潜修，并不标举庙名，如俗所谓‘住家庵’者；亦有仅于其所居辟一室为梵修之所，曾未挂名于寺观者；有原非佛道信徒，不过凭借佛道之名，为人作禳解之术以糊口者”，实无团结之力，教风颓废，民间对佛教的信仰也日益淡化。

早在清末，一些有识之士就认识到民间的传统宗教活动，严重妨碍了近代文明的传播和国家强盛，因而发起了“庙产兴学”活动。1934 年谭日峰所编《湘乡史地常识》即有记载。民国成立后，此风愈炽，占用寺产、改庙为学的现象比较普遍。在佛教弟子及有识之士的努力下，民国政府开始实施信教自由，保护寺庙财产，并颁布了相关法令。在诸方势力影响下，佛教虽有短暂的兴旺，但是随着新文化运动的深入发展、科学的日益昌明、教育的发展，佛教亦摆脱不了它的渐趋衰落的命运，借学毁庙之举，屡有发生。虽然在 20 世纪三四十年代也有不少的信男信女，但佛教仍处于衰退时期，“科学日明，破除迷信，佛教且受影响，道教日益式微”[②]。

① 邓子美．传统佛教与中国近代化［M］．上海：华东师范大学出版社，1994：146.

② 辜天佑．民国长沙县乡土志［M］．扬州：江苏广陵古籍刻印社，1949：17—18.

如 1948 年出版的《醴陵县志》即记载："有临济遍天下，曹洞居半边之谚。在清初丛林鼎盛，今皆衰替矣。""佛道流传，清代已衰，至今更到了微末的境地，除迷信菩萨和理想的长生乐土外，只有消费，而没有生产和延年益寿的力量。"

辛亥之后，长沙地区佛教的寺院经济也发生部分的变化，在辛亥之前，长沙地区的寺庙尤其是大寺庙，历来都拥有相当数量的田地产，田租收入历年来是其主要的经济来源，经忏、香火收入以及信众的布施也是其经济来源的重要组成部分。辛亥之后，长沙各寺庙的田租收入呈逐渐衰落之势，如在近代以前长沙密印寺一个寺庙一年的田租收入就达 5000 余石，而民国初年，长沙八大寺院每年的田租收入合起来总共还不足 4000 石，其衰减趋势是很明显的。由于民众对佛教信仰的日益淡化，前往寺院朝拜和布施的信众逐渐减少，导致各寺院的经忏、香火收入及布施收入大不如前。不过，由于辛亥以来，长沙商品贸易的不断发展，长沙地区的寺院也从事经商、房地产出租等经营性事业以增加收入。如长沙上林寺的房地产租金每年有 500 银元，收入也不算少。这些经营性商业收入日益成为长沙寺院经济的重要组成部分。

民国时期，湖南佛教为了在衰落中求生存，不得不进行若干改革。

一是僧人们治学力求内外兼通，不囿于一宗一派，各种佛教社团相继出现。主要有：

中华佛教总会湖南支部：成立于 1912 年，会址设在长沙开福寺，会长为开福寺住持永光，副会长为光明、青莲，这一佛教组织是长沙地区最早的佛教团体。它隶属于由著名诗僧寄禅于 1912 年在上海发起成立的中华佛教总会。同时，该支部在湖南省内的湘潭、浏阳、常德等地亦设有分部。会长永光和尚，又名海印，为南社成员之一，与湖南地方军政要人及文人绅士等有着密切的联系，工诗善画，是著名的文化僧人。中华佛教总会湖南支部的主要活动是处理长沙及湖南各地的寺产纠纷，或宴请官绅，求助行政力量的支持，或将情况反映到中华佛教总会，由总会出面要求北京政府行文湖南地方政府解决问题，或用永光私人名义致函当地政府予以调解。1915年12月，袁世凯积极复辟帝制，政局动荡，中华佛教总会被迫解散，湖南支部及各地分部也相继停止活动。

湖南佛学会：1912年，由佛教居士吴嘉瑞创办于长沙，会址设在长沙永兴街（一说在北门外吊桥附近），该组织解散时间不详。吴嘉瑞，号雁舟，长沙人，清末翰林，为著名维新领袖谭嗣同好友，曾任贵州知府，辛亥革命之后，被推举为贵州都督，不久即辞职返回长沙。吴雁舟早年曾随其舅父曹镜初研究佛学，颇为精通，其思想也深受佛学之影响。他回长沙之后，即着手创办了湖南佛学会，亲自主持会务，另有张子宜、常静、慧敏等人协助处理相关会务。该会是长沙佛教僧尼和居士中的上层人士共议佛学之所，其成员一般社会地位都比较高，而且都具有相当的学识，因此，该会的影响和社会活动范围都比较大。该会为促进长沙佛学振兴和发展，以一种开放和包容的态度看待儒学及西方宗教，积极促进佛学与儒学和其他教派的沟通和交流。1914年6月，该会曾集会欢迎基督教英国传教士李提摩太。1915年4月，吴雁舟曾邀集

民国时期长沙开福寺

杨昌济共同探讨儒佛关系。1916 年 7 月，吴雁舟出任湖南省民政厅厅长之后，对会务的关照有所减少，该会亦逐渐停止活动。

此外，还有长沙佛教正信会（1921）、湖南佛化会（1926）、中自佛教会湖南省分会（1939）。1942 年 7 月 1 日，湖南省佛教分会第一届全省代表大会在长沙开福寺召开。省佛教学会与海外佛教亦有交流，1942 年 7 月 21 日，省佛教学会会员永增禅师从缅甸迎来高约 1.3 米，重 250 公斤至 300 公斤的大玉佛一尊，并向各界展览。

二是运用寺院经济兴办了一些佛教教育出版事业和公益慈善事业，如南岳佛学讲习所（1922）、湖南佛学讲习所（1948）、长沙刻经处（1876）、湖南佛教慈儿院（1922）、保庆佛教慈儿院（1926）、衡阳佛教慈儿院（1929）、浏阳佛教慈儿院、南岳佛学研究社（1940）、沩山佛学社（1937）、益阳佛学讲习所（1946）。佛教近代慈善事业由原先个别寺院、居士之零碎善举渐趋联合进行，原先仅应急难的救济渐转由常设机构主持，还兴办了一些地方私立小学校。

佛教近代慈善事业以湖南佛教慈儿院最有成绩。湖南佛教慈儿院成立于 1922 年 6 月 27 日，由开福、上林、麓山、宝宁、桐溪、华林、灵云、杲山等“长沙八大丛林”共同创办。成立会上推民国元老仇鳌为院长，唐昆为总董，醒迷为院监。院址原设长沙北门开福寺内，后移寺侧。经费来源是由八大寺院连同文契交出一部分田地，年收租谷 900 石，组织董事会负责管理。不足部分，则向各地比较富裕的寺院募化。招收社会上无父无母的孤儿 100 名，住院聘请教员三至四人，授以初小程度的各项课程。学费和膳宿费，全部由院中供给。规定 3 年毕业，毕业后，由院里送出学习手艺，自谋生活。在院学习期间，还教他们学会管乐，间或为婚丧喜庆吹奏获得微薄收入。在开办期间，著名僧人太虚曾来院参观，第一次在 1922 年，第二次在 1929 年 11 月 11 日由省主席何键陪同。1935 年京剧艺术家梅兰芳曾在小瀛洲长沙剧院进行义演，收入法币 2000 元全部捐给慈儿院。该院从创办到被接管，先后有 30 年的历史。在该院任院长的先后有仇鳌、海印、刘揆一、慧修、欧阳振声、宝生、唐承绪（唐生智之父）、映清、黄石逸、了凡、黄性一、悟性、陈鹏、彭亚夫、戒凡等人。[①]

“自民国十五年实施义务教育后，寺观附属的田产，多行提出，但佛教会也随时势潮流，自办有多处的养正小学。”[②] 同时采取办讲习所、办佛教学校等新的形式来传播佛学，培养佛教人才，并大量出版佛教书刊，通过佛教会、居士林等佛教团体积极参与社会活动，以求在政治上获得一席之地。有“长沙八大丛林”之称的麓山寺、开福寺、上林寺、宝宁寺、杲山寺、华林寺、桐溪寺、灵云寺，在长沙一些重要的佛事和社会活动中共同行动，形成长沙佛教的重要支柱，扩大了佛教在长沙社会和民众中的影响。

三是积极参与政治活动，佛教由脱离红尘、不闻世事的禁欲主义发展为以积极参加社会活动，谋求国民幸福为宗旨。抗日战争时期，国难当头，在中国共产党的抗日民族统一战线影响下，僧人不同程度地参加了抗日救亡活动，南岳众僧表现尤为突出。1937 年 7 月南岳新老圣帝殿、南台寺、祝圣寺僧侣集议：聘请国术专家，教练武术，俟练习纯熟，即请缨抗敌。10 月，长沙县属各乡、区僧、尼及皈依佛教人士为谋抗日救国，成立中国佛教会长沙县分会。1942 年 3 月，宁乡大沩山、回龙山各寺和尚 300 余人，组成战时任务队，担任战时宣传、慰劳、救护工作。[③] 佛教传播借助近代手段，如石印、铅印佛经，出版大量的佛教工具书、教科书，创办众多的佛教报刊，将藏经楼改成阅览室等，深入到各社会阶层，

① 长沙市档案馆．湖南慈善档案［M］．长沙：湖南人民出版社，2015：346.
② 谭日峰．湘乡史地常识［M］．湘乡：湘乡县教育会，1935：23.
③ 田伏隆．湖南近 150 年史事日志（1840—1990）［M］．北京：中国文史出版社，1993：173—197.

这是前所未有的。

四是充分发挥信佛居士弘扬佛法、建立新佛学的作用。1932年6月初，省垣信佛居士决定成立居士林（定名“湖南佛教居士林”），作为省垣男女信佛居士念经学佛的场所。与会居士选出理事20人、候补理事12人组成居士林理事会，由粟戡时任林长。下半年，在浏阳等县也相继成立了居士林。居士林影响较大，参加人数较多，当年全省各地居士林发展林友达1600名以上。居士林开展的活动主要有：举行日常宗教活动，组织法会、道场，聘请法师、活佛讲经说法，编纂《湖南佛教居士林林刊》等。湖南居士林活动较多，表现活跃，如1932年6月9日至16日举行“白伞盖道场”7天；先后聘请过诺那活佛、贡噶活佛、根桑活佛、圆瑛法师、空也法师等来居士林讲解《金刚》《楞严》《金光明》等佛经。加上林长、理事中有不少缙绅、名士，因而该林当时在社会上产生了很大的影响。①

湖南佛教居士林林址原在沙河街，租佃谭某民房一栋，第一位林长为粟戡时，为辛亥革命功臣。参加湖南居士林活动的多为当时湖南大官僚、大地主、大资本家及大知识分子，也有一些城市贫民。当时湖南省主席何键，亦为居士，为湖南佛教居士林林员。1936年，由于林众日多，沙河街原址狭小，不便于活动，林长刘腴深（刘善泽，第二任）等人向全国各界发动劝募，在长沙市浏阳门外鲇鱼山1号新建林址。占地面积达6300平方米，以大雄宝殿为中心，殿前有空坪，坪之三面建有厢房，后有杂屋两栋，大门外有广阔的余坪，建筑面积达3162平方米。因居士林驻于鲇鱼山，地名也一时雅化为莲蕊山。居士林在莲蕊山创建后的负责人依次为刘腴深、宾玉瓒、柳敏泉等，皆为极具学识，工诗能文，受人尊敬的知识分子。居士林在莲蕊山建成大殿后，何键常去上香，

① 长沙市志编纂委员会.长沙市志：第十五卷［M］.长沙：湖南人民出版社，2000：38.

居士林

由此居士林盛极一时，在社会上具相当影响力。[①]

居士的佛学思想不但融合了佛学内部不同宗派的思想，而且还融合了儒、道以及西洋各家思想，表现出明显的时代特征。如谭嗣同在哲学上是华严、法相与禅宗的合流，修行上又走密净双修的路子。居士佛学凸显了大乘佛教入世性的一面，将大乘佛学“不离世间觉”的宗旨日益强化。也就是说，居士佛学是意在世间，其主旨是要在佛学中寻求应时救世的精神武器。居士林的代表人物，都具有高超的学识和深厚的文化底蕴。他们反对迷信，崇尚智信，自觉地将佛学理解为非宗教性的宗教或哲学的宗教。他们重视经论研究，反对束书不观的狂禅作风，主张“依法不依人”，不迷信权威，严格区分正法与邪法。作为中国近代社会变迁的一个缩影，居士佛学在理论上丰富了中国近代哲学的内容，为中国哲学的现代化提高了丰富的思想资料，而且促进了佛教的大众化，奠定了人间佛教的思想基础。

民国时期湖南省省长、省主席大多为佛教居士，除何键外，他的前任赵恒惕、唐生智都号称“佛将”。长沙岳麓山著名佛塔五

① 任波．鲇鱼山与居士林［M］// 张湘涛．定王台历史丛书：都正街．陈先枢，梁小进，撰稿．长沙：国防科技大学出版社，2014：221.

轮塔的兴建和修复就与这两位“居士省长”有关。五轮塔坐落在岳麓山清风峡侧的山腰上，为佛教密宗之塔。由花岗石砌成，塔上镌刻金书梵文。塔高 11 米，由正方形、圆形、三角形、半圆和圆点五种几何图形构成五级，造型奇特，为中国大陆地区所仅见。其形代表地方、水圆、火三角、风半月、空圆点，意为世界由地水火风空构成，故称“五轮”。据 1932 年成嘉森所编《岳麓小志》记载，五轮塔“民国十三年（1924），为赵恒惕主省政府时所建”。主持修建五轮塔的人，是 1922 年开始在湖南弘法的江苏人顾净缘。1927 年 2 月 12 日，时任国民革命军第八军军长兼湖南省主席的唐生智为纪念在北伐战争中阵亡的将士，曾修复五轮塔，并在塔前举行公祭仪式。自称“佛将”的唐生智给参与公祭的文武官员每人发了一枚“先烈光明”的纪念章，行礼后齐唱“先烈光明歌”，以示永远不要忘却为革命而献身的将士。塔正中所额“先烈光明”四个大字，为当年唐生智加刻。赵恒惕、唐生智都与主持建造五轮塔的顾净缘有着很深的佛缘。顾净缘 1922 年来湖南，1924 年入二学园，因精通显密教法，被公推为“顾掌法”。而二学园的主人即是著名居士、原华昌炼锑公司的创始人梁焕奎。据传修建五轮塔的资金就是梁焕奎捐助的。当时跟随顾净缘学佛者甚多，其中就有赵恒惕和唐生智。[①]“上有所好，下必效焉”，这是民国湖南佛教不衰的原因之一。

总之，湖南佛教自近代以来面临各种因素的冲击，特殊的社会历史条件推动了佛教的自我调适与革新，从而使得湖南佛教也产生了新的变化，具有了新的面貌。近代以来，佛学思想亦是长沙社会思想界中的伏流，对士人的思想产生了重要的潜移默化的影响。如著名维新人物谭嗣同、唐才常等人，其人生价值观和哲学思想以及维新改革思想也多从佛学中汲取营养。民国建立之后，

① 陈先枢．五轮塔与“佛将”赵恒惕唐生智［M］// 张湘涛．名人与长沙风景．陈先枢，撰稿．长沙：湖南人民出版社，2012：223.

一些曾参与辛亥运动的知识分子，由于对时局依然混乱感到不满和失望，故多转而投向佛学，从而促进了辛亥之后，长沙佛教中居士佛学的兴起和发展。这批知识分子多是饱学之士，出入儒、佛之间，对佛学有着更深入的认识和了解，从而为传统的长沙佛教带来了新鲜的气息。佛教在民国时期积极进行更新，参与社会事业，追赶时代潮流，这是民国佛教得以复兴的重要原因。1949年湖南和平解放前夕，全省计有大小寺院3855处，僧尼9355人。[①]

2．湖南近代道教的流变及其与社会的适应

因外辱内乱，近代湖南道教一方面仍无法扭转自明清以来由于当政者的抑制所呈现出的颓败之势，而且由于特殊的历史时期，湖南道教进一步衰落，宫观道场毁多兴少。清末至民国时期，湖南全省所存一般宫观仅有30余处，全真道道徒亦不过200余人。道教至晚清已经式微，并受到辛亥以来许多进步人士的批判。另一方面，道教面对外来文化的冲击和衰败大势，也力图有所振兴，从而促使道教发生了一定程度的革新，在一定程度上改变了道教的传统面貌。

道观是道士修行之所，湖南自古以来就陆续兴建了不少的道观，如长沙地区的黑麋峰古观、古升冲观、云麓宫、东岳宫、河图观等。由于道教植根于中国传统文化的基础之上，兼收并蓄各家之说，因此其内容就显得纷繁庞杂，明显的表现就是信奉神灵的多样化，是多神信仰。湖南道教也同样如此，辛亥之前，在长沙各道观中供奉的神灵有多种类别，有的是民族英雄，有的是忠孝仁义之士，有的是施财舍药挽救生灵的善人，有的是除暴安良、惩恶扬善的义士，也有的是修炼得道的神仙。道教将这些民间俗神、信仰纳入到自身的体系之内，这从一个侧面反映出道教的世

① 宋斐夫．湖南通史：现代卷［M］．长沙：湖南出版社，1994：591.

河图观

俗化和民间化特征。民国建立之后，随着提倡科学、破除迷信的社会风气的兴起，政府对迷信色彩浓厚的道教采取了严格的限制政策。而且由于社会动乱，道教的众多宫观被毁，道士四散。同时西方基督教、天主教在湖南各城市大范围传播，致使道教的多神信仰受到冲击和抑制，日渐低落。道教的经济来源在辛亥前后也有一定程度的变化，辛亥之前，长沙地区道观的经济收入主要为宫观香火、信众的功德施舍以及田土、房屋、经商等所获得的营业性收入。而在辛亥之后，随着道教的衰落，其经济来源日益减少，更多是依靠为百姓所做的斋醮、经忏收入，甚至有些宫观道士完全是自耕自种，以维持生计。如长沙县水塘乡河图观，建于清同治二年（1863），历来只居道姑，以绣花、织布自养，且著成绩，素有“全国第一坤道院”的美称，其湘绣产品，曾被评为长沙县第一名，湖南省第二名。①

近代以来，湖南道教在特殊的社会历史条件下，面临着前所未有的困境，自明清以来不断发展的颓败衰落的趋势依然在继续扩大，尤其是在辛亥前后，随着资本主义的发展，西学的大量涌入，特别是基督教、天主教等外来宗教快速发展，具有传统道教

① 陈先枢，金豫北．长沙地名古迹揽胜［M］．北京：中国文联出版社，2002：355.

所无法比拟的优势，从而逐渐吸引了大量的教徒，在文化上以及社会影响等方面更进一步压缩了道教的生存、活动空间。辛亥之后，长沙资本主义工商业经济获得了难得的发展机遇，社会上掀起了兴办实业的热潮，资产阶级积极进取的精神得到极为明显的体现和发挥，而道教的传统教义中清静无为、逍遥世外、崇尚自然、及时行乐等人生哲学和修身养性、得道成仙的终极追求，与当时的社会大势难以融合，道教的“无为”与辛亥之后民族资产阶级要求积极“有为”的追求相去甚远。

与此同时，道教本身所具有的落后性与局限性也日益突出，道教教团组织零落涣散，教理教义因袭传统，鲜有更新和发展，更进一步世俗化甚至走向庸俗化的道路，道教分化日益扩大，各种宗派日益增多，使得道教的力量更加分散，教派体系中封建迷信色彩依然非常浓厚，世人多认为道教“仅能借其道以为驱病收妖之术”，这与近代以来湖南科学日进，民智渐开，整个社会日益崇尚科学、反对迷信的社会风气相背离，开始遭到人们的摒弃，其民众基础日渐丧失。[①] 另外湖南本土的道教没有产生出具有一定社会影响的人物，从而使得长沙道教在社会生活中日益边缘化，社会影响力逐渐减弱。加上湖南的道士，绝大部分来自于贫苦农民家庭，皈依道教，所求者无非安身立命，道士素质低，谈不上去参悟道教教义，更无法促进道教的理论更新和发展，难以适应新的社会形势。同时，自清末以来直至民初所掀起的“庙产兴学”运动，也对道教产生了严重的打击。

民元以后，湖南道教界意识到自身有即将衰亡的危险，为了挽救颓势，维护本教利益，道教界人士也进行了不懈的努力，力图有所建树。面对西方文化的冲击、挑战以及新的特殊的历史背景，湖南道教也开始进行自我反思和调整，开始主动地进行自我调适，

① 郑焱.时移势异——辛亥长沙巨变［M］.长沙：湖南教育出版社，2011：216.

试图扭转道教的衰落，尽管这种努力只是局限于一定程度和范围之内，但毕竟也是其自我革新的开始。湖南道教界人士逐渐意识到自身的局限性和庸俗性、封闭性，在新文化运动蓬勃发展的社会环境下，开始对自身原有的体系进行自我扬弃，用近代化的眼光重新审视自身的传统，试图改变长期以来闭目塞听、抱残守缺、不思进取的保守之风，开始对西方文化进行接触和了解，试图通过与西方文化的沟通与对话，寻求两者之间相互调和的途径和方式。首先在组织形式和制度上借鉴西方基督教、天主教的经验，主张组建本教的团体组织，同时也吸收儒学、西方宗教以及佛教的有益教义以充实本教的教理，打破长期以来在道教理论上的陈陈相因、缺乏理论更新的现状，试图为道教在新形势下的革新提出理论上的指导。其次，道教也向西方宗教借鉴在兴办社会公益事业等方面的经验，在本教一向也具有慈悲为怀的基础之上，利用近代化的理念重新审视和兴办本教的教育、慈善、救济等社会事业，如一些道士利用庙观等场所救济难民，为难民提供安身立命之所，以改善本教在社会上的形象，扭转普通民众对于道教的认识，以重新吸引道教信徒。同时，还采取召开宗教会议的方式，讨论本教的发展问题。湖南道教界的这些努力虽然并没有从根本上扭转该教不断衰落的趋势，但是，这些努力也使得湖南道教发生了一些变化，开始了道教艰难的自我革新之路，同时也使湖南道教体现出不同于以往的鲜明的时代特色。

湖南道教的传入和发展，与湖南自古以来传统文化有着密切的联系。尤其是长沙的道教,可以说是植根于本地传统文化之中的。维新之前，长沙地区浓厚的保守传统使得本地文化一度陷于停滞之中，也使得道教失去了本土的文化养分，更加剧了自身的衰落。随着西方近代文化的传入，一方面对道教的生存环境和活动空间造成极大的冲击和挑战，另一方面也带来了新鲜的文化气息和养分，刺激和推动道教走向革新之路。尤其是辛亥之后，长沙本地民族资本主义工商业经济的发展，使湖南道教界人士意识到严峻的生存危机，开始主动进行自我调整和扬弃，进行了大量的有益的尝试。民国初期是湖南道教发展的一个重要的转折点，是其试图由传统向近代转型的重要时期。虽然湖南道教界人士的努力并未最终完成道教的近代化转型，但是，这些努力的实施及湖南道教所呈现的一些不同以往的新气象，已明确昭示了长沙道教文化未来的发展态势。

民国时期湖南道教在趋向衰落的过程中仍有所建树，主要表现在两个方面。一是兴建或修复了一些道教宫观，1933年《湖南年鉴》记载有长沙河图观、斗姥阁，南岳祖师殿，浏阳青阳山道院等以及长沙司命庙、清净庵，湘潭送子庵，道县东岳宫等。二是成立了中国道教会湘支部。1912年，南岳小蓬莱阁住持刘理霖，长沙东岳宫住持侯理年、平浪宫住持谭子元，长沙县青阳寺住持杨白云等40人，为了维护道教的利益，适应社会形势的变化，决定仿照西方基督教、天主教等设置宗教团体的形式，发起筹建中国道教会湘支部，并向湖南省政府提出申请，力争获得政府的支持和认可，以增强维护自身利益和对省内道教事业进行管理的能力和权威性。1913年7月，经政府批准正式成立中国道教会湘支部，会址设在长沙东岳宫，由侯理年担任湘支部会长一职，并决定每年2月和8月各举行常委会一次，但是由于近代以来长沙道教的衰败，道教内部四散分裂，已难以形成一种合力，遂使该团体在成立之后，并没有多少实际的活动，也没有发挥出应有的作用，没有产生相应的社会影响。组建的道教社团和机构还有：1913年成立的中国道教会部；分别成立于民国初和1927年以后的湘潭、新化、澧县、晃县（今新晃侗族自治县）、汉寿等县道教分会或道教会；1923年筹备，1924年3月成立的中国道教会长沙分部；1946年成立的长沙县道教研究会；抗日战争时期成立的南岳佛道救难协会等。

二、外来宗教的传播对湖南近代社会的影响

19 世纪中下叶，当省会长沙还是“铁门之城”时，天主教和基督教是被禁止进入湖南的。外来宗教进入湖南经历了一个艰苦曲折的过程，真正合法进入湖南是在清末岳州、长沙开埠以后，直到民国时才站稳脚跟，其对湖南近代社会的影响也有一个由浅入深的过程。

（一）天主教、基督教进入湖南概况

天主教传入湖南的时间要比基督教早，早在清康熙二十九年（1690），就有葡萄牙耶稣会传教士陆若瑟来到长沙传教，经过逐渐发展，于 1699 年在长沙修建起一座临时教堂，将湖南正式辟为天主教的一个传教点，这也是湖南有天主教的开始。1704 年，罗马天主教皇颁布《绝对禁止中国祭孔礼节》的禁令，严禁在中国的天主教传教士和教徒遵从中国习俗祭祖尊孔。这一禁令完全否定了在华的天主教传教士中的开明人士所确定的遵从中国当地习俗，以减少民众对外来宗教的反感，缓和民教关系，减少传教阻力的政策，既违反了中国传统的民俗风情，同时也是对中国传统儒学和内政的否定和干涉。罗马教皇的这一禁令进一步加剧了清政府、士绅和民众与天主教会之间的矛盾，导致清政府于 1716 年实施禁止天主教在华传播的禁令，同时开始驱逐在华的外籍传教士，并强令中国天主教徒必须退教。在这一形势下，在长沙的天主教也难逃厄运，教堂被毁，传教士被驱逐，教徒四散零落，天主教在长沙的活动归于沉寂。此后，在清政府禁教的 100 余年之间，由于天主教之前在长沙的传教基础很薄弱，再加上近代长沙地区士绅民众的保守传统和反洋教斗争的激烈，国外的天主教传教士

虽然想方设法不断潜入湖南，却未能踏入长沙一步。

鸦片战争之后，国门大开，清政府的禁教令已不复存在，天主教传教士也凭借诸如《南京条约》《天津条约》《北京条约》允许西方传教士在中国内地自由传教的规定，又重新回到长沙活动，开始向湖南发展自己的势力。到19世纪70年代，湖南已有天主教徒2200余人①。1880年，湖南省政当局在列强通过清廷施加的压力下，同意正式划定四府四厅一州二十县为传教游历区域，使天主教在这些地区的渗透进一步加强了。

但是直到辛丑之前，天主教在长沙的发展并不顺利。1846年，意大利籍传教士方济各会的李文秀来长沙传教，但于次年底，被官府驱逐；1862年，传教士方来远借湖南教案，向清政府要求在长沙城内拨地十五亩，以作为天主教在长沙的据点，清廷顾忌长沙民情激愤，未敢允其所求。1901年《辛丑条约》签订之后，天主教在长沙艰难的传教局面发生了极大的改变，自1901年至1919年"五四"前后，是天主教在长沙及湖南其他地区发展最快的时期。辛丑之后，天主教和基督教一样，教会和传教士的政治特权进一步扩大并得到切实的保护，天主教传教士受到各级清政府官员的厚待，加派兵丁护卫，唯恐有所闪失。

1902年，意大利籍方济各会传教士翁德明利用教案赔款和政治特权，在长沙北门外长春巷购置地产，建立教堂，这是长沙第一座正式的天主教教堂，也意味着天主教在长沙的正式立足。之后，翁德明又陆续修建了修女院以及育婴堂等辅助设施。在1910年间，长沙爆发了抢米风潮，愤怒的饥民将教堂以及修女院、育婴堂全部焚毁。随后，翁德明利用清廷赔款再次予以重建。重修了教堂、修女院、育婴堂和神父住宅，又在旁边建立天主堂医院，为今长沙市第二医院的前身。天主堂建筑风格为仿哥特式教堂建筑，由

① 张朋园．湖南现代化的早期发展（1860—1916）[M]．长沙：岳麓书社，2002：100.

1910 年长春巷天主堂

教堂与 7 层 22 米高的方筒形钟楼组成。教堂坐北朝南，为十字架平面造型，墙基为方形大麻石，总长度 32.52 米，层高 16 米，双檐单层空旷砖木结构。宗教设施齐全，装饰富丽堂皇。

这一时期在湖南活动的天主教修会有意大利方济各会、西班牙奥斯定会及美国苦难会，这些修会还划分了各自的教区范围，这些教区事实上也是各修会所属国在湖南所划分的势力范围。另外还有一些女修会协助在长沙传教，如意大利方济各女修会、西班牙奥斯定第三会、埃及方济各女修会等。

基督教在广义上是天主教、东正教和从天主教分裂出来的反对派派系的统称，中国习惯上将后者，即 16 世纪欧洲宗教改革以来所有抗议宗派系均称为基督教，这一名称也被其他教派所接受。基督教传入中国经历了漫长曲折的历史进程，而长沙地区位居内陆，一向具有保守的传统，素以反洋教著称，基督教的传入更是艰难，整个湖南地区在 1900 年之前被基督教传教士们称之为“铁门”，省城长沙则被称为“铁门之城”。19 世纪 80 年代，一位外国传教士无奈地写道：“湖南之对于中国，正如拉萨之对于西藏一样，多年以来，它是大陆腹地中一座紧闭的城堡……不管别的省份采取什么态度，湖南毫不容情。所以在中国其他省份向传教士开放很久以后，湖南人继续吹嘘没有一个外国人胆敢进入他们的省境。”①

作为湖南省会和政治文化中心的长沙，更是不允许外国传教士进入。到19世纪末的维新运动以前，还没有一个传教士进入过长沙。英国内地会传教士海恩波1890年来华，在他后来所著内地会在湖南的传教史——《在湖南的先遣工作》中记录了基督教进入湖南的曲折过程。他在书中说：

> 长沙是湖南省省会。之前，这座城市千方百计地拒绝了各种差会工作人员想获得一块地盘的努力。就像小官员总模仿大官员做事，在这个省会的市中心树立典型是很重要的。从某些方面来说，这座城市是湖南省的关键。如果能打开长沙的大门，那么就会影响到这个省会其他所有城市的官员与人民。之前差会做过很多次进入长沙城的尝试，虽然有几次也成功了，但收获却甚微。早在1880年，伦敦会的杨格非和苏格兰圣经公会的阿奇巴尔德先生就访问过长沙城，但却没有允许进入长沙的城门。1886年，狄克在没有人注意的情况下，潜入长沙城内。但他很快又被护送了出来。在之后的岁月里，又出现了各种进入长沙的尝试，获得了不同程度的成功。但是仍然没有机构在长沙获得长期的驻扎点。这让长沙人更加确信自己的城市甚至多进一位坚持想进入的外国人都是多余的。1898年美国宣道会的雅学诗开始了一系列坚定而又频繁的尝试。他不断地进入长沙城，又不断地被赶出来。直到他认为长沙官员的行为违反了外国条约的协议。于是通过汉口的英国领事馆，他成功地取得了湖南总督的入城许可。有了权力保证，他终于进入了这被长

① 周锡瑞．改良与革命——辛亥革命在两湖［M］．北京：中华书局，1982：51.

> 年关闭的城市，开始了他传教、售卖《圣经》的工作，虽然他只能住在长沙城外的船里。他通过认真、忠诚的工作，全城各个阶层的人都认识、尊敬他。虽然内地会获得了第一个在长沙城墙内取得地盘的差会荣誉，但是我们不能忘记雅学诗忠诚的工作为内地会的成功奠定了基础。1901 年 4 月底或 5 月初，在“拳乱”结束后，杨格非访问了长沙，在他离开前取得了在长沙城外建房的契据。这片地之后便用来建造一座教堂。①

这是基督教在长沙设立的最早的教堂，即英国伦敦会传教士杨格非建于外湘春街的伦敦会教堂。以后，各国教会陆续进入长沙。1901 年，美国宣道会在长沙宝南街设立临时教堂，进行传教活动。同年，基督教中华内地传教会在长沙学院街设立福音堂。美国遵道会也是 1901 年开始进入长沙，1902 年遵道会传教士德慕登在长沙东牌楼建立教堂，并于 1903 年成立了长沙遵道会。另外，英国循道会、美国圣公会、德国博爱会（又释为立本责会）等基督教差会于 1901 年至 1902 年开始进入长沙，在长沙开设教堂，进行传教活动。

由于新教在湖南发展极为迅速，各国教会、各教派和各差会在湖南的传教与其他文化活动产生了一些矛盾。为协调行动，解决矛盾，1903 年在湖南进行传教活动的基督教（在此指新教）各差会联合会议在长沙召开。英国、美国、德国等 12 个国家的差会代表参加了这次会议。会上，各差会划分了传教的范围，讨论了除传教外的其他教育文化活动。这次会议更进一步促进了新教在湖南的发展。同样，新教在长沙也得到了进一步的发展。到 1910 年，在长沙设立教堂传教的基督教新教差会有英国的循道会、伦

① 海恩波．在湖南的先遣工作［M］// 张湘涛．外国人笔下的长沙．陈先枢，于鹏远，等译．长沙：国防科大出版社，2013：109.

1898 年英国传教士杨格非（中）、戴德生（左）、丁韪良在长沙合影

敦会、安息日会，美国的遵道会、圣公会、宣道会，英美合办的中华内地传教会，德国的博爱会、内地会，挪威的信义会等。其他各县也有一些新教差会建立的教堂，如挪威信义会于 1902 年在宁乡建立教堂，英国循道会于 1908 年在浏阳建立教堂。另外，北长老会、内地传教会、遵道会等英美新教差会先后在湘潭、醴陵、攸县等地建立教堂传教。

外国教会势力在湖南的扩张对湖南士民的心理产生了极大的冲击，特别是一些外国传教士依仗不平等条约给予的种种特权，干涉中国内政，煽动教民与非教民的冲突，更引起了中国人民的激烈反抗。在 19 世纪中叶到 20 世纪初年，湖南各地爆发了一系列被称为“教案”的反教、打教的事件。从 1889 年到 1897 年发生在长沙的长达 10 年之久的周汉的反洋教宣传就是一场典型的反洋教斗争。20 世纪初年，湖南又发生了衡州教案（1900 年 7 月）、辰州教案（1902 年 8 月）以及贺金声领导的反洋教起义（1902 年 9 月）。这些斗争对于当时极力扩张其势力的外国教会无疑是沉重的打击，同时也迫使外国教会开始调整自己的传教策略。20 世纪初年，外国教会除进行传教活动外，还在中国创办文化教育机构。在长沙传教的各教会差会也不例外。因此，20 世纪初年，长沙出现了一些外国教会创办的近代学堂。如 1904 年美国基督教会在长沙樊西巷创办长沙信义小学堂，遵道会于 1906 年在长沙创办遵道女学校，美国雅礼会于 1906 年在长沙西牌楼创办雅礼大学堂，以及 1910 年在雅礼大学内办的雅礼中学，美国北长老会于 1910 年在长沙创办宜德女子寄宿学校等。外国教会及其传教士开展的这些文化教育活动，与他们的传教活动相辅相成，互相促进。同时这些教会学校的创立，也在一定程度上促进了长沙近代教育的形成和发展。

（二）天主教、基督教与湖南近代社会的融合

1901 年《辛丑条约》签订之后，西方传教士受到清廷各级政府的保护，并派兵丁护卫，即使是辛亥革命之后成立的湖南军政府，所发布的第一张布告也是规定要保护外国传教士和教会。在这种形势下，西方教会在湖南以往极为艰难的传教局面获得极大的改观，西方传教士开始大批涌入长沙，购地建堂，争相扩充势力。这一时期在长沙市区建堂传教的有英、美、德、挪威等国的九个差会。辛丑之后，天主教、基督教在长沙传教形势的逆转，一方面得益于教会和传教士的政治特权进一步扩大并得到切实的保护，各级官府对传教士接待、保护恭敬有加。即使是民国初年，军阀混战、政局动荡时期，南北军阀虽对民众无恶不作，却对教堂和传教士不敢有所侵犯。另一方面也在于各教会本身吸取了中国历次教案和庚子事变的教训，对其传教方式、手法及内容进行了相应的调整，以适应中国的特殊国情，求得更大的发展。各差会宣布实行“政教分离”，停止攻击儒学；并要求传教士不要参与地方上的民教诉讼，以免引起民众的反感，影响传教；广泛开展社会活动，大力兴办救贫、育婴等社会慈善、公益事业，重视兴办教育、医药卫生事业，提倡社会福音；同时注重培养中国本地神职人员，注意改善和地方士绅之间的关系。通过这些措施的实施，在一定程度上缓和了地方民众与教会之间的关系，传播了西方文化和生活方式，客观上培养了一批近代知识分子和科技人员。尤其是教会兴办的社会教育、慈善、公益等事业更是受到士绅们的欢迎，

这就为各教会的传教活动创造了相对宽容的社会环境。另外，辛丑之后中国承担的巨额庚子赔款，也给各差会的传教事业提供了充裕的经济条件,从而促进了辛丑之后长沙基督教的发展。据统计,1910年,长沙城内共建有10所基督教各差会的教堂,有来自英、美、德、挪威等四国的外国传教士14人，分属循道会、伦敦会、圣公会等9个差会。

1．天主教

1910年长沙“抢米风潮”给长沙天主教以致命的打击，教堂被焚毁。辛亥革命以后，教堂重建，天主教对传教的方式、政策、内容等方面也作出了一定的调整，而且也从庚子赔款中获得充足的经费,从而促进了天主教在湖南的发展,天主教徒人数大为增加,比同时期的基督教徒人数要多数倍。辛亥前后，天主教为了消除长沙民众与教会之间的隔阂，缓和教会与长沙地区士绅的关系，减少传教阻力，开始注重发展教育、慈善、公益、医疗等社会事业，使之成为发展教会势力的重要辅助手段。天主教创办了一些小学，在这些学校初办时，宗教课仍是主要的课程，同时也附带开设《三字经》“四书”之类的课程，学生都是教徒子女，人数也不是很多。在辛亥革命之后，这些教会学校才开始设置国文、算术等课程。在医疗卫生事业方面，1906年，6名意大利玛利亚方济各修会的修女在长沙走街串巷为病人施诊给药，到1911年，才在长沙北门外彭家井巷内开设了第一个正规的小型诊所。天主教修会也在长沙创办了一些诸如育婴堂、安老院、难民收容所等慈善、公益事业。

在民国初期，湖南军政府依然延续了前清政府保护外国教会和传教士的政策，天主教在长沙的发展更为迅速，这一时期虽然基督教的发展速度也很快，但是始终未能赶超过天主教，天主教虽然在长沙的修会和传教士的数量没有基督教的多，但是天主教在长沙地区发展的教徒数量要比基督教多很多，其原因在于，两者在教会发展方面的侧重点有所不同。天主教主要以吸收大量教徒为主，一般是整个家庭甚至整个村庄的人一起吸收入教，而基督教则注重教育和训练，对于发展教徒则较为慎重，一般只吸收成年人入教，不为未成年人施洗。因此，天主教所吸收的教徒往往良莠不齐，鱼龙混杂，有些地痞无赖借教徒身份为护身符，胡作非为，横行乡里，往往激起民愤，这也是近代长沙及湖南其他地区教案频发，反洋教斗争激烈的一个重要原因。而基督教徒的质量则有所保证，据称，基督教对于“刑余无赖之人欲借入教为护符者，定例不收，后查出仍斥退。故其言易入中下社会，信众日多”。相对天主教来说，基督教更容易给民众留下较好的社会形象。①

辛亥革命之后，天主教在长沙日益发展和教堂、教徒人数大量增加以及教区日益稳定和扩大，但是，长沙地区的天主教传教士人数却没有明显的增加。传教士日益短缺，因此，一般传教人员的地位开始日益重要，大量本土的传教人员开始补充由于外国传教士不足所形成的空缺。在初始时期，对于传教人员的要求比较低，通常情况下都没有经过系统的神学培训和传教方面的特别训练。随着形势的发展，也开始对传教人员的要求有所提高。长沙地区的天主教修会，为了培训合格的传教人员，开始兴办各种男、女修道院，选择部分教徒子弟入院学习。这些修道院通过对学生在宗教、文化等方面进行系统培训，以培养合格的本土传教人员，提高传教人员自身的素质，从而达到提高传教效果的目的。

长沙地区天主教的宗教活动主要以弥撒为中心。弥撒的主要内容是祝圣和领受圣体。教徒必须接受圣洗、坚振、告解、圣体、终傅、神品、婚配等烦琐的宗教仪式。天主教主要的宗教节日有圣诞节、复活节、圣神降临节、圣母升天节等。辛亥之后，随着

① 廖运兰．近代基督教在湖南述略［J］．邵阳师专学报，1994（3）：109—114.

社会形势的发展，天主教的宗教仪式也随之有所变更，以往烦琐的宗教仪式更趋精简，以适应大众化的需要。同时，辛亥之后，随着中西文化的进一步交融，民众思想的开放，外国教会与长沙民众之间矛盾有所缓和，天主教也逐渐为大众所认可，以往只有天主教徒才虔诚参与的一些宗教节日诸如圣诞节，在这一时期，也日益大众化，为普通民众所接受，即使是不信教的非教徒也乐意参与其中，分享快乐，过洋节逐渐成为社会风尚。尤其是在圣诞节期间，普通大众与天主教徒共同庆祝，不分彼此，这一宗教节日已经超越宗教的范畴，成为一种社会性的共同节日。到教堂举办婚礼的民众增多，甚至丧礼也到教堂举行，对改良旧式红白喜事起了推动作用。

2. 基督教

1900年之后，涌入长沙的基督教各差会都以“倍身济世，普爱世人”相标榜，注重兴办教会学校、诊所或医院及社会慈善、公益事业，作为缓和教民矛盾，争取士绅，进行传教的重要辅助手段，旨在对长沙民众进行基督教化。教会学校是基督教社会事业中最广泛、影响最大的组织，传教士以基督精神教化学生，以培养所谓的“天国公民”，促使学生成为西方型知识分子。同时各差会也将开办医疗事业作为“博得人民信任，为基督教铺平道路”的重要手段。特别是要在一贯反帝反洋教的长沙立足，更需借助于此。美国雅礼协会曾明确指出：“基督教之新医药事业，其宗旨在辅助推进布道运动为中心目的，医病宣教较之任何其他宣教方式，其效力并不稍弱。”因此，在辛丑至“五四”之前，基督教各差会先后在长沙创办多所大、中、小学以及医院，而以平民学校、民众学校、国民学校、夜校等名称所办的各种短期学校数目更多。雅礼协会于1906年创办著名的雅礼大学和雅礼医院，1914年又创办湘雅医学专门学校，从而奠定了近代长沙医学教育和医药卫生事业的基础。在一些重大灾害及各个战争时期，教会的医疗力量积极参与救治伤病者。如1915年，蔡锷起义反袁时期，各教会医院医生护士组成医疗队积极参与救护。基督教各差会还在长沙创办了长沙盲女院、育婴堂等一批近代教会慈善事业，同时还积极参与各项赈灾救荒活动，从而改变了长沙民众对基督教会的认识和态度，民教关系得到进一步改善，取得了良好的社会效果，扩大了教会的社会影响。这一时期，不仅一般的长沙民众纷纷入教，而且士绅阶层也有不少入教者。

在辛亥革命时期，留居长沙的各国基督教差会的传教士们，普遍抱有一种观望和怀疑的态度，对长沙的资产阶级革命缺乏信心。有一部分外国传教士为避免祸乱，撤出长沙。辛亥革命之后，湖南军政府发布第一张布告，明令通告要保护外国传教士和教会，从而打消了一些差会和传教士的疑虑，他们又重返长沙，其传教活动更为活跃，来长沙的传教士人数，所建立的教堂数量、教区以及入教人数都比以往大为增加。基督教在长沙地区的发展归根到底是建立在一系列不平等条约所规定的政治特权之上的，辛亥之后，随着长沙民众民族意识的不断增强，对教会及传教士的种种特权日益不满。基督教中的一些华人自主意识也日益增强，试图摆脱国外差会控制教务的局面，先后发起以“自治、自养、自传”为主要内容的“三自”运动，建立起所谓的“本色教会”。1912年，曾季融在长沙邀集亲友颜福庆、郭铭崖、李振铎、陈家轸等组建长沙中华基督教自立会，由曾季融任会长，负责筹措常年经费。该会借用长沙富商聂路生位于浏阳门的住宅作为会址和会堂，聘用吴干臣、郭仁锐两位牧师负责传教事务，都督谭延闿曾向该会助银1000两。不久该会会务日益兴旺，有教徒90余人，遂在浏城桥外复兴街购置房屋，作为正式教堂，同时还创办了一所明诚小学，这一教会是长沙基督教徒自主创办教会之始。在长沙的其他差会也先后开始了本色化的历程，如长沙圣公会于1912年在其教派名称的前面冠以“中华”二字，以求从表面上进一步淡化作为外国教会的形象，避免引起民众的反帝情绪。这一本色化的过程，实际上也就是各基督教差会为适应形势的变化而采取的一种应变策略，表面上看是要使长沙基督教会成为中国本色的教会，其根本目的仍是为了进一步稳固和扩大基督教会在长沙的势力。[1]

基督教会为了融入湖南社会，在长沙创办了两个重要组织。

一是湖南协和神学院。在长沙的各基督教差会为了扩大传教的需要，先后创办了相应的神学校，以培养合适的传教人员。学生的来源，主要是从各教会学校中选拔他们认为各方面表现合格的人员，送入神学校进行更进一步的深造。长沙地区最早的神学校是 1908 年由循道会的任修本、古永福等人在循道小学的基础上所创办的一所简易神学校，以培养本教派的传教人员。1911 年，长老会、遵道会、复初会、内地会等差会也先后资送学生入学接受培训。1913 年，长老会在长沙创办了女子圣经学校，在衡阳创办了男子圣经学校，遵道会在湘潭兴办了神学培训班。1914 年，上述各差会所办的神学校进行合并，在长沙新建立了一个更为完善的神学校，取名为湖南协和神学院。神学院实行董事会制，由各差会共同组建成立学院董事会，以任修本为董事长，卫斯德为院长，为各差会系统地培养合格的传教人才。该学院以基督教教义为办学原则，在制度和管理上都很严格，管理权都控制在各差会手中，教职员都是基督徒，各种宗教课程是神学院学生的必修课，各种宗教活动被列为学生的正规生活内容，以强化学生的基督教信仰，同时还组织学生开展各种名目繁多的实习布道活动。

二是长沙基督教青年会。基督教青年会是一个国际性的组织，是基督教进行社会活动和传教活动的重要机构之一。1911 年，长沙的几个主要基督教差会的负责人，如循道会教区长任修本、圣

① 郑焱．时移势异——辛亥长沙巨变［M］．长沙：湖南教育出版社，2011：204.

公会鄂湘主教吴德施和会长黄瑞祥、信义会监督戈德白、内地会牧师葛荫华、遵道会监督德慕登等人，邀请当时湖南的政要、名流、士绅，如湖南谘议局议长谭延闿和副议长廖名缙、商会会长李达璋、明德学校校长胡元倓、雅礼学校校长盖葆耐、雅礼医院院长胡美和副院长颜福庆、自立福音会会长曾季融以及粟戡时、曹典球、聂其焜等十余人，联合函请中华基督教青年会全国协会派员来长沙协助筹设长沙基督教青年会。1912年正式成立长沙基督教青年会，并组建董事会，推选颜福庆、黄瑞祥、曾季融、梁家驷、梁宗实、刘云珊、王海玕为董事，颜福庆为会长，聂其焜为名誉干事，穆格新为总干事。筹设成立时所需经费由世界基督教青年协会北美分会拨款给全国协会，再转拨给长沙基督教青年会。长沙基督教青年会的日常所需经费主要来自于会员的会费和当地的捐款，另外还有青年会所附设的一些服务性营业场所的经营收入（青年会开设的球场、弹子球房、电影院、理发室、澡堂等服务设施都对外卖票），再加上学生的学费、寄宿费等方面的收入。青年

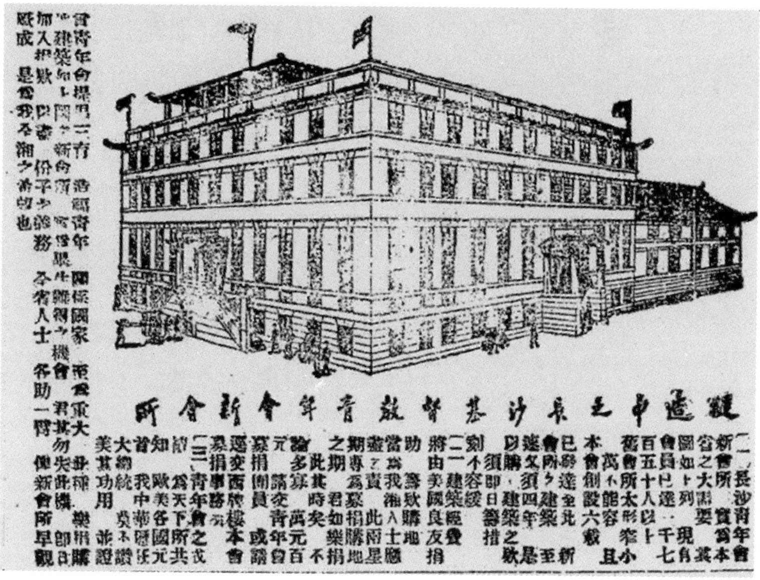

1919年4月18日湖南《大公报》关于建造青年会新会所的广告

会经常举办查经班、英文班、体育班、宗教演讲、运动会、交谊会、放映电影等活动，以辅助进行传教。通过开展上述这些形式多样、生动活泼的活动，将宗教教育与娱乐游戏相结合，同时倡导改良社会不良习俗，起到了服务社会、开通风气、灌输知识、沟通中西的作用。长沙基督教青年会在初始时期下设德育、体育、智育三个部门，以对会员、民众和学生进行“三育”活动。德育部经常邀请一些外国传教士做布道大会，如1915年秋，在省教育会前坪举行大规模的艾迪布道大会，当时就有400余人签名自愿加入教会。智育部主要负责办理青年会中学和各种补习班，培养了一批青年会的骨干人员如江文汉、杨怀僧、张以藩等人，该部还通过协会邀请一些外国专家教授举行讲演活动，如1916年秋该部举行卫生展览大会，并邀请医学专家彼得做主讲，参与民众达10万余人，扩大了基督教对民众的影响，同时也增强了民众对教会医院和西医的认识和了解。体育部由体育干事夏义可负责青年会的相关体育活动，该部对内负责青年会中学的体育课，辅导会员进行体育活动，并主持节日或星期天的文娱晚会，经常主办各项球类比赛，将近代欧美诸多新式体育项目如跳水、田径、游泳、篮球等引入长沙，对长沙近代体育事业的发展和普及，做出了积极的贡献。

（三）教会在湖南的慈善活动

中国进入民国以后，教会在华的传教和慈善活动得到政府的许可，与中国社会的融合日益加深。湖南社会也改变了以往对教会的排斥态度，代之以认可乃至敬慕。一些社团和名流士绅对教会也纷纷示好，地方上的公益善举，也乐意与教会合作。有了政策的允许和社会的接纳，教会也就摆脱了为传教而做慈善的窘况，其慈善事业的发展进入了最好的时期。宗教道德认为，凡是具有宗教道德自律性的人都会得到至上神的补偿，今生积善积德，死后灵魂能进入神圣的天堂，或在来世也能得到幸福；反之，如今生今世作恶多端，死后灵魂会下地狱，或在来世做牛做马。这种善有善报、恶有恶报的宗教因果报应论，是教会开展慈善活动的原动力。为此，教会开始实实在在地为湖南人民做一些善事。教会办的慈善事业内容宽泛，主要包括慈善教育、医疗卫生、救荒赈灾、育婴慈幼和救残助盲五大类。

1．长沙天主教会慈善活动

长沙天主教会的慈善活动主要表现在天主堂医院、育婴堂、丽文中学和难民所等方面。[①]

长沙天主堂诊所建于清光绪三十二年（1906）。是年 6 名意大利玛利亚方济各修会的修女来到长沙，首先串街走巷为病人送药施诊。清宣统三年（1911），她们在北门外彭家井开设一诊所。民国二十五年（1936），石道琦主教将诊所扩大为天主堂医院（长沙市二医院的前身）。医院由教会提供资金，扩建房屋，添置设备，聘请医师，开设 20 张病床，分设内科、外科、妇产科。1938 年，该医院担负收容治疗从前线撤退下来的伤病员的任务，病床增至 60 张。石道琦病故后，兰泽民继任主教兼医院院长，并在安化天主堂开设长沙天主堂医院附设安经天主堂诊所。

抗日战争时期医院设立战时救护队。1943 年，日军逼近长沙，天主堂医院在战时防护团的监护下，往返 20 多天，将重要物资运往长沙河西龟头市刘家祠堂，后又将部分重要物资迁到宁乡道林石家湾。年底，医院及救护队陆续迁至宁乡渣材天主堂，后于 1945 年迁回长沙原址，意籍神父白志云任院长。第二年，医院举办助理护士训练班，招收女青年参加培训。同年底，医院用

① 长沙市档案馆．湖南慈善档案［A］．长沙：湖南人民出版社，2015：278—285.

长沙天主堂医院护士合影

变卖救济物资所得资金扩充规模，全院病床增至 80 张，门诊部在原有的内科、外科、妇科和小儿科的基础上增设放射科和五官科。1947 年，成立丽文高级护士职业学校，为医院培训护理人员。同年，医院又变卖救济署拨给的 100 吨面粉，修建 4 层楼病房 1 栋，将全院床位增至 120 个，并在中山东路开设分诊所。

长沙天主堂育婴堂创办于光绪三十二年（1906），创办人为翁德明，堂址在长春巷，由 6 名意籍修女管理。1910 年长沙发生“抢米风潮”，育婴堂被毁，1916 年重建。1950 年由长沙市人民政府接收。

1921 年，长沙天主教创办先觉师范学校于自得园，1922 年改名长沙市私立丽文初级中学，并向教育行政部门备案。该校创建时，规模较小，1938 年前毕业 18 个班次共 185 人，均系男生。1938 年开始招收女生，开办丽文高级护士职业学校，学生有所增加。办学经费除学生所缴学费外，还主要靠教会每年津贴米 250 石以及教会的房地产收入。丽文初级中学还办了一所附属小学，创办于 1936 年，校址在盐仓街，学生一般在 300 人左右，经费主要是教会津贴、铺屋租金收入（教会曾拨给出租铺屋 10 栋）和学生学费。

此外，天主教在长沙还兴办了诸如难民所、安老院等社会慈善救助机构。1937年抗日战争爆发后，大量华北、华东难民拥入湖南。天主教会受国际救济组织委托，分别在教区所在地的长沙、沅陵、衡阳设立了难民收容所。长沙天主教难民所创办于1937年日军首次轰炸长沙之日。当天3架日机将东站路、校场坪、小吴门、经武路、戥子桥等地街道房屋炸成一片焦土，炸死炸伤居民100余人。天主教会以丽文中学空出的校舍作为难民收容所，收容长沙市难民200余人，由教会负担食宿。石道琦主教督办难民所，经常通宵达旦，为安置难民而奔波，终因积劳成疾于1939年病逝于长沙。难民所由继任长沙教区主教兰泽民兼管。为了减轻难民所负担，增加难民个人收入，所里发动组织临时性生产服务小组，有缝纫组、刺绣组、针织组、制鞋组、卷烟组、清洁卫生组等。

2. 基督教内地会慈善活动

内地会系中华基督教的一个教派，创始人为英国人戴德生。该会于1902年在长沙学院街建内地会福音堂，牧师葛荫华建诊所于此。1907年德籍传教士何伦卫、顾承恩在社坛街购地，建内地会教堂（即今基督教城南堂）及住宅3栋。内地会在社坛街新建礼拜堂后，学院街的诊所就扩大成为医院。

内地会办得最好的慈善团体是瞽女院。长沙瞽女院建于1908年3月10日，创始人顾蒙恩，院址初设社坛街内地会，1925年迁到韭菜园桐荫里，1938年迁韭菜园圣经学院内，改名长沙瞽女学校，由梅树滋任校长。瞽女院主要收养盲女。1923年，德籍校长向国内外募集捐款，扩大学校规模，收盲女80人左右。该院学制分为幼稚园、国民、高小3班，科目与普通学校相同，只是使用的是盲文。同时还有编织等手工劳动的练习，长沙《大公报》1922年6月29日《瞽目学校毕业纪盛》一文称此是“冀以启发盲女之知识与技能，使能在社会上独立生存”。

内地会在长沙办有一所圣经学校。湖南圣经学校也称湖南圣

瞽女院的瞽女们在学习弹奏乐器

经学院，基督教美国内地会于1917年在长沙创办，校址在长沙东郊韭菜园，在南岳设有分校。创始人为美国内地会教士葛荫华。圣经学校除传授宗教教义和仪规外，在后期还办有孤童部。孤童部收养的孤儿系湖南育幼院转来。抗日战争胜利后，湖南育幼院收容孤童600余名。限于院舍狭窄，经费缺乏，葛荫华看中了圣经学校宽大的房屋和充裕的经费，一再请求校方以爱人之心，附设孤童部。1947年秋，美国圣经学院总院院长德洛义及会计主任安理德来长沙视察，湖南圣经学校监督饶培德商请两位顶头上司同意，遂于1948年春季正式成立孤童部。成立后，湖南育幼院先后拨交孤童120名，直至1951年由长沙市人民政府接收。

内地会在长沙办有一所医院，始建于1902年。1905年，73岁的戴德生来中国视察，病死在长沙，内地会为纪念他而将医院取名“德生医院”。初建时只有门诊部，设学院街。1929年扩大为医院，增设住院部于韭菜园。1951年德籍代院长冉华德申请将医院捐赠给政府。当年11月7日，湖南省人民政府批准接办。德生医院即长沙市第三医院的前身。

3. 基督教信义会慈善活动

信义会是基督教（新教）路德宗的教会。“信义”二字取自路德宗主要教义“因信称义”,强调信靠耶稣,而不在于履行教会规条。信义会主要分布于北欧各国、德国和美国。19 世纪末，信义会传入湖南，并在长沙、宁乡、益阳等地建立教堂，创办学校、医院、孤儿院、瞽目院等机构，颇为活跃。

最早进入湖南的是挪威信义会，清光绪二十八年（1902）就有赫资伯牧师来到长沙。1904 年租长沙樊西巷、道门口之间土地，建立了路德教堂及其带慈善性质的蒙养院。芬兰信义会则主要活动于澧水流域，在澧县办有路加医院、慈利医院，在临醴办有德芬医院，在大庸（今张家界市）办有庸兰医院等。

信义会在湖南的慈善活动以办学为主。1906 年，湘中信义会挪威差会在益阳县城对河桃花仑狮子山购地,创办“信义中学堂”。1912 年，挪威信义会在益阳县城内五马坊创办“信义女子师范学校”,后并入信义中学。1943 年 11 月 22 日,日寇飞机轰炸益阳城区,死伤 170 余人，校长率 20 余人会同信义医院人员赴城救护。1952 年 9 月，信义中学由人民政府接收，改名益阳市第一中学，延续至今。

1920 年瑞典信义会的余尔龄牧师来湘创办信义大学，在益阳桃花仑西约里许购地，建筑校舍。1923 年，信义大学校舍竣工，

益阳信义会教堂收养的孤儿

秋季正式开学。韦慈曼博士任校长，设文、理两科，文科设欧洲方言系与社会科学系，理科设数理系与生物系，传播西方科学技术。

挪威信义会还于民国初在益阳创办了信义医院，通过努力，医院不仅获得了人们的认同，而且深受社会各界欢迎，前来就诊的人数逐年上升。据 1928 年刊行、梁鸿训所撰《湘中信义会二十五年》载，益阳信义医院初办时，门诊每日 20 余人，到 1923 年住院者 1200 余人，门诊有 10400 余人。

1913 年挪威信义会教徒倪尔生在益阳碧津渡南峰举办瞽目学校，分文、工两部，学员每天上普通文化课 6 小时；工作 8 小时，分织布、碾米两项，并设营业处。所招盲生先受 4 年盲文教育，而后开设国语、算术、英语、圣经等初小课程，毕业后转附属工场做工。1916 年，校址迁到桃花仑瓦窖村，翌年增设高小部。1927 年，益阳瞽目学校改名瞽目院，初级小学部保留，高级小学部停办。由挪威湘中信义会和上海盲民福利协会每年提供津贴。该院曾聘请盲人教育专家杨传明来院任教，杨氏不但精通盲文，英文也十分熟练，而且擅长音乐，教盲人学生唱歌、弹奏乐器，以便学生排遣寂寞。至 1933 年，益阳瞽目院共计收养盲童 113 人，其中毕业 13 届，学生 47 人。1951 年，益阳瞽目院由益阳市人民政府接管。

信义会在长沙和益阳都办有孤儿院，院址就设在教堂内，以收养失去父母无依无靠的儿童。

4. 基督教圣公会慈善活动

圣公会，也称为安立甘会或英国国教，是基督新教的一个教派——圣公宗，与信义宗、归正宗同为基督新教三大主流教派，后传播到美国、加拿大等国。19 世纪中叶，英、美、加三国的圣公会都派出差会来中国传教，并共同组成了中华圣公会。1902 年，武昌圣公会派黄吉亭来长沙筹设教堂，最初在吉祥巷租借一处民房，开始传教。

1904 年 11 月，在长沙明德学堂担任教师的杰出革命家黄兴，因在长沙从事革命活动并组织武装起义，遭到清政府搜捕。黄吉亭将黄兴掩藏在教堂里，后又借长沙关宴请圣公会的机会，掩护黄兴上船出走上海。次年，圣公会迁址北正街（今黄兴北路）。1912 年中华民国成立以后，黄兴回到长沙，曾应邀在北正街新建的圣公会教堂发表热情洋溢的演说，并题词："耶稣圣名，敬拜宜诚，辞尊居卑，为救世人。"

黄吉亭不仅是最早的中国籍牧师之一，也是一位慈善人士。黄吉亭早年就读于武昌文华书院，毕业后进入上海圣约翰大学神学院学习，1891 年被授神职。1902 年，黄吉亭来到长沙后，在新建的三一堂设立日知会阅报室，购书报开通民智，"从此学界军界皆入于圣公会之门，而长沙日知会乃极一时之盛"。长沙风气渐开，美国圣公会鄂湘教区主教吴德施认为："依吾之见，较吾在华各地之感受，长沙之气氛更似日本。爱国主义和进步精神高涨，青年出任要职，非同往常之论资排辈。"吴德施把长沙的工作称为整个鄂湘教区"最为浪漫的事工"。

圣公会 1902 年来长沙建堂时，黄吉亭就在吉祥巷三一堂办过

圣公会教堂内黄兴题词石刻

一所初级小学。1905 年迁北正街时，又在潮宗街办了一所小学。1908 年在北正街教堂后面的左局街，办了一所雅各中学。1924 年，新建造一座四层灰砖教学大楼，改名三一女校。1929 年，雅各中学停办，圣公会几所小学合并，男女兼收，即长沙市私立三一小学。中华人民共和国成立后，改名为光明小学。1952 年改为公立，名北正街小学。

5. 基督教长老会慈善活动

长老教会是基督更正教的一派，其根源是从 16 世纪的西欧改革运动开始的。长老会即长老宗，也称归正宗。归正宗是新教主要宗派之一，以加尔文的宗教思想为依据，亦称加尔文宗，“归正”为经过改革复归正确之意。在英语国家里，该宗因其教政特点又称长老宗。1912 年美国基督教北美长老会进入长沙，是年 4 月长沙基督教长老区会正式组成，1917 年中外信徒捐款建教堂于北门吊桥外（今外湘春街），定名为“永恒堂”。

福湘女中即长老会在长沙开办的一所著名教会学校，建于 1913 年，由美国基督教长老会成员牧拿亚女士联合遵道会、循道会等教会创办。校址设在北门外长春巷，是一所六年制中学，规章制度大多仿效美国，学生一律寄宿。从初中二年级起，除国文及中国史地使用汉语课本外，其他数理化及世界史地均采用美国英文原本。1919 年美国凌支尼女士继任校长。1928 年福湘在教育部立案，成为一所私立女子中学，校长改由中国人担任，但教会仍提供经费补助，《圣经》仍是选修课。福湘女中培养了不少女子英才，1919 年杨开慧曾在此就读。

长老会在湖南创办的另一所女子中学是岳阳贞信女子中学。1901 年 4 月，长老会教士海维礼首先在城区创办求新学堂，后更名为畔湖书院。1906 年，购得湖滨黄沙湾地址后，将书院扩建为湖滨中学，为近代岳阳最早开办的私立中学，1910 年扩建为湖滨

贞信女中学生在上音乐课

大学。1902 年 9 月，又在教堂下的乾明寺街购地一块，由其夫人海光中创办贞信女子小学，为城区最早创办的新式小学校，开岳阳近代新式教育的先河。1929 年，贞信女子小学更名为贞信女子中学。

1915 年，海维礼还在岳阳塔前街福音堂旁创办普济医院，即今天的岳阳市第二人民医院前身，是岳阳城区最早的西式医院，设病床 50 张。普济医院在疫病流行的春秋季节派医务人员外出为民众种牛痘，打防疫针，减少此类疾病的发生率，有市民为此赠送“普济众生”之匾。

1909 年，美国基督教长老会还在湘潭办有益智男子学堂，其校舍十分气派。

6. 基督教循道会慈善活动

循道公会为英国基督教卫斯理宗的支派之一。1902 年英国牧师古永福租长沙福庆街房屋建堂传教，1906 年购西长街黄五林房屋成立循道会长沙联区，设总堂。

1921 年，湘西大旱，次年演成大灾，芷江、麻阳、晃县等地饿死者不计其数。时值北伐军入湘，拟在湖南征粮以应军需。循道会任修本牧师致电孙中山，希望北伐军队入湘时，能“由粤转运大宗粮米，以给军需，否则师行所至，日用粮食必取给于难保生命之灾黎”，这无异于雪上加霜。1922 年 2 月 27 日湖南《大公报》作了题为《任牧师为湘民请命》的报道。

1921 年任修本在任湖南华洋义赈会副会长时，还联合其他教会和社团，用以工代赈的形式，参与修筑湘潭至宝庆公路的工作。至 1924 年 6 月完成湘潭至湘乡段工程，耗用赈款共约 40 万元。

1936 年西长街循道会教堂拆除重建，为三层红砖清水墙结构，一层为会堂，外侧墙嵌有多块石碑。石碑文字有“克己爱人”“为主发光”“披荆斩棘”“在基督里作刚强人”“以身殉道”等。并在教堂旁建循道中学，招收贫困学生入学。

循道会在浏阳办学比长沙早。1916 年循道会租赁浏阳磨石街邱家祠堂，正式设立教堂和校址，学馆也正式命名为浏阳基督教私立修善高级小学校。百余名学生编为 6 个班，所设课程有算学、英语、舆地等。高年级的课全由英国人来授，本地教员只任四年级以下的课。学馆开设后的几年，学生一直有增无减，有的学生甚至是从外地慕名而来，因而增加了寄宿生。1923 年，又办起了浏阳基督教私立春林女子职业学校。1925 年，办起了第三所学校——修善中学。1927 年大革命高潮时，3 所学校均被迫停办。

浏阳修善学校老照片

循道会在全省各地办了多家医院，如浏阳协和医院、邵阳普爱医院、零陵普爱医院、祁阳普爱医院等。浏阳协和医院建于 1922 年，建医院得到县城培德厚商号的大力支持。该商号慷慨捐献了磨石街下的蜈蚣岭红茶庄铺屋一处，义捐 1 万元作开创经费。英国红十字会也拨款 2 万余元襄助。医院有病房42间，设备基本齐备。医院初名协和医院，因兴建时是以红十字会的名义，故定名为红十字会医院。由于医务人员素质高，服务态度好，收费低廉，前来就诊者络绎不绝，取得了很好的社会声誉。该医院毁于1939年日军的狂轰滥炸中。

邵阳普爱医院建于1918年，以医学高明而著称。1918年，澳大利亚传教士赫华德医生为一例腹部枪伤患者剖腹探查和做肠道吻合手术，系邵阳境内第一例西医手术。院长毕家造在境内做的首例手术更多，如1923年做膀胱取石术、1935年做阑尾切除手术等。毕家造与杨仲达医生还曾对邵阳的钩虫病作过研究，并把研究成果发表在《中华医学杂志》上。

7. 雅礼协会慈善活动

1901年2月，著名的美国耶鲁大学一部分校友，成立了一个以促进中美文化交流为宗旨的雅礼协会。协会特意起了个中文名，取“子所雅言，诗书执礼”之意而定名为“雅礼”。协会成立以后，决定在中国办学，发展教育，曾派出德士敦来华，并选定长沙作为他们办学的地点。1903年，湖南境内10个基督教会的代表在长沙开会，议决邀请雅礼协会来长沙创办学校，将长沙作为发展教育事业的中心。于是派遣劳尔·席比义前来长沙。后来，雅礼会又派盖葆赖和胡美来到长沙。席比义和盖葆赖密切合作，在长沙西牌楼雅礼医院的对面租借下一幢民房，为完成雅礼会交与的任务而努力。清光绪三十二年（1906），他们在西牌楼的那幢民房创办了一所大学，命名为雅礼大学。1914年雅礼大学正式成立。1919年，雅礼大学迁址北门外麻园岭，规模越来越大，体制也越来越完备。1927年大革命高潮时期，雅礼大学迁到湖北武汉，结束了在长沙二十来年的历史。1928年，雅礼协会在雅礼大学原址办起了雅礼中学，延续至今。

与雅礼大学筹建的同时，胡美接受了雅礼协会的要求，从印度来到中国湖南，立志在长沙“创办一所新型的医科大学”。1906年11月，胡美在长沙西牌楼租借一处民房，在此创办了一所医院，取名雅礼医院。为完善医院的管理，胡美又于1911年11月在雅礼医院开办雅礼护病学校。雅礼医院和雅礼护病学校，是湖南省第一所西医医院和最早的护士职业学校，标志着湖南医疗卫生事业与医学教育事业揭开了新的一页。为了实现在长沙“创办一所新型的医科大学”的理想，胡美找到了在美、英两国学医的颜福庆博士，并在颜福庆博士的帮助下，于1913年以美国雅礼会的名义与湖南军政府合作，决定在长沙创办湘雅医学专门学校，得到了湖南都督谭延闿的全力支持。

1914年12月8日，湘雅医学专门学校在潮宗街举行成立大会暨开学典礼。1915年2月，雅礼医院更名为湘雅医院，雅礼护病学校改名为湘雅护士学校，从而形成了医学校、医院、护士学校三位一体的体系。

经过几年建设，湘雅医院和湘雅医学专门学校分别于1918年和1920年迁入麻园岭新址。1924年，湘雅医学专门学校更名为湘雅医科大学。从此“南湘雅、北协和”蜚声海内外，产生了如张孝骞、汤飞凡、萧元定等一大批著名的医学家。

几十年中，雅礼协会在湖南兴办教育，发展医疗卫生事业，发扬救死扶伤的人道主义精神，在卫生防疫、支援抗日等方面做了大量工作，留下了良好的口碑。雅礼协会直接参与的公益慈善活动，主要在卫生宣传、疫病防治和赈济难民等方面。

湘雅医院除进行日常的诊病治疗外，还参与防疫与卫生宣传。湖南近代战火时起，水旱各灾频仍，灾后难免不发疫疠。针对这种情形，湘雅医院与其他相关团体合作开展卫生宣传和防疫工作。1921年，湘雅医院颜福庆、胡美等人邀请警察厅、市政府、教育会、湘雅医学会、男女青年会等，组织湖南卫生教育会，专门从事卫生教育工作。他们召征卫生讲演员，分赴乡村宣讲卫生。湘雅医学院师生还到萍乡矿区宣传寄生虫病防治知识。又成立了夏季卫生队，举办市民卫生会、劳动卫生会等，这种专门组织对改善民众的卫生现状大有裨益。1935年2月至3月间，长沙市发现脑膜炎，湖南卫生实验处召开各医院会议，决定由湘雅医院担任治疗工作，辟院中四层楼为该项病人诊所。湘雅医院还在疫病流行的春秋季节派医务人员外出为民众种牛痘，打防疫针，减少此类疾病的发生率。

湘雅医学院师生到萍乡矿区宣传寄生虫病防治知识

1918年至1919年南北战争期间，株洲、醴陵、攸县等处历经战火，湘雅医院设立了战时医院以救治伤员。醴陵一带满目疮痍，尸横遍野，村落为墟，死者既已含冤，生者尤增痛苦，加之金融紧迫，谷米奇荒，百业停滞，生计日艰。为此，雅礼协会和其他教会人士纷纷发起捐款和募捐活动。湘雅医学专门学校学生发起成立了醴陵难民筹赈处，共筹集光洋262.6元，票洋721元，票钱71.89万文，票纹1195两。长沙雅礼大学师生一次就为醴陵来长的难民捐集了票钱200余串，并募筹到票洋50多元。1937年抗日战争爆发后，雅礼中学特设幼儿园收留难童。1938年长沙大火后，雅礼中学又组织师生积极参与善后救济工作。

纵观天主教和基督教这些国外宗教在长沙的传播历程，可以发现在1901年之后，天主教和基督教不断吸取庚子事变的教训，逐渐对传教的方法、内容等方面进行主动的调整，开始注重兴办教育、慈善、公益、医疗卫生等社会事业，以之作为缓和民教关系、消除民教隔阂、减少传教阻力的重要手段，再加上各外国教会从庚子赔款中都获得了充足的经费，从而促进了天主教、基督教与湖南社会的融合。民国时期，天主教、基督教发展迅速，可以说是其在湖南发展的黄金时期。

尽管天主教和基督教这些国外教会在湖南获得了很大发展，但是外国教会的这种发展毕竟是建立在一系列西方列强强加给中国民众的不平等条约之上的，是以这些不平等条约所规定的传教和政治特权为保障的，由此所产生的近代以来不断激化的民族矛盾是无法调和的。加上早期部分国外教会、传教士及其教徒所做的诸如强占民产、干涉司法、包揽词讼、横行乡里等恶行，对中国传统儒学横加攻击，禁止传教士和教徒祭祖尊孔，这就严重违反了中国的传统民俗风情，加剧了西方宗教文化和儒家文化之间在价值观等方面的矛盾和冲突，这也是近代长沙地区教案频发的重要原因。

另外，我们也应该从另一个方面认识到近代长沙士绅官民掀起的反洋教斗争，固然有外国教会、传教士及其教徒方面的原因，但是，民众与教会、传教士及其教徒彼此之间缺乏适合的沟通途径，都彼此固守自身的传统和原则，而缺乏彼此之间相互扬弃以达到寻找到一个和平共处的均衡点的主动精神，有隔膜，长沙民众对于洋教不了解，甚至是对洋教产生了极大的误解，也是发生教民冲突的一个重要因素。天主教会以及基督教各差会为了达到传教的目的而兴办的教育、慈善、医药卫生等社会事业，虽然主观上出于缓和民教关系，吸引民众，扩大社会影响，提高传教效果的目的，但是，教会所兴办的这些社会事业在客观上促进了中西文化交流，传播了西方文化和生活方式，改良了落后的社会风俗，并且培养了一批近代知识分子和科技人员，在一定程度上奠定了近代湖南社会事业的基础，为湖南社会的近代化发展在客观上作出了重要贡献。

三、俗神信仰与迷信的盛行及其改良活动

湖南民众的精神信仰除正统的宗教信仰外，还有大量的俗神信仰与迷信活动。民间信仰和迷信行为与宗教有一定的联系，但没有必然的、直接的关系，只能说是远古鬼神信仰的延续和遗存。到近代，这种传统民俗仍深深地影响着国人。但是，随着时代的变迁，教育事业的发展，科学技术的进步和人们观念的转变，加上外来天主教、基督教对中国本土俗神信仰的冲击，到民国时期，传统迷信之风终于有所消弭。

（一）传统民间信仰和迷信的延续

湖南古属楚地，素有“信巫鬼，重淫祀”之风。楚地浓郁的巫鬼祭祀之风，是夏商文化和土著文化相结合的产物，也是楚文化区别于中原文化的一个重要特征，因此，它受到了中原文化的猛烈抨击。《吕氏春秋•侈乐》云：“宋之衰也，作为千钟；齐之衰也，作为大吕；楚之衰也，作为巫音。”独把“巫音”作为楚国政治衰败的原因。当楚国兵败如山倒的时候，楚怀王把希望寄托在鬼神身上。楚王既然如此嗜好祭祀鬼神，楚国上下自然巫风弥漫。现代出土的“卜筮记录”竹简证实了楚贵族中风行巫祭活动，且祭祀的名目繁多。如望山一号墓藏竹简关于祷祝、祭祀的记载尤多，祷的名目又可分为送祷、赛祷、琵祷、胸祷等。祭祷的对象很广泛，包括山川天地之神及先王先公，如圣王、昭王、柬大王、卓公、惠公、大水、句土、司命、司祸、地宇、云君、东城夫人等。

信鬼好巫，在南方广大地区异常突出。屈原的楚辞篇章有过多方面的、生动传神的描绘，著名的《九歌》《招魂》即为典范。崇神好祀的巫风楚俗正是屈原创作《九歌》的坚实基础，因而，

在作品中出现了一系列的天神、地祇、人鬼的动人形象，诸如东皇太一、东君、云中君、大司命、少司命、湘君、湘夫人、山鬼、河伯、国殇，再现了楚之百神的庞大体系和壮观场面。

战国末期楚亡以后，信鬼好巫的风俗仍在楚地及楚裔系族保存下来并长期沿袭。南朝梁人宗懔《荆楚岁时记》记述六朝时期荆楚一带楚俗巫风亦多，诸如“帖鸡户上，桃符镇鬼”“豆粥加膏，祭祀门户”“夕迎紫姑，以卜农事”“僧尼道俗，盂兰盆会”“击鼓戴胡，傩舞逐疫”“祭祀灶神，宰杀黄羊”等，比比皆是。每年从腊八到春节，楚地各种祭祀、飨神，接踵而至，可谓多矣，风俗怪异而又富于娱乐之趣。唐宋以降，迨及明清，迷信和淫祀习俗在湘楚大地一直流传下来。

这里所说“迷信”，不是指对某些人物、某些道理盲目地信仰或崇拜，而是专指人们笃信星占、卜筮、风水、命相和神鬼等的思想和行为。民间的巫婆、神汉、算命先生、风水先生、巫医、神骗等职业迷信者，利用人们的这种思想而从事算命、看相、抽签、卜卦、看风水、跳大神、驱鬼、扶乩、用佛水仙丹治病等借以敛财的活动，就是迷信活动。迷信、迷信活动虽与宗教有关，但绝不是正规的宗教，不能把迷信活动等同于宗教信仰。“淫祀”则是不载于国家祀典，亦非正规宗教寺庙、道观的民间神庙、鬼祠及其祭祀活动。①

从近代维新运动开始，虽然随着时代的变迁，教育事业的发展，科学技术的进步和人们观念的转变，加上外来天主教、基督教对中国本土俗神信仰的冲击，传统迷信之风有所消弭，一些淫祀也被政府废止，但从全国范围来看，这种传统民俗仍深深地影响着国人。民国时期，在多数人身上，各种迷信根深蒂固，在多数地区，各种淫祠仍香火不绝。

① 严昌洪.20世纪中国社会生活变迁史［M］. 北京：人民出版社，2007：463—467.

长沙街头的算命先生

民国湖南迷信习俗主要有如下一些：

星命迷信：人一降生，父母即为其推算八字，如有犯关煞等事，急忙请道士度关，为婴儿解煞。男女婚姻亦必须八字配合而后定，是否配合由算命先生推演而出，不论其推演是否正确，信之如神明。居家、谋事或有不遂意处，皆认为是命运使然。

择日迷信：无论婚姻、喜庆及出行、开市、建房、丧葬等事，必须选择吉日良辰，并有忌避生肖之说。

巫祝迷信：每遇疾病，不施医药，反求巫婆神汉疗治，以黄纸为神符，以香灰为灵丹，如果无效，则谓遭天谴。

占卜迷信：求签、问卜、相面、算命、摇钱、雀啄、测字、扶乩、抽彩头、看掌纹等。以占卜结果附会所问之事，指导婚姻、财运、交友、避祸、行旅等。除以上传统的占卜方法外，国外用扑克算命等方法也传入中国，在城市士绅阶层内流行。

鬼魅迷信：若有人患病经久不愈，则疑狐鬼作祟，由是迁避寺庙，或求活菩萨，或问灵姑，赴阴司，游花园等，以求驱狐逐鬼。甚至视黄鼠狼为大仙，礼拜甚勤，不敢得罪，恐其入宅叼鸡。

解禳迷信：过年时或书“童言无忌”贴之，认为有此即可禳解小儿言语触犯禁忌。或贴“姜太公在此百无禁忌”，以为可以避邪。小儿夜啼则书“天皇皇，地皇皇，我家有个吵夜郎。过路君子念一遍，一觉睡到大天亮”贴于大街小巷。

镇压迷信：有石刻“泰山石敢当”立于宅前者，有书“一善”二字于门墙者，有置吼狮瓦将军于屋脊者。下灶脚须用福字大钱；营造新房，启工时必书“甲马将军”字样贴于墙址；新房落成，又必延请道士镇土而后人才进入。

香忏迷信：由香头组织众人集体朝山进香，或春或秋，或近或远，各地不一。又有临时大忏，遇闰大忏，假寺院为道场，礼忏拜塔。或祈求，或还愿，各人依事而行。

风水迷信：阳基、阴宅均有忌避，必经堪舆师相定，而阴宅尤甚。家有祸福，皆以为风水所致，是以亲死停柩至数十年不葬，葬而争地涉讼，以致家破人亡者，时常有之。

预兆迷信：以睡梦、事物为种种预兆：如茶叶棍竖立或喜鹊噪鸣，为有客来临之兆；梦虎、梦棺材，为升官发财之兆；见野兔当路、枭鸟夜鸣，为月令不祥之兆；狗来兆富，猪来兆穷；眼跳耳热皆为不祥之兆，俗谓“左眼跳财，右眼跳祸”，耳朵发烧是背后有人咒骂，打喷嚏亦主有人思念或诅咒。他物若有异常变化，必疑虑百出，附会吉凶，如认为母鸡打鸣不吉，狗作人哭不利，灯烛开花则大吉大利。

禁忌迷信：有日常生活禁忌，如早晨忌闻乌鸦叫，认为不吉，妇女必对乌鸦咒骂，男子念《易经》“元亨利贞”，或念“呸啾”，谓可解凶。有语言禁忌，如忌早晨“放快”，即不许说“龙、蛇、虎、猴、鬼、鼠”等，故称老龙潭讳曰“蛟舌子潭”，登隆（谐音龙）街讳曰“亮壳子街”，虎讳曰“长虫”，府（音同虎）正街讳曰“猫正街”，腐乳讳曰“鱼豆腐”，鬼讳曰“浸老官”，斧讳曰“开山子”。有婚丧喜庆禁忌，如出嫁女忌在娘家分娩，俗谚“外孙下地，六十年不利”。新屋忌生小孩，遇有孕妇必须在老屋分娩，满月后才能进入新居。有时节禁忌，如除夕灯油泼地，兆家中多病或不利；除夕忌猫叫，猫叫兆头不好；吃团年饭忌说“烂”字；正月初一忌向外倒垃圾，说是“莫倒了财喜”；扫地也只能朝里扫，说是“扫进不扫出”等，不一而足。

由于有以上种种迷信，人们常常求助于各种神怪，或卜休咎，或祈禳解，或求保护，于是淫祠淫祀遍于国中。虽经清末民初毁淫祠禁淫祀风潮的打击，但淫祠淫祀之影响仍然很大。民国湖南的淫祀更是五花八门，主要表现为对神灵的崇拜，对神权的迷信。民间敬奉祭祀各种神祇，且各有理由，如认为天神可调风雨，灶王可主家政，财神司财源，火神司火烛，宅神保院庭，门神掌门禁，井王管水泉，土地司五谷，各司其职，各掌其事，对于人类之祸福，生活之安危，均有绝大之关系，故人们对这些神祇奉之唯谨。

民国《长沙新年纪俗诗》有许多关于旧时民间祭祀信仰风俗活动的记载，如“纸扎龙灯奉作神，香花处处表欢迎。堂前一度兜圈子，步步龙行百草生”，记述的是长沙的定湘王、朗公元帅诸神庙，每岁新年时扎一纸龙，沿街行走，鸣锣击鼓，热闹非常。家家户户烧香顶礼，就像迎接真神一样。家有妇女多年不生育者，每当龙灯游行至其家时，加送封仪，以龙身围绕妇人一次，又将龙身缩小，上骑一小孩，在堂前绕行一周，谓之麒麟送子。这就是《长沙新年纪俗诗》所说的：“妇女围龙可受胎，痴心求子亦奇哉。真龙不及纸龙好，能作麒麟送子来。”

千百年来，作为人间关系虚幻反映的楚地诸神也不断演变，民间的神陆续增多，神系更趋繁复，大致可分为七大神系：[①]

天神：天神甚多，显赫者如太阳神、月亮神、雷公、电母（火闪娘娘）、风伯、雨师、玉帝、王母、文曲星（文昌）、魁星、太白金星等。

地祇：民间“后土”诸神，至要者有江神、洞庭神、龙王、

① 巫瑞书．南方民俗与楚文化［M］．长沙：岳麓书社，1997：63—66.

湘水神、二郎神、杨泗将军、南岳圣帝（衡山君）、城隍、土地、灶神等。

祖先神及鬼魂崇拜：湖南民间的祖先神比较多，其中著名的有：炎帝（神农）、蚩尤、祝融、伏羲（傩公）、女娲（傩母）、盘瓠、八部大神等。有关炎帝神农氏掌火、播五谷、尝百草的神话传说，在长沙地区流传甚广。鬼魂崇拜中有阎王、判官、钟馗、门神等。

巫道仙法：以神仙方士为核心、鬼神迷信为基础的道教，同自然崇拜色彩较浓的巫教有着密切的关系。因而，长期以来沅湘一带出现了大量的巫道仙法系统的神，除了全国流行的玉帝、王母、太上老君、彭祖、张天师、许真人等之外，“八洞教仙”在湖南异常活跃，留下的“遗址”和传说甚多。尤其是吕洞宾、何仙姑以及刘海，他（她）们的“籍贯”同湖南挂上了钩。他（她）们的传说故事、歌谣戏曲广为流传。张果老、铁拐李、韩湘子等“散仙”传说，湖南境内也不少。巫道仙法系统的诸神遍及三湘四水，形成了分支恣肆、纵横交错的庞大网络，充分体现出楚文化源于巫文化的固有特色。

佛门众神：佛教同巫教的关系远不如道教那样密切。因而湖南境内佛门之神，除了观音菩萨妇孺皆知以外，还有如来佛、弥勒佛、文殊菩萨、普贤菩萨、地藏菩萨、十八罗汉、韦陀菩萨、四大金刚等，其“知名度”远不如巫道众神。

行业祖师神：如农业信奉神农、鬼谷子、金角老龙、五谷神、姜太公等。渔猎祭梅山神、张五郎等。工艺作坊神有鲁班（木匠、篾匠、石匠、泥水匠祖师），李老君（铁匠、铜匠、银匠、金匠、补锅冶炼、炼丹等行业），轩辕黄帝（裁缝），伏羲（棕匠），李祖（鞭炮业），六毒大王（玻璃业），孟公（烧木炭），梅葛（染匠），乳安（漆匠），舜帝、陶正（窑匠），水王（排匠），麻阳七妹（织机匠），孙膑（鞋匠），华佗（阉割匠），吕洞宾（剃头匠），詹王（厨业），淮南先师（豆腐作坊），弥勒佛（粉坊、制酱、豆豉作坊），杜康（酿酒作坊），五谷大神（碓房），火神祝融（冶铸、糕点、砖瓦），雷祖（茶、米、面粉、油货），桓侯张飞（屠宰）等。医药神有傩神（驱瘟神），药王孙思邈，医圣张仲景等。文教神有仓颉（文字神），蒙恬（制笔匠），蔡伦（造纸、印刷业），魁星（刻字匠），老郎（艺人、演员），文昌帝君（书院、学宫、私塾）等。商业、钱庄业崇拜财神，如比干、范蠡（文财神），赵公元帅（赵公明），关羽（武财神）等。

其他诸神：如盘古、女娲、孟姜女、孔夫子（文庙神）、萧何（衙役祀神）、白虎神、麻阳神等，还有瘟神、洞神等恶神。

长沙地区最典型的俗神为土地神、水神和财神等。所谓俗神，指的是与正信宗教相对而言之民间俗信宗教所崇拜的神灵。从广义上看，图腾崇拜、祖先崇拜、自然崇拜的诸多神灵，都属于民间俗信宗教之崇拜对象的俗神。从狭义而言，民间俗神则指的是与民众社会世俗生活密切相关的神灵。

土地神是湖湘民间自然神崇拜的典型。在华夏诸神中，官职最小的是土地公婆，土地公婆也是最为原始、最为普遍、最为旺盛的民间俗神，是安土重迁的农耕文化的产物。土地神源于远古原始土地崇拜之社神，即《孝经援神契》所谓“社者，土地之神，能生五谷”。

其祭祀称为“社祭”。该神经历了由自然神向人格神的转化，并逐渐分流为官方祭祀之与皇天相对应的“后土”（即如长沙社稷坛所祭祀者）和民间所奉祀之土地神。后者遍布城乡，所在多有，因地而异，名目繁多，如村寨土地、青苗土地、花园土地、拦凹土地、庙神土地、仓库土地、草场土地乃至家家户户所奉祀之长生土地等，其地位职权颇似旧时人间的乡村保甲之长或家神。就连长沙城最繁华的坡子街也有一座土地庙。土地神以其最为接近社会底层而被世俗化，成为除玉皇大帝之外极少数具有配偶的神祇之一。

随处可见的土地庙

类似的神灵还有城隍等。

受地理环境的影响，湖湘自然神灵以水神最有特色。湘籍水神有湘君、湘夫人、洞庭神和杨泗将军等。前两者可以追溯到先秦荆楚古俗。洞庭王爷与民间柳毅传书的神话传说有关。杨泗将军相传是土生土长于长沙东乡的一位大神，被记载于旧时的长沙地方志中。湖湘江河沿岸多建有洞庭王爷和杨泗将军的庙宇，如橘子洲洞庭庙、江神庙、盐仓街平浪宫、靖港杨泗将军庙等，有“大庙不离洞庭，小庙不离杨泗”之说。船家也多在舵房设神龛。船行江河洞庭，见庙必敬，尤以敬洞庭神为甚；如有重要航运活动，还须举行祭祀庙会，船民们将洞庭王爷、杨泗将军视为水上生活必不可少的保护神。

信奉财神是商界最普遍的迷信习俗，民间奉为财神的人、神、仙、怪最早的职能都不是司掌财富。明清两代，经济发展，商业繁荣，市民阶层崛起，人们对经商求财的欲望比较突出，于是道教中的神祇（如赵玄坛）、古代信仰中的“行神”、民间淫祀中的鬼魅、古老传说中的英雄（如关公）或盗贼（如五通）都渐渐被附会为财神。然而近代对财神的信仰又甚于明清，民国年间更有强化的趋势。这是因为近代功利现象严重，舍本逐末、重利轻义之人增多，财神信仰广为流行，深入人心。商家不但在平时供奉财神于店中、家中，而且在有关日子，如店铺开张、财神诞辰、旧历年节，甚至每月初一、十五日，都要祭拜财神。在湖南，正月初五，相传为五路财神诞日。经商者均于初四夜预备香案，陈设牲醴，主宾依次礼拜，称为“接路头”。关帝庙，每县都有，仅长沙城就有北门外吊桥、南正街、坡子街、渫湾镇、望城坡等多座。坡子街还有专门的财神庙和福禄宫。长沙钱业视赵公明为祖师和财神，钱业条规订章“财神寿诞，三月十五日，演戏三部，酒席三日，归福禄宫首事办理，外人不得妄参末议”。据说赵公明得道受益于张天师，天师命其守护炼丹的玄坛，所以他又叫赵玄坛。

古人在遇到自然灾害，特别是久旱不雨或洪涝灾害时，常束手无策，只好求助于神灵，因而各种祈雨求晴的祭祀习俗应运而生。清康熙二十六年（1687），长沙大旱，湖南巡抚赵申乔亲赴槊梨陶公庙迎接陶公真身菩萨进城求雨。赵申乔带了头，以后湖南各任巡抚纷纷仿效。同治十年（1871）夏季,长沙又发生严重干旱，巡抚王文韶也亲自到槊梨将陶公菩萨迎请进城求雨。光绪二十一年（1895），春旱，巡抚吴大澂素服芒鞋，率领僚属士绅到陶公庙里求雨；到7月，干旱更甚，吴大澂再次到槊梨，将陶公的肉身请到城里去求雨。吴大澂这回求雨，自然也和过去一样，得到应验而体面的收场。为了感念神功，他给陶公题写了一块“三湘霖雨”的匾额。民国六年（1917），长沙又发生特大干旱，湖南督军谭延闿命当时任长沙县知事的姜济寰为代表，将陶公牌位请到城里求雨。旧时，长沙玉泉山（位于今芙蓉区玉泉街）也是长沙祈晴或求雨的重要场所。玉泉山坪内建有戏台，大旱之年，台上架着一个用纸扎成的面目狰狞的大鬼，说是旱魃，因天久不雨，遂鸣锣击鼓，将旱魃斩之台下。民国十三年（1924）长沙发大水，省长赵恒惕亲往北门外祭江。祭毕，又径赴玉泉山，拜祭陶、李二真人。还有长沙龙王宫（位于今开福区寿星街附近）、广济真人殿(位于今雨花区广济桥)等庙宇也是老百姓祈雨求晴的重要场所，相传求雨辄验。

（二）民国时期对破除迷信活动和引导祭祀活动的努力

从周秦时代的輶轩之使到唐代的视风俗使，再到清代的观风整俗使，中央政府派官员到地方视察风俗民情，宣传朝廷教化，整顿社会秩序的做法，几乎贯穿了中国古代的历史。荀子曰："移风易俗，天下皆宁。"（《荀子·乐论》）古人认为，了解民情、整饬风俗是治理国家的重要手段之一。到了近代，了解民情、整饬风俗对于治理社会更显重要。然而在土地广袤、人口众多的国度和社会复杂、变化迅速的时代里，仅由国家派少数官员乘着"輶轩之车"到各地去视察风俗民情，很难有实质的效果。

到近代，移风易俗成为新潮知识分子的一种共识，他们常在报刊上对于迷信活动进行抨击。如1921年7月22日的长沙《大公报》以《湘潭求雨的怪剧》为题，记载湘潭近两月无一滴雨，一般道士乘机打劫，记者谓道士"尽打主意害百姓"，"时常扶乩请神自欺欺人"。又如1924年7月16日《湖南通俗日报》以《陶李真人昨天游街的怪状》为题，揭露长沙城内抬陶、李真人游街求雨的荒诞剧，文称：

> 昨天为陶李两真人游街行香的第二日。午前九时，城厢内外二百五十余团的神龙、亭轿、鼓乐亭、牌匾、执事、军乐和扮扎之高脚戏、蚌壳精、吴长鬼、小头鬼、罗汉、青白蛇精、老汉推车、牧童放牛、唐僧取经、乡下人看灯、老汉驮妻、乡里大娘进城、八百钱逗火，以及不知何名的包车十七乘、马多匹，上面俱载有扮作种种故事的男女，先后齐集省教育会。其上路持香的，未成年之男女小孩，几及半数，中年以上妇女持香随行的，亦颇多，总共约四五万人。江浙帮的人，则纯烧肉香，其人下着红裤，上身系赤膊，有满身插铁签，签上系香的，有将长约二

尺许铁条，一端插入手臂，一端刺入颈上的，并有将长四五寸的铁条，刺入右膀臂，铁条下系重十余斤的香烛行走的，虽血滴不止，亦不顾，令人观之肉麻…… 查此次游街二日，每团捐派的款，约一二百元，共耗二三万元之多，亦可谓劳民了呵。

国民党实现对全国的统治后，依据孙中山所定的“建国程序”，结束军政，开始了训政时期。这时政令比较统一，通过地方政府开展社会风俗调查工作成为可能。从 1929 年开始，由国民政府内政部发起，全国各省、市、县开展了一次广泛的风俗调查与陋俗改良活动，内容包括：根据《风俗调查纲要》调查各地生活状况、社会习尚、婚嫁情形和丧葬情形；调查淫祠邪祀，颁布神祠存废标准；调查办理禁止男子蓄辫、妇女缠足以及废除卜筮、星相、巫觋、堪舆情形；推行服制条例，取缔奇装异服；取缔经营迷信用品业；禁止蓄奴养婢；废除旧历、普用国历等。这次活动是配合当时刚取得全国政权，开始推行训政的国民党进行社会整合，加强社会控制而进行的。

1929 年 10 月，国民政府内政部制定了《风俗调查表式》（后定名《风俗调查纲要》）和《淫祠邪祀调查表》，呈请行政院批准后，指令各省政府分饬所属各市、县政府组织调查，并将调查结果写成文字材料上交省政府汇总呈报内政部。与此同时，颁布各种法令、条例、办法，对社会上存在的一些恶风陋俗加以取缔，并对办理禁止男子蓄辫、禁止妇女缠足和废除卜筮、星相、巫觋、堪舆等情况进行了调查。

1930 年 2 月 3 日，蒋介石在其训政讲话中强调改革社会习俗的重要性。他说：要改革社会，要复兴一个国家和民族，不是用武力所能奏效的。要想取得成功，就要使一般国民具有国民道德与国民知识。他还主张从衣食住行入手来提高国民知识道德，化野蛮为文明。于是，国民政府一面颁布禁止“风俗之害”、改良社会风俗的法令，如《禁烟法》《取缔经营迷信物品业办法》《公务人员革除婚丧寿宴浪费暂行规程》《禁止蓄奴养婢办法》《禁止男子蓄辫条例》《禁止妇女缠足条例》《废除卜筮星相巫觋堪舆办法》等，一面开展社会调查，为修订风俗改良法令或制定新的风俗改良法令提供依据。

基层政府亦对迷信活动采取了一些禁罚措施，如湖南平江县“凡教育机关有设立仙坛，或以仙坛所谓善书、仙训施之学校教育者，将其机关人员立予撤换；凡教育人员有置身仙坛，或讲演仙训，查出立将该员撤换”[①]。1930年周传杞撰《南县调查笔记》也载，南县政府曾“下令严禁师公子冲锣，并检查县城师公子神具，付之一炬”。但是，“居民信之弥坚，迎神赛会，冲锣退鬼消煞等，亦不时举行……人民信仰既迷，徒治其标”。经舆论宣传和政府干预，民众迷信的状况虽有所遏制，但禁而不止，民间迷信活动贯穿民国始终。

1928年下半年，国民政府内政部为了破除迷信，打倒“偶像”，曾颁布《神祠存废标准》。各地党部对该标准理解出了偏差，煽动民众起来捣毁庙宇，结果引起反对风潮。1929年1月内政部复发部令，禁止民众擅自处分寺庙。10月，决定对各地淫祠邪祀开展调查，颁布《淫祠邪祀调查表》，对各地属于淫祠邪祀的祠庙按所在地址、建立时代、庙基大小、庙产有无、管理人、人民信仰如何、废除办法等进行调查。通过调查，再次重申淫祠邪祀的范围，明确规定了淫祠邪祀的标准，略分四款：“甲、附会宗教，实无崇拜之价值者；乙、意图借神敛钱或秘密供奉、开堂惑众者；丙、类似依草附木、牛鬼蛇神者；丁、根据齐东野语、稗官小说、世俗传语，毫无事迹可考者。”该表还规定：“凡正式宗教与先哲名人，

① 小新闻．平江禁止教师从事乩坛［N］．湖南大公报，1925-3-20.

或捍患御侮，或特殊发明有功社会及有关善良风俗者概不在内。”[①]这样就使民众分清了淫祠邪祀与正当的宗教庙宇及纪念神祠的区别，为政府和民众掌握民间祭祀活动的界限和尺度提供了依据。

事实上，自 20 世纪 30 年代以后，民间祭祀活动逐渐向健康向上的方向发展，即从淫祀到合法祭祀，从祭鬼神到拜先祖，从消灾到祈福，从娱神到娱人转变，特别是一些传统庙会对纪念先贤，弘扬正义，活跃城乡民众生活，促进地方商业贸易，传承传统民间艺术等起到了一定的作用，也客观上为后世留下珍贵的非物质文化遗产做出了贡献。今日湖南已录入各级非物质文化遗产名录的炎帝陵祭典、舜帝陵祭典、屈原祠祭典、浏阳文庙祭孔古乐、长沙火宫殿庙会、长沙陶公庙庙会、苗族椎牛祭、乾州春会、资兴还盘王愿、麻阳盘瓠祭、新宁八峒瑶族跳鼓坛、桑植白族游神、安仁祭药王赶分社、耒阳敖山庙会等民间祭祀风俗都是直接从民国时期流传下来的。

略举几例，便可知民国湖南庙会的概况。

长沙火宫殿火神庙会在清代就纳入国家祀典，因而不是淫祀。火宫殿供奉火神祝融。火神庙会祭祀，分官祭和民祭。清光绪《善化县志》记载，火神庙祭期，“每岁以季夏月下旬二三日为官祭”。由长沙府主祭，长沙县、善化县文武官员参加。每年有春、秋仲月两次民祭，由长沙县、善化县民间团体主祭，县城百姓参加。到民国时，官祭废止，但春节和农历六月二十三日的民间庙会仍年年举行。庙会主要内容有祭祀、社戏、民间手工艺、民间说唱艺术等。同时形成小吃市场，卖小吃的摊担有麻圆团、馓子、臭豆腐、红烧猪脚、油条、麻花、猪血、牛杂等数十种之多。还有玩猴戏、杂耍、看西洋镜的都云集祭祀庙会。从早到晚，唱大戏的锣鼓声、商贩叫卖的吆喝声、朝拜者的祈祷声、悠扬悦耳的钟

① 严昌洪.20 世纪中国社会生活变迁史［M］. 北京：人民出版社，2007：497—498.

鼓声，伴随着缭绕的香火，汇成一曲火神庙会交响乐。

长沙县榔梨镇陶公庙，每逢两个陶公菩萨陶淡和陶烜生日——农历正月十三日和八月十七日，都要举办盛大的庙会，清代亦纳入了国家祀典。庙会每次时间长达10天左右。前来赶庙会、朝拜的香客成千上万，其中有来自川、鄂、豫、浙、闽、赣、粤、桂等地的香客。每次庙会，古戏楼上好戏连台，长沙城里的戏曲名角都登台演出，有湘剧，也有京戏，整天整夜地连演连唱。唱得精彩时，有钱人争相往台上抛赏钱，穷人家则为之喝彩。庙坪里，玩龙、舞狮、罗汉舞、竹马灯等竞相上场，庙会成了百艺汇集之所。庙会期间，商贾云集，买卖和交换物资的生意十分红火。一时间，香火鞭炮不绝，香客、戏客人潮涌动，热闹非凡。因为庙会的需要，结庐成市，首先形成了“三仙街”，接着逐渐形成了今日的榔梨镇。因此，有民谣云：“榔梨街上不作田，两个生期吃一年。”

郴州耒阳的敖山庙会是比较典型的民间信仰祭祀活动，尊奉佛、道、儒和民间吉祥神（敖王、敖母）于一庙。拜佛祭神既遵佛法，又自成礼数，影响之广波及耒阳全境乃至衡阳、衡南、安仁、永兴、常宁等地。每年庙会有数次，如农历正月初二游船，二月十九日观音菩萨生日拜章，三月初三“三堂游船”祭礼，四月初八释迦

民国时期长沙陶公庙庙会

佛生辰拜章，五月廿三日敖王生日唱戏等。游船是庙会的主要活动，起源何时无法考证，但从残存的古石碑中“雍正二年”（1724）的字样来看，至少在雍正初已有此活动。庙会活动中的拜章、香会、唱戏、游纸船、扎花亭、扎香亭、打腰鼓、舞龙灯、舞狮、踩高跷、彩扎戏剧故事等保留了许多传统的民间礼仪、工艺、舞蹈、音乐和戏曲艺术。

这些定期举办的祭日和庙会，为社会的和谐和人民的欢乐提供了文化空间，成为民众精神生活与经济交往的特定场所。提倡和鼓励这些传统民俗活动的开展，有利于社会的和谐。

第六章

近代戏曲民俗的演变和“文明戏”的传入

戏曲包括戏剧和曲艺，是以语言、动作、舞蹈、音乐、木偶等形式达到叙事目的的舞台表演艺术的总称。在世界范围内，戏剧是一种古老的艺术门类，作为人类文化的一个部分，它的发展总是与其他文化成分的发展相伴随，并受到地方风俗以及政治、经济、哲学、心理学、文学等的影响。湖南是戏曲大省，戏曲民俗自然成为湖湘民俗的重要组成部分，并随着湖南社会风气的进步而演变。

一、湖南传统戏曲的渊源与种类

傩戏是湖南传统戏曲的源头。傩戏最初是巫祭中的娱神活动，但在后来的发展过程中，不仅受了道、佛、儒各种思想意识的不同程度的影响，而且还与同一地区的其他剧种（如花鼓戏、湘剧等）交流、融合，甚至共班同台演出。在湘中一带，就有“湘（剧）马（灯）洞（傩戏）班”的出现。民众称唱傩戏为“内堂”，演湘剧、花鼓戏则为“外堂”，大都是白天在屋外演出花鼓戏等，晚上在坛内唱演傩戏。因此，戏曲的社会功能发生了明显的变化，从原来的专门祀神转向了劝世娱人。与之相对应的，戏曲的宗教色彩渐次减弱，而娱乐成分则不断加强。

（一）湖南传统戏剧曲艺的渊源

湖南最古老的地方戏剧源于远古时期先民的驱疫祭祀仪式——驱傩。春秋战国时期，这种驱疫祭祀仪式已经发展成为供娱神而用的“歌乐鼓舞”，在湖南的沅湘一带广泛流行，以其具有“天人合一”“人神交感”乃至震撼灵魂、拷问灵魂之精神要素和文化因子的特质，对屈原的辞赋创作产生了巨大的影响。[①] 东汉王逸在注《楚辞章句》时曾指出："昔楚国南郢之邑，沅湘之间，其俗信鬼而好祠。其祠必作歌乐鼓舞以乐诸神。屈原放逐，窜伏其域，怀忧苦毒，愁思怫郁，出见俗人祭祀之礼，歌舞之乐，其词鄙陋。因为作《九歌》之曲，上陈事神之敬，下见己之冤结，托之以讽谏。"这种带有原始宗教色彩，由巫师作为酬神歌舞主角的巫舞，是湖南戏曲艺术的萌芽，并一直存在于民间。最迟不晚于清代康熙年间，这种原本作为娱神歌舞的傩，逐渐从原始宗教仪式中独立出来，孕育、形成和发展成为最具地域民族、民间特色的傩堂戏，又称"还傩愿"，并对湖南的其他多种民间小戏产生了不同程度的影响。

湘中傩戏

春秋战国时期，还出现了一种以技艺娱人的俳优。俳优表演歌舞，演奏音乐，间夹杂以诙谐滑稽的讽刺，很受人们的欢迎。当时最著名的"优孟"，就是楚地的一位乐人，《史记·滑稽列传》曾生动地记述了"优孟衣冠"的故事。俳优的表演已经包含了一些戏曲的因素，他们是湖湘戏剧家的鼻祖。

南宋时期，郭沔（字楚望）寓居衡山附近的潇湘二水相汇之地，创作了情景交融、寓意深刻的琴曲《潇湘水云》，800 余年来广为流传。元代，攸州（今湖南攸县）冯子振（1257—约 1348）创作了《鹦鹉曲》百首（今存 42 首），音律和谐，可供优伶歌唱。明代，湖南戏曲兴起，靖州剧作家许翰的杂剧合集《泰和论》、常德龙膺

① 袁行霈，陈进玉，于来山．中国地域文化通览：湖南卷［M］．北京：中华书局，2014：393.

的传奇《蓝桥记》都是有影响的作品。明末清初湖南著名学者王夫之（船山）著有杂剧《龙舟会》，湘潭黄周星（九烟）著有传奇《人天乐》，张九钺著有《六如亭》，张声阶著有《玉田春》《轩杂居》。这些都是湖南戏剧曲艺繁荣的产物，同时又对戏剧曲艺的发展产生影响。

戏曲研究者一般将湖南的传统戏曲分为地方大戏和民间小戏两大类，各自包含众多的剧种。要了解这些剧种是怎么形成和发展起来的，必须追溯其声腔的来源和发展脉络。湖南现今各大戏剧种流传的声腔中最早形成的是高腔，它源于弋阳腔，明代永乐年间从江西传入，曾盛行一时。约在明万历年间，安徽的青阳腔也传入湖南，并对高腔产生影响。因此，湖南各剧种最早的高腔大多具有弋阳腔和青阳腔的基本演唱方式和特点，但由于在流传过程中也融合了湖南的地方语言和地方音乐，故其演唱方式又带有地方特色，逐步演化成湖南各剧种的高腔。明代万历年间，与青阳腔同时传入湖南的还有昆腔，一直流传至今。此外，还出现了一种曲调与昆腔大体相似的“低牌子”（低腔）。最晚传入湖南的大戏剧种声腔是弹腔，又称“乱弹”，是清代以降首先传入长沙一带的。自此，高、昆、弹诸腔构成了湖湘地方大戏诸剧种的基本声腔。至于民间小戏，则大都是在民间歌舞诸如闹花灯、唱采茶、田歌、山歌、秧歌、船歌以及百戏和某些宗教音乐相互影响融合的基础上形成的。花鼓戏、阳戏等民间小戏约形成于清代嘉庆、道光年间，开始演唱的是灯调，后出现牌子（湘南）、打锣腔（湘北），并有川调传入，逐渐发展成较为完善的声腔系统，并在各个不同地区的民族语言和地方语言的影响下，形成了不同特色的声腔体系，并衍生出多种地方风格的曲调和曲牌。

概而言之，明代是湖湘戏曲的兴起时期，清代初期至中期是湖湘戏曲的繁荣时期，至清末，更多戏曲剧种如京剧传入湖南，促使湖南的戏曲进一步发展而呈现百花争艳的景象。大致而言，湖南的地方戏剧主要有湘剧、祁剧、辰河戏、衡阳湘剧、武陵戏、荆河戏、巴陵戏、湘昆、长沙花鼓戏、邵阳花鼓戏、衡州花鼓戏、常德花鼓戏、岳阳花鼓戏、永州花鼓戏、阳戏、花灯戏、傩戏、苗剧、侗戏等 19 个剧种。

曲艺作为说唱艺术始于唐代的“说话”“变文”。自唐代以降，随着城市经济的不断发展，湖南一些重要城市已是歌伎卖艺之所。除民族民间传统歌调之外，江浙等地时兴的小令、小调也陆续传入。至宋代，曲艺在湖南已相当流行，到清代已形成自己的特色，并趋于更高水平。明末清初湖南著名学者王夫之曾作《愚鼓词》27 首。愚鼓即渔鼓，是湖南的主要曲种之一。到清代中叶，不但有了更多的专业艺人，而且出现了印刷唱本的作坊。湖南有 38 个曲艺种类，大致分为歌唱类和说诵类两个类型。歌唱类曲种 32 个，分为有伴奏和无伴奏两类。有伴奏的曲种如丝弦、渔鼓、长沙弹词、祁阳小调、嘎琵琶、太平南曲、地花鼓、薅草锣鼓、华容番邦鼓、围鼓、丧鼓、说鼓、对鼓、跳三鼓、三棒鼓、长沙大鼓、单人锣鼓、花鼓坐唱、嘎堂套、春锣、干龙船、师门傩歌、赞土地、莲花落、九子鞭、梯玛神歌，共 26 种；无伴奏的说诵类曲种有款古、评书、笑话、快板、顺口溜、三句半，共 6 种。代表湖南特色和艺术水平的曲艺品种，主要是弹词（有长沙、益阳、湘潭、浏阳等支派）、丝弦（有常德、津市、武冈、辰溪、浏阳等支派）、小调（以祁阳为主，各地都有）、渔鼓（有衡阳、邵阳、零陵、常德、湘西等支派）、杂曲走唱（如顺口溜、单人锣鼓和相声）等。少数民族曲种有侗族的嘎琵琶、款古，土家族的薅草锣鼓、梯玛神歌，瑶族的嘎堂套、雷却等，苗族的排话、古老话等。

（二）湖南传统戏剧曲艺的主要种类

1. 湘剧

明代从江西传入的弋阳腔到清代同光年间已在湖南广泛流传，并与湖南的地方语言和民间音乐结合起来，产生了具有湖南地方特色的为湖南人民群众所喜爱的声腔形式，弋阳腔即湘剧高腔。清同光年间高腔在湖南一直盛演不衰，而且一度流行演唱高腔的连台本戏。湘剧在600年的演进过程中，逐渐形成高腔、弹腔、昆腔和低牌子四大声腔。演员分头靠、二靠、唱工、小生、大花、二花、紫脸、三花、正旦、花旦、跷旦、婆旦十二行，紫脸为其特有行当，以唱为主。表演重做工，大脚婆戏等戏路富有地方特色。积累了800余支音乐曲牌，1000余个大小传统剧目，以及近百出新编历史剧和现代戏。传统剧目以历史题材为主，有《封神传》《目连传》《西游记》《精忠传》《金印记》《投笔记》《白兔记》《拜月记》《荆钗记》《琵琶记》等，均有着严谨的表演程式，服饰和脸谱独具湖湘地方特色。

清末学者亦僧在《论大戏小戏之区别》中曾记述当时长沙唱高腔大戏的情况：

> 湘城有搬演大戏之说，有识者洞悉内容，不知者大费思索。而戏文一道，妇孺咸知。有京调、汉调、川调、越调、安庆调、四平调、余姚腔、海盐腔、弋阳腔、梆子腔、滇戏、湘戏、新戏、旧戏，名目复杂。然而大戏、小戏之区别，则闻所未闻。今湘中偏有大戏之说，余故披露。按此戏所唱者，纯系高腔。所演者，仅《封神》《目连》《精忠》《西游》《南游》各传。余者高腔、乱弹，统称小戏。凡庙宇建造新台，先演大戏数本，名曰打大鼓。其中迷信特别认真，无非多攫金钱，填己欲壑也。湘人有遭回

禄者，非打大鼓不可，名曰谢火神。前戏园中，间亦排演，以新看客之眼界。

弹腔也是一种影响深远的声腔形式，清代中叶流行全国各地，同时传入湖南，得到迅速发展。长沙湘剧用弹腔演唱的剧目占半数以上。长沙湘剧中的弹腔，是由二黄腔和西皮腔组成，南路为二黄，北路为西皮。咸丰、同治年间，湘剧弹腔盛行湖南各地。叶调元在《双皋竹枝词》中写道："座中歌郎酒易干，应酬却比上台难。风流蕴藉谁称最？惟有湖南高十官。嫣然一笑总葫芦，春笋纤纤捧玉壶。长爪尚容搔背痒，蔡京何必羡麻姑。"叶调元自注云："湖南人和班高十，名秀芝。美目巧笑，爪长六七寸，善饮不乱。应酬酒席，雅静宜人。"高秀芝演唱的当是弹腔。著名剧目有《赵宏观榜》《沙桥饯别》《斩黄袍》《三官堂》《闹金阶》《三战吕布》《法门寺》《阳五雷》《芦花河》《南楼释犯》《李密降唐》《重台》《王英下山》《程咬金庆百岁》等。

2. 湘昆

湘昆即湖南昆曲，是湖南地方大戏剧种，为我国昆曲艺术五支之一（其他四支为北昆、南昆、苏昆和浙昆）。因艺人和班主多出自桂阳，又称"桂阳昆班"或"桂阳昆曲"。1957年才定名为湘昆。昆曲约在明代万历年间传入湖南。湘昆长期扎根农村，经过演变发展，与当地民众的生活、语言和民间音乐等相结合，变吴歌为楚声，形成具有山野气息的地方昆曲，盛行于以桂阳为中心的湘南一带。清乾隆至民国初年，繁衍了十多个昆腔班，多以"文秀"二字命名。清末民初，各地昆曲普遍走向衰落，湘昆却一直笛管不断。20世纪20年代，因社会时代变迁，新的文化娱乐方式逐渐传入，湘昆才停锣歇鼓。湘昆用郴州、桂阳一带官话提炼为舞台语言，文辞华丽典雅，曲调清逸婉转，唱腔高亢质朴，表演粗犷豪放，具有山野气息。载歌载舞，武功技艺卓绝，富于诗的意蕴、画的风韵。伴奏乐器至今还保留着明代流传下来的“怀鼓”和“提琴”。角色行当分老生、小生、旦角、净角、丑角五大行。湘昆代表剧目有《武松杀嫂》《荆钗记》《牡丹亭》等。昆曲进入湖南后，对湘剧、祁剧、巴陵戏、辰河戏、荆河戏、武陵戏等众多的地方戏曲产生过深远而直接的影响。著名湘昆艺人萧剑昆(1885—1961)，原名萧灶保，桂阳县四里人，自幼学昆腔，习正旦；后拜胡昌福为师，改习打鼓，颇得真传。他善于吸收，把祁剧鼓点融化到昆曲里，既保持昆曲的风格，又有地方特色。打文戏轻柔细致，打武戏刚中有柔，节奏稳准，尺寸严谨。他的鼓板，既能带演员唱戏，又能助演员做戏，轻重徐疾，丝丝入扣，行家赞誉他的鼓点会“说话”。

3. 花鼓戏

湖南花鼓戏形成于清代，流行于湘中、湘东和洞庭湖滨，是一个艺术风格独特、群众基础深厚、地方色彩鲜明、生活气息浓郁的地方小戏剧种。它随着花鼓戏艺人的创作实践，逐渐形成许多路流派，其中以长沙、宁乡、益阳、西湖、平浏醴五路为主要流派。这五路花鼓戏因以长沙话为统一的舞台语言，所以通称为长沙花鼓戏。

据清戏曲家杨恩寿《续词餘丛话》记载，清光绪年间，“湘中岁首有所谓灯戏者，初出两伶，各执骨牌灯二面，对立而舞，各尽其态”。杨恩寿所说“灯戏”，乃指宁乡一带“对子花鼓”一类的歌舞演唱形式。长沙花鼓戏就是在这种民间歌舞的基础上，吸收劳动山歌、走场牌子和戏曲音乐发展起来的。最初由歌舞形式的地花鼓发展为较有故事情节的对子花鼓；其后发展为“三小戏”（小旦、小生、小丑），逐渐具有戏剧性质，为草台班演出阶段；后来吸收其他剧种的腔调、伴奏和表演等艺术表现手法而成为戏曲剧种。

这种歌舞说唱形式在湖南各地都有流行，长沙、益阳等地叫“地花鼓”，宁乡叫“对子花鼓”，浏阳称“花鼓灯”，常德称“采茶灯”，辰溪、沅陵等称“花灯”，湘西称“茶灯”，衡阳、邵阳等地叫“车马灯”。各地名称虽然不同，音乐曲调也有某些差异，但艺术形式上属同一类型，是一种歌舞演唱的文艺形式。

地花鼓也与鱼灯、龙灯、狮舞等艺术形式一道在城市演出。地花鼓虽然与鱼龙等灯一道演出，但在实地表演时有它鲜明的特色，成为独立的艺术表演形式。如嘉庆《浏阳县志》记载：“元宵，剪纸为灯，悬纸为灯，悬之庭户，又以竹龙罩布，联络丈余，肖龙形，燃灯其中，数人擎舞，曰龙灯。制灯糊纸或纱，为虾形，曰虾灯；为鱼形，曰鱼灯。又以童子妆丑、旦剧唱。金鼓喧阗，自初旬起至是夜止。”

长沙花鼓戏流行于长沙、湘潭、株洲、宁乡、平江、浏阳、醴陵、益阳、沅江、南县、华容、安乡等地，是湖南花鼓戏中影响最大的一个艺术种类。清代中叶以后，地花鼓与花鼓戏都很盛行。如嘉庆《湘潭县志》记载：“六街三市，竞赛花灯，及花爆烟火诸杂剧。”同治《醴陵县志》记载：“上元张灯……为鱼龙、竹马等戏，钲锽导引，昼夜喧阗，所过村市，爆竹送迎。”光绪《善化县志》记载：“游民演采茶戏，每于二三月，乡僻聚观。”民国以来，长沙、湘潭一带的花鼓戏在城乡各地盛演不衰。

长沙花鼓戏因流行地域广，形成了较多的艺术流派，大致可分为长沙路、宁乡路、益阳路、平浏醴路、西湖路等。长沙路是流行长沙、湘潭、株洲等地的花鼓戏，主要在广大农村流动演唱。清末到民国年间曾在长沙、湘潭等城市演出，也有在茶社酒楼流动清唱的，叫“排街戏”。长沙因是省会，有较多机会吸收各路花鼓戏的长处和受到地方大戏的影响，所以曲调比较丰富，剧目很多，表演技巧较高。宁乡路是流行于宁乡、安化一带的花鼓戏。同治以来，宁乡花鼓戏出现过繁荣时期，艺人众多，班社林立，尤其在广大农村，几乎每个村庄都唱花鼓调，有“宁乡出花鼓戏”的称誉。剧目丰富，音乐、表演很有乡土特点，影响比较广泛。平浏醴路是指流行于平江、浏阳、醴陵等地的花鼓戏，剧目较多，曲调丰富。因靠近江西，曾与赣西采茶戏互相融合，浏阳花鼓戏还受到浏阳古乐的影响。西湖路是洞庭湖以西的南县、华容、安乡一带的花鼓戏。班社很多，艺人不少，多演“大本戏”的剧目，音乐自然流畅，悠扬动听，著名的西湖调流传甚广，逐渐成为长沙花鼓戏中的常用曲调。益阳路是流行于益阳、桃江一带的花鼓戏，“益阳川调”和“八同牌子”为主要唱腔。

长沙花鼓戏唱腔音乐非常丰富，风格多种多样，曲调健康清新，活泼大方，地方色彩鲜明，从民间山歌、民歌小调以及师道音乐演变而来，外地传入的曲调也经过了改革和地方化的过程。长沙花鼓戏的声腔主要为川调、打锣腔、小调，计 100 多支。曲调本身可做多种变化，根据剧情的需要将同基调的多支曲牌联结起来，使之适合于表现多种题材，展示剧情，刻画人物，这种将曲调联结，辅以板式变化，在戏曲音乐中称之为曲牌联缀体。

4. 汉剧

汉剧为地方大戏剧种，俗称常德班、沅河戏，亦曾叫常德湘戏、武陵戏。流行于洞庭湖区和辰水、沅水、澧水流域，亦远及鄂西南、川东、黔东。常德老郎庙旧藏署有“永乐二年华胜班置”字样的太平缸。高腔为常德汉剧早期的主要声腔之一，是在本地原始祭祀音乐和民间音乐基础上，先后吸收弋阳腔、青阳腔而逐渐发展成熟的声腔，有 30 余种基本腔和 70 余种曲牌，演唱形式有滚唱、帮腔等。乐器以大锣、大钹和唢呐为主。其唱腔与本地方言结合，并融入了大量本地巫腔、傩愿腔、渔鼓调的音乐素材，表现力丰富。演唱时使用本地方言，采用本嗓、边嗓、夹嗓、小嗓等多种表现方法。在表演中常会穿插一些精彩的特技，演出效果引人入胜。在长期的演出中，形成了鲜明的地方特色和艺术个性。后来以弹腔为主，采用中州韵与常德方言声调结合的舞台语言。传统剧目450余个，多为杀伐战斗题材，四大名班均有各自的独特剧目"一家戏"。角色分老生、须生、小生、正旦、闺门旦、花旦、武旦、摇旦、老旦、大花、二花、毛头、霸霸脸、丑角等14个小行当。表演重做功，火辣凝重，讲究内、外"八大块"。整理的《思凡》《祭头巾》等传统剧目具有较大影响，另有《姻缘错》《芙蓉女》等优秀剧目。历代戏班、科班数以百计，有天元、瑞凝、文华、同乐四大名戏班。四大名班由于班内突出人才的艺术创造和不同观众的支持，形成各自的艺术风格和独特剧目"一家戏"。成立于明代的天元班历来多应文衙差戏，偏重于知识界，受常德西门观众支持，戏班艺术风格文雅、细腻，讲究字眼，侧重人物内心刻画，长于三国和两汉戏，另有《紫金鱼》《百花诗》以及高、昆剧目《祭头巾》等"一家戏"。同乐班成立于清光绪二十六年（1900）。瑞凝班兼营旅店，多湘西、黔阳上河客商观剧，名丑曾彩宝以程咬金"斧头戏"受到回族世家、湖南提督马如龙赏识，故该班在上河客商中和常德东门一带回民中有很深影响，特重丑角和花脸戏，艺术风格诙谐而不庸俗，以重江湖义气的"背时的宋江"（宋江上梁山以前）戏和隋唐戏著称。文华班为该剧种设科较早、规模最大的科班，约在清道光二十五年（1845）由桃源寺坪人李标主办，共招儿童80名。入科便按常德音学念"姜、酱、酒、泉"等字音，不许念土音，唱、做、念、打练功极严。科班学艺期满，全班转入正式戏班，多应武衙官差，以演岳飞戏为多，观众又多为上、下南门码头帮会中人，故"行时的宋江"（宋江上梁山后）戏特受欢迎。岳飞戏、宋江戏与全部封神合称为"三大连台"，演出以杀伐打斗、火爆炽烈、排场雄伟见长。同乐班以北门一带妓院及津、澧方面来的客商为主要观众，有连台戏《施公案》和《紫金山》《天马山》《北邙山》《八卦山》一类“山头戏”,尤以名旦胡春凤之《西厢记》《贵妃醉酒》等旦角戏为富商妓家所赏。概括四大名班特点，可称为天元班的“文”，文华班的“武”，瑞凝班的“丑”，同乐班的“旦”。

5. 祁剧

祁剧，旧称“祁阳班子”“祁阳戏”“楚南戏”。因其发源于祁阳县并用祁阳官话演唱，故名。流行于衡阳、邵阳、零陵（今永州）、郴州、怀化诸地区（市）和广西、赣南、粤北、闽西一带。起源于明代中期，史籍上有嘉靖年间演出的记载，全盛于清代道光、咸丰年间。历代班社数百，科班可考者 84 个，迄今仍保留专业剧团 7 个，享有“祁阳子弟遍天下”（梅兰芳语）的赞誉。分永河、宝河两大流派，以经过规范化的祁阳官话为统一的舞台语言，兼有高、昆、弹三种声腔。其独具特色的目连戏，自成体系的表演艺术，一戏三唱的特殊形式，影响着桂剧、粤剧、广东汉剧的风格和流派的形成。传统剧目有 941 个，音乐曲牌 1079 支，拥有如《阴阳树》《闹沙河》《瑞罗帐》等 10 余个其他剧种没有或稀有的剧目。80% 的剧目用弹腔演唱。唱腔高亢激越，除老旦、丑角两行外,生角、小生、正旦、小旦、花脸诸行,传统均用“雨夹雪”（真假嗓结合）唱法。咬字注重单、双、空、实。表演艺术粗犷、朴实。动作讲究眼、鼻、胸、手指、脚尖协调一致，名曰“归子午”。抗日战争时期，曾组织多个抗敌宣传队从事抗日宣传。

6. 荆河戏

荆河戏旧有“上河戏”“上河路子”“大班子”“大台戏”“楚剧”“汉剧”等称谓，1954 年定今名。形成并流行于荆江沿岸的湖南澧县、津市和湖北荆州、沙市一带，并远及黔、川部分地区。明永乐年间，沙市即有戏班活动记载。形成之初，有高腔、昆腔，后以弹腔为主。清代咸丰、同治年间以来，班社大为发展，可考的科班67个、戏班52个，以同乐、三泰、同福、松秀等班最有名。传统剧目514个，常用曲牌约150支，堂曲150支。代表性剧目有《百子图》《楚宫抚琴》《大回荆州》《双驸马》《沙滩会》《翠屏山》《反武科》《秦雪梅》《三娘教子》《一捧雪》《四下河南》等，多杀伐打斗题材，“三杀”“五图”“十二山”等为其看家戏。角色分生行、小生、旦角、老旦、花脸、丑角等六行。表演重做功，亦讲究内、外八块功夫，以武功戏见长，尤以各种姿态的“拗军马”“抖壳子”最具表演艺术的独特风格。舞台语言以中州韵结合澧县、津市地方语言而成。

7. 傩堂戏

傩堂戏由巫师还傩愿的酬神歌舞发展而成，其历史渊源可以追溯到先秦时期，是湖南戏剧的鼻祖。湘西称为“傩神戏”“土地戏”“姜女儿戏”，湘中称为“老君戏”，还有“师道戏”“傩愿戏”等多种称谓，统称“傩戏”。“傩”为古代驱疫祭祀仪式，在傩堂戏孕育、形成乃至发展的过程中，从形式到内容都与巫师法事有密切关系，与道教也有关系。这种有着浓厚宗教色彩的戏曲形式，早年遍布全省城乡，汉、土家、苗、瑶、侗等族均有其演唱活动。清代康熙年间，即有大本戏《孟姜女》演唱的记载。同治年间，逐步脱离酬神的傩坛，登台演出。剧目有傩坛正戏、傩堂小戏、大本戏三类，而以在还傩愿法事程序中演唱的傩坛正戏为多。演员仍戴各色面具，面具木质雕镂，神态各异，保留了浓郁的宗教色彩。大本戏除《孟姜女》外，还有《龙王女》《庞氏女》（湘西、湘北），合称“三女戏”，另有《桃源洞》（湘南）等。声腔多来自巫师腔和各地的民间歌曲，除辰河流域有唢呐帮腔外，一般是不托管弦，一启众和，锣鼓帮腔。表演多为与酬神法事有关的动作，如按诀、玩师刀、踩八卦，以及武法事特技等。清末，各地傩戏曾与花鼓戏、阳戏、地方大戏（如常德汉戏）共同演出。

由于流行地域和民族的不同，各地区的傩戏分别有不同的特色。如辰州傩戏是湘西土家族苗族地区流传最广的傩戏，沅陵县七甲坪镇尚有较为完整的保存，梅山傩戏流行于原湘中古梅山地区，侗族傩戏"咚咚推"流行于新晃县贡溪乡，演唱、对白全用侗语。巫师冲傩还愿时必唱傩戏。剧目分正戏、小戏和本戏：正戏是傩仪的一部分，有《搬先锋》《搬师娘》《梁山土地》《三妈土地》《搬八郎》《仙姬送子》等；小戏存在于傩仪之中，内容与傩仪并无关联，如《晒衣》《姜女下池》《观花教子》等；本戏与傩仪无关联，为娱神而演唱，有《孟姜女》《龙王女》《七仙女》《鲍三娘》等。曲牌有先锋调、师娘调、八郎调、土地调、姜女调、范郎调、下池调等 20 余支。演唱傩戏的巫师班一般都能兼表演"开红山""过火槽""上刀梯""踩犁头""滚刺丛"等傩技。

8. 皮影戏和木偶戏

皮影戏是一种用灯光把兽皮或纸板做成的人物剪影照射在白色的银幕上，以表演故事的戏剧。它的表演者在幕后一边操纵剪影一边演唱，并配以音乐。长沙皮影戏历史悠久，传说始于汉，盛于宋，但据考证，它形成于明朝万历年间。旧时称"影子戏"或"灯影戏"，流行于长沙、湘潭、浏阳、望城、宁乡等地。

清光绪以前，皮影戏的影人是用牛皮镂空制作的，花纹粗糙，也无色彩，后来经过艺人的努力，改用七层皮纸做的衬壳来制作，并雕刻出各种花纹，着上色彩，同时根据故事中的影人形象，配有人物脸谱。影人一般七寸左右。

长沙皮影戏用湘剧和花鼓戏唱腔，一般为三人班，三人都具有吹拉弹唱的艺术能力。演出方式有整本和散句之别。整本必加登场戏；散句必加杂戏。在街巷乡间，如某家失火，就演两本影子戏以谢火神。

长沙市博物馆藏皮影具

整本的节目主要有《封神榜》《曹操发兵》《水浒传》《岳飞传》《杨家将》等。散句的节目有《五更劝夫》《山伯访友》《小姑贤》《哪吒闹海》等。艺人在演这些散句时，必加杂戏，即选取一些发生在观众中的趣闻轶事，编排成戏，插在中间演出。由于长沙皮影戏制作和演出简单，戏中内容又多为老百姓喜闻乐见，因而深受城乡群众欢迎。南门里仁坡有凤凰班；北门头卡子有连兴班；黎家坡有菊兴班;府正街有同兴班,共有 60 多块戏牌,500 多名艺人。民国初年,长沙有“天益”“秀雅”等 40 个皮影戏班,400 余名艺人。

长沙木偶戏,俗称“木脑壳戏”,起源于汉代,形成于唐宋。《旧唐书·崔慎由传》中就有“长沙弄傀儡”的记载。明清至抗战时，长沙木偶戏非常盛行。火宫殿庙会时常有戏班来演出。它是由演员操纵木偶动作并由演员配合唱腔和伴腔进行表演的一种戏曲。长沙木偶戏主要为杖头木偶，又称举偶，用湘剧唱腔，节目多以移植学演适合木偶操作表演的戏曲剧目，生、旦、净、丑、文武场面，无一不有。其木偶形体一般约二尺，有三根操纵棍，艺人用棍举起木偶并操纵其动作。演出简便，花费不多，因而深受群众欢迎。民国初期，长沙成立老郎庙永定会，出了活木脑壳戏班。木偶戏班以唐万和班最为著名，曾演出《顺治操兵》等戏。

清末长沙街头的弹词艺人

9. 民间曲艺

民间曲艺种类繁多，流行于长沙地区的主要有丝弦、弹词、评书、快板等。

长沙丝弦是金、元时期从长江下游地区的民间音乐中发展起来的，民间音乐表现形式大都短小，难以表现大型的传说和故事，而丝弦音乐却善于长篇的表现。它的伴奏乐器全是丝弦，如扬琴、琵琶、三弦、月琴、大筒、胡琴、板鼓和板胡等。丝弦音乐相对于吹打音乐，显得十分雅致，深为士大夫、文人学士和小市民所欣赏。因此，明、清两代，丝弦音乐在长沙地区十分盛行，并为长沙民间音乐所吸收和地方化。长沙丝弦的形式主要分小调、牌子丝弦、板子丝弦三类。演奏者有两类：一为以此为业的民间艺人，多为盲人、盲人弟子等；二为自娱自乐的市民和村民。丝弦音乐的曲调音乐性强，旋律优美，长于抒情，因此，自清代流入农村后即与花鼓戏紧密结合，丰富了花鼓戏的音乐部分。

长沙弹词源于古老的“道情”，流行于长沙、益阳、湘潭等地，有200多年的历史。清代戏剧家杨恩寿的《坦园文录》中，记述了长沙弹词先人张跛在同治二年（1863）演唱《刘伶醉酒》时的情形：“以板鼓唱道情”“惟肖惟妙”。长沙弹词多为一人自弹月琴说唱。后来有了两人对唱，即一人弹月琴伴唱，一人以渔鼓筒板和小钱击节。早期都为街头流动演唱。内容多为“劝世文”和短篇故事。1927 年后，长沙弹词开始进入书场、茶馆，说唱中长篇故事。1933 年长沙市渔鼓弹词业工会有会员 61 人。传统长书有《岳飞全传》《残唐》《宝钏记》等；短段有《东郭救狼》《武松打虎》等。曲本散文、韵文相间，说唱结合，以韵文和歌唱为主。唱词多为七字句。长沙弹词音乐以弹腔中的八板九腔为主曲体，具有平板、慢板、快板、散板等曲调板式。早期的唱腔简单，只有板式变化。后来吸收民间小调和地方戏唱腔，成为板式变化体和曲牌连套相结合的形式。具体说来为上下句结构的板腔体，有九板九腔。九板有平板、慢板、快板、散板、哭板等；九腔有平腔、悲腔、欢腔、柔腔等。不同的腔调分别用在各种板式中，平板是各种板式的基础，平腔是平板中用途最广的腔调。

长沙评书俗称说书，曾广泛流行于长沙民间。民间评书艺人在书场或茶馆，敲打惊堂木，口若悬河，一律用长沙话说书，为人们的枯燥生活带来欢乐。说评书者都通晓设悬念的本领，情节紧凑，丝丝入扣，基本要素在于一个“扣子”，类似人们常说的卖关子。其技巧有正笔、倒笔、插笔、伏笔、补笔、惊人笔，种种艺术手段极力将情节推演到紧张激烈的巅峰，而当观众如痴如醉之时，说评书者往往以一句“欲知后事如何，且听下回分解”结束。时或有听众不舍得离开，万般请求再说一个段子时，评书艺人往往煞有介事：听《三国》，还是《水浒》？然后几个四方八句就把《三国》《水浒》说完，更让人不忍离去。评书是以一种类似口耳相传的古老方式存续，其特殊的语言技巧、情境设置，包含了深厚的传统语言艺术精华。一般来说，一地的评书影响了一地的说话语气、语言技巧。在传媒不发达的时期，说书人的口语由此得到了空前的发展，闻名遐迩的《金瓶梅》就是在说书人的话本基础上发展起来的。1938 年 2 月《观察日报》刊载记者惕厂采写的一篇题为《火宫殿》的报道，其中提到了“说书”：“说书、相声、测字、卖艺、零食……无所不有。听完了《三国演义》后，哼着一段反二簧，便可在那里饱餐一顿，既不来手巾，也不要小账，吃喝之后，咂匕嘴儿，倒干脆得很。”据记载，长沙著名评弹艺人舒三和在火宫殿设棚，演唱《说唐》《岳飞传》等长篇，深受欢迎。在火宫殿说书的还有号称“唐济公”的唐元芳和“廖三国”的廖夔等人。

长沙快板俗称“莲花落”。它由艺人在街头敲竹板的即兴演唱发展嬗变而来，宋代已有流传。南宋释普济《五灯会元》中已有关于唱莲花落乞讨者的记载。元、明之际，演唱曲目逐渐增多，并被杂剧、传奇所吸收，杂剧《金线池》《曲江池》均有“四季莲花落”穿插其中的记载。流布于湘楚大地的莲花落虽非当地的原生物种，但由于入乡随俗，改用方言和当地唱腔演唱，已嬗变成湘楚说唱家族中的具有浓郁地方色彩的一员。莲花落灵活自由，早期莲花落艺人的活动一般多以沿门乞讨为主,其次也参与“赶酒”（婚丧嫁娶）和“赶会”，如灯会、龙舟会、盂兰会、庙会等活动。它可一人演唱，也可两人对唱，或与莲厢组合演唱。有故事情节的中篇曲目,目前仅发现《七子团圆》《懒大嫂》《二十四孝》《八洞神仙》等10余部。一人演唱时，艺人左手操两块竹瓦，右手操一块竹板，自打自唱。两人演唱时，一人为主，一人为辅。为主者左右两手操板，为辅者左手操竹板击节。由两个艺人交替领唱、对唱，然后帮腔合唱。莲花落的文词以七字句式为主，有时也突破三、三、七的句式，偶尔也穿插十字句或五字句，甚至增添单字垛、双字垛、三字头、四字联等灵活多样的句式。莲花落的唱腔属于韵诵与歌唱相结合的综合体，融合评书逗笑谐趣的艺术手段，全方位地增加快板的艺术表现力。

二、近代湖南传统戏曲民俗及其变化

湖南传统戏曲民俗包括演出戏班的规矩习俗和演出习俗。湖南传统戏曲界的祖师庙为老郎庙。老郎神相传是唐玄宗李隆基。李隆基酷爱音律，于听政之暇，领乐工子弟和宫女数百人于梨园排演丝竹之戏，若一声有误，唐皇必有察觉。故后世戏班沿用梨园名称，并尊唐玄宗为戏曲界的“祖师爷”或“老郎神”，故湖南传统戏曲民俗亦统称为“梨园风俗”。

（一）演出戏班的微妙演变

清同治之前，省城长沙就有了小普庆班、老同庆堂两个湘昆戏班。太平天国事息以后，曾氏兄弟所属湘军将士衣锦还乡，赌钱唱戏，竞夸豪奢。旧有昆班艺人经太平天国战乱，供不应求，再加上这些饱掠民财的将军，胸中墨水不多，亦无欣赏昆腔的雅致。于是在农村活动的案堂班结合外来徽班，乘虚而入。长沙的仁和班、老太益、老五云、清华班、福临班，以及湘潭的老永和、春和班相继而起，一律是高腔的徽调，昆腔被逼到附庸地位。湘剧进入城市大为发展。靠打败太平天国发财的湘军将领，成为地方豪绅，如曾国荃、杨岳斌、杨玉科、席宝田、李朝斌诸人之家，经常宴会唱戏。如五云班，就由杨岳斌一家支持。又如广西人张培仁，曾任湖南道台，到长沙置产落籍，在公馆内把戏台建在池塘面上，三面环水，隔水听戏。绍兴人吴六哈，其父是广东大幕，亦在湖南买田落籍，父子把做官弄来的钱全花在听戏上。当时戏价，堂戏一本，制钱六吊（约可买米二至三石）。如果整本戏，由下午三时到晚上十二时，要制钱十二吊。如需尽情欢乐，由中午十二时至夜十二时，戏价要制钱十八吊。因之，同治后三四十年间，长沙湘剧得到了空前的发展、繁荣。

剧作家杨恩寿在《坦园日记》中记述了同治初年他由长沙至郴州,在长沙、湘潭、衡阳、郴州等地观看戏曲演出的实况。他说:“楚俗于昆曲、二簧之外,别创淫词,余久知之而未见也。”这里明确点明湖南有“二簧”等戏曲声腔。《坦园日记》中记述了在湖南各地看到的高腔、昆腔、弹腔和花鼓戏,记有剧名的剧目共有169出,其中昆腔9出,高腔18出,花鼓戏2出,弹腔140出,弹腔戏占总数的80%左右,著名剧目有《赵宏观榜》《沙桥饯别》《斩黄袍》《三官堂》《闹金阶》《三战吕布》《合银牌》《法门寺》《阳五雷》《芦花河》《南楼释犯》《李密降唐》《重台》《王英下山》《程咬金庆百岁》等。

杨恩寿在《坦园日记》中还记述了《精忠传》的演出情况:“同治元年(1862)五月二十二日,晴。闻城隍庙演《精忠传》大戏,粉黛如云,游人若蚁,署中幕丁趋之,几空署焉。”杨恩寿在同治元年(1862)至同治九年(1870)所记日记中,提及戏曲演出活动者300余处,其中关于湘省戏曲活动280多处。提及戏曲班社17个,其中长沙有太和、泰益、大庆、仁和、普庆、五云、庆和、玉联八班,以泰益、仁和演出为多。提及演出剧目共计140多个,连台大戏有《精忠传》《封神传》,演得较多的有《二度梅》《三官堂》《玉堂春》《合银牌》《金水桥》《定军山》《回营斩婿》等。还有一批剧目是现在已经少见的,如《拨发祖师得道》《烈疯配》《打金镯》《瑞罗帐》《扫花》《打番》等。演出虽有不少大剧,但以折子戏为主。提及演出场所67处,长沙一地即有55处,分布在各个寺庙、宫殿、祠堂、会馆、官署及个别酒馆之中,祝融宫演出达40次之多,善化城隍庙30次,10次以上者有万寿宫、天后宫、玉泉山、长沙城隍庙,5次以上者有江南会馆、三圣殿、湖北会馆、鲁班庙、天妃宫、朗公庙、宛园、藩署、学署,3次以上者有太清宫、马王庙、长沙县署、西关圣殿、苏州馆、真人殿、协署、轩辕殿、观音寺。[1]

《郭嵩焘日记》也载："同治十三年甲戌，八月十五日，诣广济真人殿、善化县城隍二处行礼。城隍庙演早戏，人肩相摩，肩舆不能入。"郭嵩焘之弟郭崑焘撰《城隍庙戏台联》云："人事可征，喜歌舞登场，听取新声供笑乐；神灵如在，看贤奸结局，愿凭法曲醒痴迷。"王闿运《湘绮楼日记》也载：同治九年（1870）十月十六日，"召泰宣班演戏于李真人祠"；光绪二年（1876）三月十四日，"前时省城唯善化城隍祠戏最多，今乃歇绝，而火祠（即火宫殿）日日有戏，亦风气之变迁也……余过雷神祠看夜戏，灯火甚盛，月映春林，有繁华之色"。[2]

到清光绪间，长沙湘剧戏班有五云、泰益、清华、仁和等班子，或唱庙台子戏，或蹚乡，无正式剧场。经戏曲爱好者斡旋，才借得小瀛洲席少保祠、西园北里左文襄祠演出。唱庙台戏是祭神，则在城隍庙、天符庙进行。那时坡子街火宫殿，乃区坊士绅会所，会馆、同乡会、同业公所多借该庙办会唱戏。若逢国家庆典，及元旦、冬至、万寿三大节，必须演戏。地方官员诞辰亦需演戏，戏班则半义务表演，谓之"发官价""当官差"，唱一本戏，只需三串六百文钱。其时堂会极多，凡仕官富室之家，婚寿喜庆，过年等，一演就是几日，有的十多日。庙戏系早、中、晚三台，每台唱六出，戏长便唱四出，视戏的繁简，堂会一次为六串文，点一出戏一串文。

民国时期湘剧戏班最大的变化是女演员的出现。旦行为湘剧的一大看点，但直到清光绪中叶湖南尚无女旦。春华班之"三蛟"均为男旦，其中漆金蛟擅长剧目为《三祭》，即《祭江》《祭塔》《祭夫》；而帅福蛟则工于《三闹》，即《闹院》《闹庄》《闹营》；彭凤蛟精于《三骂》，即《骂鸡》《骂菜》《骂灶》。漆时称"玉菩萨"，

① 杨恩寿．杨恩寿集：坦园日记［M］．长沙：岳麓书社，2010：157—294.
② 陈先枢，李渔村．长沙野史类钞［M］．长沙：岳麓书社，2011：550—551.

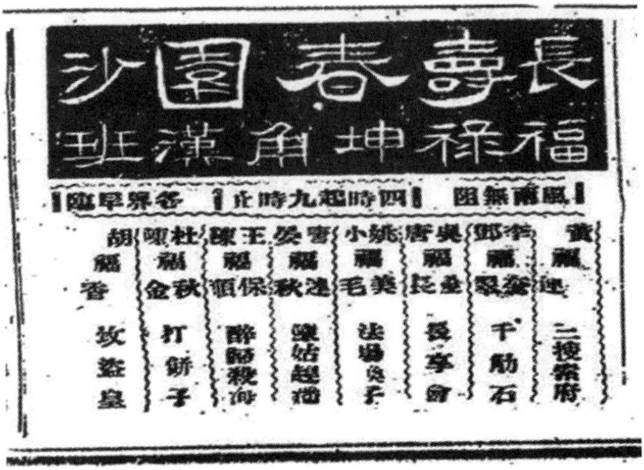

1922 年 6 月 19 日湖南《大公报》长沙寿春园福禄坤班广告

帅号“雪菩萨”，彭称“洋菩萨”。湘潭李渔叔在《渔千里斋随笔》中曾记曰：“诸伶实曼妙，胜于好女，好女不能尽美，惟美男乔装乃真美耳。”至民国初年，同春班“四凤”献演湘春园，长沙名士王先谦、叶德辉、许崇熙等大肆吹捧，座无虚席。“四凤”亦为男旦，罗绣凤习正旦，黄华凤工于花旦，汤来凤专攻背搭旦，王金凤长于刀马旦，各精一行，创下湘剧上座率高峰。

从唐人和元人留下的诗中，可证湖南舞台上其时是有女演员的。元人夏廷芝《青楼集》记述张玉梅家有三代女演员，即张玉梅、她的儿媳和她的孙女。可后来女演员从湖南的舞台上绝迹了。

女演员再次在湖南出现，是在 1920 年。江西人温家桂与益阳湘班艺人合办的洪福科班，是湘剧坤班之始。这年湖南遭受特大洪灾，湘剧艺人在长沙组织赈灾义演，邀请茶楼清唱女艺人参加，演出于长沙小瀛洲席少保祠，引起轰动。1921 年，伞业工人黄玉桂和湘剧艺人罗玉廷等在紫荆街李公祠开办福禄坤班，招收清唱女艺人入班。福禄坤班学制三年，办了三科（期），学员的名字中都带有“福”字。女学员学旦角的多，学净角、丑角的少。后来便邀请男艺人合作演出，搭配齐全，更受欢迎。1929 年，福禄坤班在寿春园正式宣布男女合演，突破了男女不同班的旧例。福禄坤班因招收女艺徒，为湘剧艺术培养出了很多著名女演员，其中活跃到1949年的有：生行杨福鹏、周福卿、陈福峰、刘福喜，小生余福星、徐福贵，丑行杨福超（后改老旦）。

《百花赠剑》剧照，郑福秋饰百花公主

女旦角也全带有“福”字。20世纪30年代初期，明德中学国文教员郑际旦酷爱湘剧，又工于词章，用玄生笔名，在《湖南晚报》上赞扬四大女名旦，用诗写郭福霞，用词颂郑福秋，用歌行写彭福仙，用赋赞美黄福艳。其中郑福秋的《百花赠剑》、彭福仙的《落花园》均灌有唱片，黄福艳工于《赶春桃》。时隔不久，笔名黄衫客者在《长沙市晚报》上又推出了五大名旦列传，除上述4人外，又加上彭福娥。彭福娥为彭凤蛟入室弟子，亦为湘剧界著名艺人。①

在福禄坤班的影响下，后来相继出现了好几个坤班。1923年黄元才在长沙创办九如坤班，同年范元义将湘潭太华班改组为义华坤班，1927年由福禄坤班又分出了福寿坤班，1936年黄益政在长沙组建凤凰坤班。这些坤班也培养了不少湘剧女艺人，如黄如福、黄如禄、刘如银、筱义芝、李拂艳、陈如莲等。

女演员出现在湘剧舞台上后，也招惹来一些官僚恶霸的戏弄。1929年12月，湘戏改良研究所印发《告女演员书》，提倡女演员要自重、自强、自尊，劝告女演员谢绝出局陪酒之类活动。

① 黄性一．潇湘菊影［M］// 长沙野史类钞：下部耆旧文存．陈泽珲，编辑．长沙：岳麓书社，2011：412.

（二）湖湘民俗影响下的梨园习俗

1. 老案堂习俗

浏阳湘剧艺人有浏阳老案堂“九条网巾打天下”之说。老案堂为浏阳巫神小庙，其神即当地傩神，原称“东山圣公”，还有一女神，名“白氏三娘”，合之即南方少数民族所传伏羲、女娲，长沙称这一尊神曰“一案”。乾隆四年（1739），醴陵县农村艺人自组小班，扛抬案神到四乡游行演戏。还愿人家请这种戏班唱戏还愿，与案神一并接来供奉。浏阳亦是如此，这种戏班称作案堂班。老案堂本为一案神小庙，各案堂班以此为业务活动的共同地点。

所谓老案堂“九条网巾打天下”，即这类案堂班由演员九人组成一班，盔头戏衣由班上公办，网巾靴鞋演员自备，因之称为“九条网巾”，亦称“九老图”。其角色分配为：末一人，生一人，杂（大花）兼净（紫脸）一人，跌（二花）兼小生一人，丑（三花）一人，老（老旦）兼外一人，小生一人，旦、正旦一人，做工（跷旦）一人。这九个演员，能唱十行角色，能演《封神》《目连》《西游》《南游》《北游》《精忠》等整本大戏和《金印》《白兔》《投笔》《琵琶》等四大高腔戏。黄芝冈《论长沙湘剧流变》一文还说：

> 戏里角色太多，就采用兼演、代演，如《盘河桥》由老旦代袁绍，由麹义兼刘备，由韩馥兼关羽；《西川图》由老旦代刘备，由张松兼刘璋都是。龙套例由老旦、衣箱兼扮；老旦跑第一龙套，二衣箱跑第二龙套，把子箱跑第三、四龙套。报子例由第三龙套兼演。他们叫一枪、二马（马鞭）、三报子。场面或用六场面，分掌鼓、大钹、小锣、三弦，或不用三弦，并由大锣兼大钹，就只用四场面了。

至于伶人戏份、戏价是极低的。一般情况下，四六分成。上半年农忙，为戏剧活动淡季，伶人与场面分四，老板分六；下半年为旺季，金九银十，伶人与场面分六，老板分四。

案堂班戏箱称“五大箱”。分头盔箱、大衣箱、二衣箱、场面箱、把子箱。为便于山路运输，以罩皮篾篓装盛。每次转场，班名牌、老郎神、锅盆饭甑，由伙头前站挑走，“五大箱”由管箱人自运，艺人、场面、管事老板自带行李。其活动范围，包括浏阳、醴陵、江西萍乡等地。据说浏阳东、万载西，湖南江西交界处，山上有一小庙，庙中戏台西半漆作红色，东半漆作黑色，以示湖南、江西分属。

案堂班演戏，离不开赛神还愿。凡是神庙新建戏台、乡镇火灾、发生病疫，一定要演唱整本大戏。乡镇神庙，每年五月、八月看乡镇丰歉，也要演上三五天、十天半月的整本大戏，演出时间经常半天半晚（上午十二时至夜半十二时）。整本大戏称二十四块牌或三十二块牌（即二十四折或三十二折），称一大本。七天称七大本戏，半月称十五本大戏。剧目多宗教性的，有《封神》《目连》《西游》《精忠》等，非宗教性的只《水浒》一种，乡镇演整本大戏，戏台前栏杆短柱上必套以纸糊乌牛白马之头。每本第一块牌一定

清末戏班在乡村演出

是"天将定台"，每天由一位伶人扮成天将登台，举行定台仪式。

案堂班伶人，一般戏路宽阔，因为在小乡镇演戏，多不点名戏，爱点冷戏。而且一招一式都不得含糊，含糊一点，或表演不出某一点来，就得重演，直到每一细节都表演出来为止。而且案堂班有一个很好的规则，不管什么班来浏阳演戏，如果他们戏折中有不常见之剧目，都得抄录下来，交与案神小庙储存，作为戏剧艺人公产。

一个湘剧戏班人数一般为40人左右。据有服装行箱者称本家；本家下面有管事一人，接洽演出业务；管账一人，管理戏班账务；排笔一人，排定演出剧目和演员名单；服装行箱及炊事员数人；乐队文武场面数人。演员受雇和被解雇，名曰"过班"。每年农历六月二十四日和十二月二十四日为"过班"日。戏班班规基本内容有：不得坐班邀人，不临场推诿，不酗酒行凶，不偷摸盗窃，不夜不归宿，不见班辞班，不吃里扒外等，以保地方清吉，演出安全。

2. 老郎庙习俗

老郎庙建于清乾隆十六年（1751），庙址在长沙三王街三王巷。每逢老郎神寿诞，戏曲艺人前来祝寿、吃寿面，问卦卜票房生意和个人前程。老郎神白面无须，戴皇帽，穿皇袍，相传此神是唐玄宗李隆基。玄宗酷爱音律，于听政之暇，领乐工子弟和宫女数百人于梨园排演丝竹之戏，若一声有误，玄宗必有察觉。故后世戏班沿用梨园名称，并尊唐玄宗为戏曲业的"祖师爷"或"老郎神"（李隆基自号"三郎"）。

老郎庙虽带有封建行帮色彩，却在一定程度上起到了组织和维护艺人正当权益的作用。它有权处理班与班之间、艺人与班之间的一些纠纷；有权对艺人作出处分，直至革除会籍；艺人工资多少，由会中值年按其技艺高低议决；若逢演出淡季，观众减少，班与班之间都在钱粮上互通有无，有饭大家吃，尤其注意关照那些漂泊无依的艺人；若逢外地班子来演出，会里为之安排食宿应酬，甚至会让出最卖座的剧场，使兄弟戏班高兴而来，满意而去；要是兵痞无赖打砸戏院，侮辱女艺人，他们会饱以老拳，甚至以死相拼。凡此种种，大家尽心去做，些微善举，贯穿着梨园子弟的深情厚谊。

老郎庙会一年要举行数次，并且形式多样。

一是老郎神诞日举行隆重、热闹的祭祀活动。各剧种的老郎神诞日有所不同，如湘剧以农历六月二十四日为老郎神诞，京剧则以三月十八日为老郎神诞日。届时都要给祖师爷做寿，老郎神泥像的大神龛在大殿正中，神龛前供着寿桃糕团。插蜡烛的拱形架子叫“蜡桥”，香烛点起来，香烟缭绕，烛火辉煌。

二是节日祭神，尤以元宵节的祭祀最为隆重，祭品也最为丰盛。正月十三日上灯，戏班举行灯节祭祖师。每适农历初二、十六日也要祭祀，称为“烧牙日”。[①]

三是重要演出、外地戏班来长演出和伶人参加社会庆典活动时都得到老郎庙祭祖。梅兰芳于1937年3月来长演出，就曾往老郎庙祭拜老郎神，并捐赠香资40块银元。

3. 演出风俗

旧时戏班演出规矩甚多，有如下一些习俗：[②]

小丑为大：戏班里有条小丑为大的不成文的规矩，即扮小丑的演员在后台戏房里可以任意走动或坐下，扮其他行当的演员则不许。究其原因：相传是后唐庄宗李存勖晓音律，还亲自粉墨登场，自诩艺名“李天下”。他的岳父刘叟家境贫寒，曾进宫面见女儿刘

① 陈先枢．坡子街史话［M］// 湘城访古．北京：中国戏剧出版社，2005：49.
② 长沙市志编纂委员会．长沙市志：第十五卷［M］．长沙：湖南人民出版社，2000：271—274.

皇后，正值刘皇后与后宫某妃争宠，各自夸耀自己出身富家门第。刘皇后怕父亲丢了她的面子，不认其父，并将刘叟乱棍赶出。李存勖以此为题材编了一出嫌贫爱富的节目讽刺刘皇后，并用小丑行当自扮刘叟，使刘皇后认错。故后世戏班里有一条小丑为大的不成文的规矩。

打小锣的不坐：演出时打小锣的只能站着打，不能坐着打。相传朱元璋当上皇帝后，很爱看戏，有时还自己排戏。某日摆开戏场，他亲自司鼓，其他乐器由皇妃、太子等人操作。还差一位打小锣的，朱元璋便叫一个宫娥代打。一个小小宫娥焉能与皇帝、皇子平起平坐？所以她打小锣的只能站不能坐，后来这规矩就留下来了。

打加官：清末和民国时期，长沙的一些高官、富商，常邀戏班去其私寓唱堂会。一场堂会往往名角荟萃，从下午演到次日凌晨，主家可任意点戏。戏班为了打秋风，在演戏当中往往有一演员戴笑脸面具，穿红袍，手持祝贺条幅上场，上书某某老爷禄位高升，某某老爷财源广进等，某老爷则需赏赐红包，此谓“打加官”。有的女艺人因姿色出众、唱得又好而被某老爷丢彩钱的，一晚银元100余元。此外，还有“打八仙”的。即春节大商家开张时，班里人扮成八仙和王母登门道贺，商家必馈红包，希望戏班来凑热闹，借以招揽生意。

演圣人戏需斋戒：戏曲艺人在演《关公走麦城》《岳飞升天》等戏时，扮演关公或岳飞的艺人比较讲究禁忌，于演出前要斋戒沐浴，前往庙里向关圣帝君、岳王菩萨的神像磕头。演员化了妆进入后台，要默想角色台词，不与人交谈，以保演出不出差错，因是演关、岳二神升天的戏，怕惹关、岳二神不快而撞煞。

庙台戏：长沙有城隍庙、天妃宫、火宫殿、南岳行宫、陶公庙等50多座大小庙宇，各庙菩萨生日皆有固定日期。到了寿期，都要演戏三五日或十天半月不等。庙台戏每台折子小戏四出，大戏一本，时间约需三个小时。庙台戏演出时间分早台、午台和晚台。演出时，演员和文武场面和衷共济，相互关照。一人发生事故，大家设法补救。因稍有差错，要被会首罚戏一本，甚至招来观众向台上扔泥巴坨、草鞋等。

破台：凡新戏台建成，由演员一人化装成武士，左手提雄鸡，右手持斧头，站在台口喊煞："太上当头坐，凶煞应可挡，一切鬼和怪，见吾快躲藏。"然后喊煞人把鸡头扭下，再开始打五方。此时即念："日出东方甲乙木，煞退，打碗。"分东、西、南、北、中依次进行。打完五方之后，喊煞人在大鼓声中入后台，一旦角扮玄女手持宝剑上场，将台中摆放的七片瓦踩碎，名叫踩煞，然后下场。再由一扮花脸的天将，手执马鞭将戏门上贴的红纸打破，曰打掉煞气。至天将进入后台，大家互道恭喜，谓此台清吉平安，然后便开始演出正戏。

城隍"拿韩"：湘剧曾有《城隍拿韩》剧目，一般在新建戏台或唱庙台戏时演此节目。据说韩林喜爱戏剧，生前多方维护戏剧的演出，死后为鬼也驱邪辟煞，庇佑演出不发生事故。"拿韩"的程序，是先由四童子引太白金星出场，城隍奏明太白："今有某县某乡演戏酬神，请太白定夺。"太白即令城隍带领由生、旦、丑等行扮演的五路神仙去对面庙里或祠堂将韩林拿来。韩林由管把子箱的扮演，事先约好躲藏地点。韩被抓来后，钻入戏台桌底，从中丢出一个草人作韩的替身，五路神仙将草人钉于戏台柱子上。杀鸡安韩，以保演出安全。

封箱：戏班于农历十二月二十四日封箱。封箱前将服装道具摒挡就绪，加贴"封箱大吉"的封条。一般封箱晚场戏唱《六国封相》，一是"箱"与"相"谐音，二是取苏秦被封为六国丞相，以示一路吉祥之意。大年初一开演时，再郑重启封，换贴"开锣大吉""新春大发"等吉祥语，并互道恭喜，以示当年业务兴旺。演出剧目为《普天同庆》《五路财神》，以迎合观众求财心理。

（三）近代戏班演出场地的衍变

早在清康熙三年（1664），省城长沙就有了专业湘剧戏班，但直到 19 世纪末长沙尚无供戏班售票演出的戏园。近代以来，戏曲班社在城乡演出频繁，演出场地先为草台、庙台、堂会，进而衍变为茶园式戏园以及后来的剧场剧院。①

晚清时期，演戏的场所不固定，城市大体上分为三种。一是在街头小巷或者茶楼流动演出，相对随意，以娱乐性为主，没有固定剧目。二是私宅园林或者会馆的戏台，邀请戏班子上门演出，称为“堂会戏”，但一般只是官吏、士绅、富商与艺人的一种社交活动,多为封闭式,面向特定群体开放。三是各庙宇庙会期间唱“大戏”，官绅、百姓均可看戏，称为“庙会戏”。庙会戏曲演出多由官方组织，依据民俗节令、神祇寿诞、庙宇庆典的习俗举行，火宫殿、城隍庙、天妃宫、龙王庙、水府庙等都是当年的演出场所。每逢庙台有戏演出会提前贴出公告，注明演出时间和剧目，戏迷们常早早蹲点守候。

农村除祠庙建有戏台外，更多的是露天搭台。湘赣接壤处的浏阳、万载，盛行迎神赛社。万载县城隍庙新年演戏 10 天，四月十八日城隍神诞日，庙中演戏至月底。其乡镇如槠树潭，八、九月演唱神戏，其他乡镇或在五月，或在五、八两月演唱神戏。湘东之浏阳、醴陵迎神赛社，亦如赣西，浏阳县城各庙宇，无日不轮流唱神戏。其乡镇市集神祠，每年亦唱神戏，无神祠者则搭棚唱戏，俗称“草台”。

1. 草台、庙台、堂会

所谓草台，是在空坪隙地放上坎凳，上铺门板数块，三面缚

① 屈日中．清末以来长沙戏园的衍变［J］．长沙文史，1992（12）：32—37.

草遮拦，即为草台。有的用木柱搭架，上铺木板，台约人高，周围三面用竹晒垫或布围起，台下为化妆室。夜晚初用桐油火把，后改用煤气灯，观众站在台下看戏。此类草台或土台，多为唱钻乡的湘剧戏班和花鼓戏戏班使用，在草台上唱戏的戏班俗称“草台班”。

1898 年湘剧同和班在宁乡高氏宗祠演出时写在墙上的戏报

庙台即庙宇戏台，包括道观、民间神庙和祠堂等。逢菩萨生日或求神还愿、墟场节日，必邀戏班在庙前戏楼演出。清末杨恩寿《坦园日记》中有多处记载，如：“娘娘系前月二十六日诞辰，祝嵩还愿，故连日演戏。”“观剧于粮署（三宫殿），因祝灵官诞而演也。”戏台一般为宫殿式，与神庙遥遥相对，中有空坪，翼角飞檐，雕梁画栋，顶覆玻璃和青瓦，台面高过人头，下为通道兼卖小吃，台沿置矮脚栏杆，左右两侧分“出将”“入相”，俗称马门。四门大开，不收门票，绅民同乐，听凭观赏。

堂会则与民众无关，仅指官绅商贾家中生日喜庆，雇请戏班或艺人在家的厅堂或后花园演出。明嘉靖年间长沙就出现了堂会戏，清末至民初更盛。这种演出多无固定舞台，但也有在公馆内建戏台者，如位于长沙梓园巷的清末道员张自牧公馆内就有戏台。观戏者多为僚友亲朋。湖南巡抚王文韶，士绅曾国荃、杨岳斌、王先谦、叶德辉等宅园，常日笙箫丝竹，高唱入云。当时长沙经常演出堂会的还有九馆、八署、三店。九馆为湖北、苏州、楚北、河南、广东、中州、浙江、两浙会馆；八署为抚、藩、臬、协、府、粮、学、中军等官署衙门；三店即春台、莲花台、宛园。

民国时期，湖南堂会尤盛，不仅长沙，其他城市亦如此。著名学者吴相湘先生在《三生有幸》中讲述了他常德家中举办多次堂会的盛况，他回忆说：

> 我祖父爱亭公自四十岁起祝寿，即在家中演堂戏。常德县城天元、文华两大戏班，就是由我祖父一手扶植长成。每次堂戏至少三日，多至九日。民国十五年(1926)，我祖父八十寿诞，欣逢相治大堂兄抱孙之喜，五代同堂。祝寿堂戏，连续一月。加以我母亲与祖父寿诞同在夏历四月二十五日，胞兄相洋生辰是端午节后一日，即夏历五月初六日，连台好戏，继续上演。我生父最欣赏《水漫金山寺》这出戏，这几天一定搬演。有时，甚至是天元、文华两班同时打对台。

2. 戏园、舞台、剧院

辛亥革命后，清朝遗老失去了依托，堂会戏渐少。受“五四”新文化运动的影响，祠庙香火不似从前，庙台戏亦不如前盛。城市的观演场所逐步向商业型转化，开始时只是在茶园中兼办戏园。可以说，茶园是戏院的雏形。早期的茶园，除有一小舞台供演出外，还备有茶点、方桌、方凳，茶客一边喝茶，一边听戏聊天，不收门票，

清末长沙太平街宜春园戏楼

只计茶资。

光绪三十四年（1908），一沈姓商人在长沙太平街孚嘉巷口建宜春园。该园仿北京广德楼戏园款式营建，与旧式茶园无异。宣统二年（1910），叶德辉在苏家巷兴建同春园，去方桌方凳，改长条靠椅，设雅座包厢，舞台备有灯光幕布，首创湖南省镜框式舞台，集当时长沙湘剧同庆班、仁和班名角组成同春班，按技艺高低分天、地、玄、黄四个演出单位，按角色不同身价演出，角色齐全，行箱富丽，为湖南第一大湘剧名园。至抗日战争前，长沙形成湘春园、景星园、寿春园湘剧三大名园。

湘春园建于民国三年（1914），黄谷春于同春班中邀名角柳介吾、张福冬等数十人，另组福春班在湘春园长期演出。原来戏园和戏班也分开，称为前后台。直至民国二十四年（1935），黄年老力衰，由九如班黄元才接手经营，20余年该园一直兴旺。当时在湘春园前后演出的名角，生行有柳介吾、蒋雨先、陈汉章、欧元霞；小生有吴南云、吴绍芝；花脸有秦庆云、徐初云；旦行有张福冬、高飞云、王玉兰、周福坤；丑行有胡普林、傅富春等，生旦净丑，各色齐全，可称湘剧全盛时期。

寿春园亦于民国三年（1914）开业，园址在箭道巷。民国十一年（1922），湘剧名艺人罗玉庭等8人继组寿春园，成立福禄坤班演出湘剧。湘剧女演员登台尚属首次，观众看个新鲜，生意盖过男班。民国十八年（1929），湘剧实行男女合演亦在该园，时称“市座之盛，风靡一时”。民国二十二年（1933）歇业。

景星园位于长沙西长街江南会馆旧址。由湘剧演员黄元和等组班经营，生意尚可。民国二十一年（1932），黄元和重新组班，景星园更名为环球戏院，民国二十七年（1938）毁于“文夕大火”。

此外，还有霓园、怡园、长春园、霓仙园等。

戏园亦有称为舞台者。如：湘舞台，台址设马王街，后迁育婴街，民国二年（1913）开业，由商人李荣斋建；楚舞台，民国三年（1914）开业，台址在桂花井，由沈察甫主持，以霓园戏班为班底，演出京剧；新舞台，民国十八年（1929）开业，是长沙历时最长的湘剧舞台，台址在育婴街，由湘剧名演员陈绍益、欧元霞等组班演出，为班园合一体制，曾为抗日多次义演，民国二十七年（1938）毁于“文夕大火”。此外，还有第一台、潇湘第一台等。

大约到20世纪20年代末30年代初，长沙才出现正规的戏院，或称剧场、剧院。较著名者有远东剧场、万国戏院、长沙大戏院、民乐大戏院、黄金大戏院等。

远东剧场位于长沙皇仓坪，民国十八年（1929）由杜亦吾创办。初演湘剧、歌舞，后邀京剧名伶言菊朋、言少朋来此演出。湘剧名演员王华运等亦来此演出，营业甚佳。民国二十六年(1937）停业。

万国戏院位于织机街，民国十八年（1929）梁月波邀股组建，演出京剧，嗣后与民乐戏院合并联营，上演京剧、歌舞等。该院开剧院编座号之先例，制座次表，观众可点号购票。民国二十七年（1938）毁于“文夕大火”。

长沙大戏院于民国十九年（1930）开业，位于小瀛洲，由萧石朋改建，是长沙一座较大的剧院，可坐八百来人。民国二十四年（1935）始演京剧、话剧，先请全国名班名角来长演出京剧等，如林树森剧团、马连良剧团，继请著名电影演员胡蝶等演出话剧。民国二十六年（1937）3月，京剧大师梅兰芳在该院演出梅派拿手戏《宇宙锋》《西施》《洛神》,轰动长沙。民国二十九年（1940）由张竹依等组股经营，院址迁坡子街。民国三十六年（1947）复由京剧演员王麟坤等经营，重建剧院于登隆街。

民乐大戏院建于民国十九年（1930），创建者蒋宝山，院址在南门当铺巷，初放电影，后演京剧。在汉口聘银艳芳、金慧鳞、金利元三姊妹登台献艺后，生意渐佳。[1]后与织机街万国戏院合并，京剧、话歌、歌舞均演。该院于日寇犯湘时歇业。

黄金大戏院于民国二十九年（1940）开业，是湘省较大的京剧院。院址在登隆街，由梁月波经营，自组京剧班底加聘名角演出，后停业。1946年复业，院址迁织机巷，1949年8月停业。

各大戏院每当有新戏上演，都要在戏院门前悬挂水牌。主要介绍当时或近期演出班社演员阵容及上演节目，以黑色为底色，均以白水粉书写。又在繁华大街张贴海报，对著名演员则以巨幅红纸书金黄色楷书，对颇有声誉的演员以红纸书黑字。报刊广告一般为大型剧院所用，以广造舆论，招徕观众。

附：1910年至1949年长沙的戏园、戏院名录（部分）

水府庙剧场	四喜茶园	皆宜公司剧场
宜春茶园	燕云湘月歌台	三尊炮戏院
同春园	寿春园	景星园
湘春园	福春园	长春园
豫园	潇湘第一台	日霓园
湘舞台	楚舞台	新舞台
万国戏院	民乐大戏院	世界大戏院
霓仙园	美西施戏院	远东剧场
怡园	百合湘剧场	银宫戏院
民生大戏院	长沙大戏院	大吉祥戏院
环球戏院	江南戏院	中央大戏园
时代大戏园	民众剧场	正义戏院
金城戏院	联华戏院	绿萍书场
巴黎戏院	雪园戏院	国光戏院

① 素子．长沙戏院素描［N］．上海申报，1933-12-17.

美琪戏院	新湖南剧场	城南戏院
仁记戏院	裕丰剧院	中国饭店二剧场
工余戏院	美丽戏院	新民戏院
北正戏院	众乐戏院	雅园
自力戏院	黄金大戏院	

（四）花鼓戏开禁反映社会风气开放

湖南花鼓戏的形成年代较地花鼓迟，现在所见较早的记载出于清乾隆年间。乾隆《辰州府志》记载："舞灯之后，又各聚赀唱梨园，名曰灯戏。"黄启衔《近事录真》说："采茶戏，亦名三脚班……二旦、一小花靥，所唱皆俚语淫词。近日吾袁州及长沙各处，此风尤炽，乡村彻夜搬演，浅识者多为此迷惑……又有湘阴某，亦业是戏。"可见道光年间长沙、湘阴等地演唱采茶戏，在农村非常盛行，深受群众欢迎。

花鼓戏从现身之日起，就遭受到统治者的鄙视和扼杀，列为淫戏，严令禁演。晚清长沙府就颁布过"省垣首善，敦俗为先，淫戏卖武，偷禁久宣"[①]的告示。宣统元年（1909）《长沙日报》记述岳州禁演花鼓戏的一则消息称："花鼓淫戏，大干例禁，平日尚且不敢演唱，何况国制限内。现在该邑西乡奉扬团，擅敢违禁，演唱淫戏。梁大令访悉，随即严饬，差役驰赴该地，率同团保签拘班头，并将会首等一并解案研讯重惩，以维风化。"常德"禁止淫戏"的消息更为详尽，明确记述了在常德不准演唱花鼓戏的具体情况："警察局行政员曾君德生，曾在省垣警察学堂毕业。昨奉省府尊孔派斯席接事以来，除昼夜查拿烟赌外，并查拿演唱花鼓淫戏，以端风化。"[②]有的花鼓艺人被提锣毁箱，并抓去坐牢游乡。

① 长沙日报［N］.1909-4-13.
② 长沙日报［N］.1909-4-10.

尽管当权者视花鼓戏如洪水猛兽，恣意扼杀，但禁而不绝。民众瞒过官府，于新春偷演，铺四只扮桶，搭几块门板，缚草为台，往往一唱就是一个通宵。因不能堂而皇之地登入堂庙，只能偷偷摸摸地唱，人们给这个剧种取了个有趣的雅号——“躲躲乐”。

其实，地花鼓节目虽有下流曲调者，但大多数节目反映的是农村生产和生活情况，或描写青年男女的婚姻爱情，也有表现人们的社会态度和政治理想的作品。如《十二月采茶》《十绣》《五更里》《四季花儿开》《盘花》《闹花》《采莲》《扯笋》《捡菌子》《扯萝卜菜》《打花鼓》《卖杂货》等。许多流行的地花鼓、花灯节目，融合或穿插在花鼓戏的一些剧目中，如长沙花鼓戏《刘海砍樵》最后一段两人对唱的[望郎调]，《菜园会》中的一段歌舞《放风筝》，都是地花鼓节目。花鼓戏《看镜》《耍金扇》等节目中，保留了地花鼓的演出形式。花鼓戏中的许多表演身段，如“荷花出水”“半边月”“老鹰展翅”等，仍和地花鼓、花灯中的舞蹈动作一样。各地花鼓戏中采用的民歌小调，一部分与地花鼓的曲调基本上相同，如[十杯酒][比古调][闹五更][卖杂货调][送郎调][烟花女告状][采茶调]等。

民国初期花鼓戏陆续进入长沙城，只是一现而止。20世纪20年代，有三洛新太班和赵少丰的义和班在长沙演出时仍遭到查禁。1933年3月2日，有艺人在营盘街中华戏院私演花鼓戏被处罚。同年秋，牖民社民新剧社在半湘街长沙旅社内演出花鼓戏，被警方取缔。直到1946年，长沙花鼓戏艺人钟瑞章、张寿保组班，通过喜爱花鼓戏的社会贤达人士出面，疏通市政府和市公安局有关官员，在戏剧电影业同业公会黄元和（湘剧演员）等的支持下，才得到这些部门的口头应允和取得公安局治安科“特业许可证”，剧本报送审之后，于同年秋在位于中山路的绿萍书场会演，节目是《蔡坤山犁田》《三喜临门》等。因人少戏寡，行当不齐，基本功又远不如湘剧，上座零散，开张失利，戏班陷入窘境。正在进

花鼓戏《刘海砍樵》老剧照，何冬保饰刘海

退维谷之际，钟瑞章想到了原来所在西湖班，这一带艺人功底扎实，行当整齐，剧目丰富，当即两下华容、南县等地，将何冬保、胡华松等十多位艺人接到长沙。这次生、旦、净、丑俱齐，经过慎重选择上演戏码，反复走台合乐，于1947年4月初在绿萍书场登场。小戏是《扯萝卜菜》《芦林会夫》，大戏是《田氏谋夫》，初步稳住了阵脚。艺人们在艺术上精益求精，新戏不断，陆续推出了《秦雪梅》《天丝绢》《孟姜女》《刘海砍樵》等大本戏。这类剧目，由于故事连贯，西湖路的唱腔别有风致，观众骤增，连续演出3个多月，几乎场场爆满。为取得演出的合法性，经艺人合议，假以湖北楚剧（楚剧当局不禁）之名，行演花鼓之实，正式挂牌。至此，长沙花鼓戏终于冲破禁令，扎根省城，从乡野草台子进入城市戏剧舞台，结束了百余年来“躲躲乐”的历史。从1948年至1949年，进城唱花鼓戏的班子达20个之多。花鼓艺人由起初的20来人增至200多人。从长沙楚剧改进社分出来的新义花鼓戏剧团和民众花鼓戏剧团正式在长沙落脚。

（五）京剧入湘与票友会的兴起

清末随着经济、社会的发展，市民的文化娱乐生活也开始出现了变化。光绪二十七年（1901），作为国粹的京剧（民国时称平剧）传入长沙。该年，长沙京剧票友王定保从武汉邀请京剧艺人九盏灯等来长沙，创办九如北班，因为受湘剧的排挤，只能在大西门外的水府庙演出。后来在孚嘉巷开设了四喜茶园，九如北班在茶园演出，并改名为“四喜京班”。[①] 这是长沙有京剧的开始。光绪三十一年（1905），来自上海、湖北的一些京剧演员在长沙组成了元庆班，在市内进行演出[②]，促进了京剧在长沙的发展。

宣统三年（1911），孚嘉巷宜春茶园暂时停业。适有从北京南来的京剧艺人穆春山、李赶山等，为谋生计，组织三庆京班，承租宜春茶园演出京剧。开演之前，又遇叶德辉等阻挠，经央请湘军将领杨岳斌之后豪绅杨巩（绰号杨三豹子）及厦门提督孙道仁之后人七大人、湖南藩台庄赓良之侄庄钟渊等人从中斡旋，才准参加老郎庙，进城演出。民国二年（1913），有熊姓商人组织京剧坤班于樊西巷仁美园，名曰“霓园”。后又有李荣斋等人，另组京剧班于马王街小瀛洲旁，名曰“湘舞台”，座位舒适，布置雅洁，演员阵容整齐，业务驾于霓园之上。又有东安席某，在小瀛洲席少保（清末湘军将领席宝田）祠堂，建筑新式剧场，名曰“楚舞台”，所聘演员除接收原霓园的角色外，还从北京聘来猴子戏班，演出《大闹天宫》《十八罗汉斗悟空》等戏，名噪一时。民国七年（1918），又有金融业巨商李某，投资将桃花井第一台改建为“潇湘第一台”，演出京剧，因南北战争，时局不宁，未久即停。民国九年（1920），湖北人王景堂组织“景春园”于箭道巷，亦上演京戏。

20 世纪 20 年代末至 1938 年“文夕大火”前是京剧在湖南大发展的时期。1929 年，梁月波、叶尚农等利用同春园旧址创万国大戏院，先放映电影，后改演京戏，先后聘北京名旦徐碧云来长演出《玉堂春》《绿珠坠楼》等剧目，观众耳目为之一新。旋又邀著名老生言菊朋来湘，演出《打鼓骂曹》《法场换子》《让徐州》等剧目，生意很好。随后又有京剧演员花想容来长演出《牡丹亭》全本；武生马麒麟演出《三本铁公鸡》，真刀真枪，大打出手。

---

① 长沙市志编纂委员会．长沙市志：第二卷［M］．长沙：湖南出版社，1995：96.

② 长沙市志编纂委员会．长沙市志：第十三卷［M］．长沙：湖南出版社，1996：12-13.

四大名旦，从右至左：荀慧生、梅兰芳、尚小云、程砚秋

1930年，有原赵恒惕部下退伍军官新化刘铏（人称"刘八胡子"）及回族军人蒋葆三等，联合新化帮矿商，在南门外当铺巷新建民乐戏院（即后来的劳动剧院），聘海派上海著名红生夏月润及其子谭派老生夏荫培（谭鑫培的外孙）和老生张月亭等，来长演出《关公走麦城》及《卧薪尝胆》等剧目，业务大振。又接来海派老生刘荣升、孙柏龄及名旦三牡丹姊妹，演出《香罗带》《潇湘夜雨》等名剧，并演出扶风社票友、北京名票程君谋之侄程富荪所编的《再生缘》新剧本。

1935年至1937年，京剧四大名旦先后来长沙。首先是1935年5月18日程砚秋偕同老生王少楼等来民乐戏院演出3天打炮戏《荒山泪》《青霜剑》《春闺梦》。随后1936年2月23日又聘来荀慧生剧团，3天打炮戏为《红娘》《红楼二尤》《锁麟囊》。1936年4月29日又聘来尚小云剧团，演出《雷峰塔》《汉明妃》《摩登伽女》等剧。[①]

1936年秋，新闻记者萧石朋兄弟与碧云轩纸庄杨叔权合伙，在小瀛洲原江南戏院旧址改建一所大型扇形剧场，名为长沙大戏

① 李渔村．四大名旦来长沙［M］// 长沙野史类钞：下部耆旧文存．陈泽珲，编辑．长沙：岳麓书社，2011：466.

院。又会同梁月波，首先邀聘京剧著名红生林树森来长开台。开台仪式，焚香鸣炮，演出《五路财神》，接演关公戏。是年冬又续邀京剧名角马连良剧团来演出，有马富禄、叶盛兰等，阵容齐整，首先演出《借东风》，前鲁肃，后孔明，马连良一人兼演两角，使满座倾倒，特别是《青风亭》《打登州》这些剧目，过去长沙戏迷都很少得见。

1937 年梅兰芳主演《黛玉葬花》剧照

1937 年春，萧氏兄弟不惜重金到北京聘请梅兰芳剧团来长做一周的短期演出，梅剧团的阵容惊人，有老生奚啸伯，小生姜妙香，大净刘连荣，小丑萧长华，武旦朱桂芳（九阵风），贴旦姚玉芙（芙蓉草），老旦李多奎等人。梅兰芳于 3 月 16 日抵长，18 日上演，3 天打炮戏为《宇宙锋》《四郎探母》《西施》。后又演出《洛神》《黛玉葬花》《太真外传》《廉锦枫》《霸王别姬》《起解大审》等，还演出加场昆曲《思凡》《刺虎》。票价高到银元 4 元 8 角（随票赠龙井茶一杯），场场爆满，连站票都要收 1 元。省主席何键夫妇每晚必到，东茅街一带车水马龙，街巷两旁行人林立，以争一睹“芳”颜，时称为“万人空巷看梅郎”，盛况空前。[①]

1938 年春，梁月波又成立黄金剧院，聘来上海标准京剧团，由顾无为、卢翠兰夫妇上演《樊梨花移山倒海》《柴竹林观音得道》《白蛇传》等连台本戏，以机关布景相号召，再度轰动长沙。萧扬武等人又在中山路国货陈列馆后的银宫大戏院，聘李雅琴、白淑云、金继谭等先后上演海派京剧，还上演由田汉编导的《江汉渔歌》《梁红玉》等剧。

① 萧石朋，梁月波．十九年前梅兰芳先生来长盛况［N］．长沙日报，1955-12-9.

当时抗战军兴，烽火连天，沪宁一带京剧艺人，多假道长沙去桂林、昆明、重庆等地，因此，颇为热闹。1938 年秋初，山东京剧团由山东戏剧学校校长王泊生率领，亦在黄金戏院上演过《打金砖》，誉满湘城。

1938 年 11 月长沙“文夕大火”之后，长沙戏剧走入低潮，京剧艺人有的远走高飞，有的流离转徙。“数角演后，遂关门告终，现时平剧之在长者，一有黄金，一为长沙，抗战军兴，交通阻隔，自不若昔日之行当齐全矣。”[①]

京剧在长沙立足和发展，促进了本地地方剧种的发展，同时产生了一种新的娱乐团体——票友会。1901 年，从北京回湘的京剧票友王定保，组织一些喜爱皮黄的人，取名“九如北班”，在小西门外水府庙戏台演出《朱砂痣》《九更天》《桑园寄子》一类京剧折子戏。由此，京剧传入长沙，催生了无数京剧票友。1905 年，一些湘剧票友组成了长沙最早的群众性戏曲团体——吟曲社。京剧票友会以银行界的“银社”最为有名，角色和文武场面齐全，尤以程派青衣票友谭季奎（绰号“谭麻木”）饮誉一时。谭季奎于 20 世纪三四十年代在长沙中央银行工作。他是谭延闿的侄孙，两广总督谭钟麟的曾孙。谭季奎早年随父辈在北京，曾拜程砚秋为师，学到的几出程派名剧，系得自真传。每次演出，一曲《锁麟囊》，声惊四座，观众无不击节赞赏。谭季奎平日满口长沙方言，而且口吃得厉害。但上得台来，一口“京白”虽不说炉火纯青，也可称无懈可击。如果不是认识他的人，实不敢相信台上千回百转的程派唱腔、轻柔的道白和婀娜的身段，与台下的期期艾艾者，同是一人。[②] 票友出场演出照例不售票，都是戏票分赠亲友。

20 世纪 30 年代，上海百代唱片公司灌制的京剧唱片在长沙

① 饶省三．长沙之有平剧［N］．湖南大公报，1944-2-27.

② 李渔村．“银社”名票“谭麻木”［M］// 长沙野史类钞：下部耆旧文存．陈泽珲，编辑．长沙：岳麓书社，2011：464.

风行一时，稍有经济能力的人家无不以拥有一台留声机引为时尚，街头巷尾大人小孩都能哼几句京戏。在京剧唱片风行的影响下，湘剧也有了灌制唱片的欲求。1935 年夏，戏剧家田汉到上海百代唱片公司交涉，要求百代公司来长沙录制一批湘剧唱片。当时，百代公司的人还不知有湘剧这个剧种，经田汉的再三推介，才答应来长沙。田汉马上写信将此消息告诉他的亲戚、长沙《市民日报》的总编辑蒋寿世，其是一位著名的湘剧票友，几乎每天都要到远东剧场看戏。

录制唱片在其时是一种很时尚的事情，但长沙却没有一处隔音建筑，蒋寿世只好借用青年会后面几间钢筋水泥的房屋。百代公司的制片机器笨重，用很大的木箱装置，蜡盘比方桌还大，机器安置在青年会之后，又用厚麻布袋密缝成帘，紧闭门窗，作为隔音设备勉强凑合。由于天气炎热，录音室密不透风，唱制一个蜡盘，就要打开门窗换空气，新声票友社社长曹运钧等演职人员无不汗流浃背。然而，没有一人退却，个个乐此不疲。

在协商录音报酬时，打听到梅兰芳灌 1 张唱片，送报酬 2000 银元，提到湘剧最少索价 200 元 1 张。百代公司经手人认为来长录制，是在原计划以外的交易，同时湘剧唱片销路尚无把握，不同意出此高价，经蒋寿世反复交涉，达成 100 元 1 张的协议，共录制唱片 24 张（计 48 面）。在湘剧录音之后，又临时邀了零散艺人贺玉卿、张满等，录制了 3 张花鼓戏的小调，仅仅送了少许报酬。湘剧录音的皆当时的名老艺人，计有陈绍益与田华明合唱的《掘地见母》，吴绍芝唱的《盘盒楞寇》，王华运、周福坤、廖福芬合唱的《断桥会》，徐福桂、郑福秋合唱的《百花赠剑》，杨福鹏、廖升主、吴绍芝合唱的《水淹七军》，唐树生唱的《御街阻挡》，黄菊奎唱的《程济赶车》，吴绍芝唱的《白门楼》，王华运唱的《十不贪》，陈绍益唱的《取成都》，郭福全唱的《上天台》，彭福仙唱的《落花园》，陈福峰唱的《定军山》等。[1] 这是湘剧最早录制的一批唱片。

三、“文明戏”的传入及其对社会流行时尚的影响

辛亥前后，一种新式的戏剧剧种——话剧，又称新剧，俗称“文明戏”，出现在省城长沙。辛亥革命前夕，长沙的革命宣讲活动极为活跃，许多学生采取化装演讲、白话演讲的方式，取得了很好的效果。之后，学生们开始化装用白话表演，时称学校剧，可谓是长沙话剧的先声。话剧搬上银幕，并通过诸多技术和艺术上的演变，由此产生另一门类的“文明戏”——电影。电影在20世纪30年代曾风靡湖南的城市，影星始有“粉丝”，很大程度上推动了湖南城市风俗从传统向时尚的演进。

（一）新式戏剧的传入和发展

1912年，欧阳予倩邀请春柳社成员陆镜若等人来长沙演出，此为长沙有话剧演出的开始。1913年，又召集一批有志青年参与演出，影响很大。长沙先后成立了社会教育新剧团和文社等话剧团。民国初期的话剧多为家庭剧，由于贴近生活，许多剧目上演后，深受观众欢迎，尤其在长沙各级学校同学会中广为流行。

话剧的产生和发展与近代中国资产阶级民主革命思潮有着密切关系，1907年，欧阳予倩、曾孝谷、李叔同等深受西学和民主革命思想影响的留日学生在东京创办春柳社，采用分幕布景的方式以华语公演《黑奴吁天录》，是为中国近代话剧诞生的标志。之后，王春华在上海组织春阳社，翻演《黑奴吁天录》，是为中国本土话剧演出的开端。随着欧阳予倩等一批富有爱国精神、倾向革

---

① 长沙野史类钞：下部耆旧文存［M］. 陈泽珲，编辑. 长沙：岳麓书社，2011：427.

1907 年春柳社公演《黑奴吁天录》剧照

命的知识分子陆续归国，他们开始运用这一新式宣传武器鼓吹革命、宣扬新思想。此时的话剧演出大多集中在上海，尚未深入内地。

在辛亥革命前夕，随着民主革命高潮的日益高涨，长沙的宣讲活动也日益活跃，形式多种多样，长沙的学生就经常采用化装，然后用说白话的形式进行宣讲活动，已具备近代话剧的雏形。

1913 年春天，国民党湖南支部的主要负责人龙璋、周震鳞等颇具影响力的士绅积极引进新剧，他们认为“通俗教育为万政待举之首图，编演新剧为通俗教育之急务”，于是决定“仿照东西各国剧法，组织社会教育新剧团，编演剧类”，而“期于针砭恶俗，启迪愚蒙”。为达到这一目的，他们在原先设立的社会教育团下创办了湖南近代第一个话剧团体——社会教育新剧团。[①] 该剧团成立后，首先从上海邀请欧阳予倩及春柳社、上海新剧同志会来长沙演出，同时也邀请了上海另一知名话剧人士上海进化新剧团名角顾无为同来长沙串演。欧阳予倩带领春柳社成员来长沙演出话剧，为长沙近代话剧的开始。长沙社会教育新剧团带有营业性质，外聘话剧名角或以长沙本地新话剧演员为班底组建。这些剧团除行

① 湖南省地方志编纂委员会．湖南省志：文化志［M］．长沙：湖南出版社，1991：65.

政事务人员外，最主要的就是演员，同时还设有专职或兼职编剧、导演、布景、道具、灯光、效果等人员，有的还另有乐队或歌舞队。还有一些剧团，人员最多 50 人，最少 15 人，一般为 30 人左右，其经营方式与薪酬，大都与长沙职业戏曲班相同。欧阳予倩及顾无为等上海话剧团来长演出，所排剧目，目的在于启发民众，宣扬新式理念。前往观看演出的以政界、学界中人最多，虽然票价不菲，需一元之昂，但是观众热情不减，演出时座无虚席，新式剧种从一开始便显示出了对民众的吸引力。1913 年秋天，社会教育新剧团由长沙左文襄祠迁往大东茅巷小瀛洲演出，并更名为文化新剧团，又邀请话剧名角陈大悲、汪忧游等参与演出，所上演剧目大多为历史剧。1914 年春，来长演出的话剧演员相继返沪，文化新剧团营业不久即告衰落,无奈再次改组,更名为进化新剧团，迁育婴街演出，并由《湖南日报》编辑徐汉涛主持相关事务，采取降低票价等措施，吸引客源，经营状况曾一度有所好转。1915 年前后汤芗铭都督湖南时，话剧团体曾遭取缔，但是欧阳予倩播下的话剧种子，已经植根于湖南，尤其是青年学生及其他爱国知识分子，更是认识了话剧，了解了话剧，更学会了如何利用话剧来进行宣传，以更有效地唤醒民众。1916 年春，袁世凯称帝，举国唾骂，长沙修业学校校友会组织化装讲演团，在原善化县文庙（即今大古道巷东文庙坪）演出话剧，据说其演员中有当年春柳社和文社的人。欧阳予倩看了这次演出，在《长沙日报》上发表了两首小诗。其一曰："春花春柳总尘埃，文社飘零剧可哀。不道当年广陵散，又随杜宇过江来。"

欧阳予倩（1889—1962），原名立袁，号南杰，艺名莲生、兰客，笔名春柳、桃花不疑庵主，浏阳人。欧阳中鹄之孙。15 岁留学日本，参与春柳戏剧社创立，1907 年演出话剧《黑奴吁天录》，获极大成功。1911 年回国组织新剧同志社等戏剧团体，积极倡导话剧,并写作大量剧本。同时迷上了京剧,从名旦小喜禄专学青衣。

其行径曾引起家庭反对、亲朋责难和社会非议，他却说："挨一百个炸弹也不灰心。"这年冬，家里促归，他临行前还在张家花园登台演出京剧《宇宙锋》。1913年，欧阳予倩在长沙参加社会教育团，在北正街左文襄祠上演湖南第一幕新剧《家庭恩怨记》。接着又编了针砭时政的《运动力》，上演后引起当局不满，以致社会教育团解体。于是另组文社，在原长沙府学宫（今长沙市西文庙坪）继续演出，编演了红楼戏《鸳鸯剑》，自饰尤三姐，轰动一时。文社积极鼓吹民主革命等新思想，反对封建专制，并不顾长沙封建守旧势力的阻挠，强行以学宫街明伦堂作为演出的舞台，先后上演《热血》《不如归》《猛回头》《运动力》《社会神》等剧目，对长沙社会民众产生广泛的影响。文社上演的都是反对封建旧思想、旧道德、旧传统，宣扬新式民主自由等观念的剧目，理所当然地受到封建守旧势力的不满和反对。汤芗铭督湘，文社被封闭，成员遭捕杀，欧阳予倩脱险回到浏阳。翌年春复去上海，在外滩办春柳剧场，演出京剧《玉堂春》《祭塔》等，一时与京剧大师梅兰芳齐名，有"南欧北梅"之誉。1922年，浏阳遭大旱，欧阳予倩先后两次率团回长沙义演救灾，桑梓之情，可昭日月。欧阳予倩还进行过改良京剧的尝试。1919年在江苏南通开办中国最早的培养京剧演员的伶工学校。1921年举办民众戏剧社，创刊《戏剧》。1926年参加南国社，开始从事电影工作。1932年参加左翼剧联。抗日战争期间与田汉等人在长沙、桂林等地组织国统区抗日进步演剧活动。中华人民共和国成立后，任中国文联副主席等职，有《欧阳予倩剧作选》传世。

在五四运动以前，话剧团演员都是男性，"五四"之后，女演员始登上舞台。此后，话剧在长沙民众中日益发挥着重要的影响，尤其是长沙的青年学生以及爱国的进步知识分子，他们继承和掌握了话剧这一新的表演艺术形式，并将其作为重要的宣传武器，每遇到重大历史关头，在长沙街头都可以看到青年学生们排演话剧的身影。虽然，长沙初始时期的话剧在表演上尚有些生硬，在认识上略显幼稚，表演服装欠缺，存在模仿照搬等方面的不足，但是，作为一个新生的剧种，它的诞生，不但丰富了长沙地区的戏曲艺术，而且以其通俗易懂、易看、灵活机动、贴近民众的特征，在社会宣传活动中发挥了积极的作用。

1929年夏成立的冻雨剧社影响较大，在短短的两年间，先后在远东剧院演出过《古潭的声音》《名优之死》等话剧。每次演出后都编有《冻雨周刊》专栏在《大公报》发表，时称“长沙剧运的先锋”，传播了反封建的斗争意识，锻炼培养了一批进步的演艺人才。1930年7月，红军一度进占长沙，冻雨社负责人左天赐由于参加红军，担任《红军日报》编辑，冻雨社因此停止活动。之后，朱之倬等另行组织青春文艺社，初有成员10多人。1934年，逆流剧社部分社员转入，青春文艺社发展至40来人，出版过《青春周刊》，公开号召青年要以坚实的生活为基础，以人类与民族的前途为目标，追求“光明与热情”，反对封建腐朽与堕落，并力主抗日。10月，该社在青年会游艺场公演话剧《他们四个》《黎明》等，受到民众与媒体的肯定与好评，当时的《市民日报》载文赞扬：“在沙漠似的长沙，有人能掏出血汗来表现自己的艺术，是值得欢迎的。”①

1931年九一八事变后，民众爱国热情空前高涨，在“国防戏剧运动”的旗帜下，话剧由于符合时代要求，日益受到民众的认同和喜爱。长沙戏剧界还成立了抗日救国会，在《国民日报》辟有戏曲副刊《长沙戏剧界》，征集新剧本，开展戏剧评论，宣传爱国抗日，推动长沙抗日救亡运动的发展。1933年成立的逆流剧社以“谋求发展中国话剧，帮助社会教育”为目的，时常进行演出，以推动话剧的发展。抗日战争爆发后，逆流剧社加入抗日宣传洪流，

① 湖南省地方编纂委员会.湖南省志：文化志［M］.长沙：湖南出版社，1991：21.

先后演出《日出》《黑地狱》等剧目。白雪抗敌剧团的前身是长沙基督教青年会白话剧团，1933 年改名为白雪剧团。1936 年，抗日救亡运动波及湖南，该团演出《复活的怒吼》以唤醒民众的抗日救国精神。次年，“一九三六剧社”部分社员转入，改名白雪抗敌剧团，有团员 30 多人，先后演出《为国牺牲》《杀尽倭奴》，观众为之流泪。此后继续积极为抗日募捐义演，公演《死亡线上》《最后一幕》，所得收入捐献出来为前方将士缝制寒衣，还组织农村化装讲演队及街头话剧队，并常赴湘潭及长沙城乡演出街头话剧。

1937 年抗日战争爆发后，长沙活跃着众多话剧社团，学生们也纷纷走上街头，进行演出，宣传抗日，大大激发了民众的抗战热情。这一时期著名的社团有：

一致剧社。1937 年 10 月，由民国大学学生和流亡来长的外地青年，经陈定、关穆等发起组成。1938 年初充实和扩大阵容，董每戡任导演，后兼社长，其时有社员 30 人，其中主要成员有贺镜清、胡蒂子、陈新、张曙、张时、陈明、蒋砺等。1938 年 4 月，举行第一次公演，后又参加多次广场联合公演，每日两次去电台进行话剧播音，影响渐大。同年 6 月社员增至 90 人，把《争自由之歌》（董每戡词，冼星海曲）作为社歌。他们实现了社歌的要求，成了抗战初期长沙剧运的台柱子。1938 年 8 月，长沙市紧急疏散，一致剧社改组为一致抗敌流动宣传队，去常德、沅陵等地坚持活动。1939 年被迫解散。在长沙演出剧目有《最后的吼声》《火海中的孤军》《敌》《天津黑影》《菱姑》《中国妇人》《古城的怒吼》等。

长沙儿童剧团。1938 年 4 月在田汉、洪深等关怀和支持下组成。团长田海男（田汉儿子，时明德中学学生）。该团成立后，利用课余时间在青年会集合练歌、排戏，每逢周末集中活动。开始主要从事播音、街头宣传以及慰问伤兵和难民等活动，后曾与长沙战时儿童服务团联合公演，并将演出收入全数捐给了战时儿童保育会湖南分会。演出的主要剧目有《中华儿童血》等儿童话剧，系剧团自己创作。1938年8月住地被日机炸毁,成员向大后方撤离,后并入闻名全国的孩子剧团。

育英儿童抗敌工作团。抗日战争爆发后，长沙市育英小学是中共地下组织的一个活动据点。1938年1月学校成立了中共支部,在东乡设立了分校,同时开展了“读书会”“识字班”“街头学校”“流动图书馆”以及抗敌戏剧、歌咏活动，培养了一批进行文化宣传的儿童骨干,经常参加市内学生救亡活动和演出。长沙“文夕大火”后，学校挑选近20个具有一定条件的学生于12月25日成立抗敌工作团，由校长孙伟领队，在市区、市郊以及邻县巡回开展抗日救亡文化宣传。至1940年停止活动。

中华平民教育促进会抗战剧团。1937年秋，由熊佛西带领中华平民教育促进会农村剧团（后改抗战剧团）来长沙。其时长沙抗日救亡话剧尚处于启蒙阶段，话剧在民众中尚无根基。平民教育抗战剧团来长后，有演员60人，自11月1日起至18日止，连续公演了18天，演出《后防》(熊佛西编剧，杨村彬导演)、《战歌》(杨村彬编剧,贺孟虎导演)、《一片爱国心》(熊佛西编导)、《电线杆子》(周彦编剧，刘江导演）等剧目，共演了40来场，场场满座，熊佛西称“是他干戏剧运动以来第一次”。抗日救亡话剧从此赢得了长沙观众的喜爱。此后,该团根据自己倡导的“穿过都市,深入农村”的口号，在长沙稍事停留之后转往他处。

国立南京戏剧学校巡回公演团。1937年秋，国立南京戏剧学校“为唤起全国民众巩固后防”，“组织非常时期巡回公演剧团至各地公演”。9月初,随学校迁来长沙,月底在民众大礼堂公演《最后关头》，当时报纸称赞：“诚不愧为振聋发聩抗敌救亡之名剧，观众千余人，莫不感动非常，亟思奋起杀敌。”此后，经常参加长沙各重大活动的联合演出。11月初又以该校研究实验部师生组成巡回公演队，在长沙城郊及邻县进行抗日救亡演出。特别值得一提的是，国立南京戏剧学校专业性强，经常为各演出团体进行培训指导，并为长沙带来了一批抗日名剧，为湖南抗日救亡戏剧运动的发展作出了巨大的贡献。在长期间，剧校演出的剧目还有《炸药》《反正》《毁家纾难》《雷雨》《日出》《香姐》《警号》《东北之家》《疯了的母亲》等。

长沙临时大学剧团。北大、清华、南开大学迁来长沙后，1937 年 10 月成立长沙临时大学。为进行抗日救亡宣传，年底组成长沙临时大学剧团，并在民众俱乐部上演《暴风雨之前夕》（根据阳翰笙《前夜》改编）。此后，积极参与省会各种重大活动的联合演出，同时也多次进行街头演出。该团主要导演有李也非、陈诠、蒋萍，主要演员有宋哲夫、吴天若、高景星、刘雷、何方等。剧团还排演了《夜光杯》，但因 1938 年春学校迁滇，该剧未能和长沙的观众见面。[1]

这一时期，田汉、洪深、白薇、曹禺、熊佛西、孙伏园、成仿吾、欧阳予倩、欧阳山尊、吴祖光、向培良、董每戡等人，都在长沙从事过文化活动，有的主办演讲，有的直接组织抗日戏剧活动，对促进长沙戏剧事业的发展起了重要作用。

（二）电影业的兴起和发展

电影是近代时期晚出但是却流传很快很广的文化娱乐事业，1895 年自法国诞生之后，次年即传入中国，首在上海放映，初期多为无声的黑白影片。1905 年，长沙青石桥宜新浴室首次放映引进的无声黑白短片，电影自此开始传入湖南。当年的《长沙日报》以“青石桥新到外国大戏”为题，进行报道称：本园主人“用暗房之妙术，传大陆之观形，尺幅间自有光怪陆离、风云变幻、活像如生、化工巧夺。前在武昌开演，蒙湖广总督张宫保赏鉴，播

① 董每戡. 最近的长沙剧坛［N］. 戏剧新闻，1938-5-1.

列报章中，其人莫不鼓掌称奇。兹在青石桥老德香斋内开演，男女分坐，招呼周到，务请光临为盼。每夜七点钟开演，风雨无阻，夜夜新戏与别不同”。所放映的电影有“大变把戏，伦敦回禄，美女化身，兵式体操，大游月府”等。之后，又有长沙东茅巷学仕馆、福星街黄氏宗祠、小西门水府庙以及长沙青年会、明德学堂、周南女校等地都公开放映过电影短片。此后数年，年年有私商临时租赁场地，短期放映电影。因为当时放映的电影都是无声的，很多是新闻片，一般市民看不懂，且票价昂贵，难以承受，所以观众很少，电影在这一时期很难得到普及。不过，这毕竟是一种新的文化娱乐方式的传入，为民国后电影在长沙的普及创造了条件。

辛亥之后，1914 年，长沙开始出现专门的电影院，较著名的为长沙青年会电影院，即后来的燎原电影院。该院利用教堂作放映厅，银幕规整，座椅舒适，以放映宗教影片为主，间或也放映故事片，如《珠宝案》等。影片精彩且图片清晰，青年会还配有专门的语言翻译，方便了观众，从而大大提高了公众观看电影的兴趣。电影作为一种新型的娱乐形式，初入长沙时，并不为民众所认可。如宜新浴室首次放映电影时，社会反响并不热烈，不到两周就开始降低票价，以招徕观众。据当时《长沙日报》载："青石桥之灯影戏园经长善两首县禀请大宪照会英领事，饬令暂为停歇等情，闻该园现在将赴他处，遂复推广座位，约容七八百人，盖欲减价数日，以便择期他往云。"但是，电影以其新颖、多变的形式逐渐地吸引了越来越多的观众，观看电影日益成为民众喜爱的娱乐方式。电影不仅给长沙百姓提供了新的娱乐形式，同时也对百姓的生活方式和思想观念产生了很大的影响。

1915 年 11 月 9 日至 12 日，有旅湘法人祁拔司、乃甫、俄罗汉 3 人带来了放映设备和影片，在东茅街影戏园（原大信织布厂厂址）放了 3 天电影，以为慈善机构补充经费，对外售票银元 3 元一张，往观者均为商业界和神职人员，所放映的是一些纪实性的影片，如《法奥皇帝之御客》《法太子肖像》《法皇威廉抚循士卒》《校阅海军》《兴登堡元帅与军官谈话》《神甫为阵亡将士祈祷》等，盛极一时。这年，还有汉口百昌电影分公司在育婴街新剧园放电影，所放映片如《旅客被窃》《亲夫拐奸》《画像骗衣》《私情未了》《美女被害》《游戏跳舞》等，已有了生活情节。①

以后较为正规的影院当推1925年建在八角亭西侧的西牌楼百合电影院，该院由长沙基督教青年会会员魏乔年等人创办，可容观众800名，设施完备，院容整齐，满场之日居多。初期主要放映欧美无声片，如《情海狂澜》《牧师奇遇》等，为吸引观众，特地请英语教师易怀曾把剧情翻译成中文向观众讲解。1931年6月至8月，该院先后放映美国有声片《花团锦簇》和国产有声故事片《虞美人》，从此有声片落户长沙。这一时期长沙著名影院还有织机街的平平（平平后又在白马巷、丰瀛里开设影院）、万国，鱼塘街的东方、中央、世界，青石井的海天，新街口（今东牌楼口）的民乐，吉祥巷的吉祥，又一村的民众和清泰街（今北正街）的美西斯等。②

1932年开业的国货陈列馆附属的大礼堂，初名银宫戏院，从开业第一天起就名声大震，在省内外及港、澳、台同胞中也享有盛名。银宫戏院曾接待过第一流的剧团，著名的京剧艺术家马连良等曾在这里演出。有声电影问世后，长沙商人魏延年与湖南省建设厅职员刘天职、蓝肇琪等人集股投资，租赁了银宫戏院，改装设施，建成银宫电影院，于1935年3月2日正式开业。当时是省内放映设备最好的电影院，拥有两台上海新蔡司伊康和百代有声放映机及整套幻灯设备，并配有电话、自来水、电风扇、锅炉等。银宫以放映国产有声电影为主，如上海联华公司拍摄的《大路》《渔

① 杨方田．长沙电影业的发展［J］．长沙市北区文史资料，［出版年不详］（4）：126—127.

② 非薄．电影——长沙的舶来品［N］．湖南国民日报，1932-1-17.

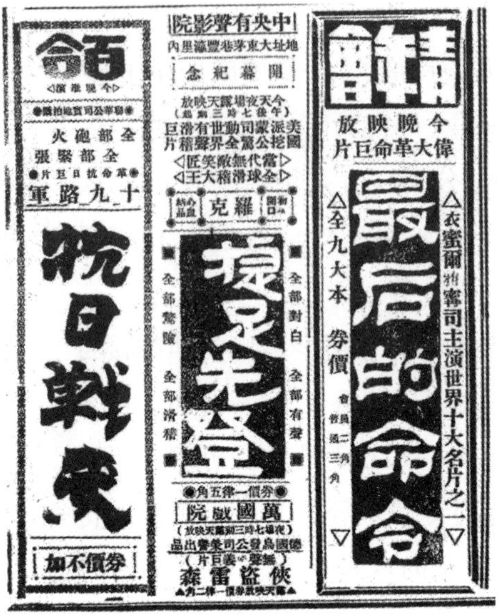

1932 年 8 月 16 日湖南《大公报》电影广告

光曲》《新的女性》等进步影片，深受广大观众，特别是青年学生的欢迎。湖南大学的学生分批集体来看，长沙掀起了一股看爱国电影的热潮，产生了巨大的影响。[①]1938 年日寇迫近长沙，这些电影院大多数停业。

1934 年，湖南有了专业的影业公司，即大华影业公司，由江苏人周福堂在长沙西鱼塘街独资创办。周原是粤汉铁路的一个车童（乘务员），在一些片商的支持下，于 1932 年来长沙代理发行影片。他白手起家，不到两年，筹建了一个面向全省发行影片的大华影业公司。公司有会计、业务、管片、放映员等 12 人。从上海天一影业公司等购进一些影片租给全省各地电影院。同时,还接受外地个体影片发行商的委托,代理发行影片 100 多部。其发行影片的租金因片因地而异，一般首轮卖座的影片，在常德、湘潭、衡阳等地每场银元 100 元，邵阳每场 50 元，武冈、新宁等县城每场 20~30 元。公司还拥有放映机和发电机 5~6 部，经常派电影班子携机带片到各地放映电影，一出去就是几个月。到 1937 年，已发展成湖南垄断性的影业公司，其影片发行业务遍及全省，电影班子也深入到洪江等边远山区城镇。1938 年长沙“文夕大火”，多数电影院被焚，大华影业公司迁到衡阳，继续向全省出租影片，并与当地商人合资开办金城电影院。1940—1942 年，因影片来源日趋枯竭，业务一度萧条。1943—1944 年，从重庆买来苏

① 宗法．银宫［N］．湖南国民日报，1935-2-21.

联片《十三人》《无敌坦克》以及卓别林主演的美国影片《大独裁者》等，又从上海、香港走私购进一些国产片、英美片，十分卖座，生意骤然兴隆。侵华日军迫近衡阳，大华影业公司迁柳州、桂林等地，不久即告结束。①

银星电影院

电影院分布地区逐年由大中城市向各小县城和偏远山城扩散，1925 年以前仅长沙、湘潭等几个城市有电影院。至 20 世纪三四十年代，湖南各地大都有了比较固定的电影院，分布于除长沙、湘潭外的津市、郴州、醴陵、衡阳、邵阳、沅陵、常德、益阳、祁阳、零陵等地。如 1930—1949 年，全省有固定场所的影院，长沙 27 家，津市 1 家，郴州 2 家，湘潭 3 家，醴陵 3 家，衡阳 2 家，邵阳 4 家，沅陵 1 家，祁阳 2 家，益阳 9 家，常德 2 家。②

抗日战争胜利后，长沙电影业蓬勃发展，黄兴路上多了一家名气很大的影院。这就是 1947 年由蒋寿世等人创建的银星电影院。该院有座位 1034 个，从上海购回美国放映机，注重放映质量，高薪聘请技师担任放映员，服务员彬彬有礼。放映的《一江春水向东流》《天亮前后》等贴近市民生活的影片，情节感人，引起极大反响。银星电影院 1956 年公私合营，1958 年转为国营，1996 年建平和堂商厦时拆除。

此外，抗战后，今长沙万代广场处有国泰电影院（即后来的

① 欧阳晓东，陈先枢．湖南老商号［M］．长沙：湖南文艺出版社，2010：570.
② 湖南省地方志编纂委员会．湖南省志：文化志［M］．长沙：湖南出版社，1991：219.

大众游艺场），中山公园（今青少年宫）内有和平电影院，原刘胡兰塑像处还有华南电影院。

（三）明星流行时尚对湖南民俗及民众生活的影响

新式戏剧和电影的传入，给湖南社会，特别是城市生活带来了一股新鲜空气。20 世纪 30 年代的长沙，每次电影明星的莅临都能引起一次小小的轰动，也成为当时报刊最热门的新闻题材。那时中国有两位电影女明星宣景琳与胡蝶来过长沙。宣景琳主演的影片有《少奶奶的扇子》《上海一妇人》《歌场春色》等,并与胡蝶合拍《姊妹花》，成为当时上座率最高的巨片。1935 年 7 月湖南《大公报》载，宣景琳的剧团来到了长沙。这时正值长沙百合电影院首映她的《歌场春色》，而且片前还有一段她的清唱《汾河湾》，所以赢得了长沙人的青睐，剧场门庭若市。传闻中有一名军爷，看中了这位半老徐娘，特设堂会请她出席。因传说此人有金屋藏娇之习，她没有去，因而得罪了这位军爷，被责令不许离开长沙。宣景琳焦急万分，只得托人找何键的女婿李觉求救。李觉说："莫怕，我送你上船。"这样，宣景琳才悄悄离开长沙。此事成了当时长沙市民茶余饭后的谈资，足见明星的魅力。

电影明星宣景琳

1938 年长沙《力报》刊载郭维麟《湖南人》一文，讲了另一位电影明星——杨耐梅对长沙人生活的影响。他说：

湖南人爱新鲜，又爱时髦。不过新鲜与时髦的时间性很长，倒是一个特点。例如六七年前杨耐梅曾到过长沙一次，堂堂电影明星，自然要哄动一时哪。而至今长沙还流传着所谓“耐梅装”的时装和烫发的式样。凡是一个新鲜，在湖南人的心目中都能如此永久地固执着，诚然不可谓之不朽也。为了爱新鲜，所以湖南人怕“朽”，于是“朽”字便被用到骂人上去了。如果你的态度神气有点不讨湖南人的欢喜，他们会说你是“朽气叶叶”的“朽崽”。

电影明星杨耐梅

胡蝶到长沙曾遭到了长沙市民的围观。1944 年 2 月 28 日下午 5 时，“记者从八角亭经过，见复盛绸缎庄门前围了一大堆人，向门里张望，记者顺眼向里一看，并没有好像是照例的如争吵之类的场面。问问这些人，才知道是‘看胡蝶’”[①]。胡蝶 10 年前就到过长沙，这次是为宪兵子弟学校筹募基金而来参加音乐会的，但记者和民众津津乐道的却是胡蝶的风韵和演技。记者说：“昨天见过她的人都说，胡蝶的风韵不减当年……记者最近看过胡蝶的《歌女红牡丹》，她本人虽谓这影片的‘空气不宜’，然她个人的表演，确较十年前配音的《歌女红牡丹》进步万倍。以色相看胡蝶，胡蝶是正

电影明星胡蝶

① 一行．胡蝶初见印象［N］．湖南大公报，1944-2-29.

在大有为的英年。”

以上这些报道折射出长沙民众对明星的钟爱，连穿着都要模仿明星，可见当时明星的“粉丝”效应已影响到民众的日常生活，也说明民国中期长沙“追星族”的消费风尚已相当前卫。

除了上述外地明星经常来湖南外，湖南本地也涌现了不少明星，这也是明星为什么在湖南能得到追捧的重要原因之一。20世纪30年代，湖南籍电影明星主要有：

电影明星金山

金山（1911—1982），原名赵默，字缄可，湖南沅陵人。父赵锦文在江浙一带经商，后定居苏州。青少年时期，金山当过学徒。后在上海学画、学诗，参加京剧表演，并参加反帝大同盟，1932年加入中国共产党。1935年，与章泯组织东方剧社。同年秋，又组织“上海业余剧人协会”，先后主演外国名著《娜拉》《钦差大臣》和电影《狂欢之夜》《夜半歌声》，成为著名戏剧和电影明星。1936年，组织“四十年代剧社”，主演话剧《赛金花》《爱与死之角逐》和电影《貂蝉》。“七七”卢沟桥事变后，参加上海戏剧、电影界联合大公演，演出话剧《保卫卢沟桥》。“八一三”淞沪会战后，与洪深共同组织“上海救亡演剧二队”，任副队长，演出话剧《放下你的鞭子》等。同年冬，组建“中国救亡剧团”，金山任团长，历尽艰险，远渡重洋，到香港、新加坡、马来亚、越南等地向华侨募捐演出《塞上风云》《卢沟桥》《九一八以来》等救亡话剧。1942年2月，剧团到达重庆，他主演历史名剧《屈原》，演出时间长达月余，场场爆满。

胡萍（1910—？），湖南长沙人，因多才多艺，能编善演，被人称为作家明星。曾在长沙远东咖啡馆当过招待。田汉发现她具有演戏的天赋，就介绍她到上海进入戏剧界。她先加入上海大道剧社，参加演出了《街头人》《乱钟》等舞台剧。1931年，胡萍进入电影界，先后在“友联”和“白虹”影业公司拍摄了《海上英雄》和《绿林艳史》两部影片。1932年加入左翼戏剧家联盟。1932年至1933年，在明星公司参加拍摄了7部影片，其中的《恋爱与生命》和《姊姊的悲剧》两片由她担任女主角。《姊姊的悲剧》的剧本由她编写，高梨痕出任导演，男主角是郑正秋。1933年秋，她转入艺华影片公司，主演了《烈焰》一片。1934年至1935年，胡萍在“艺华”主演或担任重要角色的影片有史东山编导的《女人》、阳翰笙编导的《生之哀歌》、蔡楚生编导的《飞花村》、洪深编剧的《时势英雄》以及欧阳予倩的名作《新桃花扇》等，成为“艺华”的台柱子。1936年，胡萍转入新华影片公司，主演了史东山编导的《狂欢之夜》及田汉编剧、史东山导演的《青年进行曲》。1937年她主演了影片《夜半歌声》，在此片中，她的演技得到了充分的发挥，获得好评。抗日战争爆发后，胡萍积极参加四幕话剧《卢沟桥》在南京大华戏院的演出。抗日战争后息影，世人不知其所终，一说1945年去世，一说抗战后隐居长沙。

电影明星胡萍

王人美（1914—1987），原名庶熙，湖南长沙人。1926年考入省立第一女子师范学校。1927年，王人美到黎锦晖创办的上海美美女校学习歌舞，黎锦晖为她改名王人美。同年加入上海中华

电影明星王人美

歌舞团。1931 年加入联华影业公司成为电影演员。明月歌舞剧社改组为联华歌舞班的当年，王人美在孙瑜编导的《野玫瑰》中饰主角，该片公映，王人美一举成为明星。1937 年抗日战争爆发后，王人美拒绝为日寇拍片，积极参加抗日活动并参与了以“七七事变”为主题的大型话剧《保卫卢沟桥》的演出。抗战期间她主要从事话剧活动。抗战胜利后返回上海，为防止国民党对进步艺术家的迫害，在中共上海地下党的关怀下，王人美等一批影剧名人避居香港。1949 年 12 月随港澳电影界观光团回广州参观。1950 年由香港返回上海，进昆仑影片公司。

白杨（1920—1996），原名杨成芳，又名杨君莉，湖南湘阴人，生于北平（今北京）。父亲为清末举人。1931 年，由于家庭破产，父亲弃家不知去向，兄嫂出去独自谋生，母亲病故，白杨三姐妹相继辍学，这时白杨刚满 11 岁，迫于生计，白杨投考联华影业公司北平分厂演员养成所，随即在影片《故宫新怨》中饰演角色。同年在上海参加左翼戏剧运动，因主演《梅萝香》《茶花女》等话剧，在剧坛崭露头角。1936 年进入上海明星影片公司二厂，与赵丹联合主演《十字街头》，一举成名。抗战爆发后，在上海参与组织影人剧团，辗转武汉等地进行抗日宣传工作。1938 年到重庆，在中华剧艺社演出《天国春秋》《屈原》《法西斯细菌》《雷雨》等剧。1946 年回上海，在昆仑影业公司主演《八千里路云和月》《一江春水向东流》等进步影片。1948 年赴香港拍片。1949 年 4 月返回北平，11 月到上海电影制片厂当演员。

电影明星白杨

由于这些明星是湖南人，湖南观众对他们有着特殊的好感，长沙各大影院每当放映他们主演的演片时，总是一票难求，售票窗口很早就挂起“客满”牌。

尤其是胡萍，她由于出道前当过远东咖啡馆的女招待，成为长沙市民热议的对象，“远东”的生意也因之经久不衰。名记者严怪愚曾有一段文字记述这一事实：“远东，开设已经近七年，为聘请女招待之先知先觉者。现在银幕走的最红的胡萍，便由这里出身。虽则胡萍自己现在上海竭力否认曾在长沙当过女招待，可是记者那时正是远东的老主顾，天天看见过她，与现在的她，样子并没有两样，所以我仍是说胡萍确在远东当过女招待。”[①]

20 世纪 30 年代，湖南民众心目中最红的明星是电影明星兼歌星的两栖明星。湖南被视为中国近代流行音乐的发源地之一，盖因中国流行音乐的奠基人乃湖南湘潭人黎锦晖。黎锦晖曾说过：“明月社的音乐活动，与我的创作分不开，而我的作品，又与我从童年开始的音乐生活分不开。我童年玩弄过古琴和吹弹拉打等乐器；也哼过昆曲、湘剧；练过汉剧、花鼓戏。”[②]

黎锦晖（1891—1967），湘潭“黎氏八骏”之一。自幼学习古琴和弹拨乐器，家乡民间音乐和当地流行的湘剧、花鼓戏、汉剧等戏剧音乐对他影响至深。1927 年创办中华歌舞学校，后又组建中华歌舞团。1929 年在上海组织明月歌舞社，并到全国各地巡回演出。1931 年，明月歌舞社并入联华影业公司。黎锦晖所创作的《桃花江是美人窝》，当年湖南城镇学校的男女学生几乎人

音乐家黎锦晖

① 严怪愚．长沙咖啡店的几个镜头［M］// 张湘涛．民国文人笔下的长沙．陈先枢，杨里昂，彭国梁，辑录．长沙：国防科技大学出版社，2012：197.

② 黎锦晖．我早期的音乐生活［M］// 民国文人笔下的长沙．陈先枢，杨里昂，彭国梁，辑录．长沙：国防科技大学出版社，2012：258.

人会唱。《桃花江是美人窝》由黎锦晖于1928年在南洋群岛巡演时创作，这首歌曲源自他的一段爱情经历。他曾在1911年和长沙女校一名学生、后来成为他妻子的梁惠方相约来到梁的家乡——湖南省桃江县桃花江畔。那里春意盎然，桃花艳丽，女子秀美，所以“桃花美人”作为艺术意象留在了黎锦晖的脑海里。1928年南洋之行，他面对海滩椰树，又想起了桃花江的旖旎风光和那些秀美的女子，便一气呵成写了这首闻名遐迩的《桃花江是美人窝》。黎锦晖把他的长女黎明晖培养成了“中国歌坛第一位流行乐歌星”。

黎明晖（1909—2003），黎锦晖长女，生于湘潭，长于上海。黎明晖12岁即登台唱歌，其演唱的《毛毛雨》《人面桃花》等歌曲在20世纪二三十年代风行一时。15岁步入影坛，1925年首演《不堪回首》。以后，相继主演《战功》《小厂主》《柳暗花明》《可怜的秋香》等影片。1934年，黎明晖和胡蝶、阮玲玉、陈玉梅一起被称为“影坛四大金刚”。1938年主演《凤求凰》后退出影坛。

湖南影迷对黎明晖的痴迷程度，可从黎明晖同父异母的弟弟黎泽荣的讲述中略见一斑。黎明晖在81岁时曾回忆她早年艺术生涯故事：有一次，湖南湘潭一位“影迷”写信给她，由于不知道通讯地址，信封上只写了五个字“上海小妹妹”，她居然收到了这封信。原因是1925年她由歌坛转入电影界，在神州影片公司的《不堪回首》中饰演了一个天真烂漫的少女，之后又在大中华影片公司摄制的由张织云主演的无声电影《战功》中饰妹妹，演出之后获得“小妹妹”的雅号。可让黎明晖风靡一时的却不是电影，而是在1927年她演唱父亲

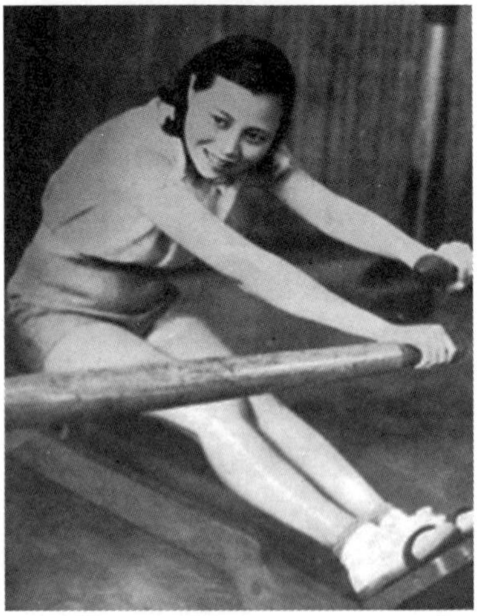

电影明星黎明晖

写的《毛毛雨》。“毛毛雨，下个不停，微微风，吹个不停……奴奴呀只要你的心……”一时间，这首歌传遍湖南长沙、湘潭、衡阳、常德等城市的大街小巷。[1]

黎明晖在那时候的上海，装束跟一般女子有别，人家梳长辫子、穿旗袍，她却冲破束缚，大胆表现自己。她是短发、短衬衣、短裤或短裙。这样的装扮显得十分前卫。长沙各女校的学生纷纷仿效，散学时满街都是短发短裙的女生，“明晖装”很快在湖南各城市流行起来。

“流行”一词，《辞海》的解释是“迅速传播或盛行一时”，并无褒贬的色彩。可是，它一旦与“美”字连在一起，情形就不一样了。在社会生活领域里，新的、美的东西较易流行，是事物发展的必然规律，它反映了人们正常的审美心理。一支歌唱腻了，就想有新歌来代替；一种服装款式穿厌了，就想变换一下花样。这种流行的时尚美，必然会反映到消费行为和商品的流行样式上来。民国时期湖南城市民众从明星流行时尚中感受到审美愉悦，这反映了审美活动的共鸣观象。包括明星带来的流行歌曲和流行服饰所表示出来的优美情调和姿态深刻地触动了欣赏者的心灵，使受众把自己的感情与其交融在一起，产生了强烈的仿效的欲望。此时期民众对明星流行时尚的社会心理具有如下几个明显的特点：

一是新鲜心理。新鲜心理主要表现在流行的开始。每一种流行，开始都是以与众不同的形式和方法出现的。愿意接受新鲜事物是人类的本能，所以民众常乐于接受明星带来的新的、稀少的东西。因此，流行初期是以稀少、新鲜感强烈为特征。不稀少，也就不新鲜，流行就过去了。明星时尚有很强的新鲜感，容易引起人的注意，所以能使人更快更早地注意到行为主体。有些人喜欢模仿明星别出心裁的打扮，实际上是希望引起他人的注意。人们在崇

① 伍婷婷．中国第一位歌星黎明晖［N］．潇湘晨报，2016-3-6.

尚流行时，既要求模仿，又要求个性化。由此形成了流行时尚繁复多样化，同时也说明了求新心理是一种普遍的、易变的、不稳定的社会心理现象。

二是从众心理。从众心理主要表现在流行初起阶段。这一心理决定了一定时期的流行趋势，并使加入流行的人数在整个流行过程中呈正态分布。从众心理有顺从和盲从之分。一般说来，社会上对流行极为敏感的人和不屑一顾的人都是少数，绝大多数人对剧目、歌曲乃至商品等的审美心理是随着流行时尚的发展而转移的。顺从是自觉的行为。人们往往认为，凡是合乎潮流的就是好的、美的，反之就是落伍的和过时的。顺从表现了人们寻求社会认同感和社会安全感的心理。所以，这部分人乐意接受为大多数人所接受的东西。这种顺从大多数的心理和个人自愿接受社会行为规范的倾向，是明星时尚得以流行的重要条件。

三是优越心理。即流行时尚在民众心目中的审美价值，认为优越即为美。那些明星的追捧者们，以明星的所好为己之所好，认为流行时尚的核心是能表现自我。他们仿效明星行为和装扮的动机常表现为炫耀和好胜，希望高人一等。总希望他人对自己的行为模式、娱乐方式，以及穿着明星服饰所衬托的地位和风度予以羡慕和赞赏，因而在明星时尚流行时，有意追求自己的心理形象，尽管这种人在当时湖南还只占总人口的少数。

四、20 世纪 30 年代的湖南戏剧改良运动

20 世纪 30 年代，湖南曾有过一次戏剧改良运动，起始的目的是当局为控制舆论导向而展开的戏剧审查。但后来湖南戏剧界自发地掀起戏剧改良运动，他们将爱国进步、抗日救国的时代主旨与戏剧改革紧密结合起来，推动了现代戏剧的形成与发展。总

的说来，在官方和民间的双重作用下，戏剧得到了改良净化，其内容更加健康与符合时代精神，形式更加活泼，更能满足民众的精神需要。

（一）政府推动的戏剧改良运动

20 世纪 30 年代何键主湘时期，省、市政府十分重视戏剧的改良和发展，极力强化戏剧普及大众及教化的社会功能，试图通过戏剧审查使剧目内容更加符合统治者的需要。

一是强化戏剧管理与审查机构，确保戏剧“党化”。早在 20 世纪初，设在长沙的湖南省图书馆兼教育博物馆、湖南通俗教育博物馆以及其他文化团体，是由湖南地方政府作为社会教育事业纳入教育部门进行管理的。当时，长沙市并没有设立专门的文化事业管理机构，因此，长沙的戏曲班社、影剧院等均由长沙戏剧电影业同业公会和戏曲行业的老郎庙公会按行规自行管理。政府仅制定相关规章制度，命令各单位照章执行。清末民初，历届政府以改良戏剧之名，开始强化对戏曲界的控制，通过戏剧审查使剧目内容符合其统治的需要。何键主湘以后，尤其加强了对戏剧的监控。1929 年 10 月，由国民党湖南省党务指导委员会、省教育厅、长沙市警察局等 8 个部门组成湖南省戏剧审查委员会，以“改良戏剧，使戏剧党化”。1930 年 3 月 29 日，戏剧审查委员会第四次会议制定《禁映（演）电影戏剧检查标准条例》，其中规定：“凡违反本党主义政纲政策者；侮辱团体者……”均不准上映（演）。当年民乐戏院影片《马永贞》《荒江女侠》等遭到禁映。1931 年 1 月，省戏剧审查委员会配合长沙公安局取缔“排街戏”“隔壁戏”，禁止男女同台演出。该委员会前后活动近十年之久，对戏曲界控制极严，规定无论新旧剧目，“凡违反本党主义政纲政策”“诲淫诲盗妨碍善良风俗”“妨碍公共秩序”者一律不得出演，违者拘押重罚；禁止长沙戏剧界上演“淫秽、迷信、荒唐、有损国体、轻蔑劳工、毫无艺术价值”等剧目，对某些有鬼怪出现或揭衣挑逗场面的戏曲则厘定改良，并先后公布禁演剧目三批。[①]

二是将影剧院列为特种行业，审查通过后方可开业。长沙市警察局规定，创办电影院和剧院者，必须到警察局申请登记，领取开业许可证方可开业。而且，开业后必须先请市政府社会科和警察局看片（戏）审查，通过后方可上映（演）。平时规定影剧院设军、警、宪弹压席，否则视为拒检，将扣留影片或封闭电影院或禁止剧（节）目上演。与此同时，通过长沙警察局对一些不守法的戏班、剧院进行取缔、驱逐、法办。1930年，警察局禁止远东湘剧场上演《蝴蝶杯》，并“法办”剧院经理和艺人；1933年9月，牗民新剧社在半湘街长沙旅社演出花鼓戏，经理陈鹏飞遭罚。此后，还集中200多名艺人进行“三民主义”思想教育，查禁女艺人唱排街戏，派员去剧院“审查节目”等。[②]

三是注意发展民众的正当娱乐。为了进一步普及戏剧，省政府先后在长沙成立了民众国术馆、国乐研究社、平（京）剧社等团体。国乐研究社以发扬中国固有文化、保留传统技艺为目的，备有传统乐器、管乐器、敲击器等，聘请专家任教，学习《将军会》《春江花月夜》《霓裳羽衣舞》《阳关三叠》等乐曲。平剧社有社员30余人，聘请名演员担任指导，多次演出《审头刺汤》《宝莲灯》《铁公鸡》《空城计》《武家坡》等剧，颇受社会好评。[③]

与此同时，湖南戏剧界自发地掀起戏剧改良运动，他们将爱国进步、抗日救国的时代主旨与戏剧改革紧密结合起来，推动了现代戏剧的形成与发展。20世纪30年代初，日寇大规模侵华，

① 谭仲池，薛其林．长沙通史：现代卷［M］．长沙：湖南教育出版社，2013：555—559.

② 长沙市志编纂委员会．长沙市志：第十三卷［M］．长沙：湖南出版社，1996：55.

③ 宋斐夫．湖南通史：现代卷［M］．长沙：湖南出版社，1994：324.

长沙民众抗日爱国热情高涨，开展了以爱国主义为中心内容的创作和演出活动，进步文艺出现了前所未有的高潮，戏剧的改革与发展紧紧围绕抗日救亡这一新的时代内容展开。为揭露日寇暴行，激励国人抗日救亡，1931 年 5 月 1 日，长沙《国民日报》在《国民公园》创刊号上辟《改良戏剧专号》，再次鼓吹戏剧改革，在湖南戏剧界立即掀起一次自发的改良戏剧活动，鼓励编排适合时代要求的新剧成为戏剧改良极其重要的内容。长沙戏剧界为此积极奔走演出，1931 年 12 月 9 日至 11 日，长沙市戏剧业抗日救国会在远东湘剧场举行湘剧 6 班联合演出，踊跃为前方将士募捐义演。1931 年元旦，长沙市戏剧同业公会罗裕庭等编写的《倭奴毒》第一集《血溅沈阳城》在长沙新舞台公演，全城为之轰动。1933 年，长沙成立皮影改良研究社改良演出剧本。这些新剧的编写与公演对宣传抗日、改良古老戏曲均起到了促进作用。在戏剧抗日宣传及全城学生抗日救亡运动的双重影响下，长沙城乡掀起抗日救国的演讲高潮，据省民众教育馆 1935 年 2 月统计，仅在 1 年多时间里，抗日救国通俗演讲达 172 次，特别演讲达 106 次。[①] 此外，这一时期还涌现了众多由知识分子组成的非营业性新剧社如冻雨剧社、青春文艺社和白雪抗敌剧团等。“说他们要说的话，发泄他们要发泄的感情；也为着别人，给他们以欲听未听的话，欲见未见的事。”[②] 他们自筹经费，自编自导排演《娜拉》《日出》等名剧，紧紧围绕抗日救亡的时代主旨排演话剧，讽喻时局，宣传抗战，有力地推动了湖南抗日救亡运动的发展。因而这些剧社不愧享有“长沙剧运先锋”的称号。

总之，在官方和民间的双重作用下，戏剧得以改良净化，内容更加健康与符合时代精神，形式更加活泼，更能满足民众的精神需要。当然，政府当局种种措施的推行，无疑也强化了当局对

① 长沙市志编纂委员会 . 长沙市志：第十三卷［M］. 长沙：湖南出版社，1996：74.
② 湖南大公报［N］.1930-2-17.

戏剧的监控，戏剧有时难免不成为当局灌输反动思想、控制社会舆论的工具之一。特别是“禁止男女同台演出”等规定简直是历史的倒退，这与省主席何键的尊孔思想有很大关系。

（二）抗日战争初期的抗敌演剧运动

抗日战争之初，湖南在文化、新闻、出版事业蓬勃发展的同时，传统湘剧与各种新剧也参加到抗日救亡的洪流中来，并发挥了巨大作用。田汉曾说，中国自有戏剧以来，没有对国家、民族起过如抗战时期这样伟大的显著作用。[①]

1938年10月武汉失守后，国共合作的军委政治部第三厅从武汉退到长沙，该厅负责战时艺术宣传的处长田汉，与著名戏剧家洪深一道，深入湘剧班社，召开“湘剧改良”座谈会，号召湘剧宣传抗日救亡。田汉本来就是湘剧的爱好者，返湘后与欧阳予倩、葛一虹、任光、龚啸岚等湘籍名流，希冀通过创新剧目，改良唱腔，使古老的湘剧能够反映现代生活，参与抗日救亡宣传。为此，田汉发起排演了《骂汉奸》《湘北大捷》，亲自编写《江汉渔歌》《土桥之战》《梁红玉》等抗战剧目，并将《蒋世隆抢伞》等本为反映男欢女爱的传统湘剧剧目改良为时事剧，赋予其新的抗日救亡主题。剧情演变为：日寇铁蹄践踏处，田舍如洗，老百姓颠沛流离。在逃难的途中，两位青年邂逅，小伙子走失了妹子，姑娘走失了母亲。他俩共同控诉日寇兽行，在结伴同行中双方渐生爱慕，相互勉励要为国家民族做出一番贡献。

在田汉的推动下，长沙湘剧界纷纷表示“不肯作顺民，岂为敌歌舞”，并积极参与到湘剧抗日救亡宣传的潮流中来。名角徐绍清、王华运、吴绍芝、欧元霞、黄元和等纷纷组织湘剧抗日宣传队，

① 谭仲池，薛其林．长沙通史：现代卷［M］．长沙：湖南教育出版社，2013.：729—731.

开展戏剧下乡、戏剧入伍的抗日救亡宣传活动。《新九龙山》《新扫梧桐》《骂汉奸》《周武革命》等一批经过改良的湘剧剧目，大大地激发了爱国群众抗日救国的热情。

传统湘剧之外，抗战初期湖南活跃着众多新剧社团，如“青春”“醒狮”“赫曦”“今日”“北峰”“一致”“中国诗艺社”，另有一九三六剧社、逆流剧社、北烽剧社、白雪剧团、文抗会抗战剧团、战斗演剧队、青春文艺社话剧队、育英儿童抗敌剧团、工人剧团、长沙难民抗战剧团等多个演出社团，加上内迁的上海标准剧团、新时代剧团、南京戏校、山东戏校、北京雷电剧团、江苏大同抗日宣传队、临时大学剧团，以及军委政治部三厅抗敌演剧一、二、四、六、八、九队等外来剧团。省城长沙一度成为戏剧之都。

与承平时期的歌舞升平不同，国难时期的新剧团深入城乡，演出《血战卢沟桥》《新雁门关》《旅伴》《卢沟晓月》《南苑惊魂》《南口血战》《黄浦风云》《八百壮士》《放下你的鞭子》等抗日救亡剧目，奔赴抗战前线慰劳杀敌将士，同时筹款募捐，抗敌演剧运动发展至高峰，湖南大学、国立师范学院、周南女中等十多个大中学校剧团也广泛发动起来，各种大型演出不断，气势恢宏。这其中，田汉、曹禺、洪深、张曙、冼星海等亲自编剧、导演、作曲，创作出了一批高质量的抗日戏剧。《血战台儿庄》一剧公演时，下

抗敌演剧队在长沙演出话剧《国家至上》

着倾盆大雨，剧终后观众依然不肯退场，悲泣声、怒吼声此起彼伏，观者无不为之动容。

堪与救亡戏剧相媲美的还有空前活跃的救亡歌咏活动。全面抗战爆发后，大批歌咏团体应时而起。湖南文抗会歌咏协会、长沙音乐合唱团等本省在长沙的32个歌咏团体相继成立，另有外地迁来长沙的歌咏队7个。他们满怀激越的民族精神，宣传抗战思想，喷发胜利信心的激情，奔走于长沙的大街小巷，或引吭高歌，或慷慨悲歌，谱写了湖南抗战救亡运动中最为壮美精彩的乐章。他们教唱《大刀向鬼子们的头上砍去》《松花江上》《义勇军进行曲》《牺牲已到最后关头》等救亡歌曲，闻者无不泪流满面。周恩来、叶剑英、沈钧儒、茅盾、徐特立、郭沫若等也曾到影剧院、电台讲演，观看演出，慰问演艺人员，激发民众的抗日热情。

第七章

“新生活运动”和湖南社会风俗的变化

新生活运动是1934年至1949年中华民国政府推出的国民教育运动。其目的是为了规范国民生活，提高国民综合素质，改革社会,复兴中华。1934年2月17日,蒋介石在南昌发表了题为《新生活运动发凡》的演讲，指出："吾国革命之所以迄今尚未成功，即在于全国国民之生活形态始终无所改进。"并对新生活运动作出了概括和解释，即为"全国国民于食衣住行四项实际的基本生活能彻底改进之一种社会教育的运动"。新生活运动在湖南有其正面效应，也有其负面效应，但总的说来，对改良湖南的社会风俗起到了一定的作用。

一、20世纪30年代湖南的"新生活运动"

1932年10月29日，蒋介石第三次来到长沙视察。他先后视察了何键在长沙修筑的军事防务、何氏创办的国术训练所（设又一村民众俱乐部），以及周南、明德等三湘名校，并亲笔为之题词。30日，蒋介石偕夫人宋美龄视察了刚开业不久的国货陈列馆。馆长刘廷芳用英语为宋美龄讲解，蒋介石对湖南振兴国货的举措大为嘉许。31日，蒋介石偕夫人宋美龄到岳麓山致祭焦达峰、陈作新、黄兴、蔡锷四烈士，并游览麓山名胜。然后专门与何键探讨了传统道德问题。何键列举了他尊崇孔孟之道的哲学理论和主张尊孔读经的理由，"学生必须研究孔子经义以正其思想"，要使当代青年，特别是中学生，树立大学、中庸、五伦八德的思想观念。何键认为太平天国洪秀全之败，在于利用洋教邪说反对中国几千年来所尊崇的孔孟学说，违反了中国的传统习惯，所以被曾、左、彭、胡等知识分子打败。为维护礼教，提倡五伦八德，尊师重道，何键撰写了《八德衍义》《靖国本治大纲》《孙子评注》等书，印发服务守则、军人守则，每周纪念日，要求湖南的党政干部必须讲解背诵。何键的一些想法和经验，引起了蒋介石的重视。①

（一）“新生活运动”的内容

1934 年 2 月 19 日，蒋介石在南昌行营扩大纪念周上演讲《新生活运动之要义》。此后，一场新生活运动在全国范围内展开，旨在实现所谓“全国国民军事化”，并以“四维”“八德”统一国民思想。2 月 23 日，蒋介石在南昌再次讲演，对“新生活运动”的目的、内容和方法作了详尽的说明，主张以中国传统道德“礼义廉耻”为基本准则，以“整齐、清洁、简单、朴素、迅速、确实”为具体标准，从改造国民的“食衣住行”等日常生活入手，实现“国民生活军事化、生产化、艺术化”，从而达到“改造社会、复兴国家”的目的。

新生活运动的内容为：以“礼义廉耻”为中心准则，而“礼”又是“四维”“六艺”（礼、乐、射、御、书、数）之首，一切人和事都必须讲求“礼”。以“礼”为中心，“四维”相辅相成，缺一不可。贯彻这一中心准则，需从改造国民的“食衣住行”等日常生活着手。食，要求“食具须净，食物须洁”；衣，要求“洗净宜勤，缝补残破”，“拔上鞋跟，扣齐纽扣”；住，要求“剪甲理发，沐浴勤加”，“和洽邻里，同谋公益”；行，要求“乘车搭船，上落莫挤，先让妇孺，老弱扶持”。各方面以“整齐、清洁、简单、朴素、迅速、确定”为具体标准。其追求的目标是“三化”：“提倡礼义廉耻使反乎粗野卑陋之行为，求国民生活之艺术化”“提倡礼义廉耻使反乎争盗窃乞之行为，求国民生活之生产化”“提倡礼义廉耻使反乎乱邪昏懦之行为，求国民生活之军事化”。②

新生活运动的程序为：由自己做起，再求之他人。由公务人

① 谭仲池，薛其林．长沙通史：现代卷［M］．长沙：湖南教育出版社，2013：626.
② 严昌洪．20 世纪中国社会生活变迁史［M］．北京：人民出版社，2007：509.

员做起，再推之民众。由简要之事做起，再及其次。由不费钱、不费时、不费力之事做起，再行其余。由机关团体及公共场所，如学校、公署、车站、码头、戏馆、公园、会场等做起，再求之于全体之社会。

（二）湖南的“新生活运动”

1934 年 4 月 8 日，湖南人民新生活运动大会在协操坪举行。主席台悬挂着“宝贵时间，遵守信约”“整齐、清洁、简单、朴素”等标语。据报道，“大会参加踊跃，党政军的领袖，到了二百多人。签到团体，有学校一百〇九号，民众团体九十七号，机关团体六十四号，军警部队三十二号，每号有数十人到数百人不等，其中以干部教导大队和技术大队学员兵各二千多人为最多，合共三百多团体，人数在五六万以上”。还在省教育会坪、青年会、民乐剧院设了 3 个分会场，各会场都悬挂了宣传“新生活运动”的对联，如教育会坪台柱上贴对联：“礼义廉耻国之四维，乾坤不息纲常在；衣食住行人之要素，宇宙无穷运动新。”主会场和分会场都举办了游艺活动。主会场协操坪的游艺项目为国术表演、修业学校团体操表演、进化社的话剧《新生活》；教育会的项目为世界社话剧《爱之花》、国术技术大队高级班表演；青年会的项目为长中附小歌舞、白雪剧团话剧《夫妇之道》；民乐剧院的项目为市立二校歌舞、话

湖南人民新生活运动大会

剧界联合表演《父子之争》《教训》两剧。[1]可谓寓教于乐，精彩纷呈。

4月19日，各机关团体决定组织新生活促进会。5月4日，湖南省新生活运动促进会推举省主席何键为理事长，省党部，民政、财政、教育、建设四厅，西路军总部，保安司令部，省会警备司令以及民众团体代表为理事。

湖南的新生活运动分为两个时期。1934年2月至1935年3月为第一个时期，其中心任务是要实现全社会环境的整齐、清洁。为此，开展了识字、体育、守时、节约、禁烟、禁赌、使用国货、造林、放足、举行集体婚礼等30多项活动。1935年3月后，新生活运动进入到以实现“国民生活的艺术化、生产化和军事化”为中心的第二个阶段。国民政府企图通过实现“三化”，把国民生活推向“高尚、富足、巩固”的新阶段，以奠定“中华民族复兴之基础”。1935年华北事变后，面对咄咄逼人的日本侵略者，国民政府更加借重新生活运动以加强对国民的军事训练。这些健康、

老报刊中的新生活漫画

① 湖南通俗日报［N］. 1934-4-8，1934-4-9.

文明的社会活动，对净化社会环境，改善公民素质，促进社会开化，均起到了一定的作用。但是，由于蒋介石开展新生活运动的初衷“就是要使全国国民军事化”，就是要以孔孟的“四维”（礼、义、廉、耻）、“八德”（忠、孝、仁、爱、信、义、和、平）作为道德标准，来钳制民众的思想，所以，其局限性和负面影响也是不可否认的。总之，在内外因素的作用下，湖南社会风俗发生了一些可喜的变化。

二、新社会风俗带来社会礼俗和社会风气的改变

新生活运动前后，湖南当局为了实现全社会环境的整齐、清洁，展开了识字、体育、守时、节约、禁烟、禁赌、使用国货、造林、放足、举行集体婚礼等 30 多项活动，无论主观愿望如何，这些活动确为新社会风俗，带来了社会礼俗和社会风气的一系列变化。

（一）婚姻礼俗的改变和妇女地位的提高

民国初年“文明结婚”在湖南并不盛行，实际上在风气比较保守的地方，新式婚礼并不多见。20 世纪二三十年代之交，连省会长沙地区的嫁娶，仍以旧婚礼为主，新婚礼则“仅市区有之”。而一些较偏远或经济文化较落后的地区，更是普遍地实行旧婚礼。随着社会的发展，湖南地区新婚礼逐渐增多，在婚俗的选择上新、旧杂陈。熊希龄有诗反映了当时的婚姻状况，一种是媒妁之言，“父母爱汝切，为汝聘佳配。汝当益奋勉，鸡鸣相惕励”；另一种是自由恋爱，“及至欧化行，喜今而詈古。不凭媒妁言，不由父母主。交游邂逅间，可以身相许”。[①]

① 周秋光. 熊希龄集：下［M］. 长沙：湖南出版社，1996：1879.

到20世纪30年代后，自愿婚姻与新式婚礼渐兴，长沙女性获得进一步解放。国民政府1929年公布、1930年5月5日实施的《民国民法》确认了男女自愿结婚的原则，以法律的形式废除了腐朽落后的封建包办婚姻，确保了女性的自由平等，特别是婚姻上的自愿平等。新生活运动倡导的集体婚礼（集团婚礼）给当时普通百姓的日常生活和社会风俗带来了深刻影响。1942年2月，湖南省新生活运动促进会正式制定了《湖南省新生活集团结婚办法》。

其实在此办法制定以前，集团婚礼已进行过多次，如1936年3月9日《湖南通俗日报》报道：

> 本市第二届集团结婚，昨日（1936年3月9日）上午十时，在四方塘青年会举行。约午前七时，各新郎就先后到了。由引导员引往休息室，稍用茶点，就各分乘汽车，往女家迎亲。约八时，都双双来了。到十点钟，引导员先启请到场的党政军长官，并主婚、证婚、介绍人等，和观礼来宾进礼堂，再由男女傧相、提花女童，夹引七对新郎新妇，鱼贯而至。新郎戴灰色礼帽，蓝袍青马褂，新妇戴花冠，披红纱，手捧鲜花。左男右女，齐立堂中列成一字形。由司仪员喊礼，先行交拜，后向主婚人、证婚人等暨来宾行礼如仪。经市府黄科长宗濬宣读证婚书，由新郎新妇及主婚人、介绍人盖章后，再由主婚人何市长元文训词。大略说：夫妇为人伦之始，举行集团结婚，实行新生活，务望新郎新妇，结婚之后，注重敬、爱二字。敬，须夫妇相敬如宾；爱，即亲爱精诚，结合美满家庭，幸福无量。

在这种大气氛下，文明结婚在湖南城镇中实行渐多，县域也

民国集体婚礼

有推广。如《湖南各县调查笔记》下册介绍的涵德女校校长胡子敬与教员廖善媛的婚礼，就是典型的中西合璧式。又如1931年出版的《嘉禾县图志》认为新式婚礼的要旨在于“矫正奢侈，消弭诈伪，破除迷信，提倡质朴并酌采可以保存之旧制婚礼”。其仪式是“有媒妁，但改称介绍人，别推有声望者证婚，父或他尊长则为主婚人。届时，饰礼堂，植国旗，备婚证，并用彩轿或汽车迎新妇。新妇至，集男女二家主婚二人，证婚一人或二人，介绍二人，傧相四人或二人，及来宾行礼。傧相领新郎新妇相向三鞠躬，交换戒指，钤章于婚证。主婚人、证婚人、介绍人以次钤章毕，证婚人宣读婚证、致贺词，主婚人、介绍人、来宾分别鞠躬敬礼。礼毕宴客。谓之‘文明结婚’，其余旧仪一概免除”。在长沙，新婚礼，“其仪节较旧为简，首由男女同意，各告其父母许可，遂觅介绍人绍介，订立婚约，男女有交换戒指或其他物作证者。结婚多在大旅社或公共场所，门首悬旗结彩，庭设礼案，新郎新妇及主婚证婚介绍人，男女来宾均有一定席次，首读婚证、颂词，然后用印（或交换戒指），新夫妇行鞠躬礼，乃谢主婚证婚介绍人及男女来宾并答词，礼毕，谒见亲族如仪”[①]。衡阳一些新式婚礼更简

① 沈若愚，杨肇筠．长沙县调查笔记［J］．自治旬刊，1930（73）：20—21.

单，“新式者，新妇盛妆，乘坐花轿，西乐随行，入门，新郎互行一鞠躬礼而礼成”①。甚至在偏远的蓝山县，婚礼也受到大城市影响，趋向简化，据其县图志称：“近十年来，女子出阁时，揖辞家先亲戚，即升舆，稍革旧俗矣。然蓝俗自自治时已觉过奢，今益有以自节矣”。

总体而言，民国时期湖南婚礼以旧式为主、新式不多，呈新旧并存之势，新式婚礼在城市中稍为流行，并且是知识分子的自由恋爱、自由结婚。一般下层社会，尤其广大农村仍多沿旧习。虽然旧式婚礼仍占主导地位，但伴随着社会的进步，变革旧式礼俗成为大势所趋。民国时期湖南婚姻礼俗呈现出“新旧并存，中西结合”的特点。②

恩格斯曾经指出：“妇女解放的程度是衡量社会进步的天然尺度。”婚姻是家庭的基础，又是人生的大事，以家庭为本位的中国，婚姻有着至关重要的意义，近代湖南传统的婚姻习俗受到了来自西方近代文明婚俗的冲击，新的婚姻观念和新式婚俗也逐步流行起来。1931 年 5 月 5 日开始实施的《民法》“亲属”篇，规定了婚姻制度，比起此前的婚制，有着很大的进步：其一，规定“一夫一妻”“婚姻自由”“男女平等”，禁止妾制；其二，规定男女成婚年龄增大为 20 岁，“男子未满 18 岁，女子未满 16 岁，不得结婚”。这些法规中，男女在法律上第一次实现婚姻生活地位上的基本平等，结束了旧的婚姻关系。

新生活运动开展以后，湖南妇女的地位有所提高。政府也颁布了一些法令，如 1936 年省政府明令禁止蓄养婢女，法令称：“凡以慈善关系，或收养养女名义蓄养婢女者，均应禁止。并督饬所属调查婢女数目，列表登记，调查期间为四个月。在调查期内蓄

① 曾继梧. 湖南各县调查笔记［M］. 长沙：湖南各县自治调查办公处，1931.
② 周秋光，张少利，许德雅，等. 湖南社会史［M］. 长沙：湖南人民出版社，2013：1226.

婢者，应即声请登记。已经登记之婢女无条件解放，恢复自由。如系未成年而无家可归，或归家而家属无力赡养者，应送当地救济院或其他慈善团体安置。已满十六岁而无家可归之婢女，得征求其本人同意，代为择配。已经解放之婢女，其已成年者，如双方愿改为雇佣时，其工资斟酌当地生活情形核定。如未成年又无家属或家属所在地不明者，得选定当地之救济院或其他慈善团体之主持人为其监护人。逾调查期限而蓄婢者，不为登记之声请，得处以十元以下之罚金，并令补行登记。凡蓄婢者，对于已登记之婢女，抗不解放时，即送司法机关依法办理。”①

20 世纪 30 年代的湖南已出现反家庭暴力的案例。1931 年 5 月 13 日湖南《国民日报》刊登了一起名为《夫用烙刑，姑绝饮食》的新闻："常宁人欧阳和，娶同邑南乡秦淑文女士为妻。欧秉性凶恶，其母廖氏亦悍恶非常。故淑文过门之初，即遭虐待……每至深夜，辄因细故，鞭笞不已。终因邻里群起公愤，彼见法律森严之地不能任其所为，乃将淑文送回常宁西乡故里。”秦淑文从乡下来，在城里住，作为依附于丈夫的小媳妇，惨遭鞭笞、“铁器红烙其皮肤”，其惨状令常宁县的群众忍无可忍，向县署控诉。从新闻中那一句“彼见法律森严之地不能任其所为”可知，当时已有相关法律保护遭受家庭暴力的妇女。这乃是民国初期大理院（民国最高法院前身）就制定了的“不堪同居之虐待”可判离婚的法令。在 1916 年大理院审理的“夫殴妻”的离婚案中，认定“夫虐待其妻，致令受稍重之伤害者”即可判离。②

民国时期的婚姻制度虽有一定的进步，但婚姻恶俗陋习仍在民间延续。湖南奴婢和童养媳仍在部分农村盛行，买卖婚姻将女人当作商品，使之失去人格。纳妾（一夫多妻）、抢婚、包办婚姻

---

① 湖南通俗日报［N］. 1936-2-12.

② 王坤，徐静莉 . 大理院婚姻、继承司法档案的整理与研究［M］. 北京：知识产权出版社，2014：113.

等现象在湖南仍然存在。

1934年4月22日，湖南省妇女会在长沙中山纪念堂成立，何玫、周天璞当选为理事。12月30日，湖南省新生活运动促进会成立妇女服务团，以女教职员及公务员为基本成员，进行宣传、服务，配以警方的督促和检查。1936年2月，国民政府在新生活运动促进总会下增设妇女指导委员会，以宋美龄为指导长。长沙也随之成立了该组织，推动妇女参与宣传、组织，以进一步推动"新生活运动"。这一时期，城市中歧视妇女的现象大为减少，社会活动中男女可公开交往。乘公共汽车，男女杂坐，不以为嫌；男女同台演戏也不足为奇。

妇女地位提高的另一表现是女子学校兴起。新生活运动开展后的民国中后期，仅省会长沙的女子中学即占当时全市私立中学总数的1/4强。省立第一女子职业学校、培德女子职业学校、私立纯德女子职业学校、稻田女子师范、周南女中、艺芳女中、明宪女中等都是在新式教育背景下建立起来的。新式教育的推进，尤其是女子教育，不仅解放了妇女，而且提升了科学和人才培养水平，对于促进新式教育在湖南的传播和推广，对于新文化、新思想在湖南的传播与发展，对于湖湘人才的培育，对于推动湖南乃至全国的近现代文明和社会进步，都具有极其重要的意义。

周南女校学生

（二）丧葬礼俗的渐变

民国时期，湖南丧葬礼俗有两种，一为传统的丧葬礼俗，一为新式丧葬礼俗，且两种礼俗有一定程度的融合，谓之“中西结合”。相对于传统丧葬礼俗来说，新式葬礼显得简略、节约，逐渐被湖南民众所接受。

到民国中期，不管城市还是乡村，湖南民众办丧事仍以传统丧葬礼俗为主。从民国年间编修的地方志来看，当时民间绝大多数是“丧礼如旧”。旧式丧礼程序为入殓、报庙、过七、开吊、出殡、下葬、圆坟、头周年等，竭尽财力大操大办。据 1930 年《长沙县调查笔记》记载，长沙“遭父母之丧者，酒食舆马布帛之费，多则数千金，少亦不下数百金。力不及者，必称贷变产以行之，否则群以为薄其亲矣。城市习尚尤奢，轮车将驾，必租轿行仪仗前导。抬柩自八人十六人，以达六十四人或百二十八人不等。一时观者塞途，交通梗阻”。而且旧式丧葬迷信风水，常为选吉壤停丧不葬、起尸改葬。如长沙俗又讲究堪舆，延师觅吉，屡月经年，葬后一改再改，无非惑于风水，希望发达，争山越葬，又成讼[①]。攸县向重礼节。或因选择风水，及碍于经济问题，常停柩中堂，或迁屋、寺观，数十年不与安埋者[②]。风水迷信之深可见一斑。

随着社会经济和政治思想的进步，传统丧葬礼俗存在的弊端已为越来越多的人所认识和感受，传统丧葬习惯亦逐步发生了改良，西式丧葬礼俗自然逐步受到部分人的欢迎，但由于中国传统伦理道德的根深蒂固，西式丧葬在湖南的发展缓慢，其发展经历了一个渐变的过程。

---

① 辜天佑．民国长沙县乡土志：第 5 章风俗志［M］．扬州：江苏广陵古籍刻印社，1949.

② 曾继梧．湖南各县调查笔记［M］．长沙：湖南各县自治调查办公处，1931.

湖南近代新式葬礼首先出现于政治活动中，如湖南《大公报》报道，1925 年醴陵县追悼孙中山时“中央有孙中山遗像，四面满悬挽联”。其具体程序为：“（一）振铃开会；（二）主席胡知事报告孙公事略及开会宗旨；（三）奏军乐；（四）唱国歌；（五）唱追悼歌；（六）行礼；（七）来宾演说三民主义、五权宪法之真义，演说完毕即整队游街，绕全城游行一周。”[①]《大公报》还报道，同年常德追悼孙中山首先用“三大献礼，九鞠躬”，“摄影而散”，其次外来团体“行举枪礼，发黑纱白花”。

新生活运动开展以后，新式葬礼更为普遍，如 1936 年 4 月 6 日，湖南《大公报》总编辑李抱一因病逝世，5 月 3 日，大公报社在长沙青年会举行追悼会，省会各报“出特刊悼念”[②]。抗日战争中牺牲的烈士均用新式葬礼，如 1943 年 12 月 19 日、20 日长沙公祭预 10 师师长孙明瑾烈士；1944 年 2 月 14 日长沙各界公祭第五师师长彭士量烈士，其遗体运南岳公葬。在追悼阵亡将士时程序基本一致，但增加“演说”一项。

同样是新式丧礼，广大民众对于政治丧礼容易接纳，并无抵触情绪。而当新式丧葬礼俗深入到普通民众自己生活中时，则不那么容易推广，甚至遭到鄙夷、抵制。其缘由是婚丧、祭祀中的跪拜礼包含了丰富的宗教信仰、人伦道德因素。婚礼中的跪拜不乏敬天敬祖、消灾祈福的思想，而旧式丧礼则突出地体现了传统伦理道德的孝道主题，祭神祀鬼是民间俗神信仰的主要表现。长期以来，这些观念已深深植根于民众的精神生活之中，跪拜礼是体现这些文化内涵的重要方式。所以丧葬礼俗的改变并非一蹴而就，需要一个较长的衍变过程。

民间新式葬礼虽难以推行，但其若干仪节形式已渐渐引入旧

① 渌波．醴陵追悼孙中山纪闻［N］．湖南大公报，1925-4-13.

② 周秋光，张少利，许德雅，等．湖南社会史［M］．长沙：湖南人民出版社，2013：1229.

20 世纪 30 年代长沙曾一度流行在教堂举行丧礼

式葬礼之中，旧式葬礼正处在不断改良之中。某些繁缛仪节在悄悄地简化，如醴陵“凡遇丧礼应服礼服时，于左腕围黑纱结，或胸际缀黑纱结”，“孝子在丧期中，亦有效泰西俗，以青布一条缠于右臂者”；丧期也有所缩短，“惟无丁忧起复之制，居官给假治丧一月为限。兵役法凡直系亲属或配偶死亡未满一月者，得以延期征集，此则与古大异者矣”；甚至出现了完全西化的葬礼，如到教堂办丧礼，醴陵“耶教徒仪式较简单，殡时孝子绕棺三匝，牧师祷告祈升天堂，其为灵魂求解脱也，亦与佛教相类似”。①

讣告也在变革，如 1930 年《沅陵县志》记载：该县丧葬“旧时告丧只用赴讣。近十年来，有附以哀启或行述，又有印肖像于赴首，装成小册者。戚友多送挽联，无为祭文者”。某些迷信内容亦开始淡化，如不请僧道，五日即葬等。丧葬倡导节俭，如 1931 年《湖南各县调查笔记》载，麻阳“力矫繁华，工农商学，率皆简朴，故市乏奢侈之物，家少华丽之品”。新生活运动时期在丧礼方面，规定往吊时间宜在上午，丧家不设酒食，讣告不得滥发。②

民初湖南大部分地区采用土葬形式，仅瑶族有火葬者。新文化运动后于汉族亦出现火葬形式。据 1936 年《湖南年鉴》载，新生活运动中湖南省政府按照国民政府内务部颁《公墓条例》，1935 年筹设公共墓地，至年末，全省 77 个市县中，已有 57 个市县设

① 刘谦．民国醴陵县志［M］．长沙：湖南人民出版社，2009：207.
② 周秋光，张少利，许德雅，等．湖南社会史［M］．长沙：湖南人民出版社，2013：1231.

置公墓75处，区乡镇亦有设置公墓者。1948年《醴陵县志》载，1947年醴陵县参议会第五次大会，议决请同德堂设置火葬场，贫苦者免费，普通民众愿火葬者，酌收燃料。虽然到了民国晚期才有“设置火葬场”之议，但毕竟是一大进步。

（三）社交礼俗的变革

辛亥革命后，特别是20世纪30年代新生活运动开展后，随着社会风气的开化，经济的发展，西化程度的加深，以及沿海开放城市的居民内迁，湖南民众的社交方式变得丰富起来，并随地域、城乡、社会阶层之异而异。湖南一方面延续着传统社交习俗，另一方面西方社交方式传播影响日深，形成新旧社交习俗交叉共存的现象。主要表现在以下几个方面。

1. 往来称谓的改变

1912年3月2日，南京临时政府以临时大总统孙中山的名义公布《令内务部通知各官署革除前清官厅称呼文》：

> 官厅为治事之机关，职员乃人民之公仆，本非特殊之阶级，何取非分之名称？查前清官厅，视官之高下，有大人、老爷等名称，受之者增惭，施之者失体，义无取焉！光复以后，闻中央地方各官厅，漫不加察，仍沿旧称，殊为共和政治之玷。嗣后各官厅人员相称，咸以官职。民间普通称呼则曰先生、曰君，不得再沿前清官厅恶称。

当时社会上许多人认为“人人皆曰平等，而家中所雇佣之佣妇仍以少爷、老爷、老太爷相称，可厌”[①]。到1934年后，传统的“大老爷”等称呼不再流行，代之以“女士”和“先生”，在国共两党的党内都称“同志”。废除“大人”“老爷”等具有尊卑观念的称呼是平等思想在人际关系中渗透的体现，对于破除封建等级制度具有重要意义。在书信落款的敬辞里，过去多书“顿首”“百拜”等语，则改为“脱帽”“免冠”“鞠躬”“举手”“握手”等。但这些词语在劳动大众中过于文雅，难于流行，旧式称号在上层社会也未绝迹。民国社交称谓尽管还存在某些局限，但总的来说，是有很大进步的。

2．相见礼的变革

1928年，国民政府内政部在民国初年礼仪改革的基础上，进一步拟订《相见礼》。后虽未公布，但已在各省试行推广，对湖南社交礼俗变迁产生了重大影响。1948年编修的《醴陵县志》作了有关记录，计分三种：

一为官厅礼。职员于初次任职谒见主官时，由传达先行通知主官，于会客室或办公室延见。职官入即脱帽，向主官行一鞠躬礼，主官答礼。职员奉委出差，到差销假，或其他相见时，均行一鞠躬礼，主客答礼。其他机关职员即地方人民来见者，由传达先行通知，并说明事由，主官认为有相见之必要时，即于会客室延见。客脱帽向主官行一鞠躬礼。主官答礼，各就座。事毕，客兴辞，相向鞠躬而别。

二为社会礼。朋友相见时，彼此互行一鞠躬礼，或握手礼。临行，主人送至门外，相互鞠躬，或握手而别。亲族往来，属兄弟行者，通用前者之规定；幼与尊长相见时，卑幼先行一鞠躬礼，尊长颔首或握手示意。临行，在卑幼家，卑幼送至大门外；在尊

① 黄兴．在屋仑华侨欢迎会上的演讲［M］// 湖南省社会科学院．黄兴集．北京：中华书局，1981：381.

长家，尊长送至户外，鞠躬而别。

三为家庭礼。远出或远归时，卑幼向尊长行三鞠躬礼。

相见礼仪的改革，是社会生活中的巨大进步。以鞠躬代拜跪不仅行之简便，而且摒弃了旧俗中压迫人的等级观和奴隶性。但是，这种源于西方的新式礼节还不能在民间迅速普及，在一些较偏僻的乡村仍循旧礼。

3．社交礼服的变革

民国时期，男子礼服分大礼服、常礼服两种。大礼服采用西洋式大礼服，常礼服又分两种，一种用西服，一种用袍褂。湖南也不例外，如1948年《民国醴陵县志》载，“民国阶级既泯，易服色，当民国初，用西洋式为礼服，以期大同。及元年夏，参议会会议，官服尽用洋式，一时官吏无所因袭，更制为难，且国货必蒙不利，于是议决，大礼服采用西洋式，革履。常服分甲乙二种，甲种仍西洋式，帽顶圆，下沿形如椭圆，色皆黑，仍革履；乙种服纯中国式，外褂色青，襟对，用领，袖与手脉齐，左右及后下端开，袍色蓝，袖齐褂袖，用领，左右下端开，靴高及胫，帽与甲种同。女礼服长与膝齐，袖左右有裥，上缘两端用带”[①]。

（四）禁毒、禁烟运动

民国初年谭延闿督湘时，烟毒曾一度禁绝。1927年以后，社会混战，烟禁松弛，鸦片贸易重趋活跃。当时，长沙有烟馆70家，到1933年，增至576家，6年间猛增7倍多。[②]长沙大街小巷一时遍布烟馆，尤其集中在商业繁华的大西门、小西门及南门外沿

① 刘谦．民国醴陵县志［M］．长沙：湖南人民出版社，2009：208.
② 湖南省地方志编纂委员会．湖南通鉴：上卷［M］．长沙：湖南人民出版社，2007：591.

江地带。

何键主政湖南后，于1932年9月20日成立湖南省禁烟委员会。会址设长沙都正街民初湖南禁烟局原址，委员长何键，委员谢祖尧、黄家声、朱浩怀、孟庆喧、刘宝书、彭运斌、萧逢蔚、曹伯闻、张开琏、谭常恺（谭伯强代）、朱经农、黄士衡、曹典球、吴剑学、易书竹、徐声金、刘膺古、凌璋等19人。[①] 随后颁布了《湖南省禁烟施行法》19条，全文如下：

（一）本办法，依据禁烟纲要订定之。

（二）禁烟办法如下：

1. 第一期限两个月，完成各县长取具各区乡镇董禁烟切结，劝导种烟人民，改种其他农作物。

2. 第二期限三个月，责成各县长按区勘查。如该管区内，发见烟苗，即予铲除，种烟犯处拘役或有期徒刑。前项拘役徒刑，不易科罚金。

3. 第三期限两个月。视察员查觉该县有种烟情事，其种地无论是否自有，一律没收，种烟犯处死刑或无期徒刑。

（三）禁售办法如下：

1. 限三个月内，责成各县长、公安局长，调查所辖境内烟馆、土庄、烟犯各若干，造具清册，勒令停止营业。其所有烟土、烟膏、烟具，即予收毁，并取具各区乡镇董禁售切结。

2. 三个月后，如查觉所管境内，有售烟情事，其房屋无论是否自有，一律没收，烟物焚毁，售烟犯处死刑或无期徒刑。

① 吉．禁烟委员会昨日成立［N］．湖南通俗日报，1932-9-21.

（四）禁吸办法如下：

1. 第一期三个月为劝戒期间，责成各县长将所管地域内烟民确数，切实查明，分别姓名、住址、职业、年龄、生计，及有无疾病，分别等第，编造清册。取具各烟民认戒切结，责成各区乡镇董，劝令各烟民戒烟。

2. 第二期为勒戒期间，各县长查觉该管境内烟民仍未遵劝戒烟，随即责成各区乡镇董，依照下列等第限期勒令戒断。区分烟民等第及勒戒期间：甲等，二个月，壮年而有家资者；乙等，三个月，贫苦劳动者；丙等，五个月，年在五十岁以上而无病，或病而未满五十岁者；丁等，八个月，年在五十岁以上而有病者。

3. 勒戒期满，仍复违犯吸烟者，处死刑或无期徒刑。

（五）禁运办法如下：

1. 规定运输路线及出境日期，详细办法另定之。

2. 呈候中央确定办法，遵照施行。

（六）前第二条所定期限，自本年十月十日起算。第三、四各条所定期限，自十一月一日起算，但长沙市应提前办理。

（七）县长及区乡镇董，如办理禁烟不力，视其情节轻重，予以罚俸、免职、监禁处分。

（八）各县长依照本办法实施应按旬具报施行状况。

（九）凡阻挠包庇禁烟事宜者，处死刑或无期徒刑。

（十）划全省为若干区，每区设视察员一人，负考查促进之责，视察规则另定之。

（十一）本省各禁烟机关人员，执行禁烟。如查有徇情贿纵、敲诈需索各情事，依法严惩。

（十二）各县长于查造烟册时，就所管区域，量其远近，设立戒烟所，依照中央颁布戒烟所章程办理之。

（十三）关于种、售、吸各烟犯，如未经各禁烟机关查觉，被人民举发者，除予该报口严守秘密外，并从优给奖。

（十四）本省各地方，于需要时，设立调验所，依照中央颁布调验规则办理之。

（十五）凡受公款津贴之医院、各禁烟机关，得直接令其兼任戒烟事宜，并随时监督之。

（十六）戒烟药品，非经省禁烟委员会处方配制或审验特许者，不准发售。

（十七）本省党政军服务人员，经各禁烟机关查觉，或被人告发有烟瘾者，依法调验。

（十八）本办法如有未尽事宜，得随时修改之。

（十九）本办法经省禁烟委员会议决，呈报省政府核准施行，并呈报中央备案。

1934年新生活运动开始后，1935年发起了一场“二年禁毒、六年禁烟”运动。何键于是进一步推动禁烟运动，1935年4月21日，通令各部队、各保安区司令，严禁抽收烟苗税，违者一经发现或被告发，酌按军法治罪。5月，改组原“湖南省禁烟委员会”，长沙市亦设立禁烟委员会，市长担任主任委员，禁种、禁吸、禁运与禁售。1936年2月11日，蒋介石遣特派员黄纪清在长沙大茅港20号设立“国民政府军事委员会委员长行营湖南省查禁种烟特派员工作室”。2月19日，何键与黄纪清联衔布告称：“厉行禁烟种烟，倘有违禁或贿纵者，以军法惩

长沙都正街湖南省禁烟委员会界碑

处。”[①]4 月 18 日，省禁烟委员会将全省划为两个视察区，派员赴两区视察各县烟禁，并通令各县设戒烟所。7 月 16 日，禁烟会又将全省两个视察区扩大为 8 个督察区，并于每区设督察员 1 人，从 8 月 1 日起实行。12 月 10 日，省禁烟委员会布告：自明年 1 月 1 日起，凡制造、运输、贩卖、吸食鸦片者，一律枪毙。

1937 年，何键离任，张治中主湘，继续禁毒、禁烟运动，长沙禁烟始见成效。到 1940 年，省内烟馆全部被取缔，鸦片号称禁绝。

三、传统节日的存续和新节日的产生

所谓节日，是指群众性的娱乐、庆祝、纪念或祭祀的日子，它是社会历史发展的产物，反映着一定时代背景下人们的生活方式、心理特征、审美情趣和价值观念，各种节日活动渗透于民众的日常社会生活之中，形成节日习俗，并具有很强的稳定性和延续性，不同历史时期的节日习俗也体现着鲜明的时代特征。

（一）传统节日的存续和改进

湖南传统节日的形成和发展，一是源于各种农事和农事祭祀活动。由于长期处于农业社会之中，因此，传统的节日大多与各种农事活动有关，如“四时八节”中的“八节”，即立春、春分、立夏、夏至、立秋、秋分、立冬、冬至，以及含“八节”在内的二十四节气，即是以与农业生产紧密相关的气候变化来确定的。又如春节，亦称年节，年者，谷熟也，春又为岁之首，因此，庆祝春节，即含有庆贺和祈求丰收之意。二是源于纪念著名历史人物、

① 谭仲池，薛其林．长沙通史：现代卷［M］．长沙：湖南教育出版社，2013：631.

历史事件或历史传说，如端午节赛龙舟、吃粽子，源于纪念屈原，寒食节纪念介子推等。三是源于宗教祭祀、民间信仰，如中元节祀鬼神、祭祖先，过小年祭祀灶神等。这三个方面相互渗透、相互影响、相互融合，逐渐形成了湖南传统的节日民俗，并随着社会文化的变迁而发生变异。[1]

湖南名目繁多的传统节日，与人们的日常生活息息相关，而且也是湖湘民俗文化的重要组成部分，在社会生活中起着多方面的作用，具有纪念先贤、尊祖尊长、增进感情、强身健体、团结亲邻、消闲娱乐、陶冶情趣等多方面的积极意义，尤其是一些重要的农事节令，提醒民众要适时耕作，不误农时，有利于促进农业生产的发展。但是，这些传统节日本身也具有显而易见的弊端，不少节日本身渗透着浓重的封建宗法思想、等级意识以及迷信色彩，有许多节日禁忌使得人们无所适从，尤其是一些迷信活动，更强化了民众的宿命论价值观。湖南的传统节日多是经过长期的历史发展进程逐渐形成的，到了近代之后，随着社会局势以及社会生活的变迁，也必将发生演变和革新。

辛亥革命之后，清代的一些重大传统节日如春节、元宵节、端午节、中秋节等依然得以传承，而清代专为庆祝皇帝、皇太后寿诞的万寿圣节和万寿节则因清朝的覆灭而被废弃。得以延续下来的传统节日也发生了很大的变化，一是相互之间的重要性和地位发生了改变，前清时期通常是以春节、冬至、万寿圣节为最重要、最突出的三大节日，辛亥之后，则逐渐演变为以春节、端午节、中秋节为最主要的三大节日。二是原有各传统节日本身所具有的封建宗法、等级思想和宗教、迷信色彩在辛亥时期日趋淡化，纯粹的宗教、迷信节日被废除，而社会宗族势力的衰落也使得节日中所具有的祭祀功能逐渐减弱，一些节日本身的纪念性意

① 郑焱．时移势异——辛亥长沙巨变［M］．长沙：湖南教育出版社，2011：244.

义日益弱化，但是在新的历史背景下，节日的文化性、娱乐性、商业性却日趋增强，如春节、元宵节期间，人们舞狮舞龙，举办灯会，游街市，逛庙会，还有各种戏剧、歌舞、杂耍演出，热闹非凡，规模越来越大，娱乐色彩和商业气氛更加浓厚，类似民众的节日狂欢；端午节赛龙舟活动的纪念性意义已经不甚突出，更多地表现为娱乐性、竞技性的活动；冬至节因其祭祀功能的弱化，在辛亥之后地位明显下降；而春社日、花朝节、上巳节、浴佛节、中元节等节日，因其所具有的宗教和民间信仰、迷信等特征，在辛亥之后，或废除，或日趋衰落，不复旧时盛况。三是民元之后，因历法的革新，使得以传统阴历为基准的部分节日在时间上发生了变化，如纪念孔子诞辰的圣诞日，前清时期均在农历八月二十七日举行祭祀仪式，辛亥之后，改用世界通用的公历即阳历取代传统的阴历，因此，1912 年，长沙按照民国政府的规定，将孔子圣诞日的时间改为公历 10 月 17 日，政教等界届时举行纪念会。

1912 年 1 月 1 日，孙中山就任临时大总统。次日，就正式通电改用阳历。光复各省为表示与旧的朝代、旧的习俗分道扬镳，力图改革旧习，推行新风。民国历任政府对其他节庆也作了相应的调整。1914 年，北京政府内务部呈交大总统袁世凯，规定四季节日：阴历元旦为春节，端午为夏节，中秋为秋节，冬至为冬节。袁世凯批准了呈文，“四节之时，国民得休息，公务人员放假一天”。[①]1930 年 3 月，南京国民政府将阴历年节改为阳历，将 5 月 5 日规定为国历端阳节，通令放假。

辛亥革命推翻了清朝政府和封建帝制，封建国家的忌辰和庆典在全国也成为历史的陈迹。尽管新的时代和新的历法已推行，但是中国老百姓只认农历腊月三十日是除夕、农历正月初一是传统的元旦，对新的阳历元旦根本不予理睬。冷落阳历、热心阴历，

① 跃年，孙青．百年风俗变迁［M］．南京：江苏美术出版社，2000：15.

体现了民国初期民众对新历的态度。民国元年长沙流行一副对联："男女平权，公说公有理，婆说婆有理；阴阳合历，你过你的年，我过我的年。"据传该联为著名绅士叶德辉为长沙坡子街的土地庙所撰。它反映了大多数人对推行阳历的抵触，仍以阴历为主，尤其是在农村，阴历更是唯一的计岁法。临时政府参议院在编印历书时规定：一、由政府于阴历十二月前制定历书，颁发各省。二、新旧二历并存。三、新历下附星期，旧历下附节气。四、旧时习惯可存者，摘要附录，吉凶神宿一律删除。这既体现了破除迷信旧俗的改革精神，也包含了对民间习惯的一种妥协。

传统年节不仅是历法上的节气，实际上已积淀了丰厚的民间思想观念和传统心理习惯。阴历虽有缺陷，但在中国已实行数千年，经历代改良，本身不乏可取之处。实际上，阴历在长期的实行中已与中国的节日、民俗融为一体，成为民俗的重要组成部分。所以民国时期传统节日绝大部分仍旧传承下来，如春节、元宵、清明、端午、中秋、重阳等，但也有少数节日逐渐淡化，以致淘汰，如花朝节、祭祖节渐趋淡化。傅熊湘在1926年出版的《醴陵乡土志》一书中说"民国改用阳历，而民间率于阴历年底结账，又农时亦以阴历节气为便，习俗相沿，积重难返"。"吾人既过阳历年矣，今忽又过阴历年，岂非怪事，虽然不足怪也。阳历年者，国家之政令，阴历年者，社会之习俗，吾国数千年历史习用阴历，自经民国近数年耳，夫欲以短少之岁月易数千年之习俗，谈何容易"[①]。

旧历虽然仍旧盛行，但城市中的机关、学校、工厂、银行、市民逐渐使用新历，因而岁时新旧并存决定其节令习俗也是新旧并存，伴随政治的改元，新节令习俗逐渐萌芽、生长起来。[②]一度在社会上形成官民二历、新旧参用的局面，政府机关多用阳历，而民间多采用阴历。比如过年是"新历之新年，系政治之新年，

① 雷飞鹏．嘉禾县图志：第33卷［M］．嘉禾：嘉禾县志馆，1932：539.
② 闲云．过年［N］．湖南大公报，1919-1-30.

旧历之新年，乃社会的新年”[①]。“民国改用新历，而民间率用阴历年底结账，又农村亦以阴历节气为便，习俗相沿，积重难返。”[②]

南京政府成立后出现过一次春节废存之争。在北洋政府期间，官方采取的是公历和农历并存的态度，并没有试图强制改变社会习惯。官方会在元旦大行庆典，而民间则依旧在农历春节进行狂欢。只不过社会舆论将过元旦新年称为“维新”，往往受到舆论的赞扬，而对农历新年则赋予一些负面意义，认为是“守旧”。甚至还有人曾撰诗曰：“旧历新年一旦逢，亦新亦旧说难通。维新政策风趋白，守旧人家色尚红。”不过即使有这种导向，两个新年还是并行不悖，彼此相安无事。直到南京国民政府成立，开始大刀阔斧地在历法上进行改革。1929 年 1 月 1 日，南京国民政府下令，废除旧历，禁过新年，意图要辞旧迎新。

湖南省当局紧跟中央政府，据湖南《大公报》记载，1930 年 1 月 30 日，也就是农历正月初一，湖南省各个机关都收到了一纸政令，要求“为提倡国历起见，各机关本日照常办公”。在当时的官方政令里，将农历新年称为“废历元旦”，随后的报纸里，同样用的是这样的称呼。除了政府机关，学校也不允许放假。1931 年，国民政府《修正学校学年学期及休假日规程》规定，各级学校寒假时间为 1 月 18 日到 1 月 31 日，也就是说学生们的春节，得在学校过了。而各大商会也不允许在“废历元旦”期间关门闭户，湖南省公安局在临近除夕期间，还特别发表布告，“禁止商、民闭市休业，以除旧习”。

农历春节期间民间的种种习俗，如舞龙舞狮、敲锣打鼓等，也都受到了限制，“所有龙狮花鼓以及赌博花灯，不仅有伤风化，且妨害安宁，特严告禁止”。公安局还派出了警察进行巡逻，“有

① 黄远庸．旧历新年发笔［M］// 远生遗著：卷四．北京：商务印书馆，1984：117.
② 丁世良，赵放．中国地方志民俗资料汇编：中南卷（上）［G］．北京：北京图书馆出版社，1991：500.

故意违犯，定予带案纠正”。不仅是政府，一些知识分子同样把过农历新年当作陈规陋习，柳亚子公开声明要引导大家废除旧年，“我们言论界，是担负指导社会的责任的，我以为宣告废历死刑，应从我们言论界做起”。湖南的报刊媒体上则将是否过农历新年，当作了“革命性”的指标。在各种报端，民间的过年风俗被统称为“陋习”。在春节期间还特别派记者去考察坊间的情况，包括是不是有放鞭炮，商界有没有闭市，几家在过年期间没有闭户的老字号被点名表扬，而书业则被指“仍在过废历”。

湖南《国民日报》在 1930 年 1 月 30 日曾发表社论称，为了保住“湖南人最具革命性”的招牌，对于“废历元旦”，要严加注意。“政府方面，要仰仗公安当局，如发现有贩卖门神纸花等，便赏他一个撕之大吉。如有玩龙灯狮子的，便请他们尝尝铁窗风味。”还在结尾提倡民众一起打倒“反动派”，“至于拜年，喊恭喜发财的，我们即目他为反动口号，硬指他为不奉民国正朔的反动派”。

在民间，同样有因为过年引发冲突的事。1930 年 2 月 3 日湖

社評

怎樣對付廢歷新年的反動舖張

洙洙

昨天，不是廢曆的除夕嗎？在革命的政府，已經明令把他廢除了。論理，應該不再留一絲痕跡才是。然而在民間，還是熙來攘往，忙個不休，鞭爆的聲，歷歷的聲，震人耳鼓，真還鬧「恭賀新禧」了！

可是，冤家的除夕，比上年的除夕，似乎也微有些不同；舖戶結賬的，到底比較少些；不比從前那樣的盈盈資資，「桃符萬戶更新」，算是已有了進步；「湖南人最富革命性」的招牌，畢竟還可以掛出。不過今天，剛是他們所謂元旦，在這元旦與那元宵的當中，相隔還很遠，究竟能保不再出那些醜態來，還是不可斷定。

我看，我們如果要保全「湖南人最富革命性」的招牌，對於這個廢歷正月，非大大的注意不可。在政府方面，即仰仗賢勞的公安當局，如發現有販賣門神紙花等等的，便賞他一個撕之大吉；如果有玩龍燈獅子的，便請他嘗嘗鐵窗風味。至於說拜年，喊恭喜發財的，我們即目他為反動口號，硬指他為不奉民國正朔的反動派！

(六) 中華民國十九年一月三十

本省

廢曆除夕

各機關照常辦公

商店住戶積習尚難盡革

貧苦婦孺比較往年為多

1930 年 1 月 30 日湖南《国民日报》关于“废历除夕”的社评及报道

南《大公报》记载，攸县县长派人持枪威逼各商家，农历新年照常营业。而有商家坚持要休业，两边相持不下，起了很大的风波。1930年2月，长沙市各邮局接到了从长沙寄出去的农历贺年卡片不下数十万份，虽然湖南邮务管理局遵照邮章投递了，但政府通告各省邮务监察处将贺年卡扣留，并将这批贺年卡称为“违禁物”，“以此种违禁物有违禁令，昨日将该局堆积如山之贺片一律扣留。呈送高级机关，听候处理”。

虽然有政令和舆论指引加上强制手段，但是在民间，农历新年还是照常在过。同样是湖南《大公报》记载，在1930年旧历新年期间，除夕的爆竹声“闹得通夜不曾入梦”。正月初一，各商店除邮局、书店及贩卖儿童玩具者外，全都关门大吉。长沙的寺庙如玉泉山、龙王宫、朗公庙等，一路上都是去祈福上香的人。一些商会则两边都不得罪。作为新文化代表的书业，在1930年元旦新年期间，都贴上了红纸条，休业三天庆祝，被当成新闻上了报纸。而在农历新年期间，除南正街商务图书馆及府正街广雅书局两家，其他都闭门过年去了。而钱业在元旦新年休假八天来庆贺，显示自己对于新政的支持，在农历新年，则以“春季结账休业五天”为由关门，“盖表示其绝非过废历新年”。不少戏班，依旧选择在农历年底进行封箱演出，给出的理由是要“结束账项”。民乐戏院跟远东大戏院还在农历新年邀请了剧团演出，以庆贺“春禧”。

民间对于农历新年的维护，也影响着政令的真正施行。1929年，官方要求农历新年全国报纸不得停刊。然而一般报纸还是选择了停刊，即使没停刊的，采取的方式也是出一张或者几家联合起来出一张报纸。除了记者编辑们要放假，另一大原因是印刷工人回家过年去了。1933年，《新社会》编辑曾公开诉苦：“废历新年，工人要循俗例休息，我们稿子编好了，发不出。所以这期本刊的出版，延迟了几天。”

这样的状况，也引来了学者的反思，著名民族学家、民俗学家杨堃在1932年发表了《废历年节之社会学的意义》，告诫政府和知识界精英对民俗变革时必须考虑传统习俗存在的社会根基。到1934年，官方开始让步，发文称“对于旧历年关，除公务机关，民间习俗不宜过于干涉”。变相宣布了“废除旧历”的失败[1]。

（二）新节日的产生

辛亥革命前后，随着西学西俗在长沙的深入传播，民主革命运动的发展，湖南的节日风俗也在发生变化。一方面，原有的主要传统节日在辛亥之后依然存在，并居主体地位，同时由于中华民国临时政府推行建元改历，采用新的历法和纪年方式，对传统节日必然产生影响。另一方面，具有近代意义的新节日陆续出现，并日益得到民众的接受和认可，在民间得以普及，对社会政治生活和民众的日常生活产生了很大影响。辛亥之后出现的新节日都是以新式的历法——公历为基准的，大多是带有政治色彩的纪念性节日，或与民主革命运动中的一些重大历史事件有关，或受到西俗东渐的影响，或与近代世界潮流的变迁有关。如：1. 双十节，每年公历10月10日举行，此日原为辛亥革命时武昌首义的纪念日，中华民国临时政府建立之后，即以该日为国庆日，通令各地执行，每年此日，长沙各机关、团体、学校等均放假，升旗并举行庆祝活动。2. 圣诞节，公历12月25日，为基督教庆祝耶稣诞生的节日，辛亥之后，除教徒外，也逐渐为湖南城镇民众所接受，后其宗教纪念色彩日益淡化，而逐渐成为一种普遍性的节日活动。3. 童子军节，公历3月5日，1912年，武昌首次建立中国童子军，民国政府决定以3月5日为童子军节，后逐渐传至湖南，多于学校施行。此外，还有革命先烈纪念日为公历3月29日，国耻纪念日为5月

---

① 沈参．正月拜年“恭喜发财”80多年前是反动派［N］．潇湘晨报，2016-1-31.

9日，青年节为3月29日等。这些新节日在湖南的陆续出现，既丰富了民众的社会生活，促进了民众思想观念的转变，增强了民众政治参与意识，同时又影响了近代湖南社会的发展，丰富了湖南地区的节日风俗，为湖南节庆活动增添了许多新鲜的时代气息，体现出湖南民众的社会生活及其社会意识向近代化的嬗变。

到20世纪30年代，特别是新生活运动时期，带有政治性的纪念节日更多且杂。这些所谓纪念日或与革命运动中的一些重大历史事件、重要历史人物有关，或是受世界潮流的影响而设立。仅1935年中华民国日历所标明的纪念节日有：1月1日，中华民国成立纪念日；1月28日，淞沪血战纪念日；3月12日，孙中山逝世纪念日；3月18日，北平民众革命纪念日；3月29日，七十二烈士殉国纪念日；4月12日，国民党清党纪念日；4月18日，国府迁都南京纪念日；5月3日，济南惨案国耻纪念日；5月4日，学生运动纪念日；5月5日，孙中山就任非常大总统纪念日；5月9日，“二十一条”国耻纪念日；5月31日，上海惨案国耻纪念日；6月1日，孙中山奉安纪念日；6月3日，拒毒纪念日；6月16日，孙中山广州蒙难纪念日；6月23日，沙基惨案国耻纪念日；7月1日，国民政府成立纪念日；7月9日，国民革命军誓师纪念日；8月20日，廖仲恺先生殉难纪念日；8月27日，孔子诞辰纪念日；8月29日，南京和约国耻纪念日；9月7日，辛丑条约国耻纪念日；9月9日，孙中山第一次举义纪念日；9月18日，国难纪念日；9月2日，朱执信先生殉国纪念日；10月10日，国庆纪念日；11月12日，孙中山诞辰纪念日；12月5日，肇和兵舰举义纪念日；12月25日，云南起义纪念日。这些是根据政府的立场确定的革命、先烈和国耻三个方面的纪念，其中1月1日、3月12日、3月29日、5月5日、7月9日、10月10日、11月12日7个节日全国放假一天，并由政府主持最高纪念活动，其他纪念日由各级政府主持一般性的纪念活动。①

其他国际性或公益性的节日有：3 月 8 日国际妇女节、3 月 12 日植树节、4 月 4 日儿童节、5 月 1 日国际劳动节、6 月 30 日禁烟纪念日、8 月 27 日教师节（孔子诞辰日）等。

在湖南，有些节日办得有模有样，民众参与度也高。1928 年，国民政府将孙中山逝世日——3 月 12 日定为植树节，全称为“总理逝世纪念植树节”，用以纪念孙中山并进行植树造林。孙中山曾在《实业计划》中主张大规模地造林，并多次在演讲中阐述植树造林的重要性。从 1929 年开始，一场大型的植树造林纪念典礼开始在湖南推行。1930 年恰逢孙中山逝世五周年，国民政府也正式把植树造林提到了国家重大运动的地位，从此掀起植树的高潮。湖南提前两个月就开始筹备，政府向群众发放树苗，供社会各界和市民种植。还规定从 3 月 9 日至 15 日为“造林运动宣传周”。从 1 月份开始，湖南省建设厅就电令长沙县政府建立苗圃，为造林作准备。定在岳麓山建立“中山纪念林”，要求“各机构人员届时均宜前往造林”。于是在岳麓山穿石坡植下了大片油茶林，至今郁郁葱葱。林地上方建有中山纪念亭，下方立“中山纪念林碑”，上刻《总理遗训》：“有了森林，天气中的雨量便可以调和，便可

民国时期的植树节活动

① 张静如，刘志强，卞杏英．中国现代社会史：上册［M］．长沙：湖南人民出版社，2004：867—868.

岳麓山中山纪念林碑

以常常下雨，旱灾便可以减少；要能够防水灾便先要造森林，有了森林便可免去全国的水祸。”造林活动也就从民众行动，变成一场自上而下的政治仪式。植树节那天种树之前，先要走奏乐、全体肃立、行致敬礼、读总理遗嘱、静默、主席报告开会宗旨、演说、唱植树歌、喊口号这一套程序。[①] 当时湖南的植树方案，主要在全省推广油桐的种植，不仅是为了响应植树造林，更是出于经济考虑。民国时期，桐油是湖南重要的出口贸易物资之一。湖南的桐油产量，占到了全国出产的三成以上，仅次于四川，因此“植桐”成了湖南的一件大事。

长沙对儿童节十分重视。1925 年，国际儿童幸福促进会提出要建立儿童纪念日，中国政府在 1931 年明确规定 4 月 4 日为儿童节（1949 年改为 6 月 1 日）。1933 年儿童节前几天就在报刊上发出公告云：“四月四日，为儿童令节。转瞬即届。本市筹备庆祝之声，震于耳鼓。市政处教育科亦积极提倡，拟令各戏院于是日加演日场一次。各校小朋友，以三分之一的票价入场。”[②] 这符合当时

① 孤萍. 总理逝世纪念日之民众植树运动观［N］. 湖南国民日报，1930-3-12.
② 行. 儿童节各院加演日戏［N］. 湖南大公报，1933-3-28.

儿童节时幼幼小学举办假动物园展览

“唤起社会注意儿童事业”的宗旨，也是社会企业给儿童的一种福利。有记载称，长沙幼幼学校，儿童节除参加市里的活动外，还自创了一些活动，如学生自己在 4 平方米大小的平台上，用泥土、花草制作成山林，再将自己捏成的野生动物放置其中，做成一个动物园，供同学参观。在这所学校的一些旧照片上，还可以看到学生制作标本或者跳蹦床的情形。1935 年，长沙市儿童节纪念大会筹备处组织了一次智力测试，报名参加的长沙市儿童有 2000 人，其中参与活动的有九成来自学校，同时还允许一成的校外儿童参与进来，让乡村和失学儿童也能参与其中。

长沙市档案馆馆藏档案《湖南省各界庆祝三八妇女节筹备大会记录》记载了 1946 年长沙市三八妇女节这一天对妇女的优待。1949 年 2 月 19 日，庆祝三八妇女节筹备大会确定了省妇女工作委员会的筹备委员，并设总务组、宣传组、慰问组等。《长沙市政府训令》规定，“为纪念三八国际妇女节发动各界妇女热烈参加起见，经第一次筹备会议议决，函请令各工会于三八国际妇女节给女职工放假一日，仍应照常发给一日工资，以示优待”[①]。

① 周和平.“庆祝三八妇女节筹备大会记录”等档案再现民国节事[N]. 长沙晚报，2016-3-4.

长沙市档案馆另一份馆藏档案《湖南省会工人庆祝五一劳动节大会筹备委员会公缄》记载，1947 年 4 月 21 日，湖南省会工人庆祝五一劳动节大会筹备委员会发文作出部署：各工会工厂一律放假一天，照发工资，因工作必要不能放假者应加倍发工资；筹备五一节当日举行大会，表演各种游艺，发行特刊，广贴标语等。为此，长沙市总工会代电发文：五一节当天上午 8 时，在省教育会坪举行隆重的庆祝典礼，各行业工友应携带会旗全体按时参加。如果当天下雨，则各行业工会派代表 20 人，改在中山堂举行。除了集会庆祝，五一节当天，长沙还筹备了丰富多彩的文艺活动。其中，长沙市各戏院举行游艺活动，工友凭工会会员证和入场券可入场出席活动。[①]

总体来说，民国时期，传统节日处在革新过程中，表现为迷信色彩有所淡化，纯迷信节日逐渐退出历史舞台；随着宗族势力逐渐衰微，祭祀活动渐次减少。新生活运动开展后，新的节日在政府的倡导下，庄严而简朴，得到民众的赞同和参与，从一个侧面反映了湖南社会生活近代化的发展。

四、新文化娱乐方式与民众社会生活的丰富

新生活运动并非一味地限制民众的物质生活，而是倡导健康文明的生活方式。在这种指导思想下，传统娱乐活动得到了趋利除弊的改造，而新文化娱乐方式不断产生，民众社会生活日益丰富。

① 周和平.69 年前过五一也热闹［N］. 长沙晚报，2016-4-28.

（一）传统娱乐活动的发展演变

湖南地区的娱乐活动，具有悠久的历史，随着社会历史的发展，娱乐形式渐趋多种多样，具有休闲性、大众性、社会性、欣赏性、参与性等多种显著的特征，已成为民众社会生活中不可缺少的重要组成部分，对人们的社会精神生活产生了重要影响。清末民初是湖南娱乐活动的大发展、大繁荣时期，尤其在长沙，随着社会商品经济的发展，城市的扩大和繁荣，市民阶层和士绅阶层的成长和壮大，人口流动的频繁，各种政治的、行业的、宗教的节庆活动的确立以及各种机关、社会团体等公共单位的出现，使得长沙地区的大众娱乐活动更加活跃，娱乐方式更趋多姿多彩。特别是随着西学西俗东渐的日益深入，各种西方近代的娱乐方式和活动也传入长沙，使得长沙的娱乐活动增添了许多新的内容，日益呈现出多元化的发展趋势。

在前清时期，长沙地区传统的娱乐活动已相当的发达，各种娱乐方式层出不穷，同时也具有浓郁的地方特色。大体来讲，可以分为五大类：一是歌舞类，如乡间百姓在劳作之余所唱的山歌俚曲，在日常的一些婚嫁丧葬等礼俗中，也用唱歌来表达感情，民间的龙舞、狮舞、花灯等也是常见的舞蹈形式；二是游戏类，除了儿童所玩的各种游戏外，成人所玩的多是带有赌博性质的游戏，如六博、骨牌、掷骰子、弹钱宝、叶子戏以及斗鸡、斗鹌鹑、斗蟋蟀等，都是传统游戏中最为盛行的类型；三是竞技类，常见的有摔跤、荡秋千、拔河、放风筝、赛龙舟以及蹴鞠等；四是杂艺类，包括杂技、魔术、猴戏、禽戏，以及木偶戏、皮影戏等多种形式；五是戏剧类，在清代已是各式戏班众多，观众和听众日益广泛，而且在官绅之间，为庆祝寿诞，还邀请戏班在家演出，俗称“唱堂会”[1]。

另外，在晚清时期，湖南各地区的各色庙会和迎神赛会也是民众重要的娱乐活动，“湘俗，赛会以为娱乐，约分二种：乡村市集，则龙灯、百戏、鼓吹征铙、杂锣喧闻、椎牛聚博……省城，则葆羽麾幢，执戈扬盾，范神抚鬼，光怪陆离”。尤其是以长沙的迎城隍赛会最为盛大，在赛会上，表演各类戏剧、歌舞、彩车、踩高跷、划彩龙船等诸多节目，“锣鼓有亭者、棚者，节以喇叭羌笛，锵锵嘹亮。繁会街衢，观听堵墙，道路壅塞，人声腾沸，捆掌踊跃，士女云来，香烟雾合，连晨接晷，若狂若呓……”[2]俨然成为民众的集体狂欢节。

与传统节庆、民族节日有着密切关系的娱乐活动，诸如春节的舞龙、舞狮，元宵的花灯，清明的踏青郊游、放风筝，端午的赛龙舟，重九的登高望远、品菊赏花等，不仅在辛亥之后延续了下来，而且具有了更多的文化、商业色彩。另外，传统的戏剧活动，因与市民社会、士绅阶层等方面有着密切的联系，在辛亥时期也有了进一步的发展，各色剧种异彩纷呈，演出活跃。与此同时，一部分传统的娱乐活动如清代前期极盛的各种迎神赛会，以媚神、酬神、谢神为主旨的贺神戏因具有浓重的封建迷信色彩，在辛亥之后日趋衰落并逐步被淘汰，“贺神戏一曰围鼓戏、傀儡戏、灯戏、影戏、花鼓戏之类，皆得于祠神时用之，近则长沙商埠茶园京班日新月异，湘班亦设茶园，以供社会人民之娱乐，而祠神之剧无复旧日之殷矣”[3]。清代流行的蹴鞠，由于过于原始简朴，因上层社会习俗和喜好的转变而急剧衰退，加之近代新式学校、机关、军营现代足球运动的兴起而被淘汰。还有一些具有赌博性质而又较

---

① 郑焱．时移势异——辛亥长沙巨变［M］．长沙：湖南教育出版社，2011：269.

② 湖南法制院．湖南民情风俗报告书（民国元年）：第8章神道［M］．长沙：湖南教育出版社，2010：186.

③ 同② 187.

民国麻将盛行一时

为费时费力费财的娱乐活动，亦因受到严令禁止和各方面舆论谴责，或赌博色彩渐趋淡化，或日趋衰落。

博彩游戏，含麻将、扑克、彩票等类型，是成人所喜爱的游戏娱乐形式，多带有严重的赌博性质。麻将为中国本土所有，由传统的叶子戏演变而来。民初之后，长沙的麻将之风盛行，上自达官贵人，下至乡野百姓，无处不闻麻将声，但因其往往与赌博连在一起也造成了很严重的社会影响。扑克则是一种西洋舶来品，民初之时传入长沙，在新兴知识分子以及官绅富商之间较为流行，在民间不甚普及，远不如麻将流行。

清末民初，长沙又出现了彩票这一新型娱乐方式，彩票也是一种外来物，清末已见于长沙，辛亥前后，出现了多家专营彩票的商号，主要是经营湖北签捐彩票，销售量较大。为扩大销量，一些商号还在报纸上做广告，如天增福彩票分批所在《长沙日报》做广告称："本票目自分设以来，连获大彩，可见财临旺地，虽诸君之洪福，亦本行之荣幸焉。现今新章彩票已到，按月照章，格外克己，如蒙惠顾，尚祈高夺锦魁，分设长沙府正街江左书局。"彩票在长沙的盛行，在很大程度上也对人们的心理和行为产生了影响，由于彩票的赌博性质，可以以小博大，不少人为了谋取巨额利益，不惜铤而走险。

民国时期，湖南在西方娱乐方式的影响下，一些传统的娱乐方式不仅传承了下来，而且在新的娱乐方式的刺激下变革创新，展现出新的特色。第一，娱乐项目更加丰富多样，群众参与规模更大；第二，传统的竞技型娱乐在现代娱乐的影响下，其组织形式、活动内容发生了新的变化；第三，传统的娱乐场所更加固定，商业化气息相对浓厚。这一时期湖南比较常见的传统娱乐活动有岁时节日娱乐、歌舞、戏曲、竞技、杂艺等，从总体上讲这些娱乐活动依然受到民众的欢迎。

如踏青在清末颇为流行，是湖南传统节日清明节前后的娱乐项目。1895 年，19 岁的秋瑾随父秋寿南寓居长沙时就写过《踏青记事》诗四首，其一曰："西郊也为踏青来，携手花间笑语才。昨日卿经贾傅宅，今朝侬上定王台。"到民国时期，踏青仍延续下来，但在西方娱乐方式的影响下，出现了新的内容，并有了专供市民游览的园地。如湖南《大公报》有这样一则广告："本园可提供男女人士正当游乐，开设教育会，四季花木无美不备，照相游艺，应有尽有。食堂平台，设备清雅，酒菜茶点，精益求精。外有博物馆可供游览、图书馆可供阅读。"[①] 另外春游在活动形式上具有多样性的特点，如豫章小学校"举行春季远走旅行"，"首至广雅小学参观"，又"顺往开佛寺参观佛教贫儿院，后往湖南灰面公司，随在该厂花厅中茶点，尽兴而返"。[②]

民国时期，戏剧依旧是湖南人精神生活的重要部分。观众观戏踊跃，湘潭"阴历元旦以来，湘潭京班、本班两戏园均已逐日开锣，大约系大天官等吉利戏居多，生意亦颇发达"[③]。岳阳"金家

① 赐闲园谨白．春游胜地［N］．湖南大公报，1925-3-19.
② 小新闻．小学生纷纷举行春季旅行［N］．湖南大公报，1925-4-13.
③ 湘潭特约通信．戏园近况［N］．湖南大公报，1919-2-13.

岭泳霓戏园前日男女合演新剧，名曰南京第一报，一时震动全城，胥以先睹为快”[1]。湖南的戏园、戏院众多，1991 年编《湖南省志·文化志》根据历史资料统计，1901—1949 年全省戏院（部分）：长沙 57 家，湘潭 11 家，衡阳 14 家，岳阳 6 家，邵阳 4 家，益阳 4 家，常德 16 家，津市 7 家，汉寿 6 家，桃源 4 家，洪江 4 家，芷江 4 家，沅陵 3 家，辰溪 2 家，溆浦 3 家，晃县 2 家，浏阳 3 家，平江 1 家，湘阴 2 家，醴陵 2 家，攸县 2 家，株洲 2 家，零陵 3 家，祁阳 3 家，南岳 1 家，耒阳 1 家，郴县 2 家，汝城 1 家，宜章 1 家，宁远 1 家，蓝山 1 家等。

其他传统的健身、竞技、杂艺类活动仍受民众喜爱。静坐健身法风靡全省，静坐是中国古代导引术的一种，运用得当有一定的健身治病作用。在民国初年提倡国粹主义体育的风气中，任教于北京大学的蒋维乔创立静坐法，并在 1914 年刊行《因是子静坐法》，静坐养生术风行一时。不到 4 年时间，该书连续再版 14 次。据《体育周报》记载，到 1920 年，提倡静坐的湖南同善社遍布 18 个县，甚至偏僻小县都有分社。教育界不少人积极提倡静坐，师生效法，一些学校把静坐列入课程。耒阳以教育会长为首，组织中外卫生会，吸收教育界人士研究中国人静坐养生的方法及外国人操练的方法。城镇小学或乡村中心小学以及儿童娱乐场所，大都设置秋千架。清末废科举兴学校以来，踢毽子成为各学校的课外体育活动，民国时期，初中和小学校的女学生几乎人手一毽。放风筝历来是城乡开展的一项民间体育活动，20 世纪 30 年代，在省公共体育场和长沙市民众教育馆的倡导下，长沙风筝放飞活跃一时。1933 年 4 月在长沙协操坪举办了“长沙市第一届风筝比赛”，各界参赛代表及观众达 5000 余人。[2]

① 世界．局长之喝彩声［N］．湖南大公报，1919-2-17.
② 湖南省地方志编纂委员会．湖南省志：体育志［M］．长沙：湖南出版社，1994：52—54.

20世纪30年代新生活运动开始后，湖南的体育活动更加丰富多彩。如在国术训练中设置射箭项目，1936年2月，省会民众国术俱乐部举行长沙市第一届射箭比赛，设射准、射远两项。这一时期何键担任湖南省主席，他积极提倡武术，开办国术训练所，举办了两次国术省考，还组队参加第二届全国国术考试和第六届全国运动会的国术比赛。[①]

1937年1月5日长沙《全民日报》载：元旦长沙市南郊13所小学1235人举行联合运动会，爬山为比赛项目之一。湖南省教育厅1940年公布修正的《中小学体育课程标准》，号召各学校开展远足、登山、踢毽子、荡秋千、跳绳、拔河等项传统体育活动。

自1935年起，长沙开始举办全市范围的象棋比赛。当年10月28日《国民日报》报道，长沙市民众教育馆与市象棋研究会于10月27日举行首次象棋比赛，30余人参加。此后全市每年举行一次象棋赛。澧县、临澧、石门、保靖以及津市、常德等地，象棋活动亦较普及。

传统杂技在西方魔术杂技的影响下也增添新的内容，如《慈利县志》记载一魔术"祝虾亲舍，雁行序列，宾肃无哗。高台缚炬，眩人非邪，须臾浮出，大如鬼车，彭亨豕腹，外栏纸糊，是中有物，鬼曰揶揄。安在一握，而龙负图，巨响爆裂，桶底脱矣，鬼趣分明，阎罗活矣。续第二响，俘拿破仑，滑铁卢战，万马千军。第三第四，层出不竭，五花八门，观者咋舌。泰西电影，犁靬吐火，今以手工，尊独惟我"[②]。可见湖南传统的健身、竞技、杂艺类活动在民国时期依然盛行，但都有了明显的改良和变化。

① 周秋光，张少利，许德雅，等.湖南社会史［M］.长沙：湖南人民出版社，2013：1254—1255.

② 吴恭亨.慈利县志：第17卷风俗［M］.慈利：慈利县志馆，1923：671.

（二）新兴娱乐方式的产生

文体娱乐方式的变化是近代民众精神生活演变的重要表现。随着照相机、幻灯片、放映机和各式体育器械等涌入湖南，民众的文化娱乐从形式到内容都极大地改变了旧有的休闲方式。

1．话剧和电影（详见本书第六章《近代戏曲民俗的演变和"文明戏"的传入》）

2．音乐和歌咏运动

歌剧约于20世纪二三十年代传入长沙后，黎锦晖与黄源洛即尝试将外国歌剧与中国民族艺术相结合，创作中国风格的歌剧，取得成功。20年代末，在长沙明宪女子中学任音乐教师的黄源洛创编儿童歌剧《名利图》，由学生演出。1932年，黎锦晖之弟黎锦光率上海明月歌舞社来长沙演出，文艺界极为欣赏，争相效仿，排演歌舞。1933年，在长沙首次演出黄源洛译作歌剧《幼儿的杀戮时代》。此后，随着歌舞团和演出的增加，歌剧与歌舞日益深入人心，逐渐成为长沙观众喜闻乐见的文化活动。抗日战争初期演出的歌剧有《岳飞》《铲除汉奸》等。由于语言和欣赏心理上的差距，当时歌剧还只有少数人观看。

长沙早期的音乐会是由教会组织的，如雅礼青年会常举行音乐会，"据闻该会内容，除各项中西乐及男女合唱外，并有法国名家勃威之提琴独奏，美国名家赛小姐之黑人歌独唱，及英国名家马小姐钢琴独奏，共二十余项，绝无重复。会后演放侦探名片电影五大幕，中西艺术，表演一堂"[①]。一些音乐机构为普及音乐也举办一些培训，"本所学科为普通乐理，和声学作曲法，教授法，声

① 雅礼青年会之音乐大会［N］．湖南大公报，1923-5-24.

乐基本练习，中文唱歌，英文歌曲，风琴基本练习，进行曲，应用歌曲”[①]。

20世纪30年代新生活运动开展以后，音乐在湖南有了迅速发展。1936年夏，湖南文化界救国会在青年音乐家张曙的指导下，举办了国防音乐会，听众达6000余人。1937年6月，长沙市文艺作者协进会举办了民族歌曲演奏会，由10多所中小学校学生组成的歌咏队，演唱了《卫我中华》等30余首歌曲。“七七”事变后，平、津、宁、沪等地的文化界人士纷纷会聚长沙，积极投入抗敌宣传活动，一个声势浩大的群众歌咏运动在长沙迅速兴起，仅在1937年、1938年长沙就成立了音乐团体35个。[②]

1938年抗日救亡运动高潮时，长沙歌咏运动也达到高潮，长沙《力报》记者用热情的笔墨记录了当年“双十节”一次歌咏大会：[③]

> 歌咏开始了，大合唱的第一个节目是《保卫东方的玛德里》。西班牙的玛德里，用正义阻止叛军的攻击，已经有一个很长的时间了。我们的武汉，正如西班牙的玛德里，我们当用全力保护她……这一支歌，就为我们呼出这种雄壮的声音……第二个节目是《壮丁上前线》。今晚几乎每一个听众都是壮丁，看到场子里由东到西，由前至后，满满的挤着观众，这些人都有结实的身体，热烈的情绪，他们抗战的心比铁还坚，他们不仅可以筑成血肉的长城，而且能够以肉弹投向敌人的阵地，粉碎敌人的迷梦，“杀尽强盗回家乡”！壮丁，这是我们尽力的时候了。
>
> 政治部第三厅抗敌宣传第二队以《男女一齐上前线》和《保家乡》两个小调，唱得观众哈哈大笑。前者由山

① 来件．创办音乐传习所的缘起［N］．湖南大公报，1921-8-28.
② 黎维新，周德辉．长沙文化城［M］．长沙：湖南出版社，1995：327.
③ 力报记者．五千观众围着一群歌者［N］．长沙力报，1938-10-11.

1938 年音乐指挥家刘良模在长沙指挥救亡歌咏活动①

西小调改成，后者是贺绿汀先生的创作，这种地方性的小调，最能受到群众的欢迎……

女青年会的女同志唱女兵歌，最恰合身份。我们希望女同志应该唱的用口唱，听的用耳听，应该唱的、听的都能正式去当女兵，担负保卫国家的工作。她们的第二支歌是《人人都爱他》。有 4 种人使人人都在爱他：抗战的领袖、抗战的政府、抗战的军队、抗战的民众。

农教馆唱的《做棉衣》。在征募寒衣运动非常轰烈的时候，这是一个最恰当的宣传："我们在后方，多做几件棉衣衫。"住在后方的妇女同胞，你要是在这样的时候，还不能尽自己的力量，替国家做点事，请你摸一摸自己的身上，看冷了没有？

抗战胜利后，湖南乐坛大有起色。1946 年 4 月 6 日，省会音乐界人士举行音乐晚会，庆祝音乐节，到场音乐界人士及听众达千余人。[2]1947 年的报刊记载了当年长沙乐坛活跃的盛况：

① 本报速写．工农商学兵歌咏大会［N］．观察日报，1938-7-4.

② 田伏隆．湖南近 150 年史事日志（1840—1990）［M］．北京：中国文史出版社，1993：214.

管夫人的独唱会，好像春风一样吹醒了湖南乐坛。劫后长沙满目疮痍，而月来四处传说的消息，报纸报道的新闻，只是一片窒息，令人气懑，令人抑郁欲死。独有长沙乐坛，却正像春花的怒放，活跃，滋长。而时时刻刻，传出阵阵轻松情调，渲染这破毁的古城。成千成万的小学生，成十成百的青年爱好音乐者，都在一起跳荡，沉醉在伟大的艺术怀抱中。音乐节以前，我只知道有湖南广播电台复员开幕纪念的一次音乐特别节目，那回还只有久持长沙音乐牛耳的福湘女校出席了一些节目，林雨禽、王孟起、李尤恭先生担任了几首唱歌。音乐节那天，纪念会由教育厅主办，青年会小礼堂，各学校机关代表挤得满满的，他们不是专来参加仪式或听讲演，而是那天报纸上发现了一个注目演奏的节目单。团体方面，有湖大、民宪、周南、长师、明德的合唱。个人方面，有魏开泰先生的提琴，熊克炎先生的钢琴，冯瑰琦和李馥先生的独唱。

这一年，音协选举黄源洛先生任理事长，黄先生为湖南音乐运动开荒辟芜，创办了音乐节纪念特刊和音协成立特刊。长沙合唱团每周星期六都练习。国师院的合唱团，热心地远自衡山趁春假赶到长沙开了两晚的演奏会。青年会在王孟起先生努力下，歌咏班第二期毕业举行了一次纪念黄自逝世九周年音乐会，追忆这位中国乐坛导师黄自先生，并发行了一个简谱的《黄自遗作集》，对湖南普及音乐的贡献不小。市府举办的小学唱歌比赛会，由音协负责全部技术工作，比赛歌曲，高年组选定3首世界名歌，中年组3首全是黄源洛的童歌。黄氏的童歌当时盛行湖南。5月17日的小学音乐会，一部分节目是自由报名参加，一部分节目是比赛优胜前五名表演，还有音协的特约节目，省府礼堂（中山纪念堂）人山人海，千余小学生，百多个单位，从傍晚一直唱到11点钟。他们在队伍返校时，沿途还一路高唱低哦。①

1947年王东原主政湖南时，在长沙水陆洲创办了省立音乐专科学校，专业设有声乐、钢琴、管弦乐、理论作曲和国乐五组。“悠悠的湘水环绕着静静的沙洲，在这两面临水的圣地，音专同学生活在充满了春天气氛的环境中。当星星们正将沉落的时候，晓钟惊破了每个孩子的美梦，于是钢琴室里清脆的琴声与草坪里洪亮的歌声打成一片，朝霞也渐渐在这和谐的交响乐中幻变，整日的生活节目都沉浸在音乐气息里。”②

3. 新式体育活动

清末民初，来长沙定居或经商的外国人日益增多，这些人同时也将各自国家的休闲娱乐活动和方式带到了长沙，尤其是西方近代体育中的球类项目，诸如足球、棒球、乒乓球、篮球、排球和垒球等，在辛亥前后逐渐在长沙出现，并日益得以普及，促进了长沙近代体育的发展。1903年，棒球开始传入长沙，当时称之为“野球”。黄兴在明德中学任教期间，曾组织建立了长沙最早的棒球队——扬子江野球队。1904年，长沙开埠之后，足球运动也开始在长沙兴起。1912年，乒乓球经基督教传教士引入长沙，迅速在各级学校中得到推广。1914年，篮球也传入长沙，开始被称为“筐球”，之后，由长沙向全省其他地区扩展。1915年，排球被引入长沙，当时被称为“对球”，实行16人赛制，后逐渐改为12人赛制和9人赛制。1913年之后，游泳、跳水等水上运动，通过长沙基督教青年会也逐渐传入长沙，这些近代化新式体育娱乐

① 怀民．长沙乐坛活跃概况［N］．湖南国民日报，1947-8-26.
② 兮庄子．音专轮廓画［N］．湖南国民日报，1947-10-28.

清末长沙女子篮球运动

项目，在辛亥前后主要是在长沙的城市范围内流行，尤其是在各类学校、行政事业单位、社会团体以及军队较为流行。

当时西方的体育活动在一般市民中尚无太大影响，近代体育运动的开展主要还是在学校。清末新政时期颁布的《奏定学堂章程》规定各级学堂都必须开设体育课，但教学内容也仅仅是兵式操。不过学校体育的开展也对社会体育产生了影响。1905 年，湖南文武学堂在长沙小吴门外的校场坪举行了第一次运动会，设置有体操、田径、武术等多个竞赛项目。这不仅是体育盛会，同时也是一场大众性的娱乐活动，时人评价为“诚湘中空前绝后之盛举”。从1905年至1916年，长沙曾先后举办了四届学界联合运动会，参加者都是省城长沙的各级学校，其项目除表演由日本传入的步兵操外，仅设几项竞争性的游戏和徒手操。1908 年，长沙周南女子学堂举行了学校运动会，这是湖南省女子学堂的第一次运动会。1910 年，长沙县学堂举行联合运动会，后来这届运动会被追认为湖南省第二届运动会。这届运动会在长沙的协操坪举行，驻长的英、美领事官员应邀观摩了比赛。这届运动会也仅设兵操、国术（武术）和竞争游戏等几个项目。运动会结束时，英、美领事馆的官员邀集部分学校的体育教员进行绕场一周的赛跑表演，在终点竖一小旗，夺旗者为胜。这是长沙有田径赛的开始。① 这些运动会的举行尽管参加者主要是新式学堂的师生，但对新式体育运动在社会上的开展和普及起到了促进作用。

五四运动后，兵操受到抨击和反对，长沙雅礼学校率先于1919年废止兵操，代之以田径、球类和游戏。体育开始受到教育界的重视，一般学校开始在体育正课（兵操）之外，开展各类体育活动。教育部又定每年春秋两季，应开学校运动会，各省城应设公共运动场，以发展体育，这样，公立学校的体育由单纯兵操逐渐发展为“双轨制”。1922年，湖南正式确立了田径、球类在体育活动中的地位。湖南的新式体育娱乐活动开始由学校走向社会，成为社会娱乐生活的重要组成部分。在运动项目、参与人数等方面都有发展，学校组训田径、游泳、球类等项目的校代表队，利用课余时间系统地进行专项训练，提高运动技术水平，以参加校际比赛和上级运动会。②

这时的运动会与民国初期相比已经具有现代运动项目的特点，比赛项目增多，与现代运动会项目相差无几，如1925年举办的第八届全省运动会设田径项目100米、200米、400米、800米、1500米、5000米、10000米、100米高栏、200米低栏、跳远、三级跳远、撑竿跳高、标枪、铁饼、铅球、800米接力、1600米接力、五项运动、十项全能；游泳项目50米自由泳、100米自由泳、400米自由泳③；球术比赛“报名者十八校，共五十三队，有篮球、队球、足球、网球、棒球等”④。1926年5月，全省第九届运动会在常德举行，比赛项目有国术、田径、男女篮排球、男女

① 长沙市志编纂委员会.长沙市志：第二卷［M］.长沙：湖南出版社，1995：114.

② 周秋光，张少利，许德雅，等.湖南社会史［M］.长沙：湖南人民出版社，2013：1261.

③ 陈奎生，张白黄.第八届湖南全省运动会成绩报告［N］.湖南大公报（体育特刊），1925-4-15.

④ 小新闻.体育会今日开球术比赛会［N］.湖南大公报，1925-3-8.

游泳、足球、棒球和网球等。[①]1932 年湖南省第十二届运动会在长沙举行，参加者有童子军、军训学生及运动员共 9000 余人。

自民国初年到抗日战争爆发前的新生活运动时期，湖南共举办了第四届至第十四届全省运动会，组队参加了第一届至第六届华中运动会及第三届至第六届全国运动会。在学校“选手运动”兴起的同时，社会上的企事业单位，如长沙、衡阳等城市的银行、邮电、新闻等部门，开始组训本系统、本部门的篮球、排球等项目的代表队，经常参加各式比赛。

到抗日战争时期，民众体育活动也未曾停止。1943 年秋天，湖南省政府迁往耒阳，那时的第九战区司令长官兼湖南省政府主席薛岳亲自在耒阳主持全省运动会开幕式，并且坐在主席台上观看球赛。其时，益阳县县长王秉丞自列为益阳篮球队员，带领谭得雄、邓秩明等益阳队球员参加比赛，打得勇敢顽强。比赛中突然下大雨，王秉丞等仍坚持冒雨赛球。薛岳是个军人，很欣赏这种拼搏精神，当他看见王秉丞全身透湿，还精神十足，当即在主席台上用喇叭高喊：“益阳王县长加油！”王秉丞也更加奋力拼搏，他们获得了胜利。王秉丞在薛岳心中留下极佳印象，这年年底，王秉丞调升长沙市市长。[②]

总之，从清末至民国新生活运动时期，长沙地区的社会娱乐生活已经有了很大进步，随着西学西俗的日渐深入，各种近代化的新式娱乐活动和体育活动在湖南陆续出现，而传统的娱乐活动也逐渐融入了西式娱乐模式，发生了部分程度的革新，从而使得民众的娱乐活动呈现出多元化的局面，社会娱乐生活更趋丰富多彩，一些新颖、健康、充满乐趣的西式娱乐方式也越来越受到人们的喜爱，无疑也是湖南民众社会生活文明、进步的表现。但是

① 田伏隆.湖南近 150 年史事日志（1840—1990）[M].北京：中国文史出版社，1993：112.

② 长沙野史类钞：下部耆旧文存[M].陈泽珲，编辑.长沙：岳麓书社，2011：112.

一些具有赌博性质的娱乐活动，在社会上依然盛行，这类非正当的娱乐形式往往使人沉湎其中、玩物丧志、害人害己、伤财败俗，成为社会上的一大公害。

五、民国时期民众日常生活的变化

按当时对新生活运动作出的解释，即为“全国国民于食衣住行四项实际的基本生活能彻底改进之一种社会教育的运动”。衣食住行乃民众日常生活，其在民国后期的变化，虽有新生活运动的影响，但非决定因素。整个民国时期湖南民众日常生活的变化主要还是随着社会时尚的变化而变化的。如新娱乐活动、西式文化传入、新移民运动、市场流行式样、新技术、新产品等，都是影响民众日常生活变化的因素。

（一）衣饰风俗的变化

民国初期，体面人仍穿长袍马褂，不过有了变化，由清代的蓝衫衍变而来。长袍有竖领、右衽，从领口沿右腋以下开衩，有七粒球形铜扣，后逐渐改为布扣。衣长触及脚背，行走或跨门槛须将一边下摆撩起。夏季长袍多杭纺、香云纱、夏布制成，秋季着夹袍，冬季着棉袍、丝绵袍或皮袍。

1910年，上海缝工陈河昌携带缝纫机来长沙首开同森祥西服店，动摇了长沙2000多年来的手工缝纫工艺和服装款式，一时顾客盈门，至1924年长沙西服成衣店发展到80余家。

到20世纪30年代，男性中青年流行中山装、学生装。衣上3个口袋，单高领，领上饰白色牛骨制成的圆球状风纪扣。裤子仿效西装裤，前下腹开口系皮带，衣料多为斜纹线布。40年代，美国咔叽布流入湖南，以丝光卡、防雨卡最为盛行。本地厂商仿制的咔叽布多毛且无光泽，俗称“土咔叽”，销路不畅。中山装式样后改成外翻夹领，4个口袋。

劳动人民着短装，上衣分对襟、右衽两种，裤腰不开口，折叠于前腹，系布带。衣裤均用家织土布，颜色以土靛染成青、蓝色；夏秋多穿白衣。劳动人民在婚丧喜庆或祠堂祀祖亦穿长衫，但袖及腰身狭小，布料以“织贡呢”（即斜纹洋纱布）为上品，其次为线布。德国进口的阴丹士林蓝色合成染料染成的平板布，俗称“士林蓝”“士林绸”，以不褪色而风靡城乡，遂使位于长沙碧湘街的贩运各色合成染料的德国多福洋行牟利甚丰。

乡下仍以土布衣裳为主，男子穿大襟衣的日少，穿对襟短衫(俗称“父母装”）的日多。人们在穿着上笑脏不笑旧，所谓“新三年，旧三年，缝缝补补又三年”。一般人家，每人冬夏仅做一两件新衣，对于布料稍好（如士林布）的遮面衣，则百般爱惜，只在喜庆日子或走亲戚时才穿一穿，事过马上收起。

妇女衣着，民国时期沿袭清代满族旗人的长袍，俗称“旗袍”，腰大袖大，沿右衽及下摆饰宽边。20世纪40年代，旗袍逐渐束腰紧身，袖口短及腋下，受到当时舆论的非议。未婚妇女将旗袍短至膝盖处，时称“耐梅装”，为上海女影星杨耐梅首倡。女学生穿短衣短裙，多青色蓝色，领口用白线绣“××女校”字样。女士则穿旗袍，蹬高跟鞋，女学生穿短衣，系短裙。竹布、士林布、绵绸、哔叽等日益增多，套鞋渐渐取代木屐油鞋，线袜、纱袜取代布袜。到了末期，妇女上衣为女式，裤子为男式；赶时髦的妇女俗称“摩登”，其所着长袍下摆升高，露出大腿；另外一种女装为大裤脚，裤脚口径大于一市尺。

20世纪30年代后，长沙儿童服装极具地方特色。当时流行一种结构极为简单的儿童连衣裤“蛤蟆衣”。此衣可用一块整布缝合而成，亦可用几块布拼缀。前胸如兜肚，后背空缺，自腰的两侧从后面往对侧的领下斜系带子，下连三角开裆短裤，利于大小便，

1936 年福湘女中学生的发式和服装

适合三四岁以下小孩穿用。因穿上形如蛤蟆，故名。蛤蟆衣俗称“麻拐”，亦称“麻拐衣”。此服既凉爽，又能护住胸肚不致受凉，为传统夏日童装。[1]

发型方面，民国建立后满式发型即被废止。西式理发店开始在长沙设立，陆军头、东洋头及西式头等新型发式开始流行起来。工农运动蓬勃兴起后，妇女受革命熏陶，纷纷改蓄齐耳短发，俗称“瓢把鸡婆”。1930 年以后，烫发技术传入长沙等城市，少女贵妇争相烫发，渐成潮流。

清代，长沙男性多戴瓜皮帽、碗帽，或用长布巾裹头。女子戴两页包头帽，称“折子”或包头巾（绉纱巾、青布巾）。光绪初年，一王姓商人在省城青石桥（今解放西路）开了家爵禄斋帽店。当时省城各帽店只知制造旧式男女缎帽，不知改良办法。而该店店主王胖子为扩展市场专往北京调查北京一切时新帽子，并带各种式样帽子回湘仿造，装修门面，扩张营业。当时浙江人庄赓良任湖南粮道（后迁湖南布政使，1910 年发生抢米风潮，被革职），他最爱京式装束，省城各店均无京式官帽，唯爵禄斋有，庄赓良

① 陈泽珲，陈先枢．长沙传统风俗大观［M］．长沙：国防科技大学出版社，2011：186—188.

遂向爵禄斋定购各种帽子，在官场中极力提倡。到20世纪30年代，便帽盛行博士帽、巴拿马帽和拿破仑帽。博士帽与长袍马褂配套，俗称“礼帽”。巴拿马帽原系巴拿马草编制而成，类似现在工人用藤制的工作帽。拿破仑帽形似渡船，用硬壳纸型做内衬，帽内有架空圆圈用以通风透气，外似笨拙，实则轻巧，多为夏季绅士用帽子。贫家子弟戴手工编织的尖顶纱帽，帽顶缀纱球，俗称“冲天炮”。年轻妇女无戴帽习惯，有的冬季在头上罩一块丝绸方巾或戴一顶小博士帽。

（二）饮食风俗的变化

湖南饮食文化历史悠久，源远流长。湘水、资水、沅水、澧水流域和洞庭湖滨的新石器遗址中出土了大量的精美陶制食器和酒器，说明潇湘先民早在五六千年前就有烹调之术了。

进入商周，这里又有了造型奇特的青铜宴席餐具，如人面鼎、四羊尊、方座簋、象尊、猪尊等，可见肴馔已有相当水平。最起始的宴会带有明显的宗教色彩，其目的就是祈祷龙行天下，福佑万民。从屈原放逐沅湘时所作的诗歌中可以看到春秋战国时期楚人祀天地、祭祖先、庆婚娶、办丧事、迎宾客，大摆宴席的隆重场面。

到了西汉，菜肴的烹调技术已达一定水平。1974年，在长沙马王堆出土的西汉古墓里，发现了迄今最早的一批竹简菜谱，其中记录了103种名贵菜品和九大类烹调方法，今日湘菜的一些传统烹调方法，如蒸、煨、煎、烧、腊等，多继承演变而来。马王堆汉墓还出土了一双保存完好的竹筷，这是中国目前发现年代最早的竹筷实物。

1999年，在沅陵考古发掘的虎溪山一号汉墓中，出土了一批与饮食有关的遣册，详细记载了随葬的食物名单，主食有黄饭、下粢饭；副食有肉食品和植物性菜肴。简文还记载了对动物的处理过程，以及盐、酒、美酒、白酒、肉酱汁、椒酱汁、姜、木兰、茱萸、醢酸等调味品。可以看出“嗜酸、喜辣、多味并存”是湖南饮食口味风俗的主要特点。①

湖南自古盛产稻谷，居民一日三餐，以稻米为主食，其中以早、中两餐为重。米饭有糙米饭、熟米饭、红米饭、白米饭之分。民国以前，一般人家多用铁炉罐（一种口圆、底尖的铁铸炊具）煮饭，挂在通钩上，四季咸宜。民国以后，用铁锅焖饭的日多。大场合、大户人家多用木甑蒸饭。浏阳东乡则家家户户使用小木甑蒸饭菜，干菜、荤腥等一起在甑内蒸熟。很多人家的饭中常拌有红薯、苞谷、高粱、豌豆、蚕豆等杂粮。冬季日短，有的人家只吃两餐。城市摊贩则习惯用米粉制成熟食，如米包子、凉发糕、葱油粑粑、白粒丸、米豆腐、汤圆及米粉等。粤汉铁路通车后，麦粉南运，长沙等城市始盛行麦面食品。

饮料方面，辛亥之前，民众日常多饮用茶、酒。湖南古来即为茶叶重要产地，民间素有饮茶、以茶礼客之俗，也有“饭后一杯茶，我是皇帝老子的爷”之谚。湖南人喜喝绿茶，特别是谷雨前茶。乡间百姓则喜欢自制的园茶，以大瓦壶“老母叶”泡茶，俗称“包壶茶”。长沙民间饮茶方式还有独特之处，据徐珂《清稗类钞》记载：“湘人于茶，不惟饮其汁，辄并茶叶而咀嚼之。人家有客至，必烹茶，若就壶斟之以奉客，为不敬。客去，启茶碗之盖，中无所有，盖茶叶已入腹矣。”另外，还有在茶中掺入其他食品饮食的习惯，如在茶中加放芝麻、黄豆和些许姜盐，俗称“芝麻豆子茶”。湖南酿酒、饮酒之俗由来已久，酒类名目繁多，大体上有白酒、黄酒、药酒三大类，主要由手工酿酒作坊酿制而成，民众通常饮用的是本地酿造的水酒、黄酒、红薯酒及低度的米酒、谷酒等，其他一

① 陈先枢，谢军．湖南餐饮老字号［M］．长沙：湖南人民出版社，2014：2—3.

些高浓度和比较名贵的酒，则多是富家豪族或宴请宾客时饮用。

民国以后，随着民众生活水平的提高，湖南饮食风俗最大的变化是有了进馆子的习惯。早在清咸丰年间，省城长沙就有了专营酒席的大型餐馆，其中，式宴堂、旨阶堂、菜根香、飶香居、菜香圃、庆星园、嘉宾乐等十家，被称为餐馆“十柱”。同时，餐馆业联合起来在永庆街（今都正街）建詹王宫，具有行会性质，尊隋文帝的御厨詹鼠为祖师。每逢农历八月十三日庙会期间，餐饮业的同行们就会聚会于此，祭拜祖师，切磋技艺。

清末民初，长沙饭馆酒家日益增多，有李合盛、玉楼东（原名玉楼春）、徐长兴、许宏茂、挹爽楼、天然台、天乐居、奇珍阁等先后开业。这些酒家饭馆各具特色，各有各的“拿手菜”。玉楼东于清光绪三十年（1904）开设于青石桥（今解放西路）。曾国藩之孙、湘乡翰林曾广钧曾登楼用膳，留下了脍炙人口的“麻辣子鸡汤泡肚，令人常忆玉楼东”的诗句。回民徐沛斋开设的徐长兴烤鸭店比玉楼东早两年，以经营烤鸭、油鸡著称，尤以独创的“一鸭四吃”闻名遐迩。稍后，汨罗人许少蘅在长沙三兴街开设的许宏茂饭馆以明码实价、薄利多销取信于民，一跃成为全市著名餐馆。到 1922 年，长沙酒席馆达 49 家，其门店排场讲究，烹饪技艺自

民国长沙人有了进馆子的习惯

成流派，经常是食客盈门。许多餐馆老板不满足于长沙城有限的消费市场，先后打入南京、上海、重庆、贵阳等市饮食市场，广开湖南菜馆。特别是南京曲园酒家，1930 年在湘人谭延闿任国民政府行政院长期间，冠盖往来，酒宴不绝，湘菜名声大震，遂与鲁菜、川菜、苏菜、浙菜、闽菜、粤菜、徽菜一道并列为全国八大菜系。抗战胜利后，长沙的餐馆、酒家分布已相当集中，从育婴街到东茅巷直至毗邻的青石桥形成了“筵席一条街”，潇湘、玉楼东、曲园、天然台、奇珍阁等大酒家都集中在这一带。

“好小吃”也是民国湖南饮食风俗之一。长沙坡子街火宫殿神庙，每逢农历六月二十三日举办庙会，同时举行大规模的祭祀。久而久之，便有零食、小饮、相面、卖艺、说书等生意出现，逐渐形成独具风味的集娱乐和饮食为一体的小吃市场。火宫殿是一个符号，所代表的不仅仅是饮食文化，更是楚人崇尚火、视火神为祖先的体现，火神庙会的形成与湖南独特的地理环境和湖南人火辣的性格密不可分。1938 年神庙焚于“文夕大火”，1941 年再建神殿时，由商贩出资在神庙前空坪建铺面，3 年不收租金，期满后产权归神庙。次年建成小吃铺面 48 间，占地 2200 多平方米，形成品种多样、风味独特的小吃店群，其规模与特色均可与当时上海“城隍庙”、北京“天桥”和天津“三不管”媲美。火宫殿的小吃品种从民间小贩开始，经年积累，具有浓郁的地方特色，著名的有姜二爹的油炸臭豆腐、姜氏姐妹的姊妹团子、李子泉的神仙钵饭、张桂生的煮馓子、胡桂英的麻油猪血、周福生的荷兰粉、邓春香的红烧蹄花等。这些小吃从选料、配方到制作，代代相传，各具风味，一直流传至今。

长沙之外，数衡阳餐饮较为发达。衡阳城中一些老餐馆如人民路的宴群园、大华楼、大三元酒家，中山路的楚湘阁、东华楼，石狮街的怡兴园，梓童巷的梓园，常公街（今常胜路）的兢园、九如阁，正殿巷（今和平路）的瀛峤仙馆，后宰门（今和平北路）

的小佳乐、醉仙阁，吉祥街的乐福酒家等，其他门店如面粉、包点店有新洞庭、新兴园、万香楼、天升阁等，酒菜筵席店如远东酒家、豫章大酒家、四海酒家等，都以各擅长的佳肴打开市场。此外还有广帮的南园酒家、白云酒家、珠江楼，川帮的蜀渝、蜀腴、小蜀腴，江浙帮的鸿运楼、小江苏、上海酒家，长沙帮的塑华园、奇珍阁等。其中南园、蜀腴等以粤味、川菜为主，鸿运楼、上海酒家等以江浙风味见长，长沙帮以正宗湘菜著称，而衡阳帮则以本土地方风味取胜。其他城镇也涌现出许多著名酒楼，如常德“复和楼”、郴县“福星楼”、洪江“大观楼”、邵阳“盟华园”、岳阳“味腴酒家”、醴陵“东北楼”等。[①]

除餐馆外，湖南面粉店也很兴旺，清同治年间就有面店粉馆行会，到民国时期形成了许多名店，如衡阳杨裕兴面馆以独特的面条制作技艺享誉三湘。长沙的著名面粉馆有甘长顺、和记、黄春和、杨裕兴、半雅亭等。也有不少餐馆、饭店兼营面粉。民初长沙面店、粉馆以及甜酒酥食汤点店达60多家，抗日战争胜利后增至100余家。长沙之外，常德津市和衡阳渣江的米粉也小有名气，与长沙米粉相比，是另一种风味。

（三）居住风俗的变化

民国时期湖南城镇民居可分为公馆和普通民居两大类型。

长沙等城市和周围集镇官员的私宅称“官邸”，俗称“公馆”，较豪华民房亦称“公馆”。这些公馆一般都是由单独的大门、庭院和主体建筑构成的独立住宅。长沙近代公馆多为砖木结构，少数为钢筋混凝土结构，所用的砖、瓦、石灰、花岗石多为本地材料。基础处理习惯用花岗石鼓形墩作木柱基座，墙基以石灰、沙、碎

① 陈先枢，谢军．湖南餐饮老字号［M］．长沙：湖南人民出版社，2014：6—8.

砖三合土垫底。民国早期公馆外墙多为青砖清水墙，墙体以“六一尺”（20 厘米 ×3.33 厘米 ×33.3 厘米）薄砖斗砌填土，或“六九寸”（10 厘米 ×20 厘米 ×30 厘米）大砖眠砌。民国后期公馆逐渐以机制红砖取代青砖。正屋所用屋架常用五柱落地，进深较大的常用七柱落地。屋面一般用小青瓦，民国中后期公馆发展为机制筒瓦。院墙挑出檐口用方椽，一般挑出 45~60 厘米，不做封檐与沿沟。主体建筑挑出檐口用钉挂楼板，并加沿沟。

出于治安和人身安全的需要，院墙较高，一般高于 4 米。沿街及沿院墙一般布置辅助用房、入院大门和天井。大多数公馆都设置前后天井。前天井实际上成为巷内公共空间与户内居住空间之间的过渡空间，后天井一般作洗漱之地。临街公馆都是独门独户，但又户户相连，所以分户墙便演变成了具有湖湘传统特色的马头风火山墙。清代风火墙富于变化，有波浪形、猫弓形、大弧形、翘角形等，但到民国时期一般已简化为“一”字形或梯级形。

上了小富的人家，住宅装修十分讲究。公馆大门为两扇厚杉树板拼成，门外壁镶竹条或嵌铁钉，有铜质门环，其底座饰貔貅图案。有的在大门一侧另嵌小门或瞭望窗口。大门框架用饰花的麻石建造。门框上有饕餮等石雕。中型公馆进大门约五步有木板鼓壁，俗称“中门”，逢婚丧喜庆或迎接贵宾则将中门打开。进中门为天井和正厅。正厅设神龛，两侧摆雕花靠椅。正厅反面为倒厅，摆花卉盆景、金鱼缸等，亦称“花厅”。小宴设花厅，大宴设正厅。正厅两侧各有厢房二间，上厢房为长辈卧室，下厢房为幼辈卧室。厨房、杂屋设花厅后面。大型公馆的天井两侧另辟横厅，有八方门或月形门，门侧有楹联，门额有横批。横厅供佛像、财神或关公像，其两侧各有卧房。不设横厅的公馆一般有三进或五进，每进有厅堂，堂正中悬挂长轴画幅，俗称“中堂”。中堂多为“福禄寿三星”“岁寒三友”“钟馗捉鬼”之类的国画。

民国时期长沙有一种专供租赁的民房称小型公馆，多木质结构，仅前门和毗邻的外墙为砖砌。小型公馆纵深为二至四进，每进有堂屋，左右分三开间或四开间。有的公馆开始修建多层楼，打破了清代民房不得高于抚台衙门和文庙的规定。大部分公馆内有水井，凡有水井的民房在大门口钉有“井”字标牌，供消防急需。1904年长沙开埠后，洋行、外侨蜂拥而至，建起了一栋栋“洋楼”，加之沪、苏等沿海地区商人入湘，长沙民居逐步融入了西方的建筑元素。据1909年《长沙日报》载：长沙马太生绸庄“今夏改造新式样楼门面”，钧和绸庄“仿造洋楼”，湘南京帽靴庄建“以合新式洋楼门面”，可见民众开始模仿洋式建筑的一些手法。但纯粹的西式建筑却很少见，只是造就了许多中西合璧的公馆。这类建筑所做的改进主要有：天井平面布局更为自由，入口大门采用西洋古典的拱券式样，一、二层采用“券廊式”风格，壁柱柱头、墙面线角、楼梯扶手、栏杆花样等采用西式做法。住房讲究宽敞明亮、空气流通，分别建有起居室、书房、餐厅、卫生间、储藏室等。如唐生智、何键、李默庵、李觉等达官贵人的公馆都属于这种类型，形成了一定历史时期带有折中主义建筑风格的时代特征。

城区普通民房多建于小街小巷，房屋布局无章，大多是砖木结构。有一部分临街民房，一般一楼作铺房，二楼作住房。有的房后有杂屋和小天井。

普通的乡村农舍，则多为东西折厢式，俗称“一担柴”。长沙农舍前多有一块地坪或晒谷坪，厅侧正房必有一间烤火房，冬天客人来访，多引至此屋烤火休息。该房靠窗户一侧设火炉，从屋梁上悬挂下来一通钩（亦称“火钩”），钩上挂烧水的炊壶炉罐等；炉中多烧松木劈柴，也烧树蔸、谷糠等，后亦有烧煤者。农家夏天多在地坪或晒谷坪歇凉至夜深人静，冬天则喜欢围炉共话。

村落民居，一般中有大厅，前有走廊。有的一侧有厢房，呈曲尺形；有的两侧均有厢房，戏称“一把锁”。厅也叫堂屋，堂屋两侧的房子叫正房。厅两侧各有一间正房的叫“三大间”,也有“五大间”“七大间”甚至“九大间”的。富家多住由前后两进或多进、左右横栋围成的庭院，中有天井，植以花木，前有地坪，外建槽门、围屋，并有八字墙、山字垛、照壁等。

大户人家，前后叠屋有五进甚至七进之多，每进厅屋均设镂空雕花屏风式中门，每厅之间由木柱斗拱重檐歇山式过亭相连。逢喜事各进中门洞开，从大门至上厅神龛，深数十米甚至百余米。正厅两侧有对称式横厅，厅外连厅，回廊与巷道将数十栋房屋连成一个整体，外人进屋，如入迷宫，知进不知出，颇具建筑、艺术价值。这种聚族而居的大屋场在民国前期并不鲜见，在浏阳北乡可说比比皆是，如蕉溪彭家大屋，曾住 300 多户人家。这种屋场宏大气派，便于喜庆活动，但室内采光不好，中心区域阴暗潮湿，春季甚至生绿苔。民国时期兵火水患频仍，大屋场多遭破坏，越来越少。

旧时民居宅基的选址极其讲究风水,其理想模式为:地基宽平，背山依水，交通方便，景色优美。阴阳五行是中国所独有的一种对宇宙生成、发展及运动规律的认识，或者说是古人心目中的一种宇宙构成图景，几千年来影响着中国文化的方方面面。湖南民间建筑亦受其影响，如用青龙、白虎、朱雀、玄武分别表示东、西、南、北四方；以八卦太极图表示阴阳协调，并认为有辟邪的作用。太极图寓意生生不息；八卦亦表示方位。民居建筑所常用的类似吉祥图案，均充满着人们对邪恶的畏惧、对美的追求和对幸福的向往。

旧俗建房注意屋场风水，俗有“三择”：择地、择向、择日。择地时，首选屋前有池塘，屋后靠丘陵，屋左畔流水，屋右傍道路，取《易象》“前朱雀，后玄武，左青龙，右白虎”之意。房屋大门忌对山尖，否则对屋主不吉。择向以坐北朝南为最好，俗谓“有钱难买向阳居”；“朝南起个屋，子孙好享福”。有的要求屋后及两侧“有龙脉”，山势左环右抱，前有流水，地势开阔。

建筑禁忌，有“对家山”的建筑居住习俗。所谓对家山，即指一个村寨正前方所对之山。民间俗信对家山的好坏，关系到这个村子是否兴旺及能否出人才。因此在建村、建房或葬坟时，要选择对家山。如果对家山是一座圆石峰，便叫它“顶子山”，旧时官帽叫“顶子”，便认为会出大官。如果没有山峰而有一条河流通过，便认为会出发财的人。村子的前方越开阔，对家山距离村子越远，便认为村子里的人胸怀越宽阔，越能出大人才。

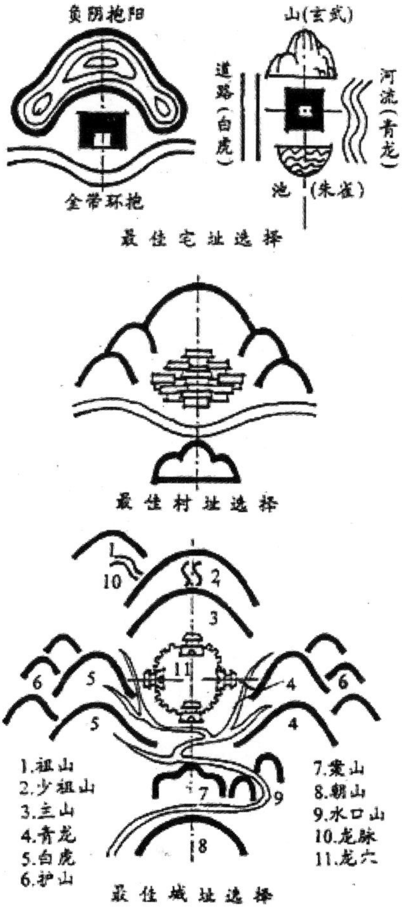

风水习俗中的宅、村、城聚落模式

与“对家山”相对应的是“后龙山”，这也是民间的建筑居住习俗。所谓后龙山，指的是一个村子的背靠之山。民间俗信后龙山之形状（如龙形、凤形、虎形、牛形等）、树木之繁茂及水流之畅通，是全村总的风水之所在，关系全村是否兴旺发达和能否出人才，故非常讲究。此外，后龙山的山水及一草一木都不许乱动，以免破坏了风水，影响全村。

概而言之，无论是“对家山”“后龙山”，还是房屋的朝向，都是笃信风水的缘故，即要求屋前有流水，地势开阔；屋后及两侧有“龙脉”，山势左环右抱。如若仕途失意、人丁不旺或灾难频仍，便怪屋场不好，便有拆屋重建的，有数次改槽（正）门朝向的。

居住禁忌习俗除了城市（镇）多为杂姓混居外，乡村多有聚族而居的习俗。往往是同一姓氏聚族而居，不愿离开家族与异姓杂居，也不允许其他的姓氏来杂居，因此一个村寨多为一姓。这些同姓氏的村寨，多则数百户、数千人，少则数十户、上百人或数百人。此俗由远古血统部族之遗风及封建社会宗法血缘制度演变而成，体现了浓厚的宗法观念。民居必然受宗法关系影响，具有宗法特征。其特征主要体现在：左祖右社、前堂后寝、房厢有别、尊卑有序。在农村，许多乡村都建有祠堂、牌坊等，这与慎终追远、光宗耀祖有关。一般而言，村子大而团结固，人口多而势力强，群体凝聚力强而坚固于该宗族的发展有利，但往往容易引起村寨之间、宗族之间的械斗。然而，到民国中期以后，随着社会的发展和变迁，人口流动的加速，单一姓氏聚族而居的格局逐渐减少，以各民族、各姓氏混杂而居的形式更为多见，或者形成“大聚居”“小杂居”的混杂格局。

（四）行旅风俗的变化

湖南虽自古有舟、马、车、轿等交通工具，但民间行旅，至民国初期仍以徒步为主。乡下人从儿童上学、少年打柴开始，就练就了一双飞毛腿，上县城，入省垣，总是穿草鞋，吃天光饭，五六十公里路程，午后就能赶到。就是城里人，也多为步行。如民国初期徐特立在长沙第一师范任教时，总是走到学校上课。1912 年毛泽东在长沙时，从住处新安巷湘乡会馆到定王台图书馆读书，每天都步行很远等着图书馆开门。后来他去安源，百多公里路程也是步行。

湖南多雨，木屐是一种可以套在布鞋外面行走的雨鞋，牛皮面子外刷了桐油，木板底，鞋底下钉有四个方形铁钉，其型号可分为大、中、小，分别为男人、女人、小孩穿。民国时期始有橡胶鞋，但穷苦人家仍用木屐，所以如遇雨天，城镇的麻石街上便到处是木屐的响声。

20 世纪 30 年代后因穿套鞋的人增多，油鞋、木屐业务开始下滑。当橡胶套鞋出现之后，轻巧的重量、新颖的款式、方便简单的穿着方式，迅速改变了人们的习惯。尤其以双钱牌、箭鼓牌等品牌的套鞋畅销，木屐迅速地退出了人们的日常生活。

轿子是昔日主要代步工具，除富者及老弱病残外，每个女人一生至少要坐一回。官吏坐的轿，等级森严，有 4 人抬 8 人抬的，人们分别称之为“四抬”“八抬”官人，还有 16 人抬的。有品级的官员才坐四人大轿或八人大轿。民间有轿行，俗称轿码头，办理出租业务。长沙的轿，有马轿、篷轿、镜轿、凉轿之分。马轿、篷轿多用竹制，较轻便，宜远行。马轿最简易，在两杠之间绑一坐板、踏脚板或竹椅之类即成。篷轿比马轿稍复杂，有蓝布篷盖。镜轿是木制的，装有玻璃，遮有布帘，宜妇人乘坐。凉轿多为私人所有，一般为藤制，有帆布或皮质篷盖，属军官、士绅专用。辛亥以前，有钱人常以轿代步，到轿行或街口随喊就是。直到 1949 年，乡下仍时见坐轿的。在城市，由于人力车等交通工具的发展，到抗战时期，轿子就已极少见了。

“车”作为城内的主要交通工具，是近代才有的事。长沙近代人力车始于 1905 年，乃仿造大西门日本洋行的木轮铁盘车，故称东洋车。至 1915 年，全城已有东洋车 900 多辆。后来又先后将车轮改为实心橡皮盘和钢丝汽皮盘（叫黄包车）。至 1929 年，城内已有各种人力车 3000 多辆，渐渐取代轿子而成为市内主要的交通工具。长沙至 1934 年始有公共汽车，人力车逐渐减少。

长途公路汽车要比城市公共汽车先行一步。长潭（长沙—湘潭）公路是中国最早的公路之一。1913 年春，都督谭延闿为军事运输目的设立湖南军路局，主持修建长沙至湘潭的公路，开中国按汽车通行标准修筑公路的先河。长潭公路竣工的当年，湘

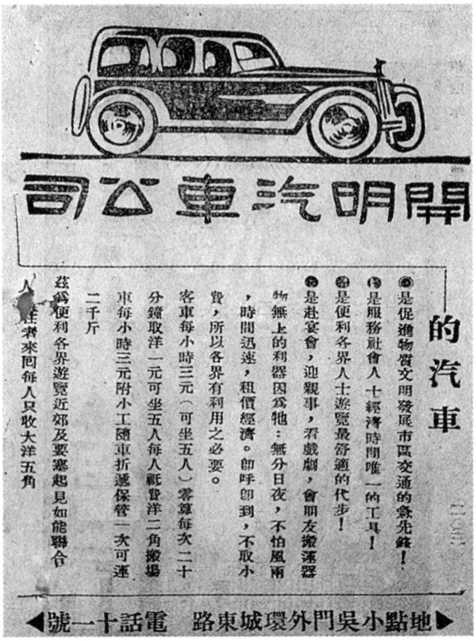

1934 年长沙开明汽车公司广告

鄂人士何又伊、盛康生等人创办了湖南省第一家汽车运输公司——龙骧长潭长途汽车公司，拥有大小客车 10 辆，开湖南公路运输客运之始。1922 年，湖南省第二条公路（湘）潭（宝）庆路又开始修建，到 1928 年全线贯通，全长 172.82 公里，路基宽 7.5 米，建桥梁 234 座。潭庆公路由长沙著名公路桥梁专家周凤九负责设计和施工技术指导，路面坚实平坦，桥梁造型新颖，颇得各方赞誉。至此，从长沙起始的汽车营运线路延至宝庆。1929 年何键主湘，成立公路局，取代了民办的汽车公司，在长沙设长宝、长宁段管理处，1930 年以后各路段的管理处逐年增加。何键大力推行“筑路剿共”的方针，曾通令各县“须知路务关系清剿，至为重要，各该县长，务宜共体时艰，切实遵照办理”[①]，致使公路建设得到较大发展。1934 年建成的长（沙）平（江）公路，翻越箬埠岭采用“天桥”方案设计，属国内首创。同年 10 月湘赣公路通车。1935 年 8 月湘黔公路、湘桂公路通车。到 1935 年全省公路共完成 2000 余公里。到 1937 年 1 月最后完成长达 695 公里的湘川公路。至此，省内 4 条主要公路干线全线通车，以省会长沙为中心的全省公路交通网已经形成。

民国前期，在公路运输发展的同时，水上运输也有一定的进展，1913 年中华汽船公司在长沙成立，“曾左嗣裔”曾麟生、左绳荪

① 湖南大公报［N］.1934-9-18.

分别任总经理和副总经理，有大汽轮 2 艘，定期直航上海。到 1914 年湖南轮船公司达 17 家,有资本 120 多万两银,浅水轮 26 艘，占当时全国商办轮船公司和商轮总数的 12%，而长沙在其中占了大头。长沙水运码头由八埠增至十一埠,码头工人增至 7700 余人；办理水陆转运的转运行也随之而兴，到 1922 年长沙转运行达 15 家，资本 16.4 万银元。到 20 世纪 30 年代航线较前增多，轮船已达 160 艘。其中民营船只有普济、楚利、湘鄂、长潭、长益、长津、民众等 10 余家公司 48 艘,另有一户一船的 56 艘。以长沙为枢纽,顺湘江而下岳阳、汉口为外江航线，主要由英国的太古、怡和公司，日本的日清公司、戴生昌轮船局和官僚资本招商局、三北、鸿安等公司的轮船行驶；以长沙为中心，至湘潭、常德、衡阳、湘阴、益阳、津市、南县等地为内河航线，由普济、民众、长津、长益等民营航运公司船只行驶。1937 年抗日战争爆发，日清公司将资产汇解回国，戴生昌轮船局在湘资产则被湖南省政府宣布为敌产，予以没收。①

湖南铁路起步较晚。粤汉铁路武昌至长沙段工程，系利用英、德、法、美四国银团贷款，于 1912 年开始勘测，历时近 7 年，于 1918 年 9 月通车,全长 480 余公里。接着对长株段进行了全面修缮，两段于 1920 年对接，武株线在湘境约长 250 公里，有 22 个车站。直到 1936 年粤汉铁路才全线通车，长沙经广州口岸进出口的商品日益增多，生猪和粮食成为长沙外销的大宗商品。客运也有了固定的线路，并出现了软座车厢，民众出行更加方便。

民国时期，特别是 20 世纪 30 年代，湖南社会风俗和民众生活水平都有很大改善。然而，由于中国封建文化成熟发达，传统观念深入人心，旧的社会风俗根深蒂固，因此，这一时期的社会风尚仍然表现为古老习俗与近代文明之间的不断冲突与融合，表

① 陈先枢，黄启昌．长沙经贸史记［M］．长沙：湖南文艺出版社，1996：175—177.

粤汉铁路的客车车厢

现为固守传统与鼎新革故的抉择与彷徨。同时又因为中国社会政治、经济、文化发展的不平衡性，民国时期的风尚变化沿着沿海到内地、南方到北方、大城市到中小城镇到乡村的路径缓慢行进，一直到新中国成立。湖南地处中国中部，具有深厚的传统文化内涵和颇具特色的地方风俗，在西方文化的深刻影响下和整个中国社会变革的推动下，其社会风俗也在进行着深刻持久的变革，社会风俗在保守与革新的反复拉锯中不断朝着文明、健康的方向发展。

第八章

湖南近代城市公共空间变化及其对民俗的影响

城市公共空间是相对于城市个人、家庭、小团体专用空间而言，如供公共使用的茶馆、酒楼、会馆、祠堂，以及近代公园、广场、图书馆、博物馆、影剧院等面向广大民众敞开的空间，它具有公共性与大众性。城市中面向民众服务的开敞空间，是人与人、人与自然、人与社会进行情感、信息、物质、能量交流等多重功能的重要场所，是城市生态与城市生活不可缺少的空间载体。

一、近代城市公共空间对民众生活的影响

城市公共空间有四层涵义，即大众化的服务对象，所有人均可使用,自由进出,没有阶级和贫富之别。它具有生态、娱乐、文化、美学等多重作用和功能，承载了人类社会及自然界的多种活动与联系，是民众学习、休闲、娱乐、游憩、购物、交流、锻炼、观览等活动的公共场所。每一个城市空间形态的形成都有其地域文化、乡土地理及历史环境背景，它们的不同造就了不同的城市识别性，而这种形态又不是一成不变的，它在渐进式、碎片式地变化着。公共空间一直是记载着政治和社会变迁的一块大画布，在公共空间的形成、设计与使用上体现出时代的更新和进步。

（一）城市公共空间对民众生活的影响

一座城市的特征主要体现在为市民广泛享用的公共空间上。人、社会生活和公共空间三者之间联系紧密。城市公共空间其实是社会民众生活的大容器,民众生活又是它的内容,两者相互依赖。

广场是城市中最早利用的一种开放空间形式。广场由周围建筑围合而成，是室内活动场所的延伸，是民众交往的城市起居室。广场容纳城市居民及外来者多种多样的交往活动，如节日聚

会、商业集市、文化娱乐、市民休憩及宗教活动等。湖南早期的广场多修建在寺庙、祠堂前面，是举行宗教仪式、集会的主要场所。广场的主体为宗教性建筑物或构筑物，是被民众认同的城市标志物。另一类是交通广场，它是城市交通系统的有机组成部分，是交通的连接枢纽，起着交通、集散、联系、过渡以及停车等作用,并有着合理的交通组织。广场尽可能地满足着民众的生活需要，体现了广场作为人流会聚、消闲、交流场所的作用。

湖南城市最传统的公共空间是茶楼酒肆。省城长沙的茶馆酒楼一直呈现出明显的民俗文化特色，久而久之，被称为精英的文人们也浸淫其中。茶馆酒楼创造出了诸如花鼓戏、方言相声、长沙弹词等大俗的地方文化。因此，湖南茶馆俗气十足，容纳五色人等、五花八门，犹如一锅大杂烩。但它却是湖南特别是城市民众日常生活中打发休闲时光、与人交往的场所。长沙茶馆还有一个特点就是几乎每一个茶馆都很热闹，堂倌的唱牌声此起彼伏，“十四席坐客糖、肉包子各四个，六席坐客玫瑰大油饼一个……”堂倌都穿对襟青布衫，右手提一把铜壶，左手托着十来个碟子，左肩上搭着一块白色抹布，不停地招呼着往来的客人，穿梭于茶桌之间。茶馆酒楼又是文人乃至劳动民众议论国事的场所和传播小道消息的渠道，因此一些茶馆酒楼老板怕引出事端，常挂起“莫谈国事”的招牌。民国时期茶馆酒楼还是民众进行社会交往和交流的重要场所。如长沙四大茶馆,政界及教育界人士喜欢惠顾德园，工商界人士习惯聚集在大华斋，手艺工人喜欢到徐松泉交流技艺行情，行栈老板及上街先生、经纪人则爱到洞庭春谈生意。①

近代尚无虚拟的网络空间，每种流行时尚都形成于实在的公共空间，无论是模仿心理，还是从众心理，没有公共空间，都不会产生，这在本书第六章《近代戏曲民俗的演变和“文明戏”的

① 陈先枢，汤青峰，朱海燕．湖南茶文化［M］．长沙：中南大学出版社，2009：265.

传入》已经述及。近代新的公共空间，如公园、图书馆、博物馆、教育馆、俱乐部等，更是民众学习新知识、接触新事物、接受新观念、享受新生活的主要载体，这在本章将重点铺陈和论述。

（二）公共空间变化带来的人际关系的变化

近代湖南传统民众活动空间的延续和变化，以及民众活动新公共空间的出现，特别是新式社团的出现，在一定程度上拓宽了人们人际交往的圈子，也拉近了知识分子与劳动民众之间的距离。早在维新运动时期，维新派为了推行变法思想，组建了各式学会组织，如南学会、不缠足会、延年会等组织，率先在观念上冲破了传统的“君子不党”的信条。此后，在新型知识阶层中间，各种不同性质的社团纷纷出现，这些社团注重自由、平等的理想追求，以培养国民、输入文明为主要目标。到民国时期，人们的集会结社等更是作为国民权利载入宪法和法律而得到保护。于是，在不同阶层的人们中，各种民间社团作为合法团体在社会上大量涌现，不仅有了上层的商会、教育会等，也有了下层民众参与的农会、工会等。辛亥革命后，一批关心农村、热心农业的人士，成立了湖南省农会，以从事这方面的工作。当然，这一组织与后来的共产党领导的农民协会有着本质的区别，但它毕竟是一个新的事物，标志着一个新社会的到来。民国时期的长沙市职业工会也并非中共地下党所组织的从事工人运动的工会，而是国民党长沙市党部组织的长沙市总工会所属的职业工会。据 1934 年《长沙市指南》记载，全市有职业工会 60 个，会员 52776 人。长沙市职业工会下属各行业职业工会为维护工人利益和提高工人文化水平，确实做了一些有益的工作，如湖南第一纱厂成立了工余补习学校和工人阅览室。1929 年 10 月，南京国民政府颁布《工会法》，于 1933 年再颁布《县、市总工会组织准则》。1938 年 3 月，长沙市政府通令整理工人团体，限期办理备案手续及改选理监事。当年10月6日，国民党中央社会部核准组织长沙市总工会，由周松筠、张福云等任常委，推邓望溪等研究征募办法，发动工界各业捐款献飞机支援抗日。1943年3月，长沙市总工会通令各业领证佩带，以防止“奸伪活动”。5月1日举行了劳动纪念会，组织了手工业产品展览。1946年5月13日，曾向湖南省社会处呼吁救济长沙失业工人。①

近代湖南公共空间扩大，商品经济发展，人口流动越来越大，人与人之间交往的频率也越来越高，交往的区域越来越向更宽更广的范围辐射。这样，人际关系的传统模式受到了巨大的冲击，人们的社交圈子和交往观念开始由封闭性向开放性转型，形成了近代社会多层次的外向开放型人际关系。在近代湖南社会，西方资产阶级的自由、平等思想开始为湘人所接受，一些有识之士不断对封建传统的纲常思想进行抨击。民国时期，资产阶级的自由平等思想更加深入人心。湖南辛亥革命的先驱们曾聚焦于争取妇女经济、政治上的平等权利，唐群英、林宗素、张汉英等组织女子参政同盟会，唐群英带领女子武装冲进参议院，造成轰动全国的女界大闹参议院事件。②同时，唐群英和张汉英等于1913年在长沙创办《女权日报》，倡导男女平权，并参与国政，使湖南女界扬眉吐气，长沙舆论界耳目为之一新。近代湖南社会对自由、平等的追求，表现在人际交往和人际关系上就是：传统社会的等级思想和观念渐渐不敌平等思想和观念的冲击，等级观念在慢慢淡化，人际关系由以前的纵向控制为主，发展到纵向联系与横向联系相结合，人际交往正在由单向交往向双方互动交往发展。同时，地缘关系上的等级观念到民国时期也越来越淡。传统社会的士农工商，士居“四民”之首，商居“四民”之末，职业上的贵贱等

① 长沙市档案馆.长沙珍档解析［A］.长沙：湖南人民出版社，2014：207.
② 申报［N］.1912-3-24.

级观念相当强。但随着科举制度的废除，士商之间的职业对流和社会职业分化的加剧，使职业之间的等级观念越来越淡化。总之，近代湖南社会传统儒家思想影响下的宗法等级化人际关系正在向近代平等化人际关系过渡。

二、传统民众活动空间的延续和变化

湖南城市传统民众活动公共空间有茶馆、酒楼、会馆、祠堂等，在民国时期，它们大多数保留了下来，但无形之中都发生了进化，其功能也有所改变。

（一）从茶馆到咖啡馆

从晚清到民国，坐茶馆是长沙等城市民众的一种重要休闲方式。民国初年刊行的汇辑清代野史笔记的《清稗类钞》在“饮食类”中对长沙老茶馆有这样的记载：“长沙茶肆，凡饮茶者既入座，茶博士即以小碟置盐姜、莱菔各一二片以饷客。客于茶资之外，必别有所酬。”[①] 又说：“茶肆所售之茶，有红茶、绿茶两大别。红者曰乌龙，曰寿眉，曰红梅，绿者曰雨前，曰明前，曰本山。有盛以壶者，有盛以碗者。有坐而饮者，有卧而啜者。怀献侯尝曰：‘终日勤苦，偶于暇日一至茶肆，与二三知己瀹茗深谈，固无不可。乃竟有日夕流连，乐而忘返，不以废时失业为可惜者，诚可慨也。”[②]

民国报刊说明了长沙人爱上茶馆的原因：

> 在长沙，早上上茶馆是成风气，大半也是为了使得

① 徐珂．清稗类钞［M］．北京：中华书局，1986：6320.

② 同① 6317.

> 解决早餐问题。因为在长沙居家的人家，是用煤火，为了省煤，大都先晚封了灶，大清早要起身上办公室，上工厂，上学校，赶生意的人们等到家中生了火，再烧开水煮食物，时间已赶不及，感觉太不方便，所以大家都借重茶馆，求解决一切。因为那里有现成的开水、茶点，直捷方便。一般中下级的公教职员、工人、单身汉等形形色色的人，大都这样挤满了每家茶馆的早市。在长沙，也有不少闲散惯了的人，他们上茶馆，却是成为习惯。一起床就要爬上茶馆，一有空闲更非上茶馆不可。一坐就是几个钟头，三三两两，围坐一席名茶、细点，摆龙门，上下古今，无所不谈，有时也变新闻天地。比较客气点的茶馆，都设有内室，因此一些年青男女们，也利用此作交际场所，静坐密谈，星期天出入茶馆的密斯们，大有人在。[1]

从文中可以看出，茶客一般分两类：一类是喝早茶后上班，或碰头谈生意，约 8 点钟后即离席而去；另一类为有闲人士，如退休老人、休假和休业人员，以饮茶消磨时间。少则两三个小时，多则四五个小时。当时省城有口皆碑的老茶馆有云阳楼、宜春园、同春园、天然台、半江楼、德园、徐松泉、洞庭春、大华斋、火宫殿等。这些老茶馆或雅或俗，或静或动，或素或荤，各具特色。一般都悬挂“山水名茶、时鲜细点”的广告牌以招徕顾客。其中店堂宽敞，茶点俱佳，闻香止步，高朋满座的有道门口的德园、西牌楼的洞庭春、八角亭的大华斋和老照壁的徐松泉，号称长沙四大茶馆。这四家茶馆不仅茶叶各有特色，点心也别有风味。如德园包子皮薄馅足，花色齐全；大华斋的脑髓卷透油松软，落口

① 涤予.长沙的茶馆——大众的娱乐场［N］.湖南大公报，1947-3-16.

大华斋茶馆

徐松泉茶馆

消融；徐松泉的烧卖米糯油透，如食珍珠；洞庭春的油饼香甜松脆，油而不腻。由于洞庭春茶馆靠近西牌楼百合戏院，邻近的太平街上又有楚南、湘春园等戏院，因而洞庭春茶馆还专设有以应女伶会面配戏之需的雅座，消费一般由商号老板买单。茶馆每天有专人送戏码单子，戏迷们在戏院售票窗口难买到的票，在茶馆一经疏通，都能弄到。

茶馆的茶叶有毛尖、云雾绿茶、河西园茶、花茶和混合茶（绿茶、花茶、茶叶末子混合在一起）。长沙人口味重，茶客以喝混合茶者居多。混合茶酽，很“打水”，多次兑水后茶味仍浓。一斤茶叶分成 200 多个小铁筒，来一位客人，倒一筒茶叶冲泡即可。除茶叶外，就是经营茶点。清茶馆纯粹是文人茶馆，旧时在湖南是少见的。荤茶馆则在城市内遍布，茶点以糖、肉包子为主，还有马蹄卷、千层糕、烧卖等。而银丝卷、春卷、小笼汤包、鸳鸯大油饼、小油饼、小芝麻饼等则属于白案师傅制作的精点，多供雅座客人享用。如喝茶喜吃茶根一样，茶客吃包子也有特点：泡一杯浓茶；糖包子肉包子各取一枚，先在包子的底部各抠一块面皮放入口中，然后取花生米一把，双手一搓，张口一吹，皮全去净，放入两个包子里；两个包子背靠背合在一起，用双手将之捏成一个大圆饼，使糖、肉、花生米均匀分布，美其名曰“老蚌含珠”，这才开始细嚼慢咽，喝一口浓茶，吃几口包子，非常惬意。在这样享用包子时，称呼包子的量词也发生了变化，不叫“个”，也不叫“只”，而叫“件”。“来四件包子！两糖两菜，一杯茶，一个碟子！”一听就知道是个热爱并且讲究的吃包子的行家里手。同时，子油姜、花生、瓜子、紫苏梅等小碟茶点也是茶馆经常备有的。坐茶馆的一部分人，虽然每天都来吃包子，却只吃包子皮，吃烧卖又只吃糯米不吃皮，包子肉馅或烧麦加两根油条，皆可做成午餐上的一份菜汤，也算是一家人的口福了。由此可见，当时一般市民生活的水平较低。高谈阔论归高谈阔论，民主自由终究是有限的，因此，一般茶馆为免是非，保平安起见，都在店内张贴有“闲谈勿论国事”的警示公告。这就是旧时长沙的茶馆，世俗、平常，见生活之苦，有生活之乐。

1922 年长沙有茶馆 75 家，1926 年增至 115 家，茶馆间已分档次。20 世纪 30 年代增至 140 余家，抗日战争胜利后全市大小茶馆达 170 余家。[①] 除长沙外，津市“新合楼”的包子、湘潭“祥华斋”的脑髓卷也远近闻名。

1937 年抗日战争爆发前夕，大批新潮人士拥入长沙，不仅茶馆有了西化的势头，还把咖啡馆带到了长沙，连街头都出现了咖啡摊。

---

① 陈先枢，谢军．湖南餐饮老字号［M］．长沙：湖南人民出版社，2014：10.

长沙出现的西式茶馆

长沙街头咖啡摊

咖啡馆一时间大有盖过长沙茶馆之势，1933 年至 1935 年，长沙的咖啡店，忽然增加到了几十家之多，著名者有青春宴饮社、远东咖啡店、万利春、易宏发、芝加哥、杏花村、新亚、南国酒家、广东商店、上海商店、巴黎、楚社等。

这中间以远东、万利春、易宏发 3 家资格最老。芝加哥、杏花村、广东商店、上海商店都是由食品商店添设的，南国酒家是酒筵店，都是聘用女招待兼做咖啡生意。“远东”开设最久，已有 7 年，为聘请女招待的先知先觉者。“远东”曾选举“皇后”，结果唐云当选。后来在银幕走红、主演过《夜半歌声》的胡萍，也由这里出身。虽然胡萍竭力否认曾在长沙当过女招待，可是严怪愚那时正是远东的老主顾，经常看见她。除了胡萍，还有郭氏姊妹，都是那时的长沙闻人。后来郭氏姊妹嫁了人，胡萍走了，远东便渐渐没落了。

“远东”之外，“易宏发”最受人追捧。易宏发是一家人从事咖啡事业，老板上街，老板娘便坐柜。易宏发有两个儿子，一个在堂上行走，另一个在厨房行走。“远东”有女招待，“易宏发”也有，儿媳妇便是女招待。

南门咖啡馆第一家当数“青春”。“青春”的一切，都参照当时的新生活运动。“青春”的女侍者，集长沙女侍者的大成。银珍、叶红、淑纯，人才济济。正因为如此，“青春”的生意后来居上。其他咖啡馆也因女招待而走红一时。如“新亚”有一个女侍者叫郭萝芹，大家都叫她“废票皇后”。“万利春”也是有女侍者的一家西餐馆。真正喝咖啡、吃大菜，非万利春莫属。①

许多坐咖啡馆的人，不一定喝咖啡，而是“吃女侍者”。如约定到“青春”，便指明要“叶红”出来；走到“远东”，便“刘文燕呀，刘文燕呀”地呼叫。叶红拿着口琴，吹一曲《桃花江》；银珍清唱一折《苏三起解》。真是“醉翁之意不在酒，在乎女招待也”。

咖啡馆是有闲阶级的享乐窝，咖啡代替了许多人的鸦片烟，咖啡馆取代了许多旧式的茶楼。

（二）酒楼的嬗变：从吃到品

吃的个人空间在家庭，公共空间则在酒楼饭店。《清稗类钞》曾记载长沙宴会的豪华：

> 嘉庆时，长沙人宴客，用四冰盘两碗，已称极腆，惟婚嫁则用十碗蛏干席。道光甲申、乙酉间，改海参席。戊子、己丑间，加四小碗，果菜十二盘，如古所谓饾饤

① 严怪愚．长沙咖啡店的几个镜头［M］// 张湘涛．民国文人笔下的长沙．陈先枢，杨里昂，彭国梁，辑录．长沙：国防科技大学出版社，2012：196.

者，虽宴常客，亦用之矣。后更改用鱼翅席，小碗八，盘十六，无冰盘矣。咸丰朝，更有用燕窝席者，三汤四割，较官馔尤精腆。春酉设彩觞宴客，席更丰，一日縻费，率二十万钱，不为侈也。[①]

这种盛宴，显然不是普通家厨所为，应是在酒楼中举行的。《坦园日记》是清末长沙籍戏剧家杨恩寿（1835—1891）所写的一部日记，因杨恩寿别号坦园，故名。现存日记稿本系杨恩寿1862—1870年九年间的日记。其中有三年多是记长沙之事的，记录了他和朋友在长沙茶馆酒楼的265次饮宴（包括品茶，不包括在家饮宴）情况，可窥见清同治年间长沙茶馆酒楼之盛。据文史学者任波查证，日记中记录的长沙茶馆酒楼共有55处，其招牌大概可用亭、园、楼、阁、馆、轩、室7个字概括。如：

亭：麓香亭、瑞松亭、涌香亭、王松亭、雨松亭。

园：憩饮园、忠合（中和）园、庆春园、裕春园、长春园、清香园。

楼：清香楼、心远楼、松华楼、楚盛（胜）楼、萃英楼、玉松楼、楚雅楼、紫馨楼、茗馨楼、明月楼、听月楼、瑞松楼、玉兴楼。

阁：宴琼阁、饮仙阁、聚仙阁、双清阁。

馆：清腴馆、如松馆、醉仙馆、醉仙小馆。

轩：福盛轩、萃临轩、庆春轩、庆阳轩、庆乐轩、同庆轩、裕泰轩、新盛轩、裕春轩、楚华轩、紫临轩、积庆轩。

室：在莲室、楚卿室、纫兰室、松泉茶室、碧湘茶室。

其他：白云湘、玉壶春、疏灯人语。

近代长沙的这些茶馆酒楼招牌十分文雅含蓄，不像今日餐饮店直呼××食府、××酒店。有的还颇有诗意，如玉壶春。后

① 徐珂．清稗类钞［M］．北京：中华书局，1986：6273.

来开业的玉楼春（玉楼东的前身），起名显然受了玉壶春的影响。饮食店多称亭、园、楼、阁、馆、轩、室，是由于传统酒宴都在具有一定园林色彩的馆舍进行。上列名录，最多的是“楼”，这是因为当时城市的平房多，而称楼的饭店茶馆，也只有两层，顶多三层，下层为工作间，上层为饮宴之所。

长沙历来是茶馆、酒楼分开。茶馆只做白案（包点），酒楼主做红案（菜肴），清末就形成这种格局。酒楼大都召妓侑酒，当时社会上有妓女、相公和戏子三种人都从事侑酒。晚清政府禁止官吏狎妓，故在酒楼中侑酒的多是相公或男戏子，酒楼也靠他们招揽生意。如杨恩寿《坦园日记》同治六年（1867）三月初六日记载：候补道员张力臣之子张鸣，在麓香亭为一位名叫艺云的男演员做生日，把长沙城所有艺人一概请来，还请了一些别的客人，达几十桌之多。

不过，清末这些酒楼的顾客仍是达官贵人，平民百姓是无钱光顾的。随着城市民众收入的提高，西方饮食文化的传入和城市各阶层饮食需求差距的缩小，到民国时期，城市餐饮业从结构到品位发生四个明显的变化。

第一，餐饮业结构发生两极分化

一方面，面向精英阶层的高档酒楼继续存在；另一方面，面向平民阶层的饭铺大量涌现。民国时期长沙等城市的高档酒楼无论是装修，还是菜品都发展到极致，如长沙的曲园、潇湘、玉楼东、健乐园、李合盛，常德的第一春，郴州的福星楼，邵阳的盟华园，岳阳的味腴酒家等。长沙曲园酒楼始建于民国二年（1913），聘请湘菜名师袁善诚掌厨，还有名厨丁云峰、史玉和、雷银生。可谓高师云集，名噪一时。于民国八年（1919）在走马楼扩建1栋3层楼面的大酒家，每层楼面设有格调各异的雅厅，一次可摆设80~100桌高档筵席，均用檀木餐桌、象牙筷子、白银酒具、紫

曲园酒楼

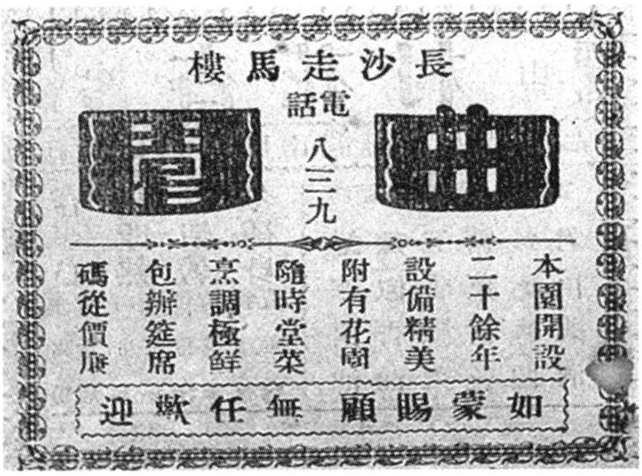

1934 年曲园广告

铜火锅等高档餐具。曾任过湖南省代主席的民国名流曹典球，有一次在曲园订了一场寿宴，摆了 102 桌，成为民国长沙餐饮史上高档寿宴之最。主楼内还辟有一些清雅幽静的单间，可容三两顾客小酌；还设有 4 个小礼堂和豪华客房，专供顾客婚礼新欢之用。曲园名菜有奶汤生蹄筋、冬菇无黄蛋、松鼠活鳜鱼、火方冬笋尖等，均脍炙人口，长盛不衰。

潇湘酒店位于育婴街（今育英街），为名厨宋善斋于 20 世纪 30 年代初独资开设。当时长沙不乏家底丰厚的美食家，如傅湘臣即经常光顾潇湘，每次都要点 40 银元一桌的鱼翅席。潇湘的鱼翅有很多做法，有奶汤鱼翅、金钱鱼翅、鸡茸鱼翅、蟹黄鱼翅，故每次都能让傅氏尽兴而归。上海有个做海味的生意人，叫熊碌生，看到潇湘酒家如此红火，便入股其中，一次从上海购进 10 担鲍鱼。曾在潇湘酒店任厨师的湘菜大师石荫祥回忆："当时老板财大气粗，潇湘的生意真是了得。我在烹饪技艺上有今天的成就，跟这一段经历密不可分。"[1] 潇湘酒家擅长之菜还有红煨土鲍、口蘑干丝及干

① 陈先枢，谢军．湖南餐饮老字号［M］．长沙：湖南人民出版社，2014：36.

蒸果饭等，其他菜肴亦极可口。传闻时任湖南省主席的何键说过“吃海鲜，进潇湘；吃土鲜，进三和”，于是潇湘酒店的名声压倒三和酒家。

在高档酒楼长盛不衰的同时，一种称之为“饭馆”或“饭铺”的平价餐馆也遍地开花。如长沙许宏茂饭馆、李子泉饭铺、石三盛饭铺等。许宏茂饭馆开业初期，经营平淡，后来老板许少蘅偕媳重整店务，扩大营业，薄利多销，打开局面，逐步成为长沙市著名饭馆。从 1931 年开始的 20 年间，该店菜肴品种多样，质好量足，价格便宜，为一般市民所喜爱。如：顺风子（猪耳朵）或烧腊肉（卤猪头肉）炒芹菜（或大蒜），开始卖银元 6 分，后来卖 1 角。一份裙带粉（蚕豆粉条）炒猪肉或牛肉卖 1 角。一份炖牛肉卖 1 角。白饭每碗 2 至 3 分，比同业便宜二三成。该店亦办酒席，菜谱为八碗：大烩海参、鱿鱼笋子、三元鸡（红枣、桂圆、荔枝蒸鸡）、面包鸭子（或锅炒鸭子）、扣肉（或肘子）、果饭（或橘露汤圆）、红烧鱼、火锅（或菜心肉片汤）；外加四碟：白鸡、香肠、卤舌、凉拌菜，每桌银元仅 3 元 6 角。

设在火宫殿内的李子泉饭铺，以卤味闻名长沙。店主李子泉 1932 年以提篮卖卤菜起家。到 1942 年发展到有铺面 14 间，还盖了 7 间新房，人称火宫殿内“李半边”。该店顾客以贫民阶层为主，但也有西装、长褂子客混迹其中。饭铺不同于酒席馆，它以经营家常菜为主，其最高规格为“和菜”。“和菜”一般为数菜一汤，大抵有 1~4 元数个档次，由饭铺统一配菜。到饭铺吃饭，行话叫“敲边”，即凑份子的意思。“李子泉”菜肴颇有特色，夏有龟羊汤、拉羊丝、清蒸甲鱼，秋有麻辣田鸡、红烧龟肉，冬有红烧狗肉等。还常备各色卤菜，卤水加入肉桂、苏酒、冰糖等，及时过滤沉淀，保持味鲜色艳，“李子泉”遂成名牌。

第二，西餐进入城市餐饮市场，且生意兴隆

清光绪三十年（1904），长沙开埠后，外国人大量拥入长沙，西餐馆（当时叫番菜馆）便紧追上海、汉口之后，如雨后春笋般冒了出来。1905年4月19日，《长沙日报》创刊，这是长沙市创刊最早的向社会公开发行的报纸。当本地餐馆老板们还不知道如何在报纸上登广告时，位于接贵街口的四海春番菜馆和位于洪家井的万祥春番菜馆就先声夺人了。他们在《长沙日报》创刊号的版面上各占一块，做起了广告。“四海春”广告的主要内容是：他们是从上海的四海春分出来的分店，外商对上海四海春应当不会陌生；他们聘请了外国头等名厨，烹制英法大菜；还兼营从北京、广州采购来的多种洋货，包括罐头、洋酒、西式点心等；经营中餐和西餐，西餐每位客人一餐收光洋一元，中餐每位客人一餐收光洋八角。从这个定价就可以知道，四海春把中餐也当西餐在经营，事先配好的饭菜，每人一份，类似于今天的快餐盒饭，故称之为小食。万祥春番菜馆的广告则说：“本馆自运泰西各色罐头、海味、水果、洋酒以及各种送礼洋点，专办法国大餐，每客一元三角……各物比别家格外公道，应酬周到，承蒙士绅商赐顾，认明本馆，以待清赏。”

四海春番菜館
上海分此

啟者本館自開辦以來承仕商推
誠相顧俾以別開生境今復自運京
廣洋貨聚會外國罐頭貨物各色異
樣洋酒西式點心英法大菜以及各
種送官禮等物一切俱全大餐小食
均隨客便大餐每客洋一元小食每
客洋捌角小食在外出菜隨客起碼
隨帶器具本館今請外國頭等名廚
格外精潔以廣招徠特此奉聞
湘省驛門上接貴街口
四海春番菜館謹白

1905年《长沙日报》四海春番菜馆广告

长沙中餐馆为与西餐竞争，也学着以“春”作招牌，如开在青石桥的万家春和开在小西门外河街的四时春。但这两“春”并没有为湘菜争回一点面子，万家春在招牌前面冠以“京都”二字，四时春在招牌前冠以“浙宁”二字。即便是中餐馆，也要贴个京苏闽粤浙之类的标签，以示来历不凡，但最终敌不过番菜馆。1906 年有畅叙楼英法德番菜馆在辕门上小东街开业；1907 年又有聚泰祥英美番菜馆在小西门外粉墨登场；1911 年 7 月，上海分出来的万年春番菜酒楼在青石桥落地。这些番菜馆的老板或股东，不一定是洋人，他们中不少就是土生土长的长沙人，他们抓住长沙人视吃西餐为时尚，喜随大流、跟风的习惯，狠狠赚了一把。

西风东渐之张力，一下子改变了人们对外部世界的看法，也改变了长沙人的饮食观念，这是湘菜馆的老板们始料未及的。他们在万般无奈之下，也只得跟着行些权变之策，比如 1908 年在鱼塘街开业的天然台酒楼，不得不冠以“天然台西式酒楼”的牌子。不过天然台的开业广告说“聘请著名厨师，烹制中外大菜”，把湘菜与番菜并称为“中外大菜”。

番菜并不适合长沙人“嗜酸喜辣”的口味，从位于新坡子街的万利春番菜馆当年的一份菜单便可看出。一块光洋，可以吃到下列食物：1. 四色冷果盘，2. 罗宋汤，3. 打巧鳜鱼片，4. 花旗（参）杏利蛋，5. 庞办鸡，6. 德国冷芦笋，7. 梅酱浜（饼）夹，8. 水果，9. 咖非（啡）、牛奶。而在天然台等湘菜馆，花几块光洋就可以吃到一桌中等水平的酒席。但吃西餐一时还是形成了一股潮流。有头有脸的人请客，必去番菜馆，你请别人吃湘菜，人家吃了还说“不上档次”。

番菜风头强劲一时之后，必然会慢慢减弱，番菜毕竟不合长沙人的口味。在三湘四水这块土地上生长的人，都是吃湘菜长大的，最终还得服从舌头的喜好。辛亥革命后陆续开业的几家大一点的湘菜馆，如 1913 年新开业的曲园、逸园等，没有再以“西式”或“中西大餐”为标榜，而是正大光明地打出经营湘菜的牌子。番菜在长沙风靡一时之后，到 1925 年，大多数番菜馆转了向，或改作旅馆或改作中餐馆，个别坚持做西餐的，也不再叫番菜馆了，都改称为西餐馆或西餐厅。曾经以经营番菜红极一时的中意合资义国华洋饭店，到 1926 年 5 月，“洋”股全部退出，只剩“华”股，于是华人股东一不做二不休，干脆将义国华洋饭店更名为爱国饭店。

不过外国人还是不想轻易退出长沙餐饮市场，最早的长沙饭店就是外国人开的。1921 年 10 月 19 日，一家叫“长沙大旅馆”的广告，堂堂正正地刊在《大公报》三个字的头顶上。像这种利用报纸上框之外的白边刊登的广告，称之为报眉广告。报眉广告引人注目，广告收费也比较高。长沙大旅馆刚问世，就占着一版的报眉，确实出手不凡。一看广告内容，果然有些来头：

> 葡商长沙大旅馆先行交易，择期开张：本馆为便利中外旅客起见，在长沙小西门外娘娘庙对面砌造三层洋楼，最新器具，亭台花卉，陈设精致，并备欧美番菜，随时华餐，卫生盆堂，藤轿包车，洗衣理发，轮船车站专人接送，以及京广杂货，无不应有尽有。定价低廉，招待周到，如蒙惠顾，无任欢迎。价目三元三角、二元二角、一元六角五、一元一角，电话四五二号，馆长巴拉甘汉启。

长沙大旅馆就是长沙饭店的前身。1921 年 12 月 7 日，《大公报》的头顶上再次刊出了一则长沙大旅馆启事：本馆奉领事谕，大旅馆名称似与华人营业混合，着将大旅馆改名为长沙饭店。据有关资料记载，长沙饭店有装修华丽的客房，有时尚的西餐厅，有宽敞气派的中餐厅，有整洁卫生的洗澡盆堂，还有洗衣房、理发店，还有京广百货的批发零售门市，还有黄包车（人力车）停车场，还有专供坐轿来的客人停轿的轿厅，甚至还有大礼堂，可以放电影、演湘剧和京剧。[1]

第三，在餐饮公共空间内，精英文化与市井文化融为一体，形成从吃到品的趋势

酒楼旧称“瓦肆”，本属市井范畴，但一旦有文人浸淫其中，就有了文化的意蕴。这种趋势首先表现在知识分子与劳动民众在饮食审美上的趋同，正如《孟子·告子上》云：“口之于味也，有同嗜焉；耳之于声也，有同听焉；目之于色也，有同美焉。”长沙酒楼的菜肴的制作和烹饪，技术精湛，它能给人以视觉、味觉、嗅觉上美的享受，而不仅仅是追求单一的果腹目的。一道道色形优美的菜肴入席，就像是立体的画、无声的诗，常常使人不忍下箸，赞叹不已。长沙火宫殿传统小吃色、香、味、形、器俱佳，具有较高的观赏价值。湘菜湘点体现了湖南的饮食风尚，色艳、气香、味佳、形美，如脑髓卷晶莹剔透，姊妹团子造型别致，八宝果饭颜色鲜艳，既能让人一饱口福，又能让人一饱眼福。火宫殿小吃、玉楼东菜肴等的美除“色、香、味、形、器”外，还刻意加上以“声”“境”等手法造成的“意”，甚至在“料”和“疗”上下功夫。这便使湘菜在制作上不但具有形式美、内涵美，而且通过一些寓意良好的名称给人以美的回味。在茶馆酒楼这个公共空间里，吃的文化有了丰富的形式和内容。

色美：小吃和菜肴的美好色泽，具有先声夺人的美学效应，使人还没有吃，就先具有快感，乃至引起食欲，唤起胃口。姊妹团子白净细腻；八宝果饭银光闪闪，点缀八彩；红煨蹄花色泽红亮；三角干子金黄剔透，使人垂涎欲滴。造成小吃和菜肴美色的方法很多，大体有本色、加色、配色、缀色和润色等。小吃和菜肴不但讲究色泽鲜艳，五光十色，而且讲究色彩的对比与调和。

香美：如果给香美下定义，应该是一种引起食欲的美妙嗅觉。

---
① 江昇．民国湘菜秘闻［M］．长沙：湖南人民出版社，2015：2—3.

果香、茴香、葱香、奶油香，不胜枚举。烹饪之美，香是重要标准。长沙小吃油炸臭豆腐，用心品味起来还是有一种莫名的香气。小吃和菜肴的香气，分为内发和外铄两大类。内发是食物自身内部潜在的香气，靠烹调的热力把香味逼出来，缓攻、激炙、爆炒都可发出一股股诱人香味。外铄是靠外来香味使食物染上香气，加以缀、包、浸、熏等方法，使小吃和菜肴之香有一种特殊的美。

味美：味美是菜肴美的主干。说“味”是主，“色、香、形、器”是从，实不为过。所谓味美，就是指食物在味觉方面给人们带来的美妙感受。食物的味道多得无法计算，但人们却习惯把这无数的味道分为“酸、甜、苦、辣、咸”五类。湘菜的味道是经制作或烹调造成的，称之为熟味。味的美化之道甚多，但基本上可概括为隐恶、扬善、创新三个方面。隐恶是用涤除、压盖、化解等方法来除去附在食物中恶味的部分。扬善是用烘托、浸润、佐伴、陪衬、镶配以及煎、炒、蒸、炸、煮、炖、烤、烩等烹法把食物本有的美好味道更加发挥出来。创新则是食物口味方面的求新求异。

形美：菜肴的造型是一门高超的艺术，它不仅要具备视觉、味觉、艺术头脑等条件，同时要具备精湛的切、雕、摆、制、烹等技艺，否则纵有美的构思也无法表现出来。姊妹团子、龙脂猪血、八宝果饭、红煨蹄花、兰花干子等小吃，其形的吸引力对消费者来说不可低估。曲园餐桌上的造型艺术十分丰富，如雕刻法、塑造法、拼摆法、堆砌法、模压法、卷制法、插花法、贴制法等，手法巧妙，立意新颖。

器美：菜肴的器美体现于餐具的美。民国湖南高档酒楼的餐具均为高档醴陵瓷，晶莹剔透，令食客胃口大开。造型优美、色泽明亮的餐具既可供观赏，又可增加人们品尝菜肴时的审美快感。餐具美不仅指餐具本身的工艺精美，更重要的是讲究菜与器的配合，在配合中产生美感。如衡阳大三元酒家的鸡形器皿，揭开鸡形器盖，里面露出黄嫩的三元鸡来。岳阳味腴酒家的鱼形碗，揭开鱼形盖，露出热气腾腾的清蒸鲤鱼，使人感到形象贴切，高雅不俗。这种优美的“器”更增加了饮食的美感。

名美：湘菜的“芙蓉鱼排”“麻辣仔鸡”“酸辣荔枝鱿鱼卷”“口蘑汤泡肚”“柴把鳜鱼”“龙舟载宝”“菊花竹荪汤”“潇湘三味鸡”“透明珍珠丸”等，菜名听起来令人生津。湘菜的美名，有的寓意荣华富贵，如称鸡爪为“凤爪”，虾、蛇为“龙”，菜心为“玉树”，豆芽为“银条”等；有的表示吉祥如意，如鸡冲鱼骨叫“白玉无瑕”、溜鱿鱼卷叫“年年有余”等；有的是采用文雅的称号，如甲鱼和鸡合起炖煮叫“霸王别姬”，鸡翅叫“华袖”等；有的用历史典故命名，如“东坡鱼”“金屋藏娇”等。这些高雅的名称如果与色香味相和谐，足可以使人物我两忘，遐思不已。

境美：食客既品菜，又品环境。潇湘酒店有三进，前后相叠，其间点缀池塘、假山，栽种四季花木，宽敞雅致。曲园的外观构建在闹市中亦深具园林之趣。亭台掩映，花木扶疏，食客至此，有处世外桃源之感。经学大师王闿运题曲园联云：“曲径通幽处，园林无俗情。”

境美并非一味地追求豪华，而在于格调之雅。小桃源酒家创建于 20 世纪 30 年代。该店为石库门门面，店堂内用木板隔成几个单间，粗木方桌板凳，并无十分装饰布置，一切粗犷无华，使人自然联想到“秦人古洞”，但显得十分雅致。若与当时长沙的大酒店比，可谓是不登大雅之堂，但光顾者偏多文人雅士、富商显宦，实为长沙餐饮业一大奇事。时某晚报载诗云：“欲觅桃源岂避秦，老饕入座便飞觥。干丝肴肉饶风味，泼醋擂姜啜蟹羹。”①

第四，诗联入席，湖南酒楼走向高雅

诗联入席在民国长沙酒楼里蔚然成风，与一群文人雅士和官僚的推波助澜不无关系。民国初，谭延闿在湖南督军任内，曾是

① 欧阳晓东，陈先枢．湖南老商号［M］．长沙：湖南文艺出版社，2010：422.

玉楼东酒家的座上客。相传某年农历五月的一天，擅作“无情对”的谭延闿在玉楼东大宴宾客，觥筹交错，酒菜罗列。席间一幕僚在斟酒之际，指着手中酒瓶说：“这是一瓶法国名酒‘三星白兰地’，愿诸公属对。”席间沉默了几分钟，无人开口。谭忽然站起来说：“我想了一句‘五月黄梅天’，未知妥否？”在座诸人无不点头叹服。接着又上了一碗鸡丝汤，有人提议再续一对，谭信手指着旁边另一瓶酒说：“还是以酒相对，‘虎骨酒’如何？”满座拍手叫绝。[1]谭延闿在玉楼东对“无情对”的故事成了当时长沙热门的街谈巷议，为玉楼东赚来了不少名气，以后坊间各种集会常选在玉楼东举行。

半仙乐酒楼位于长沙鱼塘街，因吴士萱的一副对联而闻名一时。吴士萱（1871—1932），清末秀才，晚号古欢老人，人称“吴师爷”。他生不逢时，清贫自守，有“落魄狂士”之称。偶然赚得数文润笔费，便狂饮于半仙乐酒楼。半仙乐酒楼以卖“神仙钵饭”闻名长沙，小炒尤其味美价廉，但因是一家小店，苦于不能与同街的天然居大酒楼相抗衡。民国初年，吴士萱因常来小酌，无以答谢，便书赠一联悬之，从此“半仙乐”生意兴隆，座无虚席。这副楹联曰：“半盏半瓯，半醉半醒，偷得半日清闲，也算人间半乐；仙侣仙朋，仙肴仙酒，招来仙姬共饮，胜似天上仙家。”联中嵌字，信手拈来，不着痕迹，又显出几分狂气。

还是这位吴士萱在南正街（今黄兴南路）宴琼园的一次“雅集”中又大出风头。座中多为湘城名流耆宿，如汪诒书、陈继训、黄黄山、许崇熙等。汪诒书、陈继训为光绪进士，黄黄山、许崇熙是南社社员，吴士萱工诗善酒。当日主厨的是民国长沙“四大名厨”之一的毕清河，毕见诗翁酒醉，在正菜之外，特制一碗“菊花莲子芙蓉羹”以进。吴翁即席吟诗以赠，满座为之倾倒，诗曰：“操刀岂为稻粱谋，且法庖丁学解牛。醉卧长沙君莫笑，菊羹和酒傲王侯。”处于

① 周贤朴，顾庆丰，沈绍尧，等．长沙风物大观［M］．长沙：湖南文艺出版社，1996：205.

宴琼园广告

吴士萱遗像

社会上层的精英和处于社会下层的厨子，在这个特殊的时空走到了一起。

李合盛是长沙颇著盛名的一家回民餐馆，楼上雅座悬挂许多幅名人字画。其中有一张林语堂的条幅，写的是："干炒牛百叶，圣人之所好也，故孔子不撤美食。"林语堂是20世纪三四十年代文坛"幽默大师"，其幽默条幅自然为李合盛增色不少。由于李合盛的"牛中三杰"等菜肴烹制考究，具有浓郁的民族风味，食客络绎不绝，许多社会知名人士常光顾此店。一次著名剧作家田汉与湘乡名士邓攸园在李合盛共饮，邓酒酣脱口说出一联："穆斯林合资开牛肉餐馆"，田汉应声对出"李老板盛情款湘上酒徒"。正好嵌入"李合盛"三字，李大喜，请田汉书赠留念，传为美谈。田汉又单独为其撰一联："其味非羊能易；此间有鸡更佳。"1938年2月7日，著名社会活动家、诗人郭沫若来到长沙造访田汉，两人见面，十分高兴。田汉对郭沫若说的头一句话便是："啊，你来得恰好，今天中午我们正打算去吃'李合盛'。"郭沫若对"李合盛"闻名已久了，听说它是长沙的一家有名的老教门馆子，所做的菜是好得不能形容。田汉在好多年以前就向郭沫若推荐过：假如到了长沙，一定请你去吃"李合盛"。中午他们来到已迁至湘春路的李合盛，同去的还有作家廖沫沙、音乐家张曙、电影明星胡萍、女记者熊若兰等。在一包厢里他们满满坐了两大圆桌。桌面宽、筷子长、汤匙大，郭沫若说这是湖南席面的三大特色。菜肴有五香牛肉、发丝牛百叶、红烧牛蹄筋、烩牛脑髓、松鼠鳜鱼、东安子鸡等。当吃到快要终席的时候，楼上楼下都坐满了人，就在他们包厢的门口，已经有好些人在那里候补等着。田汉指着这样的盛况对郭沫若说："你看，怎么样？"郭沫若说："果然是名不虚传。"郭沫若应邀吃"李合盛"的趣事，已收入他的名著《洪波曲》中，一时传为美谈。

（三）会馆的功能及其变化

会馆是一地在外地城市开设的供本籍人士临时住宿，及供本籍商会集会和办公的馆舍。会馆一般分为士人会馆、商人会馆、移民会馆和军人会馆 4 种类型。湖南近代本地的会馆主要为商人会馆，既为来湖南经商的本籍商人提供住宿，一般也是外地商会在湖南的驻地，故又称同乡会馆。与同乡会馆对应的是同业会馆，一般以神庙的形式出现，这已在本书第四章《近代湖南工商业的转型与商业民俗的变化》中述及。另外，试馆属士人会馆性质。试馆是各县为本县学子来省城长沙进行科举考试时提供的居住和学习的场所。

近代以来，长沙城内著名的会馆和试馆有：

江西会馆。又名万寿宫，今铜铺街小学为万寿宫遗址。据清末《湖南商事习惯报告书》载："各属会馆，以籍贯分，江西曰万寿宫，福建曰天后宫，广东曰岭南会馆……"在这众多的会馆中，以江西帮的万寿宫规模最大。万寿宫赐名于宋，祀江西南昌许逊。许逊被奉为江西商帮的祖师。许逊为晋旌阳令，弃官修道，世称许真君。传说他追杀孽蛟至长沙湘江，以铁物镇蛟，遂平妖

山陕会馆老照片

祸。清嘉道间，江西帮众姓捐资在真君殿廊庑前建戏楼、坊表，殿后建至斯堂，殿西建公正堂，万寿宫规模粗具。咸同年间又大修。大修后的万寿宫，关圣殿、文昌宫、财神殿、大雄殿、雷祖殿、杜康祠等一应俱全。

山陕会馆。在坡子街，为山西、陕西两省商人在长沙合建，清康熙三年（1664）始建，后于乾隆、道光年间重修。据光绪《善化县志》记载：山陕会馆有前后3栋，中为关帝大殿，前为戏楼，后为观音阁，西边为客厅，东边为义路。会馆占地颇宽，南抵坡子街，北至官街，东、西两面与邹恒兴金箔铺、劳恒大缎店相邻。

苏州会馆。在福胜街，始建于康熙年间，主要会董为苏州籍在长商号，如劳九芝堂药号和玉和酱园等。前进门楼戏台方坪，正栋关圣殿。左文昌宫，右财神殿，中翠波阁。后进，中大雄殿，左雷祖殿，右杜康祠，内有辰生局，并置有公山12处，以备同乡在楚物故者安葬。

粤东会馆。在古三尊炮怡长街。坐北朝南，一连三进。前门内建戏台、神坛、各殿神位。正栋关圣殿，左灵官殿，右财神殿，倒堂韦陀佛殿，后栋六祖殿，后门内观音殿。

中州会馆。在今福胜街，坐东朝西，前抵宫街，后抵沈姓房屋，南前抵王姓铺屋，后抵朝阳巷，北抵灵官庙蔡、周二公祠。

湖北会馆。在鱼塘街，建于康熙三十三年（1694）。原鱼塘街鄂省巷即湖北会馆遗址所在地。

福建会馆。在鱼塘街，亦名天后宫。天后即妈祖，是福建人信奉的神灵。原鱼塘街闽省巷即福建会馆遗址所在地。

云贵会馆。在药王街，旧系药王殿基。同治五年（1866）创建会馆。

太平会馆。在福胜街，康熙三十二年（1693）建，为江南宁国府太平县会馆。

宁沩试馆。位于望麓园，为宁乡县试馆，清陕西巡抚、宁乡籍人士刘典于同治四年（1865）倡建。刘典作有《录试馆图记》，记曰："试馆凡三进。第一进为头门，额曰沩宁试馆，左右有房阖者，居之中为正厅，最上为内厅，左右均有房。正厅之左为会客厅，昭忠祠右偏为达道斋。凡四斋，斋房各十四间。试馆之左为行义斋，凡四斋，斋房各六间，其规制略仿岳麓、城南两书院。落成之时，适为大比之年，多士云集，雍雍如也。"

衡清试馆。位于望麓园附近，为衡阳县和清泉县在长沙合办的试馆，今存衡清里之街名。

此外，还有位于白墙湾的临湘会馆和位于新安巷的湘乡会馆等。

长沙之外，以洪江古镇的会馆最为有名。洪江地处湖南西南边陲、沅江上游，为沅水和巫水交汇之地，可西进云贵、东达吴越，扼西南孔道之利，在明代就发展为湘西南商业大镇。明末清初洪江历经兵乱，后经康雍乾得以复苏，嘉庆年间已是商贾云集。洪江市场的兴旺与古镇会馆的兴盛几乎同步推进，各类商业会馆陆续建起，推动了地方经济社会的发展。至清末洪江十大会馆颇具规模。十馆中，外省籍的有江西、黄州、徽州、贵州、福建五所；本省籍的有七属、辰沅、宝庆、湘乡、衡州五所，形成相互竞争与制衡之势。除十大会馆之外，在洪江修建移民会馆的还有常德会馆（1728年建）、长沙馆（又名长郡公所，1868年建）、四川会馆（又名蓉城公馆，1880 年建）、永州会馆（又名濂溪宫，1887 年建）、沱江会馆（又名天王庙，建馆时间不详）等。

会馆的功能除供本籍人士临时住宿外，还有重要的业务功能。如举办祭祀庙会、公益慈善、公议馆务等。

祭祀庙会。在各商业会馆的建筑中，神灵设置是一个首要条件和重要部件，而围绕会馆神灵开展的祭祀和庙会活动正是彰显会馆核心精神的重要仪式。商业会馆所祭祀的神灵大致为四种类型：乡土神、佛道神者、英雄人物和行业神。安徽会馆祀奉朱熹，为乡土神；黄州会馆祀奉的福主为道教三元大帝，衡州会馆主祀观音，湘乡会馆主祀文昌帝君，均为佛道神者；贵州会馆奉南霁云将军为黑神，七属会馆奉关羽为关圣大帝，辰沅会馆祀伏波将军马援，均为英雄人物。这些神灵的设置为会馆树立了各自行业的象征。庙会事实上是各会馆组织的隆重的祭祀活动，融入了戏曲娱乐等活动。多数会馆都设有戏台。长沙、洪江两地的万寿宫（江西会馆）每年都要办 200 多场庙会，有真君会、萧公会、晏公会、财神会、文昌会等，每逢庙会都请艺人演戏，几乎天天有戏。庙会欢迎当地民众参与。

公益慈善。各大会馆出面负责筹办“义山”“义园”“义渡”等，为流寓他乡的困苦之人给予庇护。据光绪年间的统计，洪江境内计有会馆义山 38 处，其中江西会馆 11 处，安徽会馆 9 处，贵州会馆 15 处，黄州会馆 2 处，长沙会馆 1 处。义园则是寄放灵柩、管理义山的场所，雇请专人看管。又据光绪十一年（1885）登记，洪江镇江西馆在其码头设义渡船 4 只，黄州馆也在江西馆码头设义渡船 1 只，宝庆馆和绥宁纸帮在三甲巷各设有义渡船 1 只。义渡给往来商民和乡民提供了很大的便利，特别是春汛涨水期间，收费渡船有时会哄抬渡河资费，而义渡的费用则由会馆支付，而且照规不可超载。

公议馆务。各会馆在管理上设值年一至两人，由民主推荐产生，负责主持日常工作。每个会员定期向会馆缴纳一定的会费。各会馆除每年举办几次大型的祭祀、喜庆活动联络同乡感情，增进同乡友谊以外，还制定馆规民约，共同遵守。如清末江西会馆立有如下馆规：其一，南昌、吉安、瑞州、抚州、临江五府，每年选拔两人值年管事，轮到五年换届；其二，本馆财产房屋、装饰品、陈列品、古董、玩器等，任何人不得侵占，违者送官究办；其三，凡我同乡，必须团结互助，有从老家和外地来洪谋生者，必大力支持，帮助解决，万一谋事不成又缺盘缠者，则资助还乡，以免流落他乡；其四，同乡中要相互谅解，不准挑拨陷害，不准沦为盗匪，不准作奸犯科，不准乞讨，违者逐出万寿宫。这些馆规，对于规范约束同籍商人行为，维护其在商界的形象起到了一定的作用。

清末民初，会馆的祭祀功能逐渐萎缩，会馆的行业管理功能也逐渐被带有现代化色彩的商会和同业公会所取代，同业公会的会员不再分本籍和外籍。外籍商人因失去会馆的依托而另组同乡会。因此，相当部分会馆转为同业公所的驻地或同乡会的驻地，或者干脆改变性质，办起了其他事业。如长沙湘乡会馆开办了湘乡驻省中学。1911 年春，毛泽东考入湘乡驻省中学。在这里，毛泽东读到同盟会办的《民立报》,发现里面充满“激动人心的材料”，受其影响，撰文表示拥护孙中山及同盟会的纲领。毛泽东曾回忆说：“湘乡驻省中学图书馆里的《新民丛报》每期都有梁启超那汪洋恣肆的文章，我读了又读，爱不释手。又从《民立报》上我知道了孙中山这个人和同盟会的纲领。我激动得在墙报上发表我的政见，建议请孙中山当总统，康有为当国务总理，梁启超当外交部长，我竟然还不知道他们之间的区别。”辛亥革命前夕湘乡驻省中学的校门前摆着一张课桌。上面立着的纸牌上写着：“不做满清的奴隶。”毛泽东站在高处慷慨激昂地演讲，带领民众高喊“推翻满清，建立民国”的口号。1905 年科举废除后，长沙宁沩试馆改为宁乡县驻省中学，辛亥革命人物、国民党元老周震鳞曾主持学校，徐特立、刘少奇曾就读于此。1923 年曾为中共湘区委员会的秘密工作机关，毛泽东在此写作《湖南农民运动考察报告》。又如，民国元年（1912）沈克刚利用苏州会馆屋舍办起了金庭学校。到 20 世纪 40 年代，永安福洋广货号老板梅景福买下这片地基，改建为颜料号，兼作公馆，苏州会馆完全结束了会馆的使命。

民国时期由会馆衍化而生的同乡会，虽然也是客居异乡的同乡人自愿组织的民间团体，但组织形式和功能发生了较大的变化。就内部组织形式来说，会馆大多实行“会首”制，一般是选出若干名会首，以轮流值年的方式主持会务，也有些是在会首中推举一名总会首主持会务，至一定任期再行公推。会首下又设司账、司事等具体办事人员。只有具备一定资格或地位，如捐助了巨款，担任了一定的政府官职，具有较高的社会声望者，方可充任会首。因此，大会馆多是由同乡中的富商官绅独揽大权。至于同乡会，则大多采取带有一定民主色彩的“委员”制和“理事、监事”制。会员大会为最高权力机关，由会员大会选出若干名理事、监事负责会务的综理和监察。会内还分设各委员会，负责募捐、办学等具体事务。同乡会一般都定期举行会员大会和理事、监事会议，讨论和决定重要事务。国民党中央政令规定：“同乡会组织与其他团体性质不同，而不准有系统组织。”[①] 所以，与会馆相比，同乡会一般比较松散，没有严密而系统的组织。

（四）祠堂的功能及其变化

祠堂分为两类：一为祭祀祖宗的庙堂，一为祭祀先贤的庙堂。前者是一族一姓祭祀祖宗的祠堂，又称宗祠、宗庙、家庙，是该

① 窦季良. 同乡组织之研究［M］. 重庆：重庆正中书局，1943：42.

族姓祭祀历代祖先的场所，每逢其始祖或族内显赫人物的诞辰之日，即在此举行隆重的祭拜仪式。祭祀先贤的祠堂，则是本地官绅士庶公祭历史上的圣贤名臣之所，而这类祠堂必须经过奏准朝廷才能兴建，如长沙的曾子庙、颜子庙、屈子祠、贾谊祠、船山祠、三公祠、曾文正祠、左文襄祠、席少保祠等，以分别祭祀战国时的曾参、颜子、屈原，西汉贾谊，明末清初的王夫之，晚清的骆秉章等三人和曾国藩、左宗棠、席宝田等。这两类祠堂中，宗祠是举合族之力而修建的，先贤名臣之祠则是朝廷和官署拨款，所以都甚为讲究，功能齐全，颇具规模，且大多建有花园、内苑、戏台，在设计和建造上有着较高价值，是近代湖南的代表性建筑。

湖南人之先辈，多数系宋元以来由外省迁入，以明朝时的江西移民最多。故无论大小家族，民国前均建有族祠。族内之事，互相关心，有“鬼不灭族”“一笔难写两个某（姓氏）字”的民谚。族祠以下又有支祠，支祠以下分房，或称堂。俗话说：“家有家法，族有族规。”如偷盗打劫、忤逆不孝、伤风败俗等，祠堂就是法庭，可给当事人以具悔过、鞭杖、革族（开除）甚至沉潭等处罚，谓之“正家法”。姓氏之间，宗族观念浓厚，一些人多势大的家族雄霸一方，如长沙河西有“靖港的猴（谐音侯）要不得”“乔口的流（谐音刘）断不得”“新康的钟（钟姓）敲不得”之言传。

族必有祠，民间祭祀祖先的家庙祠堂遍及城乡。长沙的街名中有徐祠巷、毛祠巷、王祠巷、吴祠巷、戴祠巷、范祠巷等，也印证了古代长沙宗祠之普遍。祠堂或家庙是宗族敬宗收族之地，同时又是向族众宣讲封建礼法的课堂，也是族人讨论族中事务的场所，还是宗族的法庭，因而成为宗族的象征和中心。宗族的内部结构一般为：宗族——房派——支族。与此相对应，宗族建祠时会依房分或大小宗法观念，建不同层次的祠堂。

近代湖南农村凡族居人口较多的地方都可见到祠堂。祠堂由地方或家族集资兴建，分为总祠、支祠和家庙，多采取轴线对称布局，三进或四进，即大门、仪门、享堂、寝堂。祠堂布局严谨，一般都有高大的正殿，用以陈设和供奉一族或一支（房）、一家祖先的神主牌位。正殿前有天井或庭院，周围有廊屋、厢房。厢房一般用于存放家谱、族谱和祭祀用具等。较大的祠堂，如宁乡沩山高氏祠堂，前院建有戏台及两侧厢楼，供集会与唱戏听戏之用。

长沙地区著名的宗族祠堂有：

徐家祠堂。位于长沙市蔡锷中路徐祠巷，建于清末，为教育家徐特立祖祠。砖木结构，坐北朝南，原有三进，今存二进。一进大门两侧为二层偏房，一进与大堂之间置天井。1937 年 10 月 12 日，中共中央先后派徐特立、高文华从延安来长沙，在徐家祠堂建立八路军驻湘通讯处。高文华任中共湖南省委工作委员会书记，徐特立为八路军少将参议、驻湘代表，王凌波为通讯处主任。1938 年长沙大火后，通讯处撤离长沙。

陈氏宗祠。位于长沙市戥子桥，系本书作者陈先枢祖上宗族祠堂。1906 年至 1909 年间，德国建筑师柏石曼摄下了陈氏宗祠的照片。庭院以曲廊和角亭环绕，以石砌通道相连，庭内植有树木。柏氏在图片说明中写道："背景显赫的陈家在长沙城里拥有一家最美丽的祖宗祠堂。"这个"陈家"系长沙善化陈氏一族。善化陈氏

戥子桥陈氏宗祠

为长沙大族，唐五代时自江西迁居湖南，代有闻人，晚清著名方志学家和地理学家陈运溶（1858—1918）即为其一。陈氏宗祠今已不存。

常家祠堂。位于长沙县北山镇新桥村，系本书作者陈先枢母亲老家的宗族祠堂，建于清光绪年间，为常氏家族的一支从衡阳迁居长沙后所建。祠堂面对白沙河，后依低山，面阔七间，进深三栋，各栋顺地势逐渐抬高，沿中轴线依次为大门、前厅、天井、中厅、戏台、上厅，全由花岗石柱头支撑，气势恢宏。大门有三，均由花岗石做框架。门廊前有花岗石阶级，中厅宽大，戏台、天井等由花岗石砌边，两侧有厢房、天井，古朴的石刻门联云："奉先思孝，进退必敬。"堂内原悬挂有清大臣常大淳的肖像。今为长沙市文物保护单位。

刘家祠堂。位于浏阳市白沙乡集镇,始建于咸丰四年（1854），光绪二十二年（1896）重建前栋，青砖青瓦，对称庭院式格局，门廊两柱面阔三间，石库大门，两侧二层梯阶形山墙，外角上翘，墙头和屋脊饰有狮兽等雕塑。前栋为门楼和下厅，再进天井到上厅,两侧厢房。正厅两侧各有楼式偏屋和天井。1927 年 9 月 11 日，毛泽东所率秋收起义部队曾驻扎在刘家祠堂。今祠堂内仍保留"暴动胜利万岁"等红军标语。今为长沙市文物保护单位。

孔氏家庙。孔氏家庙位于浏阳市达浒镇金石村，始建于明代。家庙坐南朝北，土木结构，三进，重檐歇山顶，盖小青瓦。今存大成殿、五王殿等，其余建筑均毁。明洪武六年（1373），孔子第五十五代孙孔靖安迁居浏阳。明万历十四年（1586），浏阳县府为孔氏建造家庙，并免孔氏差赋徭役。1913 年任湖南第一师范校长的著名教育家孔昭绶为达浒孔氏族人。孔氏家庙今为长沙市文物保护单位。

鲁氏家庙。位于浏阳市大围山镇鲁家湾村，建于清光绪二十九年（1903），祠堂面阔三间，进深三间，头进走廊以石柱支撑，斗拱镂空雕花。风火山墙高大挺拔，墙头粉边黛瓦，两头起翘，中间凸起。堂屋小青瓦，硬山顶，青石砖铺地。内设过亭，其上饰八角藻井，绘彩色图案。祠堂内外石柱上均镌刻楹联，阶檐石柱上联云："地号鱼头，参政清名留自昔；形如鸟翔，同宗礼制炳于今。"鲁氏闻人鲁宗敬，黄埔军校毕业，曾参加东征和北伐。1947年授中将军衔。鲁氏修族谱时，蒋介石、李宗仁、白崇禧、孙科等题词祝贺，蒋介石题词为："光前裕后。"

蔺氏宗祠。位于浏阳市文家市镇玉泉村，始建于清雍正十三年（1735），今存建筑为清光绪年间重建，西阔五间，进深三间，中三间内退形成走廊，外围栏栅，栅门联立："礼门义路，智水仁山。"两侧山墙造型独特，墙头顶、墙脊饰有浮雕，双重翘角上雕有神像，栩栩如生。堂内立柱高耸，柱础上饰有金雀、麒麟等浮雕。中厅悬挂黑底堆金匾额，"德媲相如"四个大字为李鸿章题书。

李氏家庙。位于浏阳市白沙乡狮口村，建于清嘉庆二十年（1815），为李氏迁浏阳始祖第十二世孙李廷道所建。分上下两栋，中有过亭、天井，四周为风火墙，保存完好。厅堂为双层檀桁，阶檐内外饰卷棚，内厅八角藻井饰有彩绘。《浏东李氏三门族谱》记载，浏东李氏为唐太宗李世民十四子李明后裔。李氏家庙今为长沙市文物保护单位。

高氏宗祠。位于宁乡县沩山乡大冲村，始建于清光绪年间，土砖青瓦木结构，由戏楼、五福堂等主体建筑构成。大厅高阔，庄正肃穆。两厢回廊紧凑，配合和谐，尤以戏台有特色。进祠堂大门即为戏台底，台底亦为进入祠堂的通道。沩山高氏名人辈出，最有名者为高诗放。高诗放（1843—1904），同治年间投楚军，屡立战功，升授遵义协镇都督府、云南普洱总镇都督府等。高氏宗祠今为长沙市文物保护单位。

长沙以外，以郴州汝城县祠堂最为有名。汝城是一个多民族居住的偏邑山县，36万多人口，280多家姓氏，保留着始于宋元，盛于明清的古祠堂710余座，大小不一，风格各异，星罗棋布，并有金山、津江等古祠堂群，有8座古祠堂列入省市级文物保护单位。汝城古祠堂从选址造型、布局朝向、风水环境到山水田林路、门坪巷房墙的整体和谐，从建筑法式形制、结构风格、取材用料到雕塑油画漆饰的精工细作，动静有致，流光溢彩，天人合一。金山叶氏家庙、卢氏家庙、津江朱氏祠堂、广安所李氏宗祠、外沙太保第、范氏家庙、中丞公祠等古祠堂工艺精湛，气势恢宏，保存完整，具有极高的历史、文化、科学价值。

宗族祠堂的旧有公共功能主要有：

安放祖先神位。每个祠堂都设神龛，神龛安放在上厅（后厅）中轴线的顶端。神龛内的中间最上端安献始祖神位，紧接着二世祖，以座身从左至右按长房、二房、三房、四房顺序排列，三世祖、四世祖等按此顺序类推，不能紊乱。

祭祀祖先。祖先神位部安放在神龛内，子孙后代要尊祖敬宗，祭祀祖先。祭祀活动是经常的，逢年过节、婚丧喜庆都要祭祀。最隆重的祭祀活动是每年清明节，依规格分猪羊祭、台祭、三牲酒礼祭等。祭祀活动礼节繁杂，一般分点香烛、鸣炮、司仪主祭就位、祭孙就位、三上香、三敬酒、唱读祭文、三拜三叩等程序。然后，还要前往各祖先墓地扫墓、祭拜。

实施族规家法。每个宗族都有族规家法，而族规家法实施的场所就在祠堂，循者褒奖，违者受罚。褒奖的方式有奖钱物、立传人族谱、竖碑旌表、立节妇坊、孝子坊等。惩罚的方式有劝诫、罚跪、鞭打、革族、押送官府等，最严重的甚至驱逐出村、罚死。

商议族内大事。祠堂其实也是家族的议事厅。家族中的重大事务，如治山管水、修路架桥、劝诫子孙、宣讲族训家法、办学修谱、扶困济贫等都在祠堂进行。

举行族内的重大活动。祠堂还是家族社交活动的重要场所。凡族内婚丧嫁娶、寿诞喜庆、年节迎神等，祠堂内外都有舞龙灯、耍狮子、猜灯谜、唱大戏等娱乐活动。春天农事开始前，祠堂还要祭神祈求风调雨顺、五谷丰登；立秋后的第五个戍日，要设醮斋戒，念经唱礼，感谢神灵。这一活动的费用要向各家各户派钱，因此叫万人缘。

宴请宾客。祠堂也是家族设宴之地，凡重大活动宴请宾客，均在祠堂举行。祠堂里办宴席有规矩、有礼节。谁在主厅，谁坐首席，谁在席上的什么位置，都有严格的安排。菜肴放置有顺序，移动也有顺序。

民国成立后，宗族祠堂的这些功能虽在延续，但宗族制度出现了与时代相适应的变化。辛亥革命埋葬了清王朝，在中国延续了2000余年的封建帝王专制统治被推翻，建立了具有资产阶级民主性质的共和政体，颁布了具有资产阶级宪法性质的《中华民国临时约法》。从此，民主共和、自由平等的观念逐渐深入人心。在这种时代大环境的影响下，湖南宗族也开始作自我调适，如族谱内容也顺应潮流，把以前的“忠朝廷”改为“忠国事”。有的宗族在族谱中还增加了“去迷信”“慎婚姻”“择配偶”的新规定[①]，宗族礼仪中的三跪九拜之礼也被废除。国民政府成立后，颁布了一系列具有资本主义民主性质的法律、法规，致使民国初期宗族族权与传统的族权相比，无论在性质上，还是在形式上都具有显著的区别。这一时期的族权对人身的控制由于受到了国家法律的制约，以前祠堂对违反族规者所施的笞杖、戴木枷，甚至“沉潭”或“点天灯”等酷刑，再也无权对族人滥用，私自处死族人，则是违法的，要受到国家法律的制裁和追究。

到大革命时期，随着湖南农民运动的蓬勃兴起和发展，宗族制度遭遇了有史以来最为猛烈的冲击，不可避免地走向衰落。毛泽东在《湖南农民运动考察报告》中曾指出，湖南农民在农会的

① 汨罗市志编纂委员会．汨罗市志［M］．北京：方志出版社，1995：553.

领导下做了 14 件大事，其中的第一件大事就是成立农民协会，将农民组织在农会里。1926 年上半年全省有组织的农民约 20 万人，9 月底增至 40 万。11 月全省 75 个县中有 55 个县建立县农协或农协筹备处，另有长沙近郊区和株萍铁路沿线亦建有乡农协。共计区农协 462 个，乡农协 6867 个，会员 136.77 万人。1927 年 3 月农协会员更激增至 518 万人，能直接领导的群众达 1000 多万人，差不多占湖南农民总数的二分之一。长沙、湘潭、湘乡、湘阴、宁乡、平江、醴陵、浏阳、衡山、衡阳、耒阳、安化、郴县等地，几乎全体农民都加入农会。"北伐军入长沙后，其发展之速，更有一日千里之势。"到 1927 年 5 月初农协会员增至 600 万人，"其发展之速，会员人数之众，都为全国各省之冠"①。自 1926 年 12 月湖南省颁布《惩治贪官污吏土豪劣绅暂行条例》后，各地农民协会纷纷组织特别法庭惩治土豪劣绅。相当一部分族长、房长、族绅、族产经管人等宗族势力都在土豪劣绅之列。为了苟全性命，土豪劣绅们只剩下两条路可走。一是逃跑，毛泽东对此曾这样形象地描述："在农会威力之下，土豪劣绅们头等的跑到上海，二等的跑到汉口，三等的跑到长沙，四等的跑到县城，五等以下的土豪劣绅崽子则在乡里向农会投降。"②二是收敛，如宁远县"现各土豪劣绅虽已敛迹，不复出头捣乱"③。族长等宗族势力被打倒，旧有的宗族秩序也就不能继续维持下去了。

在这种形式下，宗祠的功能必然发生转化。作为宗族供奉祖先、祭祀祖先等活动中心的宗祠，以前是神圣不可侵犯的尊严场所，不容任何亵渎和冒犯，异族人等更是望他族宗祠而却步，而此时却或成为新式学堂，或成为革命者活动、办公的场所。宗祠房舍

① 周秋光，张少利，许德雅，等．湖南社会史［M］．长沙：湖南人民出版社，2013：1063.

② 毛泽东选集：第一卷［M］．北京：人民出版社，1991：14.

③ 湖南省政府秘书处．民国十九年度湖南省县政报告［R］．1930.

多被学校借用为教室，宗祠不举行祭祀及会议时，则供学校办公和教员备课。如韶山的唐氏祠堂，在 1925 年成为公立第三校，汤氏祠堂中亦有“国校”，萧氏祠堂也有学校。有的宗祠还被社会活动家利用成为他们进行革命活动的场所，如 1925 年春至仲秋，毛泽东偕妻杨开慧在韶山开展农民运动时，曾利用毛氏宗祠族校课堂开办农民夜校，这是韶山创办最早的农民学校。20 世纪 30 年代，长沙徐家祠堂已成为私立民达中学，1937 年徐特立借此建立八路军驻湘通讯处。八路军驻湘通讯处成立之后，徐家祠堂成了名副其实的公共场所，咨询者络绎不绝。对此，徐特立等根据党中央精神，耐心细致地给予回答。长沙在八路军驻湘通讯处影响下，成立了很多的抗日救亡团体，如妇抗会、青抗会、战地救护队等。为了开展统一战线工作，徐特立向当时的省政府主席张治中提出释放政治犯的要求，成功解救了原中国工农红军抗日先遣军第 21 师参谋长桥信明等 34 名政治犯。通讯处还为筹集和转运抗战物资做了大量工作，为国共合作作出了积极贡献。

20 世纪 30 年代后，宗族中的一些开明人士主动涉足慈善事业，如清末方志学家陈运溶的侄孙陈士名（陈先枢之祖父），一方面经营着位于长沙仓后街的兼善堂，一方面把戥子桥陈氏宗祠建为至善小学。[①] 长沙县北山镇常家祠堂也办起了常新小学。宁乡县高氏祠堂戏台上演的大戏，观众不再仅限于本族人，而是向全体村民开放。

综上所述，这一时期宗祠的传统功能受到冲击开始弱化，一些新的社会功能开始出现，宗祠由一族专用变为社会公用。农村的宗祠大多数还延续着宗族祭祀活动，但繁文缛节有所减少，而大城市中的宗祠大多数停止了宗族仪式。

至于祭祀先贤的祠堂，其功能比宗族祠堂要单一得多，起始

① 长沙市档案馆．长沙旧志选刊——民国二十三年长沙市指南［M］．长沙：湖南人民出版社，2015：183，68.

的功能乃是祭祀和纪念先贤。因为这类祠堂场地宽阔，房舍众多，环境优雅，设施齐备，在清末就被利用作为公共活动场所，仅以长沙曾文正公祠和左文襄公祠为例，即可说明这一现象。

曾文正公祠为祭祀晚清中兴名臣曾国藩（1811—1872）的祠堂。同治十一年（1872）二月初四在南京逝世，朝廷特谥号文正，命在湖南原籍及其立功省份建立祠堂。1906年日本汉学家宇野哲人曾专程拜谒了曾祠，作有《曾文正公祠》一文，文曰："入庙门，见刻有'俎豆馨香'四字。庙庭常锁不开，此曰偶遇修理，故得进而观之。庭中有王文韶所作庙记，详述其功绩。惟公之功绩文章赫赫在人耳目，称之为清朝第一人者，绝无过言之处。王文韶之所言'三代以还，乃有斯人，伊吕诸葛，庶几等伦'亦绝非溢美之辞。庙后园中，临池有亭榭回廊，柳树青青，倒映水中。"[①] 光绪元年（1875）曾祠即成为湘中耆老雅集之所，王定安、黄士瀛、罗汝怀、李元度、朱昌琳等18人在此雅集，"饮酒为欢，睹山水之曜晖，悦风日之晴美，涧松答啸，园鞠扇英，瞬百代于须臾，

曾文正公祠

① 宇野哲人．中国文明记［M］．北京：光明日报出版社，1999：145.

左文襄公祠

纳宇宙于一室，幽蹑邈睇，陶然自得”。[1] 光绪六年（1880），又有彭玉麟、刘坤一、郭嵩焘、张力臣等10人雅集曾祠浩园，“彭公据石作古梅，高八尺，雄奇自喜，题诗云，莫言老干坚如铁，曾历千霜万雪来。起立四顾，拈须大笑，相将穿石步池上，循水榭，凭栏展坐，纵论天下得失”。[2] 光绪七年（1881），郭嵩焘借曾国藩祠西隅辟为思贤讲舍，1891年郭去世后，王先谦接手辟为思贤书局。民国三年（1914），刘人熙在思贤讲舍旧址创立船山学社。船山学社以宣扬传统国学为宗旨，刊行《船山学刊》，并建船山专祠，每年九月初一举行隆重祀事。1921年毛泽东领导的中共湘区区委员会在此创办了湖南自修大学，1925年恢复船山学社，续刊学报15期。而曾祠内的浩园则由曾国藩的孙女曾宝荪创建为艺芳女中。

北正街左文襄公祠，是祭祀晚清名臣左宗棠（1812—1885）的祠堂。建于清光绪十六年（1890），祠堂大殿雄伟，两侧是环廊、角亭，祠堂后为花园，有池塘、石山、石舫等，结构颇为严整。建成不久也有了其他用途。1897年11月14日，湖南时务学堂中

① 王定安．曾文正公祠雅集图记［M］// 陈先枢．长沙名胜文选．长沙：湖南人民出版社，2015：383.
② 郭嵩焘．浩园雅集图记［M］// 陈先枢．长沙名胜文选．长沙：湖南人民出版社，2015：385.

文总教习梁启超偕韩文举、叶觉迈、欧榘甲及西文总教习李维格从上海抵达长沙，受到湖南巡抚陈宝箴的公子陈三立，湖南学政江标、湖南按察使黄遵宪，时务学堂代总教习皮锡瑞以及湖南官绅、社会名流邹代钧、熊希龄、唐才常等热烈欢迎，在左文襄公祠设宴为梁启超一行洗尘。清末戏班演出无正式剧场，经有心人斡旋，常借左文襄公祠演出。1904 年，长沙明德学堂又借用左文襄公祠为校舍，时在明德任教的黄克强及全体师生曾在正殿前合影。由此可见，无论是曾祠还是左祠，从建成不久起就不再是专施祭祀之职的祠堂，而有了广泛的社会公共功能。

三、近代民众活动新公共空间的出现

湖南民众活动新公共空间出现的时间较晚，大多在民国建立以后，只有图书馆诞生于清末。据统计，1930 年，全省有图书馆 114 所，教育馆 23 所，美术馆 1 所，通俗讲演所 508 处，至 1935 年，民众图书馆达 140 所，这种状况一直延续到抗日战争爆发。[①] 这些新公共空间发展很不平衡，多集中于城市，并以省会长沙最多。除影剧院已在第六章《近代戏曲民俗的演变和“文明戏”的传入》述及外，长沙其他新公共空间分述如下：

（一）公园

晚清长沙私家园林众多，较著名的有陶澍的印心石屋、罗汝怀的荷花池精舍、何绍基的磻石山房、汤鹏的柚村、李星沅的芋园和李家花园、郭松林的郭家花园、胡兴仁的旷寄园、黄冕的宛园、

① 湖南省地方志编纂委员会 . 湖南省志：文化志［M］. 长沙：湖南出版社，1991：7.

熊少牧的洞泉草堂、王先谦的葵园、彭于蕃的怡园、黄月库的晚香山馆、张自牧的絜园、陈湜的舫泊、周达武的蜕园、朱昌琳的餘园（朱家花园）、周寿昌的听橘园等。但它们都不是公园，带有公园意味的只有朱家花园。朱家花园又称餘园，旧址在长沙市德雅路丝茅冲一带。餘园系清咸丰十年（1860）大实业家朱昌琳（1822—1912，朱镕基曾伯祖父）为休养余年而建。园址占地 400 余亩，园内兰堂、宜春馆、一笠亭、去寮亭、延眺轩、众绿轩等亭台楼阁，回环错列；池塘环绕，假山嶙峋；奇花斗采，乔木高参，风景宜人。亭台内悬挂的联匾出自郑板桥、何绍基、左宗棠、王文治、黄自元、曾熙等名家手笔。光绪年间餘园曾用 48 株罗汉松扎成七层大园景，并置多种名花异木，免费供游客观览。“此园虽系私有，然已完全开放，任人自由游览，园丁备有茶水，茶资听给，有小贩贩卖糖点，取买亦便。”[①] 可以说，朱家花园是湖南历史上第一个“公园”。

如果把公园定义为由公家兴建、向公众开放的园林，那么湖南公园的出现是民国的事了。1921 年 7 月，长沙市政公所的花园定期向游人开放。1923 年 1 月，长沙县署后也开辟了公园。1926 年 1 月，开福寺公园落成。湖南《大公报》载“北门外开福寺公园，兴工已久，园内池塘及四周游行路均已竣工。即靠碧浪湖方面新建之楼阁一座，亦已修好。该阁计有两层，可窥碧浪湖全貌，风景颇佳。并于该寺头门及二门游行，路旁植有洋松千余株，蔚然成荫。又于头门左右两旁间茶楼酒馆各一。茶楼业已建成，酒馆正在兴工，大约可于日内告竣”。

民国长沙真正的大公园当数天心公园。天心阁位于长沙城东南角古城墙上，始建于明代，古人题咏甚多。天心阁真正成为民众的游览胜地是 1924 年天心公园的建立。1924 年长沙古城墙拆

① 长沙市档案馆．长沙旧志选刊——民国二十三年长沙市指南［M］．长沙：湖南人民出版社，2015：233.

除完毕，在市政公所总理曹典球等人的极力主张之下，保留了天心阁这一段城墙及古阁楼。省长赵恒惕令警察厅长刘武（原名刘策成，曾为湖南第一师范历史教师）为首筹建天心公园。新开放的天心公园，主阁一楼和二轩以茶待客，主阁二、三楼陈列古物和名家艺术品。这里收集的古物和名家艺术品逐渐多了起来，经常给展厅补充更换一些新的陈列内容，著名画家徐悲鸿在这里举办过画展，曾轰动一时。天心公园俨然成了一个城市博物馆，引起了不少市民的浓厚兴趣。同时在阁下从蔡道宪墓园（俗称蔡公坟）起，经燕子窝、老龙潭、妙高峰至大椿桥修游路一条，后称为天心游路。

1926年前后，天心阁因年久失修，有坍塌之虞。此时正值唐生智主湘，他决定将天心阁重建为主附三阁。刚建到阁墩，因省府连番改组，无暇顾及此事，加之资费不济，工停事废。1928年，鲁涤平主湘，拨款6000元，完成了此次重建。重建的天心阁，三阁鼎峙，矗立天空，画栋飞云，珠帘卷雨，别有一番气象。阁之南北两端，以旧城垣为引道，中嵌石磴，左右护以白石栏杆。

1929年公园内古城墙北端建起了一座国耻纪念亭。1928年5月3日，日寇制造了屠杀中国人民的济南惨案，激起了中国人民的无比愤怒，湖南人民的反日情绪不断高涨，决定实行对日经济

1928年重建的天心阁

绝交，抵制日货。1929 年中，廖汉瀛受省政府主席何键嘱托，在天心阁午炮亭位置新建国耻纪念亭，以唤起民众的爱国之情。亭高三丈余，立四木柱，外围石栏，内围铁花栏杆，栏之四周制有“千夫所指”“万众同心”“革命精神”“义无反顾”“触目惊心”“疾首痛心”等字，亭中有水泥绘制的国耻地图一帧，租割失地，均涂有鲜明之色彩，瞻瞩之余，无不触目惊心，顿增无限愤慨。

1932 年，何元文（1890—1986）出任长沙市首任市长，他上任伊始就决定在天心阁下建“儿童健康公园”。当年夏，公园建设正式启动，首先对天心阁进行了一番修葺，公园四周用木栏围护，并沿栏植树，建立了长沙市的第一座动物园，吸引了不少小朋友。园内建有 4 个小花园，3 座花台，7 张水泥椅。还有秋千、滑梯、摇篮、轩轾板、吊环等。当时湖南名记者严怪愚曾这样描述儿童公园：

> 每天那儿，总有几十个儿童，在消磨他们的白昼，练好钢筋铁骨，预备做国家的干才。这个人生过程的一段落，童年生活，有像黄金一样的宝贵。所以我每当来到这个公园，憧憬过去的往事，就追怀已逝的一切，那儿童天真的笑涡，伶俐的口齿，秋水般的眼珠，活虎般的身段，不是令人生爱慕之心吗？只要是无情岁月催迫着你，就可使天真伶俐变作萎靡颓唐，眼珠呆，身段笨，走进名利的黑道。若是在春风里，又送来一阵“大路”歌声，黄莺样的尖喉，更会使你心怡与意旷。并且，当你沿着小径，坐在熏风亭上去欣赏那班儿童生活真善美，你心里又是一种何等的惬意。[①]

① 陈先枢．天心阁［M］．北京：文物出版社，2012：98.

（二）广场

民国时期，长沙称得上广场的民众活动场所有协操坪（今省人民体育场）和教育会坪（今教育街省农业厅一带）两处。

协操坪原是清末新军二十五混成协驻地操坪，故名协操坪。1926年8月14日北伐军总司令蒋介石曾在此举行北伐誓师大会暨阅兵仪式。此后成为省会人民举行大型集会场所，如1934年4月8日，湖南人民新生活运动大会就是在协操坪举行的。

教育会坪在清代曾是湖南贡院一部分考棚的所在地。1905年废除科举考试以后，这里的考棚被逐渐拆除，于是形成了一个很大的坪地，周围也盖起了不少的房屋，最著名的为湖南省教育会的办公大楼、中山图书馆和一些学校，因此这里便被称为教育会坪。由于场地甚大，又有一些重要的机关，民国时期，这里十分热闹，经常举行集会、开展活动。1915年12月，湖南省第二次运动会就在这里举办。以后省会许多大型集会都在这里举行。

教育会坪最雄伟的建筑当数中山纪念堂，也是当时长沙最有名的公共活动场所。为纪念中国资产阶级民主革命的伟大先驱孙中山先生，1926年9月，国民党湖南省党部及湖南省政府决定在省教育会坪兴建一座气势宏大的中山纪念堂。1927年建成，1930年不幸为战火破坏。1932年又由湖南省政府拨款重修，基本恢复原貌。中山纪念堂建筑面积2434平方米，南面是仿罗奥尼克式的花岗石柱廊，门窗套均是花岗

中山纪念堂（1995年拆除）

1931 年 9 月 25 日抗议九一八事变省会群众示威大会在教育会坪举行

石精雕细刻而成，是湖南花岗石建筑的精品。浓郁的古罗马风格，展示了洋为中用的湖南建筑文化特色。抗日战争初期，中山纪念堂曾为湖南人民抗敌后援会驻地。为激励民众的抗战热情，1938 年纪念堂内连续演出新歌剧《岳飞》，场场满座。抗日战争胜利后纪念堂成为湖南省政府的大礼堂，1949 年 8 月 4 日，程潜、陈明仁将军在这里宣告湖南和平起义。

当时教育会坪还建有戏台，大概是为了举行集会时登台演说或演出的需要而建的。1938 年 11 月 12 日夜半以后，长沙发生“文夕大火”，全城十之七八化为废墟。事后，湖南省当局组成救济委员会，赶筹善后，曾在教育会坪戏台前坪发放救济款，场面甚为宏大。救济款由省、市政府有关人员会同政治部三厅人员发放，每人五元，由宪兵十团团长李成仁率领所部监发并维持秩序。五元钱，按当时价值，可值光洋三四元，可买大米 100 斤、买高级香烟一条（50 盒）。发放救济款的消息传出后，灾民陆续回到长沙，近郊民众也纷纷而至。有的手抱小孩，有的扶着老人，从数十里外赶到长沙领取救济金。长沙市火灾临时救济委员会主任、省财政厅厅长尹任先事后回忆，“发款那天清早，成千上万的凄苦灾民，便从四面八方扶老携幼涌向指定地点。发款时间未到，场内已经人山人海，水泄不通。后因发现，不少原来已去外地投亲靠友的人，

1938 年“文夕大火”后在教育会坪发放救济款的场景

也闻讯赶回，却未领难民证。只好临时改变规定：另发救济金兑换券，按上指印，凭券取款”，原估计“不仅实际人数将大大超过预计，而且也很难杜绝重复领款或并非难民之人前来冒领”。然而，奇迹发生了，参与救灾的青年会总干事张以藩十分感慨地说：“真想不到在如此短促的时间内，发放了九万人的救济费，把钱直接送到灾民手中，不出差错，简直是神迹！”[1]

（三）图书馆

戊戌维新时期，谭嗣同、唐才常等在长沙创办的南学会设有藏书处，章程规定：有志向学者恣观各书。貌似不经意之间，南学会藏书处的大门向民众打开了一道窄窄的缝隙，从而具有了公共图书馆的属性，这成为湖南省图书馆事业重要源头之一。

① 尹任先．长沙大火善后［A］// 长沙市档案馆．湖南慈善档案．长沙：湖南人民出版社，2015：381—382.

1904 年以定王台旧址改建的湖南图书馆

1903 年仲夏，雷光宇在常德创办常德图书馆。翌年春，梁焕奎、龙绂瑞、陈保彝、谭延闿、魏肇文、黄笃恭、胡元倓、许直、陆鸿逵、梁焕彝、刘棣蔚、俞蕃同联名在《湖南官报》上刊登“创设湖南图书馆兼教育博物馆募捐启”，陈述设立图书馆之紧迫性：“痛心种族之前途，中夜徬徨，揽衣屑涕，信乎图书馆之不可一日慢也。”倡议很快得湖南巡抚赵尔巽和省学务处的批准。不日募得巨款购置中外图书及动植物模型、光化仪器列置其中，设图书、教育、博物三馆，向民众开放，同时公布《湖南图书馆兼教育博物馆规则》，共 30 条，申明办馆宗旨是“输入文明，开通智识，使藏书不多者得资博览，创兴学校者得所考证为第一主义”[1]。这是中国第一所省立公共图书馆。南社诗人吴恭亨特撰联以贺：“许我读崔镳五千卷；随人吊汉景十三王。”

创建图书馆不容易，费用甚巨。湖南图书馆创办地点在长沙城东浏阳门内古定王台。1904 年春，夏瑞芳在上海创办的《东方杂志》第四期刊载一条消息：“湖南长沙城东有古定王台，兹由梁、龙诸君创捐巨款，购办中外图书及人体动植模型、光化等学仪器列置其中，设馆三所，曰图书，曰教育，曰博物。近已开办。”

① 沈小丁．湖南近代图书馆史［M］．长沙：岳麓书社，2013：3.

1905年，继任巡抚端方将图书馆改为官办，从省财库拨给筹备经费银1万两，常年经费1.2万两，购置了大量书籍和器具。次年，庞鸿书继任巡抚后又新建三层藏书楼一所，阅览室四所，分经学、哲学、教育学、历史、舆地、算学、法律、政治、军事、理科、实业、医学、艺文、说部、美术、汇书、丛书等17部，起用“交地方官管束”的维新人士、经学大师皮锡瑞任图书馆纂修。

1912年春，湖南都督府将清政府官办图书馆改为省立湖南图书馆，委仇道南（辛亥革命烈士仇亮之父）为首任馆长。同年3月15日新的湖南图书馆开馆，在《长沙日报》刊登广告：“今值国基肇造，策进共和，知识之开通，文明之发达，当以先研学问为第一主义。”时有藏书8000部左右，次年增至1.5万部。

1912年秋至1913年春，毛泽东在这里度过了半年多的自学生涯。后来毛泽东回忆这一段生活时说：“那时进了图书馆，就像牛闯进了菜园子，尝到了菜的味道，就拼命地吃。”在这里，毛泽东第一次看到一张世界大地图，他回忆说，过去认为湘潭很大，湖南很大，中国被称为天下，那就更大，但是从这张世界大地图上看到中国只是世界的一小部分，湖南就更小。世界那么大，人也多得很。那么多的人，他们都是在怎样生活呢？毛泽东看他周围的人，很多都生活得很苦，很多普通老百姓都受着压迫剥削。他认为这非常不合理，应该改变，“从这时候起，我决心要为中国痛苦的人、世界痛苦的人服务”。从青年毛泽东的这段经历，足见图书馆开民智的作用。

之后，由于政局动荡，湖南图书馆时停时开。1923年3月，藏书全移交教育街新落成的省教育会图书馆。1927年改名湖南省立中山图书馆。1930年馆舍毁于战火。1931年省政府委员黄济筹备恢复，次年9月重新开馆，一时出现兴旺气象。以后六易馆址、三易馆名。

另外，1914年湖南省教育会建有省立通俗教育图书馆，“新

省立中山图书馆（毁于 1930 年战火）

旧图书，约八百余种，杂志及报章，约七十余种”。另设有民众书报阅览处两处，其具体情况是“阅报室亦未能多设，各种报纸，现除《通俗日报》，价廉易购，乡间阅者颇普遍外，余如《国民日报》《大公报》等惟高小以上学校及各学务机关购阅之，其他则甚少，间有一二购阅者”[①]。

教育系统以湖南大学图书馆规模最大。湖大图书馆是 1929 年

湖南大学图书馆（毁于 1938 年日机轰炸）

① 沈若愚，杨肇筠．长沙县调查笔记［J］．自治旬刊，1930（73）：29—30.

由校长任凯南请省政府拨款兴建的，由湖大土木系教授蔡泽奉设计，1930 年开春动工，1933 年 9 月在胡庶华校长任内落成，耗资 8.8 万元。馆址在古道林寺旧址，建筑面积 1026.67 平方米。共有房间 17 间，计藏书室 4 间，阅览室 2 间，阅报室、杂志室、办公室、地下室各 1 间，研究室 2 间，还有蒸汽房等。规模宏大，建筑雄伟，装饰华丽，馆内设备均采用当时最新标准式样。1938 年 4 月 10 日日军出动飞机 27 架轰炸湖南大学，图书馆连同 5 万多册藏书悉毁于炮火。

民办图书馆则以南轩图书馆影响最大。南轩图书馆由私立妙高峰中学校长方克刚创办于 1926 年，“馆屋共分上中下三层，下层为阅书室、阅报室、儿童阅览室，二层为研究室、书库办公室，三层为贮藏室及晒书台。十余年来，前后添置新旧图书达一万七千余种，杂志也有四百余种，历年报纸，也都按年份订成册”①。“左坪之内，特建剧台，新旧杂剧具备。游艺杂耍，光怪陆离，参观者何止万人。”② 妙高峰中学连同南轩图书馆毁于 1938 年“文夕大火”。

南轩图书馆（毁于 1938 年“文夕大火”）

① 佩广．知识的供应所——妙高峰南轩图书馆［N］．长沙力报，1937-8-13.
② 罗元鲲．忆妙中校长兼南轩图书馆长方克刚［N］．湖南大公报，1946-7-25.

湖南图书馆事业的发展，从古代的藏书楼，到近代的图书馆，一脉相承，对湖南文化教育事业的进步影响甚巨。尤其是20世纪初诞生的新式图书馆，对于开发民智，开通风气，交换信息，宣扬新思想、新知识，普及民众的文化教育，提高民众的国民素质，传承和保护地方文化，促进社会文化教育的发展起到了相当大的作用，可以说是最好的一所社会学校。

（四）博物馆

湖南始有博物馆为1904年成立的“湖南图书馆兼教育博物馆”，不过当时博物馆的陈列仅几件“动植物模型、光化仪器”而已。

到1924年才有真正的博物馆，即耗资一万银元建成的湖南省教育会博物馆（后改为省立博物馆）。博物馆主任为周勺泉（即周汉藩）。周勺泉（1877—1944），湖南平江人，人称六万先生，六万即其自称的“行万里路，读万卷书，识万物名，为万人师，植万株树，背万年时”。在筹备期间，湖南省教育会博物馆宣布向各界人士征集博物馆陈列品，包括动物类、植物类、地质类、地理类、古物类、农业类、工商类、美术类、卫生类、教育类等11类。[①]

对于征集的陈列品，民众和报纸最关心的是古物类，鱼塘街三宫殿所藏吴三桂用过的钢鞭和铁帽子引起社会关注。当时报载，“古物”最难征集，因为“（古物）属私人者，既视若珍宝，而真赝又难以辨别”，并称“兹查得八角亭鱼塘街三宫殿储存有吴三桂时所用之战具（各鞭、盔甲、铁帽等多件）。此项物品，闭藏古刹，殊为可惜，不如陈列博物馆，以供众览”。大约在征集吴三桂的这些军事用具时，遇到了一些阻碍，于是省教育会博物馆“特请警厅，令知该庙主持，将所藏该项物品移交博物馆，并希派员会同该馆

① 任大猛．民国长沙城博物馆的故事［N］．长沙晚报，2014-5-16.

馆员前往接收，以便陈列”。[1]

省教育会博物馆于 1924 年 6 月 24 日上午 10 时举行盛大的开馆仪式。博物馆第一陈列室陈列的是各种古玩，包括吴三桂的战袍，还有前清武官袍服与各项衣帽等。上楼第二陈列室陈列各项电气物件及飞机模型等，第三室则陈列各类动物标本。下楼第五室陈列的是男女人体及内脏标本等。人们最关心的，还是吴三桂的战具。周勺泉馆长特意来馆内告知观众，“你们到博物馆，不能光看吴三桂的盔甲”，其实就古物来说，“最有价值者，当属麓山十彝器”。入藏的文物还有长沙交通银行主任黄启禧捐赠的明代忠臣史可法真迹手卷、山东孔府捐赠的《圣迹图说》等书籍、相片等。

馆长周勺泉，既对人们关心博物馆古物的热情感到高兴，同时也一再声明，省教育会博物馆的宗旨，还是“以注重科学教育与社会教育并阐扬其他文化事业为宗旨”。[2] 他认为，新开幕的省教育会博物馆，并不是一个纯粹的历史博物馆，到博物馆来，不是为看热闹，追捧历史人物而来。更重要的目的，还在推崇“博物馆教育”，偏重于科学的教育及研究。

湖南省教育会博物馆试图努力将博物馆变成省会长沙各高中学校的“第二课堂”。周勺泉在新馆开幕后，即向社会各界频频宣讲：博物馆和图书馆，都可以补学校教育之不足，图书馆教育，还可以说是完全依赖于书本的教育，而博物馆的开设，则可以用实物或图片陈列，以及模型演示，引起参观者的美术心、考古心、好奇心和研究心，引起人们更加重视现代科学。

据开办一年后的统计，湖南省教育会博物馆除休息日外，前来该博物馆参观的人数，平均每天达 1287 人。当年，长沙市区人口总数仅为 20 余万人，长沙民众对新鲜的博物馆显示出浓厚的兴趣。

省教育会博物馆后来改为省立博物馆。1930 年是省立博物馆

---

① 警察厅委员征集．吴三桂的战具将入博物馆［N］．湖南大公报，1924-4-23.

② 任大猛．民国长沙城博物馆的故事［N］．长沙晚报，2014-5-16.

蓬勃发展、大有作为的一年。周勺泉本是植物专家，故其主掌湖南省立博物馆期间，曾组织人员将岳麓山上所有植物种类均采集制作成标本，并于 1930 年 1 月编印成《湖南植物图志》第一期图志，广获好评。

1930 年 7 月 27 日，“省立博物馆庋藏的各种仪器、古物、标本、模型甚富，且多世所罕见者，均于十九年秋被焚，损失约数十万元”。从 1932 年开始，湖南省政府一度想恢复省立博物馆，但直到抗日战争爆发，仅仅恢复 3 个陈列室。①

（五）教育馆

图书馆、博物馆、教育馆被誉为民国长沙三大社会大课堂。教育馆先后开办过三所，最早成立的是通俗教育馆。早在 1911 年 10 月，长沙响应武昌起义，宣告独立，长沙何劲、徐特立、杜庆湘等于光复后四日即邀集同志于省教育会，举行通俗讲演，深得都督府赞成。② 都督谭延闿认为“当时大局未定，有待于民众之协助者尚多，而一般人民，昧于民族大义者，尚居大多数，非有专事宣传之机构努力讲演，不足以增加革命军之力量”③，遂创设都督府演说部，每日发放讲演之材料，发行《湖南演说报》，后更名为湖南模范演讲团，报刊更名为《湖南通俗教育报》。1912 年冬，开办湖南通俗讲演员养成所一班。1913 年冬，增办湖南通俗讲演员传习所一班。1914 年，汤芗铭督湘，何劲以事下狱，郭李成继之，改为通俗图书编辑所，以模范讲演团附之。以后湖南都督走马灯般替换，至 1922 年赵恒惕主湘时始定名为通俗教育馆。该馆名称

① 任大猛．民国长沙城博物馆的故事［N］．长沙晚报，2014-5-16.

② 长沙市档案馆．长沙旧志选刊——民国二十三年长沙市指南［M］．长沙：湖南人民出版社，2015：79.

③ 谭仲池，薛其林．长沙通史：现代卷［M］．长沙：湖南教育出版社，2013：604.

民众教育馆旧影

凡七变，且经12次改组，又经几度停顿，然综览20余年之历程，逐渐由简而繁，而完善，惜为经费所限，规模不大。到1934年，分编辑、讲演、书报阅览三部，每日出报8000余份，还在定王台旧址增设了书报阅览分处。

20世纪30年代以来，随着社会教育的呼声日益高涨，湖南省当局也越来越重视其重要性，认为“社会教育，为改良社会之利器，补助学校教育之所不及，足以救济普通一般失学之人民，在训政时期，普及民众知识，所关尤巨”，“凡民众文化水准之提高，地方自治事业之促进，人民生计副业之推广，主义政令之宣传，以及其他各种社会活动，无一不需兼筹并顾”。[1] 因此决议成立民众教育馆。

1932年2月，长沙市民众教育委员会决定设立民众教育馆，制定了规程，由市政处委员筹备，于6月1日开馆，狄昂人为馆长。馆址设在中山路先锋厅刚落成不久的中山亭钟楼。中山亭地处全市中心，交通辐辏，故赴馆民众极为踊跃，每日不下千人。但馆舍狭小，长仅十丈，宽仅二丈，房屋分三层，下层为藏书室、

① 傅角今．湖南地理志：甲编［M］．长沙：湖南教育出版社，2008：81.

阅览室、演讲场、阅报室、弈棋室、问字处，中层为办公室、民校教室、代书处、职员住宿，上层平台为民众茶园。1933 年，中层因装置无线电收音机，乃将民校教室移至下层，与阅览室共用，而以原有民校教室作为办公室及会议室，全馆毫无隙地。阅报时间 9 时起至 21 时。阅书时间 9 时起至 17 时。除各种纪念日外，每逢星期日 19 时都在馆内举行讲演。

1933 年 3 月，市政处将设在天心公园的第一书报阅览处改为民众教育馆第一分馆。“馆址设于天心阁之东轩，地势高阔，遥望岳麓，俯瞰全城，滚滚湘流，历历在目，风和日丽，空气清鲜，游目骋怀，固足以娱视听，凭栏兀坐，尤堪把卷吟哦，洵本市惟一之胜迹，亦民众无上之书斋也。”[①] 该馆亦设阅书、阅报、代书、问字、弈棋等处。图书分挂图、地图、普通各类书籍及儿童读物四大类，挂图 32 张，地图 3 幅，各种书籍千余册。

这一时期，各种小范围内改造农村社会的实验非常流行，并发展成为一种潮流。当时一大批文化名人如梁漱溟、晏阳初等希望通过改良的方式，对农民施加合作与生计等教育，从根本上解决农民的出路问题。湖南省立农民教育馆应运而生。该馆由省教育厅厅长朱经农亲自筹备，并得到了省主席何键的支持。农教馆 1934 年 2 月于长沙市北门外大王家巷正式成立，聘欧阳刚中为馆长。馆内办有民众学校、陈列室、民众图书馆等，开展包括卫生、生计、集会演讲和农村社会调查等各项工作。该馆自成立以来的 3 年里，积极推动社会实践教育，主要开展的实验活动：一是筹办石佳冲、黄土岭、枫林小学和豹子岭实验区，开展文化、生计、卫生及自治等工作。二是组织农民信用社，致力于普及短期义务教育。先后组织 61 个农民信用社，社员达 1136 人。三是办理各种形式的学校，扫除文盲，提高民众素质。在各实验区内先

① 长沙市档案馆．长沙旧志选刊——民国二十三年长沙市指南［M］．长沙：湖南人民出版社，2015：79.

后开办石佳冲、新大桥、枫树坪、马王堆等民众学校9所，学生达2300余人；义务教育班30班，学生4751人；民众夜校68班，学生1176人。“平民教育的老总”周方也大力推进农教馆的实验工作，创办了枫林农村实验学校，“以出蔬菜、猪、鱼为研究对象，向禾麻菽麦做功夫”，把学生培养成为“手脑合作，知而能行，行而能知，自立立人，自达达人，自养养人，自教教人的改进农村急先锋”。至1938年，该校毕业生达数百人。四是定期刊印《农民教育汇刊》和《农教旬刊》，针对农民的实际需要编印了《湖南乡土地理教材》《农村卫生的改造》《民众简易常识读本》《怎样选稻种》《电影教育与复兴农村》等数十种小册子。此外，还组织电影队在各实验区内巡回放映。

农民教育馆作为湖南探索农村社会改良的试验田，由于在一定程度上适应了当时经济社会发展的趋势，得到了省政当局以及各方的大力赞襄，实验活动因而取得了一定的成效，造成了一定的社会影响，对于发展农村经济，改良乡风旧俗，推进农村教育的整体改革，提升农民的科学文化素质，均起了一定的作用。[①]

（六）俱乐部

20世纪30年代，是近代湖南民众新娱乐活动最活跃的时期，除大量影剧院为其活动的载体外，俱乐部也十分引人注目。1934年1月出版的《长沙市指南》中，作者邹欠白先生这样定义俱乐部：“俱乐部之真义，本为业余欢聚，借以增进友谊，并作办公后休养，加入正当娱乐。”他还说“长沙市区内，有小团体组织之俱乐部，专以赌博为事，殊失娱乐价值”，因此本书只收录了一家“正当娱乐场”，即市民俱乐部。该俱乐部设在党部东街（今民主东街）国

① 周秋光，莫志斌．湖南教育史：第二卷［M］．长沙：岳麓书社，2002：761.

民众俱乐部旧影

民党市党部前大厅，有图书室、音乐室、弈棋室、乒乓球室、阅报室、运动场等。

《长沙市指南》出版后的1934年3月，长沙另一被湘人引为骄傲的俱乐部——民众俱乐部落成了。“民众俱乐部因为建筑得比较整齐，堂皇，设置得比较清洁，壮丽，于是成了湘省内外人士参观必到之处，过去到现在，遇有中央要员来湘考察内政及其他事业，国内名人及中央要人道经长沙，或外省参观团来湘观光时，湖南当政领袖必定陪往俱乐部巡视一周，或设宴于此，因此俱乐部的身份就日加提高，湖南之所以博得模范省的盛誉，俱乐部自有不少功劳。”①

民众俱乐部由位于又一村的清代湖南省巡抚署旧址改建而成。民国后，清朝的巡抚衙门先后成为都督府、督军署和省长公署驻地。1930年7月毁于一场战火，1931年省主席何键利用残败屋宇辟为国术俱乐部。1934年改建为民众俱乐部，省主席何键亲任部长，实际负责的则是总干事竺永毕和秘书向恺然等。当时名记者严怪愚作有《柳暗花明之境：又一村民众俱乐部速写》一文，据该文记载，俱乐部分为跑马场、儿童图书馆、射箭场、健身庭、高尔夫球场、照相馆、大礼堂、电影院、川菜馆、民众浴室、理发室

① 隽．民众俱乐部巡礼［N］．长沙力报，1937-8-16.

等十二部。严怪愚写道：

> 每当夏秋之际，华灯初上时，全市的民众，小孩子们、老人们、青年们、中年们，男人挟了女人，女人吊了男人，一队队，一簇簇，络绎不绝跑到这里来舒舒空气，喝喝茶，打打高尔夫，射射箭，吃吃川菜，总是日以万计。尤其是女人小姐们，如今忽然新得到一个这么良好的展览地方，莫不“媚行于臀”，奔走鹜告，所以这地方也就成为诸女人最多的地方，有人称夏末秋初为“女人季”，称民众俱乐部为“女人陈列部”，洵不误我也。①

在俱乐部里，长沙妇女的开放程度已不亚于上海。射箭、打高尔夫球之类对封闭惯了的长沙来说是颇为时尚的。射一箭只要一分钱，花四角钱可玩一次高尔夫球，消费不算高。1938 年 2 月郭沫若在长沙时还特邀田汉去逛过射箭场，留下一段佳话。长沙“文夕大火”后，民众俱乐部歇业。抗日战争胜利后，辟为中山公园。

其实早在民众俱乐部之前，长沙已有新式俱乐部问世，那就是长沙基督教青年会。关于它的历史在本书第五章《湖南宗教与民间信仰的近代变迁》已经述及。“在那个堂皇的会中，有青年学校，有民众学校，有健身房，有弹子房，有沐浴室，有大礼堂，有会食堂，有露天花园，有寄宿舍，有游泳池，有外球场，有会员交际室，有图书馆，有中青团，有电影场，有白雪剧团……花头之多，真是不胜繁书。”②

在青年会的墙壁上，到处贴着堂皇的标语，如：“青年会是培养灵性增进道德的机关”“青年会是灌输学问启迪知识的会社”“青

① 民国文人笔下的长沙［M］. 张湘涛，辑录. 长沙：国防科技大学出版社，2012：186.

② 长沙基督青年会 . 青年会的过去与现在［N］. 长沙力报，1937-4-2.

年会是锻炼身体健强体魄的地方”“青年会是集合群众服务社会的团体”“青年会是公共卫生个人卫生的提倡者”“青年会是社会恶习人心沉沦的挽救者”“青年会是青年人正当娱乐的图谋者”“青年会是提倡新生活运动的实验区”等。这些标语正好为俱乐部在近代公共空间系统中所起的作用，作了最好的注解。

（七）国货陈列馆

20 世纪 30 年代初，日货排山倒海般倾入中国内地，国民政府工商部乃令各省设立国货陈列馆，提倡国货，挽回利权。刘廷芳接领了筹建湖南国货陈列馆的任务。刘廷芳（1900—2000），湖南衡山人。曾留学美国哥伦比亚大学学习国际贸易。1926 年回国后，曾一度在熊希龄主办的平民大学任英语教师。1929 年，何键任湖南省主席，余籍传出任省建设厅厅长，成立建设委员会以延揽人才，刘廷芳经湖南大学名教授任凯南推荐，任建设委员，最初主管湖南模范劝工场。刘廷芳领命于 1930 年成立国货陈列馆筹备处，选择了今中山东路贡院旧址（前清省考场）全部基地作为

国货陈列馆旧影

馆址。因其前面有开阔地带适合建筑高大楼房，又居中山东路中段，地点适中，交通方便。筹备处随即迁入办公，并分头进行勘测设计、预算拨款、招标承建，建筑风格为欧美传统带古典色彩，正面为主体陈列室楼房三层，并列 16 根圆形立柱；三楼顶部正中再增加四层，以方形为基础，上配八角柱体、圆柱体、圆锥体；顶上立钢管旗杆构成尖塔形，与前面 16 根立柱配合，颇为雄伟。在前栋三层主体楼房后，紧接着建一层平房作商场。商场后为办公室、图书室、弹子房、锅炉及附属电影院、酒家、浴室、理烫店等。

国货陈列馆于 1932 年 10 月 1 日落成正式开业，何键女儿何玫剪彩，各方代表莅临祝贺，蔚为一时之盛。前面二、三楼陈列全国各大城市的名产国货和本省各地区特产；一楼全部辟为商场，招商出租承办，一律限售国货，成为全省最大的国货商场。当时湖南省生产的物品都可以在这里看到。例如醴陵的瓷器、裕湘纱厂的布匹与棉纱、丁字羽绒制品等，同时也引进了上海、广州等地的国货。大楼内宽敞的店堂、琳琅满目的货架，展示出 20 世纪 30 年代长沙人为提倡国货、发展民族工商业的气派。在商场后面附属的银宫电影院、健身浴室、弹子房等，成为民众又一公共娱乐场所，豪华程度为全省之冠。店堂夏季满堂电扇，冬令温暖如春。广播音乐，当时尚属创举，不仅轰动全城，而且省内外亦有不少人士前来参观学习。

1932 年 10 月 30 日，蒋介石偕夫人宋美龄视察国货陈列馆，对刘廷芳振兴国货的事迹大为嘉许。因宋美龄听不懂湖南话，刘遂用英语向宋美龄作介绍，宋听到刘一口流利英语且夹杂纽约方言，不禁为之一惊。交谈中她认为刘是湖南不可多得的人才。刘廷芳趁机向蒋建议实行矿业国有化，得到蒋的赞同和支持。蒋介石不久即命刘为国防委员会锑业管理处长，掌管全国能源，开发锑、锡、钨矿。在刘的努力下，矿业生产获得了较好的成绩，致使以后在抗日战争中，不但能源无虞，而且为国家赚取了巨额外汇。

刘交卸国货陈列馆后，继任馆长的有周勉、缪昆山、雷锡龄、杨柏衡、袁新舞。其中雷锡龄于 1937 年接任。1938 年 9 月，日本侵略军侵入湘北，长沙震动，雷奉令把陈列馆二、三楼大部分展览品及部分设备，装箱由水路南运祁阳观音滩租房保存。1938 年 11 月 13 日凌晨长沙大火，该馆前栋门窗、货架、柜台、陈列柜被焚一空，前栋塔顶和旗杆也被焚倒下。但其余大部分为钢筋水泥建筑，未遭破坏。1939 年初，在大火中逃出长沙的居民，纷纷归来，日用品需要迫切。国货陈列馆奉令首先恢复临时商场。经过短期筹备，草草修复柜台货架，公开招商承租。同时中山路两旁，也出现摊贩长龙。临时商场开业后，中山路顿成闹市区。1944 年 6 月长沙沦陷，国货陈列馆被侵略军糟蹋得残破不堪。1945 年日本无条件投降，该馆由袁新舞接办商场，并仍由原租户返回复业。

四、近代湖南媒体空间的产生

新闻媒体是清末才在中国出现的新的公共空间，它虽然出现很晚，但对民众生活和社会文化的影响却超过了其他传统的，乃至新兴的公共活动空间。1919 年美国驻长沙领事馆领事詹森写有一份报告书，其中说“长沙有中文报两种，一为《大公报》，每日发行额 4000 至 4700 份；另一种为《湖南公报》，每日发行额 2400 份”“上海发行的《申报》与《时报》及外文报也在湖南销售”“每日的报纸在发行处附近布告板上贴出，给行人阅读。我们知道，长沙有阅读能力者不限于富有阶级，人们时常可看到拉车劳工浏览报纸或小本故事书”。[①] 连人力车夫阅读报纸都是常事，詹森因

① 詹森．美国驻长沙领事报告书［M］// 张湘涛．外国人笔下的长沙．陈先枢，于朋远，等译．长沙：国防科技大学出版社，2013：30.

此下了个断语，认为长沙或许会成为中国的“希望之城”，这座城市有可能出现挽救中国的英雄人物。

（一）新闻报刊

湖南近代化的新闻报刊事业，始于清光绪二十三年（1897）、二十四年（1898）先后创办的《湘学报》和《湘报》，虽与全国各大中城市相比来说，起步较晚，但它开创了近代湖南报业之先河。此后，长沙也就成为湖南的报业中心。而且，一些重要的、在省内外具有重要影响力的报刊，九成以上集中在长沙出版发行。近代报刊的起步和发展，尤其是在辛亥革命时期，报刊更成为湖南社会各阶层表达其政治意向、鼓吹各种思想主张以及传播社会信息的重要媒介和载体，成为各界民众的舆论中心，直接推动了长沙辛亥革命的发展，在湖南社会由传统向近代变迁的过程中发挥了重要的作用。

清廷鉴于维新时期报刊的巨大威力，也开始创办并利用报刊影响舆论，开始创办“官报”。1902 年，湖南官绅在长沙合办《湖南官报》，体例与内容等方面完全照搬《湘报》，然两者实质迥异，故而不受读者欢迎。1905 年 4 月，《湖南官报》因经费不足而停刊。随后被湘抚端方接收，改名为《长沙日报》，依然为官办，在形体上以《申报》为准，质量上有所改进，1909 年 2 月增出半张“副张”，实为长沙及湖南报刊有副刊之始。[①] 同时还有几种通俗报，如《湖南地方自治白话报》《湖南演说通俗报》。

1911 年 10 月，长沙光复，民主共和大为流行，言论自由、出版自由蔚然成风，各种报刊相继刊行，颇有百家争鸣之势。谭延闿执政之后，继续倡言资产阶级民主、平等，允许言论自由，

① 湖南省地方志编纂委员会 . 湖南省志：新闻出版志：报业［M］. 长沙：湖南出版社，1993：35.

鼓励舆论监督政府，评议时政，发挥舆论作用，此时长沙报界更趋活跃，呈现出一派欣欣向荣的景象。1912—1913 年，长沙大部分的报纸为国民党人所办，如：《长沙日报》《大汉民报》《演说报》《军国日报》《国民日报》等。另外，其他党派也先后创办自己的报纸，如共和党人的《湖南公报》、社会党人主持的《湘汉新闻》等，开创长沙画报之始的《天民报》等，这些报刊刊行不同的观点和内容，彼此争论，一时颇有言论自由的新气象。总之，辛亥之后的长沙报业，种类繁多，国民党、共和党等不同的派别和团体，都创建各自的报纸，宣扬自己的政治主张和对时局的看法，以影响社会舆论。同时，随着思想的开禁和活跃，宣扬各种主义和思想的报刊日益增多，如宣扬女权，鼓吹女子参政的《女权日报》，一度宣扬社会主义的《湘汉新闻》等，使得长沙报业颇有百家争鸣之势，呈现出言论自由的一派前所未有的新气象，这一时期的报纸在内容和体例等方面比以往更趋成熟，白话文已是报纸刊登文章的主要语体，新闻报道类、评论类等文体成为报刊的主体，宣扬兴办实业、发展教育等方面的专业性报刊也大量涌现，为普及新知，各种通俗报刊次第创办，这些报刊对辛亥之后湖南民众思想认识的转变、社会风俗的革新、社会事业的建设等方面发挥了积极作用。

然而，长沙报业的繁荣局面并没有维持多久，“二次革命”失败之后，袁世凯对新闻界横加摧残。1913 年，汤芗铭督湘，随即在长沙将国民党人主办的积极反袁的《长沙日报》《国民日报》予以查封，不久，《大同日报》《天民报》等其他报刊也被封被关停，原有大报仅剩《湖南公报》尚在刊行，此时，长沙报界陷于万马齐喑、萧条残破之境地。

然而，随着长沙社会经济的发展，社会风俗的革新，市民阶层的消遣娱乐倾向大增，在 1913 年与 1915 年先后出现了具有知识性和娱乐性的消闲性小报《潇湘雨》《花讯报》《香国魂》。这些小报主要宣扬反动黄色思想，内容陈腐，多不可取，文采亦少有可观者。“二次革命”后的数年之间，长沙及湖南各地相继沦为南北军阀彼此厮杀的战场，长沙报界亦时起时落，发展极为艰难。1915年，《大公报》在长沙创刊，公开反对袁世凯和汤芗铭的尊孔复辟丑行，维护民主共和，从而获得长沙及湖南其他地区民众的支持，成为民国时期长沙刊行时间最久的报纸。长沙报界直到1919年“五四”时期，才重新兴起一个办报热潮，不过此时，宣扬马克思主义等的革命进步报刊已成为长沙报界新的主流。

在近代长沙报业发展历程中，产生了一批著名的编辑和新闻记者，如刘少少、贝允昕、龙兼公、张平子等人。事实上，早在清末，长沙即有人给上海、汉口等外地报纸投稿，如萧曙生，他曾任《长沙日报》主笔，因该报为官办，稿件须经抚院文案审核后方能刊载，他对此极为不满，愤而辞职，为上海的《中外日报》《申报》充当专任驻湘记者。辛亥前，长沙发生的一些大事，如华兴会密谋长沙起义、萍浏醴起义等，都是由他向上海报送的。20世纪初期，长沙颇具全国性影响力的新闻记者当属刘少少。刘少少，原名鼎和，字少双，少年时就读岳麓书院，戊戌后赴日攻读法政，积极为杨度主办的《中国新报》撰稿。1909年任《帝国日报》编辑，以少少笔名撰文，开始在新闻界崭露头角。民国后，先后担任过长沙《湖南公报》《公言》《中华》等报刊的记者、编辑和主笔。刘少少写的文章“庄谐杂出，时杂倭语，而务出己意”，“时有新思，琼绝意表”，受到不少知识分子的欣赏。①

总体上来说，民国初期湖南报刊虽然在发展进程中屡次受到政治形势、政府压制政策的影响而遭受打击，但是，湖南报刊业依然在持续地发展，此期间虽然也不乏宣扬封建迷信思想、黄色反动内容等方面的报刊出现，但是，宣扬民主革命等进步思想的报刊才是湖南近代报刊业的主流。在长沙近代以来历次重大历史

---

① 郑焱.湖湘文化之都［M］.长沙：湖南文艺出版社，1997：178—179.

事件中，报刊业在舆论上发挥了重要的作用，扮演了极为重要的角色。尤其是在辛亥革命时期，大量鼓吹革命、民主、自由的进步报刊的创办，发动了民众，开启了民智，开通了社会风气，为革命的到来作了重要的舆论准备。

1927 年 5 月马日事变后，国民党当局实行空前严密的新闻检查和专制高压政策，进步报刊被查禁，湖南报纸仅剩官办的《南岳日报》和《湖南民报》，第二年两报合并为省政府机关报《国民日报》。1928 年 9 月，商办《全民日报》创刊。1929 年 5 月，湖南《大公报》复刊，国民党湖南省党部的《中山日报》出版，形成 4 家大报并存的局面。

九一八事变后，长沙民众纷纷起来开展抗日救亡活动，出版报纸进行宣传，加之知识分子云集长沙谋求出路，形成一股办报热潮。何键为稳住其在湖南的统治，对新闻实行扶植政策，小报和通讯社就像雨后春笋般涌现出来，长沙新闻事业呈现出一派繁荣景象。在 1931—1937 年的 6 年多时间里，长沙竟出现近百家大大小小的报纸，仅 1933 年就新办 30 家。时人撰文说：“数年来本埠小型报纸风起云涌，有日刊者，有晨刊者，有午刊者，有晚报者，有三日刊者，有半周刊者，有周刊者，有半月刊者，数量之多，为前此所未见，时人曰为报纸年。”[①] 从新闻报刊开始出现的 1897 年到 1949 年 8 月 5 日长沙和平解放，长沙地区先后共出版过 400 多种新闻报刊，其中报纸 280 多种，时事政论期刊 130 多种，占湖南省报刊的一半以上，而主要报刊，则 90%以上集中在长沙。

20 世纪 30 年代，湖南新闻报刊业发展的一个突出特点就是民众团体创办报刊踊跃，并注重报道创新，出现了与官办报纸与民办报纸争锋的现象。《全民日报》《市民日报》《力报》《晚晚报》《霹雳报》等著名报刊涌现，它们主张言论自由，反对新闻压制；

① 郑焱. 湖湘文化之都［M］. 长沙：湖南文艺出版社，1997：217.

坚持积极抗日立场，抨击消极抗日。同时，一些报纸还注重创新，如长沙《力报》在新闻上颇有革新，仿照上海报纸，采用多行标题，并配发新闻人物照片，自备收报机收录中央社电讯（长沙其他报纸则使用收音机），带头使用新五号字等。抗日战争爆发后，该报社还先后派严怪愚、方家达等赴抗战前线采访，这种新型的创作方式在当时湖南新闻界可谓是一大创举，对湖南报界的发展起了促进作用。总的说来，民国时期湖南民众团体办报出现过两次高潮，一次是从五四运动到北伐，另一次就是从抗日战争爆发到“文夕大火”。20 世纪 30 年代恰好承前启后，既恢复和延续了前一时期办报的良好势头，又推动了下一时期新闻报刊业的蓬勃发展。①

（二）通讯社

中国人自办通讯社，约较报纸晚了半个世纪。到 1904 年仅有创于广州的中兴通讯社。民国成立后始有较大发展，1912—1918 年，全国有 20 家，湖南占了 3 家。

1912 年初，《湖南公报》的李抱一、张平子等首创湖南通讯社，其《简章》说：“邀集同志，详探本省紧要新闻，务求消息敏捷，报告确实，据事直书，毫无偏见。通讯中外各报馆，以供采取。”②1913 年，王道南办湖南新闻社。省督军署译电员孙斌，每日将可发布的电讯译送各报，实际上起了通讯社的作用，由此长沙各报有了北京专电。

“二次革命”时，《湖南公报》被汤芗铭政府封闭，搜出湖南通讯社稿有致北方各报的函件，诬为与北方勾结，湖南通讯社因

① 谭仲池，薛其林．长沙通史：现代卷［M］．长沙：湖南教育出版社，2013：569—570.

② 湖南省地方志编纂委员会．湖南省志：新闻出版志：报业［M］．长沙：湖南出版社，1993：399.

此停办。

1916 年以后，通讯社日渐增多。其中略具规模的，有傅英东的中华通讯社，唐寿林的美华通讯社，龚饮冰的亚陆通讯社，黎升岫的三余通讯社，陈兰荪的兰心通讯社等，而以大中通讯社最为著名。“这家通讯社是杜氏三兄弟所办，老大杜否予专跑省议会新闻，老二杜兮依跑军政界新闻，老三跑社会新闻，他们也是追随汤芗铭来到湖南的。汤氏遁逃后，其湖北同乡人纷纷随之而去，杜氏兄弟却愿留下来，以办通讯社为其终生职业，成为湖南新闻界的三个不倒翁。”①

1924 年后，通讯社迅猛发展，一人办一社，甚至一人办数社的都有。挟着皮包，携带铅笔和复写纸，便可发稿。但也有共产党员利用通讯社为掩护，进行革命活动，如龚饮冰办亚陆通讯社、郭亮办全湘通讯社等。

北伐时期，那些乱七八糟的通讯社一扫而空。除亚陆、大中、三余、咸宜、兰心等数家和总工会所设的劳动通讯社外，其他悉数关闭。1927 年马日事变后，上述通讯社也都停办。

1927 年 7 月，国民党湖南省党务指导委员会组织长沙通讯社；8 月，湖南省政府亦组织湖南通讯社，是为湖南官办通讯社之始。次年，萧石朋、黄性一恢复亚陆通讯社，并出版《军情》一书。此后，通讯社畸形发展，达数十家之多。1930—1931 年，国民党湖南省党部两次取缔通讯社，规定：凡每月发布各报社的稿件不满 30 条的，为不合格，注销登记。“长沙新闻通讯社于民国二十一年（1932）经省党部一度审查整理，仅存三十余家，其后呈准登记者日有增加。最近（1933 年）据调查所得，现正发稿者，竟达七十余家，较二十一年约增加一倍以上。”②

① 陶菊隐．记者生活三十年［M］．北京：中华书局，1984：17.

② 长沙市档案馆．长沙旧志选刊——民国二十三年长沙市指南［M］．长沙：湖南人民出版社，2015：73.

1935年3月，官办的中央通讯社派郭宗汾来湖南筹设驻湘记者办事处。1938年正式设长沙分社，主任唐际清。从此长沙报纸的国际国内电讯，全由该社抄送。长沙"文夕大火"后，中央社在湖南另设随军组，常驻薛岳的第九战区司令长官部。中央社在抗战中的报道，基本上站在爱国立场，但常夸大战绩，掩饰失败。如不言某地失守，而称"我军转移新阵地"；敌机来袭，并未遭我空军或高射炮还击，却称其"向某方逸去"，一时传为笑谈。

抗日战争时期，有两家全国性通讯社对湖南新闻事业颇有影响，一是李公朴等办的全民通讯社，在抗战初期发布的许多稿件，对鼓舞民众的抗日斗志起了较大的作用。另一是长沙"文夕大火"前夕，范长江、胡愈之等在长沙成立国际新闻社，旋迁桂林，并在重庆、香港设分社，简称"国新社"，是中国共产党直接领导的在国民党统治区的新闻机构。"国新社"发稿分为两种：一是专稿，同一稿件（包括通讯和专论），在每个省区只发一家报纸；一是每周一期的《国际新闻》油印稿，由国际问题专家张铁生主编，供各报选用。湖南主要报纸大都两稿都订，进步报刊选用更多。其中多为名家之作，对湖南报纸质量的提高起了很大的作用。

（三）广播电台

广播电台是20世纪20年代末30年代初才在中国兴起的新事物。1929年12月，"交通部长沙无线电台"正式成立，这是湖南有广播电台之始。

湖南自己最早的广播电台应是湖南广播电台。1933年，余籍传任湖南省建设厅厅长，倡议设立湖南广播无线电台，成立工程筹备处，聘请南京中央广播电台工程师王劲来长沙参与设计工作。台址原拟设在南门外妙高峰，因其地势较高，后来，又改四十九标附近杜家山（今省政协所在）为台址，但都没有动工。当时的

湖南广播电台老照片

湖南省政府主席何键认为广播事业重要，必须由他亲自来抓，乃由省府会议最后决定，改由省办，直属省政府领导，拨款10万元，决定把广播电台设在省教育会坪中山堂附近（今省农业厅内），并指定，一切器材由湖南省电器制造公司承制。是年12月，电台、铁塔、发电机器逐步完成。1934年1月，委派张道源为台长，余育德为工程师。3月开始试播，5月5日正式开播。[①]播音机的发射功率为1000瓦特，电波频率为590千兆，呼号为XGOH。播音时间为每天16时到22时，播音内容涉及国际国内新闻、名流的专题演说和文娱节目等。文娱节目则以流行歌曲与京剧为主。1934年5月29日，湖南广播电台邀请京剧大师程砚秋到台演播。当时电台只有两个男播音员，一个是杨叔槐，一个是林澄伯，都是京戏爱好者，有时也找一些京戏票友客串。为推动全省广播事业的发展，1935年，省教育厅特地派员去南京中央教育部收音指导训练班受训，并决定分3期推进，逐步扩大装置面。到1937年，湖南各县市共设置转发机110余架，形成了以长沙为中心，遍及全省的广播网络。

① 陈泽珲，长沙野史类钞：下部耆旧文存［M］陈先枢，李渔村，编辑 . 长沙：岳麓书社，2011：131.

1936 年 2 月，国民党中央考虑到日寇侵华意图日益明显，便决定在长沙筹建一座电力设备仅次于南京中央广播电台的长沙广播电台，以备在南京受到威胁时暂时代行中央电台的广播任务。当时长沙报刊报道：“近几年来，中国无线电事业，真是蒸蒸日上，电台设立，犹如雨后春笋，但是强电力电台尚不多见，其电力超过 10 千瓦特的除开南京中央广播电台外，就算本埠新近成立的长沙广播电台了。湖南因为特产的丰饶，地位重要，近几年来很为国人所重视，中央首先选定长沙设立一强力电台，在国防上恐怕不是毫无意义的吧。”①

1937 年 2 月长沙广播电台竣工试播，5 月 5 日正式播音。同日，原湖南广播电台停止播音。长沙广播电台呼号为 XPOV，台址设在长沙党部东街（今民主东街）。长沙广播电台的发射能力十分强劲，发射范围不仅可以覆盖全国，而且能够包括日本、南洋、澳洲。因此，时人评论：“获此效果应为吾国广播史上的重要一页。”长沙广播电台每天播音 7 小时，内容涵盖新闻、文艺，转播中央广播电台、国际广播电台节目，其人员和经费都直接由国民党中央广播指导委员会广播事业管理处控制与拨付。抗日战争爆发后，1937 年 11 月，南京中央广播电台停播，长沙广播电台与武汉广播电台相辅运行，代行中央广播电台的使命，一度成为宣传抗日的重要喉舌。当时主要广播国民政府令、地方政令，转播中央广播电台重要节目，摘编中央通讯社和各报刊文章，还邀请军政界人士演讲，请名演员演播。当时国共合作抗日，徐特立、郭沫若等都曾应邀到电台做广播演讲，进步文艺工作者刘良模和战斗剧社、儿童剧团、SOS 剧团、难民剧团等也曾应邀演播抗战歌曲和小型演唱节目。战斗剧社的话剧《打鬼子去》被称为“湖南广播剧之始”。1938 年 7 月底，该台传音科又邀集在长沙的各剧团协

① 映．长沙广播电台参观记［N］．长沙力报，1937-6-5.

同成立了第一个广播剧组织——湖南广播剧团，从此经常为电台演播广播剧。武汉沦陷后，长沙广播电台的部分设备拆迁至贵阳和重庆，“文夕大火”后迁往湖南省府的临时驻地沅陵。

结 语

在过去的地域文化（如湖湘文化）研究中，人们往往偏重于精英文化的研究，把重点放在对著名历史人物和重大历史事件的思想、理念、精神的剖析和提升上。历史研究也是偏重于政治史、军事史、思想史的研究，并在相当长的一段时期内主要是进行阶级斗争史的研究，把一部中国近代史等同于中国革命史。例如，以往民国史的分期基本是：辛亥革命和南北军阀战争时期、新文化运动和五四运动时期、国民革命时期、土地革命时期、抗日战争时期、解放战争时期。好像民国时期的历史只有战争或革命而无其他。有关社会生活、民俗文化的研究，自然成了薄弱环节，一段时间内甚至成为禁区。改革开放后，特别是 1992 年以后，社会生活研究禁区逐渐被打破，并形成了一种共识：在人类历史长河中，风雷激荡的历史事件，叱咤风云的历史人物，都不过是浮于历史表层的现象，更能表现其本质性、基础性的内容是涵盖十分广泛的社会生产与生活的发展历程。由社会经济、文化教育、宗族家庭、社团阶层、大众生活、礼仪风俗等方面构成的社会经济发展状况，为人类历史活动提供了必要的舞台和条件，而人类历史活动又反过来对社会经济的发展起着促进或阻碍作用，并且，这种作用业已成为评判历史事件与人物的重要标准。因此，湖湘文化不能仅仅局限于对精英文化的研究，还应当十分重视民俗文化及其所影响的社会生活发展变迁的研究，揭示其丰富的内涵，探索其演变发展的轨迹。只有这样，一部人类历史才是完整的，丰富多彩的，有血有肉的。正如马克思所说："每一个历史时代的经济生产以及必然由此产生的社会结构，是该时代政治的和精神的历史的基础。"

中国在漫长的封建社会中，社会结构相对稳定，但社会发展极为缓慢。尽管它在早中期也曾有过辉煌，但是到后期却落后了，封建宗法的思想和制度牢牢地束缚着人们的手脚，整个社会处于停滞不前和封闭保守的状态。历史进入近代，社会结构发生了深刻而急剧的变化，造成中国"数千年未有之大变局"。至 1840 年，湖南全省范围内的汉化基本完成，但民俗还只完成从蛮夷到平和的变化。湖南民俗质的变化是在近代中西方文明的交流和历次社会变革运动中产生的，即开始由传统向现代过渡，由愚昧向文明过渡，由落后向科学过渡，包括科学的思维法则、文明的生活习惯、健康的生存方式、平等的社会风气等。

近代湖南，随着中国社会的急剧转型，西学东渐，思想解放，社会生活和民俗风尚也发生了全新的变革，体现出近代湖湘文化对民俗文化产生的重大影响。近代文化与民俗的关系，实际上就是政治与民俗的关系。近代湖湘文化精神，如心忧天下、敢为人先、经世致用、坚忍不拔等，无一不是从历次政治运动或政治事件展现出来的，一些精英人物也是从历次政治运动或政治事件中崭露头角，然后才声名显赫的。这些政治运动或政治事件包括洋务运动、戊戌维新、清末新政、长沙开埠、立宪运动、辛亥革命、联省自治、新文化运动、五四运动、农民运动、新生活运动、抗日救亡运动等。近代湖湘文化对民俗文化产生了哪些重大影响，从本书中至少可以看出以下五点。

一是戊戌维新和清末新政的开明智作用。从清同治之初太平天国事息至光绪戊戌维新运动前，湖南被西方称为中国“大陆腹地中一座紧闭的城堡，因而也是一个无与匹敌的，特别引人注意的省份”，省城长沙则被称为“铁门之城”。而到戊戌维新时期，谭嗣同、唐才常、熊希龄、皮锡瑞等新派人士聚集长沙，“亦各抒忠义以奉其上”，大力倡言和推行变法维新，使湖南从最保守的省份，一跃成为“全国最富朝气的一省”。维新运动中，维新派官绅深感开民智对于经济发展和政治改革的重要意义，因而把教育改革看作是维新的主要内容之一。湖南时务学堂的创办是长沙旧式书院制度向近代学堂制度转变的肇始。谭嗣同对学堂、学会和报纸的作用进行过精辟的论述。他指出，“假民自新之权以新吾民者，厥有三要。一曰创学堂，改书院；二曰学会；三曰报纸”。南学会的演讲把“开发民智”推向高潮。《湘报》

馆与各府、州、县的南学分会、学堂密切联系，构成了遍布全省的《湘报》销售传播网络，使它的影响深入全省各地，甚至偏远乡村，对于湖南维新运动的深入发展起到了不可替代的作用。移风易俗是戊戌维新思潮的重要组成部分，也是社会启蒙的重要内容。维新人士认为，现今万国交通，一切趋于尚同，如果中国一国衣服独异，礼节特殊，则与外国国家和人民"情意不亲，邦交不结"。湖南维新派士绅大力提倡移风易俗、革除传统陋习的一系列作为，使长沙城市的社会风俗和生活方式开始发生变化。他们发起成立"不缠足会""延年会"，反对妇女缠足的恶习和奢侈浪费、因循苟且的旧生活方式。1900年义和团运动被八国联军镇压下去，为挽救清王朝的命运，清政府于1901年十二月十日发布了"改弦更张"，实行"新政"的变法上谕，并设立了督办政务处，综理"新政"事宜。在此后的十多年时间里，清政府在练兵、兴学、奖励工商各方面采取了一系列新政措施，变革力度较"百日维新"有过之而无不及。清政府与社会上的各种势力，如省谘议局和近代社团，如商会、自治公所、新式风俗改良团体等，在政治态度和革新主张上可能迥异，但是在移风易俗的主张上却大体相同，不仅都反对恶风陋俗，而且对其危害性的认识与揭露基本一致，汇集成一股近代移风易俗的热潮，它兴起于青萍之末，而终于达到足以使"天下移风"的目的。

二是辛亥革命成为湖南社会风俗变革的转折点。辛亥革命推翻了封建帝制，这不仅是一场政治革命，同样也是一场社会生活的革命。社会制度形态的变化给物质生活带来的影响是前所未有的。辛亥革命推翻了清王朝的统治，湖南人头上的辫子剪掉了，新政府制定了一整套新的社交礼仪，出现了文明的集会，跪拜、作揖不见了，代之以鞠躬、握手，以简单、文明为特点的新式婚礼在长沙也多耳闻目见，产生了一些新式的节日。总之，资产阶级革命派去掉了一些沿袭很久的野蛮主义、陈规陋俗，革故鼎新，以尊重人的权利为特点的新文明、新风俗逐渐为普通民众所接受，资产阶级和开明绅士、知识阶层成为移风易俗的带头人。1912 年 3 月 5 日《时报》记载了当时社会现象的生动画面 ：“共和政体成，专制政体灭 ；中华民国成，清朝灭 ；总统成，皇帝灭 ；新内阁成，旧内阁灭 ；新官制成，旧官制灭 ；新教育兴，旧教育灭 ；枪炮兴，弓矢灭 ；新礼服兴，顶翎补服灭 ；剪发兴，辫子灭 ；盘云髻兴，堕马髻灭 ；爱国帽兴，纸皮帽灭 ；爱华兜兴，女兜灭 ；天足兴，纤足灭 ；放足鞋兴，菱鞋灭 ；……马路兴，城垣卷栅灭 ；律师兴，讼师灭 ；……旅馆名词兴，客栈名词灭。”可见民初社会的变化是全方位的，不仅是政治制度的变革，衣、食、住、行、用等物质生活领域以及礼仪风俗也在发生变化。总体而言，辛亥前后湖南地区的社会风貌处于不断的变革之中，其发展的总趋势是逐渐近代化，走向近代文明。但是，由于辛亥革命的不彻底性，以及传统习俗的根深蒂固，非一朝一夕能彻底根除，加之各种社会痼疾如烟毒、娼妓、赌博、匪患等，虽一度抑制，但不久又死灰复燃。因此，这一时期长沙的社会风貌就处于一种旧的未死、新的未立的态势，呈现出一种新旧并存、中西结合的面貌。

三是新文化运动和五四运动对湖南社会新风尚的推进。新文化运动以 1915 年《新青年》杂志的创刊为起点，1919 年因抗议“巴黎和会”而引发的五四运动又把新文化运动推向新高潮。新文化运动和五四运动高举“民主”“科学”两面旗帜，提倡新道德，反对旧道德，提倡民主，反对独裁，提倡科学，反对迷信，提倡新文学，反对旧文学。1918 年成立的新民学会则喊出了“革新学术，砥砺品行，改良人心风俗”的口号。一时间，文化领域的哲学革命、文学革命、史学革命、宗教革命和白话文运动风起云涌 ；男女平等，婚姻自由，女子放足，现代服饰，反对封建“贞操观”“节烈观”等社会风俗革新运动，如狂风巨浪，横扫社会的每个角落，冲刷着封建习俗的种种污泥浊水。恩格斯曾经指出 ：“妇女解放的程度是衡量社会进步的天然尺度。”这场旷日持久的社会风俗变革运动，就内容而言，主要是围绕妇女解放这个中心展开的。湖南在这场社会风俗革新运动中的影响和作用是十分突出的。1919 年 11 月，长沙女青年赵五贞因反抗包办婚姻而自杀；1920 年春，长沙女青年李欣淑因反对包办婚姻毅然出走。这两大事件的相继发生以及围绕事件展开的波及全国的关于婚姻自由的大讨论，表现尤其典型，影响尤其突出，对推动妇女解放和革新社会风俗发挥了很大的作用。

四是继之而起的大革命对封建旧俗的冲击。20 世纪 20 年代中期爆发的大革命以“国民革命”为口号，以第一次国共合作的正式建立为起点，以 1925 年“五卅”运动为标志，其发动群众之广泛，斗争规模之宏大，社会震荡之深刻，均为中国近代史前所未有。北伐军推翻了湖南的军阀统治，湖南人民第一次享有集会、结社、罢工、游行示威等政治自由，农民、工人、青年、妇女运动风起云涌。尤其是湖南农民运动、湘赣苏区政权的建立以及土地改革和民主建政，动摇了封建意识的基础，宗族族权被打倒，顽固维护封建旧俗的堡垒被攻破。与家族相关的礼仪旧俗，如童养媳、冥婚、过继、兼祧、入赘、丁忧、家讳、割股疗亲、结庐守制、严酷族规等渐次走向衰落。湘赣苏维埃政府还制定了《婚姻条例》，规定了婚姻自由，废除多妻制，实行一夫一妻制，禁止纳婢蓄妾和童养媳，打破守节制度，禁止聘礼送肉等不好的习俗等，并对所属各县的落实情况进行过检查。

五是新生活运动改变了湖南社会生活的旧习。20 世纪 30 年代，湖南社会风尚的变革与国民政府强力推动的新生活运动是分不开的。新生活运动的中心任务是要实现全社会环境的整齐、清洁。为此，湖南展开了识字、体育、守时、节约、禁烟、禁赌、使用国货、发展教育、建设公园、解放女婢、举行集体婚礼等 30 多项活动。1935 年 3 月后，新生活运动进入到以实现“国民生活的艺术化、生产化和军事化”为中心的新阶段。国民政府企图通过实现“三化”，把国民生活推向“高尚、富足、巩固”的新阶段，以奠定“中华民族复兴之基础”。虽然新生活运动有其局限性和负面影响，但对改良湖南的社会风俗起到了一定的作用。

可见，近代湖南社会风俗变迁的过程和整个中国的变化一样，从实质上来说，就是由传统社会向近现代社会过渡的过程。是时之湖南，保守力量逐渐衰退，新生力量脱颖而出，“铁门之城”的铁门逐渐被打开，形成政治上的新格局，经济上的新产业，科技上的新成果，社会上的新风尚，生活上的新需求。当然也有积弊成痫，酿成害己、害民、害国家的社会毒瘤。但总的趋势是，传统社会固有的封建性、封闭性、停滞性和落后性在逐步被打破，而近现代社会的民主化、科学化、开放性和文明进步等因素在逐步增长。这一结论就是本书对湖南近代湖湘文化转型中的民俗文化研究作出的一点点贡献。

主要参考书目

王兴国，聂荣华．湖湘文化纵横谈［M］．长沙：湖南大学出版社，1996.
郑焱．湖湘文化之都［M］．长沙：湖南文艺出版社，1997.
郑焱．时移势异——辛亥长沙巨变［M］．长沙：湖南教育出版社，2011.
伍春晖．群雄崛起——辛亥长沙精英［M］．长沙：湖南教育出版社，2011.
严昌洪.20 世纪中国社会生活变迁史［M］．北京：人民出版社，2007.
严昌洪．中国近代社会风俗史［M］．杭州：浙江人民出版社，1992.
傅冠群．湖南社会大观［M］．上海：上海书店出版社，2000.
刘泱泱．近代湖南社会变迁［M］．长沙：湖南人民出版社，1998.
刘泱泱．湖南通史：近代卷［M］．长沙：湖南出版社，1994.
宋斐夫．湖南通史：现代卷［M］．长沙：湖南出版社，1994.
湖南省地方志编纂委员会．湖南省志:民俗志［M］．北京:五洲传播出版社，2005.
湖南省地方志编纂委员会．湖南省志:宗教志［M］．长沙:湖南人民出版社，1999.
湖南省地方志编纂委员会．湖南省志:新闻出版志［M］．长沙:湖南出版社，1993.
湖南省地方志编纂委员会．湖南省志：第一卷湖南近百年大事纪述［M］．长沙：湖南人民出版社，1979.
湖南省地方志编纂委员会．湖南省志：矿产工业志［M］．长沙：湖南出版社，1992.
湖南省地方志编纂委员会．湖南省志：文化志［M］．长沙：湖南出版社，1991.
湖南省地方志编纂委员会．湖南省志：体育志［M］．长沙：湖南出版社，1994.
湖南省地方志编纂委员会．湖南省志：教育志：下册［M］．长沙：湖南教育出版社，1995.
文选德，田伏隆．湖湘文化读本［M］．长沙：湖南教育出版社，2013.
陶立潘．中国民俗大系［M］．兰州：甘肃人民出版社，2003.

陈泽珲，陈先枢．长沙传统风俗大观［M］．长沙：国防科技大学出版社，2011.
谭仲池，彭平一．长沙通史：近代卷［M］．长沙：湖南教育出版社，2013.
谭仲池，薛其林．长沙通史：现代卷［M］．长沙：湖南教育出版社，2013.
周秋光，张少利，许德雅，等．湖南社会史［M］．长沙：湖南人民出版社，2013.
陈书良．湘学史略［M］．北京：中华书局，2015.
郑大华．晚清思想史［M］．长沙：湖南师范大学出版社，2005.
郑大华，彭平一．社会结构变迁与近代文化转型［M］．成都：四川人民出版社，2008.
阳信生．湖南近代绅士阶层研究［M］．长沙：岳麓书社，2010.
张朋园．湖南现代化的早期进程（1860—1916）［M］．长沙：岳麓书社，2002.
陈先枢，黄启昌．长沙经贸史记［M］．长沙：湖南文艺出版社，1997.
梁小进，杨锡贵．长沙历史风云［M］．长沙：湖南文艺出版社，1997.
周贤朴，顾庆丰，沈绍尧，等．长沙风物大观［M］．长沙:湖南文艺出版社，1997.
刘建强．湖南自治运动史论［M］．湘潭：湘潭大学出版社，2008.
彭先国．湖南近代秘密社会研究［M］．长沙：岳麓书社，2001.
李玉．长沙的近代化启动［M］．长沙：湖南教育出版社，2000.
陈先枢．长沙老建筑［M］．北京：五洲传播出版社，2006.
陈先枢．长沙民间艺术［M］．北京：五洲传播出版社，2008.
欧阳晓东，陈先枢．湖南老商号［M］．长沙：湖南文艺出版社，2010.
巫瑞书．南方民俗与楚文化［M］．长沙：岳麓书社，1997.
张湘涛，外国人笔下的长沙［M］．陈先枢，于朋远，等译．长沙：国防科技大学出版社，2013.
袁行霈，陈进玉，于来山．中国地域文化通览：湖南卷［M］．北京：中华书局，2014.

龙华 . 湖南戏曲史稿［M］. 长沙：湖南大学出版社，1988.
张发颖 . 中国戏班史［M］. 北京：学苑出版社，2003.
孙文辉 . 湖南话剧志［M］. 台北：兰台出版社，2013.
黎维新，周德辉，谌震，等 . 长沙文化城［M］. 长沙：湖南出版社，1995.
陈先枢，谢军 . 湖南餐饮老字号［M］. 长沙：湖南人民出版社，2014.
江异 . 民国湘菜秘闻［M］. 长沙：湖南人民出版社，2015.
沈小丁 . 湖南近代图书馆史［M］. 长沙：岳麓书社，2013.
长沙市志编纂委员会 . 长沙市志：第十五卷［M］. 长沙：湖南人民出版社，2000.

后　记

《近代湖湘文化转型中的民俗文化》研究的主要内容是与民众社会生活密切相关的近代湖湘文化影响下的民俗文化，旨在通过对近代湖湘民俗文化的考察，来揭示近代湖湘文化观念的转变对社会生活的影响，以及在新的历史背景下，社会变迁是如何影响到民俗文化的，并由民俗文化来反观近代湖湘文化转型的具体面向。同时，通过考察近代湖湘民俗文化的具体现象，透视精英文化与民俗文化的相互关系。

目前学术界对近代湖湘文化的研究，主要集中在对精英文化的研究，而对民俗文化得以产生的土壤——湖湘民众社会生活，关注甚少。精英文化虽然蕴涵着深刻的文化内涵，但它是舍弃了大量日常化的具体现象后而抽象的思想成果，与具体历史背景下的民众生活实际存在着一定的差距。那么，孕育了湖湘精英文化的湖湘民俗文化，到底呈现出什么样的态势？当湖湘精英文化深刻地影响着近代中国历史进程时，对湖南本土的民俗文化又产生了怎样的影响？湖湘文化又是如何影响普通大众的喜怒哀乐、人伦礼节、娱乐生活以及其他日常生活的？这是本书研究的重点所在。

本书通过对湖南近代社会生活表象的揭示，来探讨它背后所蕴涵的意义。近代湖湘文化的嬗变及其对社会生活和民俗文化的影响，有其较为稳定的一面，又有其易变的一面。把握近代湖湘文化转型中的民俗文化，除了要注意那些较为稳定的、具有湖湘特色的文化传统，更要捕捉它在近代社会生活中出现的新变化，并分析这种变化究竟是如何发生的。湖湘文化传统的自身逻辑演绎，在很大程度上受到了整个近代中国社会变迁的影响，又有着湖湘地域文化的特点。在近代湖湘文化的转型过程中，精英文化与民俗文化之间，既互相渗透，又互相制约。

就目前近代湖湘文化的研究而言，大都集中在精英文化层面，民俗文化基本上没有纳入湖湘文化的研究范围。虽然有几种介绍风俗民情的著作，但这些著作多停留在现象的罗列上，较少把握社会风尚的变动，未能深入历史表象的内部去体会民情风俗后面的文化蕴涵。而且这些著作多着重铺陈那些封建社会几千年未变的风俗习惯，重点又多集中于农村、偏远地区和少数民族地区的奇风异俗，较少述及都市中较为开放的风俗习惯。而本书是在近代湖湘文化转型的大视野下，考察湖南近代民俗文化的变化，以及民众思想观念的变化，因此，诸如嬗变、演变、渐变、转变、转型、变迁、变化、变革、改变、改革、改进、改善、改良、革新、开放、进步、提高、发展、移风易俗等，成了本书使用频率最高的字眼。近代湖南是如何从“铁门之城”一跃成为“全国最富朝气的省份”的，从近代湖湘民俗的变化可略见一斑。近代湖湘民俗的变化集中在城市，农村变化不大，少数民族地区变化更微。因此就地域而言，本书重点写城市，兼顾农村；城市中又重点写省会长沙，兼顾其他城镇。突出重点，不面面俱到，是本书的特点之一。

兼顾资料性和可读性是本书第二个特点。近年已有一些有关大众文化的论著问世，但多停留在理论层面，较少深入社会底层去考察社会生活背后的文化内涵。而本书将近代民俗的变迁和衍化作为研究的主要对象。故本书不同于现有湖湘文化研究侧重于观念的梳理、概念的演绎、思想的剖析，而是使文化这一抽象的东西具体落实到民众社会生活中的行为、事件、现象和细节上，一方面通过社会生活来把握民俗文化，另一方面又将民众生活放在民俗文化的视角下加以考察，因此本书有很多接地气的内容，有较强的可读性。而这些接地气的内容多取自当时的旧著、旧志、老报刊、老档案、老照片等第一手资料，因而又有较强的资料性和史料价值。

本书第三个特点是力图视角新颖，有些新观点。本书认为“民俗文化”与“民众社会生活”是两个概念，不能等同。虽然民众的日常生活（特别是日常的饮食起居）具有文化意义，但毕竟不是文化本身，而只是文化影响的结果。因此，本书虽然也是紧扣社会生活来解读民俗文化，却没有停留在对社会生活的描述本身，而是力图进入民众内心深处，去理解他们何以这样生活的文化意识，以及社会历史背景的变化给生活带来的影响。精英文化与民俗文化是相互影响、不可分割的。本书虽然主要研究与民众社会生活紧密相关的民俗文化，但并不局限于民俗文化，还涉及精英文化，而且还以大量事实指出精英阶层的日常生活和娱乐生活中也融入了大量的民俗文化。而对于精英文化与民俗文化相互渗透和制约的具体环节，通过大量史实予以揭示，并试图概括出这种相互渗透和制约的途径。从社会文化史的角度看，近代湖南的一些现象，如戊戌维新之前的排外仇教，下层社会中的秘密组织，近代湖南的民权思潮、新文化运动和新生活运动，近代湖南民众的娱乐精神、商业民俗和戏剧改良等，都得到全新的解读。

本书的框架结构和编写提纲最初由郑大华教授提出，在写作过程中又反复求教于郑老师，对章节和内容进行了调整和扩充，使之逐步完善。岳麓书社饶毅女士对编校和注释的规范化花了很大的精力。本书在写作过程中，参考和征引了前人和学术界同仁的许多研究成果，均作了脚注，并附主要参考书目于书末，以表谢忱。

图书在版编目(CIP)数据

近代湖湘文化转型中的民俗文化/陈先枢著;郑大华主编.
—长沙:岳麓书社,2017.10
(近代湖湘文化研究丛书)
ISBN 978-7-5538-0696-9

Ⅰ.①近... Ⅱ.①陈...②郑... Ⅲ.①民俗文化—文化史—湖南—近代 Ⅳ.①K296.4

中国版本图书馆 CIP 数据核字(2016)第 296901 号

JINDAI HUXIANG WENHUA ZHUANXING ZHONG DE MINSU WENHUA

近代湖湘文化转型中的民俗文化

主　　编:郑大华
作　　者:陈先枢
责任编辑:饶　毅
责任校对:舒　舍
封面制作:胡　斌

岳麓书社出版发行
地址:湖南省长沙市爱民路 47 号
直销电话:0731-88804152　0731-88885616
邮编:410006
岳麓书社网址:www.yueluhistory.com

2017 年 10 月第 1 版第 1 次印刷
开本:710×1000　1/16
印张:39
字数:550 千字
ISBN 978-7-5538-0696-9
定价:118.00 元

承印:长沙鸿发印务实业有限公司

如有印装质量问题,请与本社印务部联系
电话:0731-88884129